千華50　築夢踏實

千華公職資訊網

千華粉絲團

棒學校線上課程

狂賀！

TOP 1

堅持品質　最受考生肯定

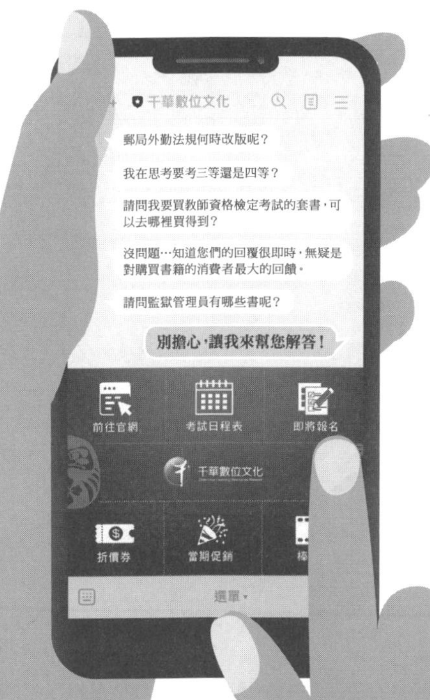

真人客服．最佳學習小幫手

- 真人線上諮詢服務
- 提供您專業即時的一對一問答
- 報考疑問、考情資訊、產品、優惠、職涯諮詢

盡在 千華LINE@

加入好友
千華為您線上服務

公務人員

「高等考試三級」應試類科及科目表

高普考專業輔考小組◎整理

完整考試資訊

http://goo.gl/LaOCq4

✪普通科目

1.國文◎（作文80%、測驗20%）

2.法學知識與英文※（中華民國憲法30%、法學緒論30%、英文40%）

✪專業科目

類科	科目
一般行政	一、行政法◎　二、行政學◎　三、政治學 四、公共政策
一般民政	一、行政法◎　二、行政學◎　三、政治學 四、地方政府與政治
社會行政	一、行政法◎　二、社會福利服務　三、社會學 四、社會政策與社會立法　五、社會研究法　六、社會工作
人事行政	一、行政法◎　二、行政學◎　三、現行考銓制度 四、公共人力資源管理
勞工行政	一、行政法◎　二、勞資關係　三、就業安全制度 四、勞工行政與勞工立法
戶　政	一、行政法◎ 二、國籍與戶政法規（包括國籍法、戶籍法、姓名條例及涉外民事法律適用法） 三、民法總則、親屬與繼承編 四、人口政策與人口統計
教育行政	一、行政法◎　二、教育行政學　三、教育心理學 四、教育哲學　五、比較教育　六、教育測驗與統計
財稅行政	一、財政學◎　二、會計學◎　三、稅務法規◎ 四、民法◎
金融保險	一、會計學◎　二、經濟學◎　三、貨幣銀行學 四、保險學　五、財務管理與投資學
統　計	一、統計學　二、經濟學◎　三、資料處理 四、抽樣方法與迴歸分析
會　計	一、財政學◎　二、會計審計法規◎　三、中級會計學◎ 四、政府會計◎

法　　制	一、民法◎　二、立法程序與技術　三、行政法◎ 四、刑法　五、民事訴訟法與刑事訴訟法
法律廉政	一、行政法◎　二、行政學◎ 三、公務員法（包括任用、服務、保障、考績、懲戒、交代、行政中立、利益衝突迴避與財產申報） 四、刑法與刑事訴訟法
財經廉政	一、行政法◎　二、經濟學與財政學概論◎ 三、公務員法（包括任用、服務、保障、考績、懲戒、交代、行政中立、利益衝突迴避與財產申報） 四、心理學
交通行政	一、運輸規劃學　二、運輸學　三、運輸經濟學 四、交通政策與交通行政
土木工程	一、材料力學　二、土壤力學　三、測量學 四、結構學　五、鋼筋混凝土學與設計 六、營建管理與工程材料
水利工程	一、流體力學　二、水文學　三、渠道水力學 四、水利工程　五、土壤力學
水土保持工程	一、坡地保育規劃與設計（包括沖蝕原理） 二、集水區經營與水文學 三、水土保持工程（包括植生工法） 四、坡地穩定與崩塌地治理工程
文化行政	一、文化行政與文化法規　二、本國文學概論 三、藝術概論 四、文化人類學
機械工程	一、熱力學　二、流體力學與工程力學　三、機械設計 四、機械製造學

註：應試科目後加註◎者採申論式與測驗式之混合式試題(占分比重各占50%)，應試科目後加註※者採測驗式試題，其餘採申論式試題。

各項考試資訊，以考選部正式公告為準。

千華數位文化股份有限公司
新北市中和區中山路三段136巷10弄17號
TEL: 02-22289070　FAX: 02-22289076

公務人員

「普通考試」應試類科及科目表

高普考專業輔考小組◎整理

完整考試資訊

http://goo.gl/7X4ebR

✪普通科目

1.國文◎（作文80%、測驗20%）

2.法學知識與英文※（中華民國憲法30%、法學緒論30%、英文40%）

✪專業科目

類科	科目
一般行政	一、行政法概要※　二、行政學概要※ 三、政治學概要◎
一般民政	一、行政法概要※　二、行政學概要※ 三、地方自治概要◎
教育行政	一、行政法概要※　二、教育概要 三、教育行政學概要
社會行政	一、行政法概要※　二、社會工作概要◎ 三、社會政策與社會立法概要◎
人事行政	一、行政法概要※　二、行政學概要※ 三、公共人力資源管理
戶　政	一、行政法概要※ 二、國籍與戶政法規概要◎（包括國籍法、戶籍法、姓名條例及涉外民事法律適用法） 三、民法總則、親屬與繼承編概要
財稅行政	一、財政學概要◎　二、稅務法規概要◎ 三、民法概要◎
會　計	一、會計學概要◎　二、會計法規概要◎ 三、政府會計概要◎
交通行政	一、運輸經濟學概要　二、運輸學概要 三、交通政策與行政概要
土木工程	一、材料力學概要　二、測量學概要 三、土木施工學概要 四、結構學概要與鋼筋混凝土學概要

水利工程	一、水文學概要　二、流體力學概要 三、水利工程概要
水土保持工程	一、水土保持（包括植生工法）概要 二、集水區經營與水文學概要 三、坡地保育（包括沖蝕原理）概要
文化行政	一、本國文學概要　二、文化行政概要 三、藝術概要
機械工程	一、機械力學概要　二、機械設計概要 三、機械製造學概要
法律廉政	一、行政法概要※ 二、公務員法概要（包括任用、服務、保障、考績、懲戒、交代、行政中立、利益衝突迴避與財產申報） 三、刑法與刑事訴訟法概要
財經廉政	一、行政法概要※ 二、公務員法概要（包括任用、服務、保障、考績、懲戒、交代、行政中立、利益衝突迴避與財產申報） 三、財政學與經濟學概要

註：應試科目後加註◎者採申論式與測驗式之混合式試題(占分比重各占50%)，應試科目後加註※者採測驗式試題，其餘採申論式試題。

各項考試資訊，以考選部正式公告為準。

千華數位文化股份有限公司
新北市中和區中山路三段136巷10弄17號
TEL: 02-22289070　FAX: 02-22289076

注意！考科大變革！

112年起
高普考等各類考試刪除列考公文

考試院院會於110年起陸續通過，高普考等各類考試國文**刪除列考公文**。**自112年考試開始適用**。

考試院說明，考量現行初任公務人員基礎訓練已有安排公文寫作課程，各機關實務訓練階段，亦會配合業務辦理公文實作訓練，故不再列考。

等別	類組	變動	新規定	原規定
高考三級、 地方特考三等、 司法等各類特考三等	各類組	科目刪減、配分修改	各類科普通科目均為： 國文（作文與測驗）。其占分比重，分別為**作文占80%，測驗占20%**，考試時間二小時。	各類科普通科目均為： 國文（作文、公文與測驗）。其占分比重，分別為作文占60%，公文20%，測驗占20%，考試時間二小時。
普考、 地方特考四等、 司法等各類特考四等				
初等考試、 地方特考五等		科目刪減	各類科普通科目均為： **國文刪除公文格式用語**，考試時間一小時。	各類科普通科目均為： 國文（包括公文格式用語），採測驗式試題，考試時間一小時。

參考資料來源：考選部

～以上資訊請以正式簡章公告為準～

千華數位文化股份有限公司
新北市中和區中山路三段136巷10弄17號
TEL: 02-22289070 FAX: 02-22289076

目次

Part 01 親屬編

焦點速記

重點整理

重要試題精選

相關法規

Part 02 繼承編

焦點速記

重點整理

重要試題精選

相關法規

Part 03 近年試題及解析

高分準備策略

壹、準備方式

民法親屬與繼承編在民法五編中算是最實用同時也是較容易準備的單元，只要方法正確，要在本科中獲得高分並不難。**建議在準備國家考試前**，先對準備方向有一個正確的概念，以下就準備考試的方式要領以及近年來修法的重點作說明：

一、一本書主義

我們這裡說的一本書主義，並非真的是只唸一本書而已，畢竟法學理念浩瀚無邊，若真的只是一本書猛抱K讀，也不見得唸出精髓及真正的興趣。我這裡指的一本書是針對考試而言，**在準備應試的計畫中**，必須要找出一本精讀用書（最好是坊間所出的輔考叢書，或是補習或函授的專門應考叢書），在準備過程中，不論你唸了哪些教科書，或是重要的期刊文章，應將重點摘錄做成摘要貼於那一本書上面，等到最後一兩個月總複習階段，只要將那本精心讀過的一本書再做最後複習即可。依照筆者習慣來說，在準備考試時，每一科最起碼都有一本教科書再輔以坊間輔考叢書。但因為考試是相當現實的，雖然教科書能夠讓我法學素養成長，對投資報酬率來說仍然太低；因此我會將教科書中老師們重要的意見做成便利貼貼在那一本我選擇的輔考叢書上。往後不論唸了多少教科書或是期刊文獻，我都會做成摘要，仍然貼在那一本書上。當然考試前總複習就相當輕鬆，也不用像多數人一樣背著所有的書裝進行李箱去圖書館亂K一通，更能夠深刻熟讀該科的架構體系，並會有很大的充實感和自信（最難的東西我都會了，什麼題目都難不倒我的！），而不會像無頭蒼蠅一樣不知道考前要看什麼。**筆者就是以此方式通過法律研究所及國家公職人員三等的考試，相當有幫助，提供給各位參考**。

二、時常閱讀法條，保持條文的靈敏度

法律是所有社會人文科學中最繁瑣的一門學科，因為條文加起來千千萬萬條，但平心而論，就考試而言，各科重要的法條其實在專攻其中幾條而已，

本書會將公職考試中重要條文註記附於書末，在前面內文部分研讀到疲倦時，也可以翻翻後面的重要條文看一下，**在休息時也能加深記憶，同時訓練對條文用語掌握的敏感度，這對申論題是相當重要且有幫助的**。在法律類科中的考試，「記憶」仍是占上榜相當大的因素，千萬不能忽略。然而，抱著一本條文密密麻麻的六法全書來背又耗費太多精神，而且也難以掌握重要的考點；在評估投資報酬率下，建議善用本書將親屬與繼承編的重要條文及實務見解的整編附錄，希望能幫助各位，花最少的時間、做最有效的效率運用，輕鬆應試，金榜題名。

三、勤練考古題

大家都知道平時練習射擊，**到時上場才能正中靶心，考試亦是如此**。大家如果不想花太多時間在每年的國考經驗上，自己平時就應該多練習考古題，這也是本書希望能夠幫助各位的最大用意。本書蒐錄重要申論式的國考考古題，希望能有效的幫助各位熟悉申論題型的考試，並**建議各位，在看題目時先不要看答案，自己先寫出擬答，寫完後對照本書精解，看看你有沒有疏漏之處**。如此實戰練習的方式會讓你更加精進，學習效果能更上一層樓，相信你在考場上也能如此畫出圖示，解出架構，破題致勝！

四、民法出題題型及解題技巧

(一) 民法的國考題型，大致上可歸納出下列三種類型：

1. **名詞解釋**：此主要為觀念性的問題。例如：試解釋下列名詞：
   (1) 扶養之定義。
   (2) 剩餘財產分配請求權之意義為何？
2. **申論題**：何謂「債務不履行」？依我國民法之規定，債務不履行類型有幾？請分別舉例釋明之。
3. **實例題**：甲中年喪妻，有子女乙、丙、丁三人。甲因乙分居而贈與乙價值200萬元之房屋一棟，丙為營業而向甲借款100萬元，甲於丁出國留學時，贈與丁30萬元。甲死亡時，留有財產600萬元。而甲贈與乙之房屋，於甲死亡時，其價值已增至500萬元。試問甲之遺產應如何繼承？

(6) 高分準備策略

(二) 解答技巧：

1. **針對出題的問題意識核心重點回答**：老師在命題時，會針對幾個他認為重要的問題點在題目中表達出來，希望你對此等問題點表示看法。因此，需要先找出題目問題的重心，針對重要爭點多所著墨。
2. **答題力求完整，條文、學說及實務並陳**：面對名詞解釋或觀念性之問題，首先需針對問題本身之意義或效果作答；其次，再舉例說明，引申相關法條及實務見解。
3. **字體工整**：每次國家考試幾乎都有上千份考卷要閱卷，倘若字跡潦草讓閱卷老師們無法一望即知時，老師在無時間及精神探究考卷上雜亂無章的字體時，往往會給較低的分數，此為人之常情，因此平時就應該要訓練工整的字跡，且至少字跡要達「可資辨識」之程度！否則內容再好，老師看不懂是什麼字也無法給分。
4. **答題內容分點分項**：團狀式的答案會讓老師因為無法知悉你的思考邏輯順序而給予不高的分數，故在申論題型的考試中，應該將答題的重點分點分項，使老師易於辨別你的程度，而給予較高的成績。
5. **複雜實例題的解答技巧**：複雜的案例實例題為近年來高普特考常見出題的趨勢，因此在題目一發下來時，先在題紙上勾勒出題目的重點，並將所引用之法條，或有關之解答大略地隨記於題目旁，可避免作答時再反覆回頭思索題意，以節省時間，亦能避免答題的疏漏。

貳、親屬編近年命題趨勢及修法重點

一、110年修法重點

第1030-1條（修正）

法定財產制關係消滅時，夫或妻現存之婚後財產，扣除婚姻關係存續所負債務後，如有剩餘，其雙方剩餘財產之差額，應平均分配。但下列財產不在此限：

一、因繼承或其他無償取得之財產。

二、慰撫金。

夫妻之一方對於婚姻生活無貢獻或協力，或有其他情事，致平均分配有失公平者，法院得調整或免除其分配額。

法院為前項裁判時，應綜合衡酌夫妻婚姻存續期間之家事勞動、子女照顧養育、對家庭付出之整體協力狀況、共同生活及分居時間之久暫、婚後財產取得時間、雙方之經濟能力等因素。

第一項請求權，不得讓與或繼承。但已依契約承諾，或已起訴者，不在此限。

第一項剩餘財產差額之分配請求權，自請求權人知有剩餘財產之差額時起，二年間不行使而消滅。自法定財產制關係消滅時起，逾五年者，亦同。

▼修正理由

(一)第一項未修正。

(二)剩餘財產分配請求權制度之目的，原在保護婚姻中經濟弱勢之一方，使其對婚姻之協力、貢獻得以彰顯，並於財產制關係消滅時，使弱勢一方具有最低限度之保障。然因具體個案平均分配或有顯失公平之情形，故原條文第二項規定得由法院審酌調整或免除其分配額。惟為避免法院對於具體個案之認定標準不一，爰修正第二項規定，增列「夫妻之一方對於婚姻生活無貢獻或協力，或有其他情事，致平均分配有失公平者」之要件，以資適用。

(三)法院為第二項裁判時，對於「夫妻之一方有無貢獻或協力」或「其他情事」，應有具體客觀事由作為審酌之參考，爰增訂第三項規定「法院為前項裁判時，應綜合衡酌夫妻婚姻存續期間之家事勞動、子女照顧養育、對家庭付出之整體協力狀況（含對家庭生活之情感維繫）、共同生活及分居時間之久暫、婚後財產取得時間、雙方之經濟能力等因素」，例如夫妻難以共通生活而分居，則分居期間已無共通生活之事實，夫妻之一方若對於婚姻生活無貢獻或協力，法院即應審酌，予以調整或免除其分配額。

(四)原第三項及第四項移列為第四項及第五項規定。

二、109年修法重點（本次修法於112年1月1日施行）

第973條（修正）
男女未滿十七歲者，不得訂定婚約。

第980條（修正）
男女未滿十八歲者，不得結婚。

第981條（刪除）
（原規定：未成年人結婚，應得法定代理人之同意。）

第990條（刪除）
（原規定：結婚違反第九百八十一條之規定者，法定代理人得向法院請求撤銷之。但自知悉其事實之日起，已逾六個月，或結婚後已逾一年，或已懷胎者，不得請求撤銷。）

第1049條（修正）
夫妻兩願離婚者，得自行離婚。

第1077條（修正）
養子女與養父母及其親屬間之關係，除法律另有規定外，與婚生子女同。
養子女與本生父母及其親屬間之權利義務，於收養關係存續中停止之。但夫妻之一方收養他方之子女時，他方與其子女之權利義務，不因收養而受影響。
收養者收養子女後，與養子女之本生父或母結婚時，養子女回復與本生父或母及其親屬間之權利義務。但第三人已取得之權利，不受影響。

養子女於收養認可時已有直系血親卑親屬者，收養之效力僅及於其未成年之直系血親卑親屬。但收養認可前，其已成年之直系血親卑親屬表示同意者，不在此限。

前項同意，準用第一千零七十六條之一第二項及第三項之規定。

第1091條（修正）

未成年人無父母，或父母均不能行使、負擔對於其未成年子女之權利、義務時，應置監護人。

第1127條（修正）

家屬已成年者，得請求由家分離。

第1128條（修正）

家長對於已成年之家屬，得令其由家分離。但以有正當理由時為限。

▼修正總說明之重點摘要

現行民法第九百八十條規定女性未滿十六歲不得結婚，且對男女之最低結婚年齡作不同規定，有違消除對婦女一切形式歧視公約（CEDAW）、《人權宣言暨行動綱領》、《兒童權利公約》及《維也納宣言》等國際公約保障兒童權益及男女平等之意旨，為符合消除對婦女一切形式歧視公約第十五條、第十六條之規定，爰修正民法第九百七十三條、第九百八十條規定，將男女最低訂婚及結婚年齡調整為一致，分別修正為十七歲及十八歲。另與我國鄰近之日本除將成年年齡自二十歲下修為十八歲外，亦將結婚年齡由男十八歲、女十六歲修正為男女均為十八歲。因此：

1. 修正男女最低訂婚年齡均為十七歲。（修正條文第九百七十三條）
2. 修正男女最低結婚年齡均為十八歲。（修正條文第九百八十條）
3. 配合成年年齡及最低結婚年齡均修正為十八歲，爰刪除現行條文第九百八十一條、第九百九十條。（因為不會有舊法未成年但達結婚年齡得同意可結婚之問題，修法後只會有未成年且未達結婚年齡之問題）
4. 配合成年年齡及結婚年齡均修正為十八歲，爰修正「未成年人離婚應得法定代理人同意」、「收養效力僅及於被收養人未成年且未結婚之直系血親卑親屬」、「未成年人已結婚者如無父母或父母均不能行使親權亦無須設置監護人」、「未成年已結婚者得請求由家分離或其家長得令其由家分離」等規定。（修正條文第一千零四十九條、第一千零七十七條、第一千零九十一條、第一千一百二十七條、第一千一百二十八條）

三、108年修法重點

(一) **新增第1113-2～1113-10條**：意定監護，並配合修正第14條第1項

第14條第1項（修正）

對於因精神障礙或其他心智缺陷，致不能為意思表示或受意思表示，或不能辨識其意思表示之效果者，法院得因本人、配偶、四親等內之親屬、最近一年有同居事實之其他親屬、檢察官、主管機關、社會福利機構、輔助人、意定監護受任人或其他利害關係人之聲請，為監護之宣告。

第1113-2條（增訂）

稱意定監護者，謂本人與受任人約定，於本人受監護宣告時，受任人允為擔任監護人之契約。

前項受任人得為一人或數人；其為數人者，除約定為分別執行職務外，應共同執行職務。

第1113-3條（增訂）

意定監護契約之訂立或變更，應由公證人作成公證書始為成立。公證人作成公證書後七日內，以書面通知本人住所地之法院。

前項公證，應有本人及受任人在場，向公證人表明其合意，始得為之。

意定監護契約於本人受監護宣告時，發生效力。

第1113-4條（增訂）

法院為監護之宣告時，受監護宣告之人已訂有意定監護契約者，應以意定監護契約所定之受任人為監護人，同時指定會同開具財產清冊之人。其意定監護契約已載明會同開具財產清冊之人者，法院應依契約所定者指定之，但意定監護契約未載明會同開具財產清冊之人或所載明之人顯不利本人利益者，法院得依職權指定之。

法院為前項監護之宣告時，有事實足認意定監護受任人不利於本人或有顯不適任之情事者，法院得依職權就第1111條第1項所列之人選定為監護人。

第1113-5條（增訂）

法院為監護之宣告前，意定監護契約之本人或受任人得隨時撤回之。

意定監護契約之撤回，應以書面先向他方為之，並由公證人作成公證書

後，始生撤回之效力。公證人作成公證書後七日內，以書面通知本人住所地之法院。契約經一部撤回者，視為全部撤回。
法院為監護之宣告後，本人有正當理由者，得聲請法院許可終止意定監護契約。受任人有正當理由者，得聲請法院許可辭任其職務。
法院依前項許可終止意定監護契約時，應依職權就第1111條第1項所列之人選定為監護人。

第1113-6條（增訂）

法院為監護之宣告後，監護人共同執行職務時，監護人全體有第1106條第1項或第1106-1條第1項之情形者，法院得依第14條第1項所定聲請權人之聲請或依職權，就第1111條第1項所列之人另行選定或改定為監護人。
法院為監護之宣告後，意定監護契約約定監護人數人分別執行職務時，執行同一職務之監護人全體有第1106條第1項或第1106-1條第1項之情形者，法院得依前項規定另行選定或改定全體監護人。但執行其他職務之監護人無不適任之情形者，法院應優先選定或改定其為監護人。
法院為監護之宣告後，前二項所定執行職務之監護人中之一人或數人有第1106條第1項之情形者，由其他監護人執行職務。
法院為監護之宣告後，第1項及第2項所定執行職務之監護人中之一人或數人有第1106-1條第1項之情形者，法院得依第14條第1項所定聲請權人之聲請或依職權解任之，由其他監護人執行職務。

第1113-7條（增訂）

意定監護契約已約定報酬或約定不給付報酬者，從其約定；未約定者，監護人得請求法院按其勞力及受監護人之資力酌定之。

第1113-8條（增訂）

前後意定監護契約有相牴觸者，視為本人撤回前意定監護契約。

第1113-9條（增訂）

意定監護契約約定受任人執行監護職務不受第1101條第2項、第3項規定限制者，從其約定。

第1113-10條（增訂）

意定監護，除本節有規定者外，準用關於成年人監護之規定。

(二) 第976條

現行條文：婚約當事人之一方，有下列情形之一者，他方得解除婚約：
一、婚約訂定後，再與他人訂定婚約或結婚。
二、故違結婚期約。
三、生死不明已滿一年。
四、有重大不治之病。
五、婚約訂定後與他人合意性交。
六、婚約訂定後受徒刑之宣告。
七、有其他重大事由。
依前項規定解除婚約者，如事實上不能向他方為解除之意思表示時，無須為意思表示，自得為解除時起，不受婚約之拘束。
原條文：婚約當事人之一方，有左列情形之一者，他方得解除婚約：
一、婚約訂定後，再與他人訂定婚約或結婚者。
二、故違結婚期約者。
三、生死不明已滿一年者。
四、有重大不治之病者。
五、有花柳病或其他惡疾者。
六、婚約訂定後成為殘廢者。
七、婚約訂定後與人通姦者。
八、婚約訂定後受徒刑之宣告者。
九、有其他重大事由者。
依前項規定解除婚約者，如事實上不能向他方為解除之意思表示時，無須為意思表示，自得為解除時起，不受婚約之拘束。

▼修正重點

1. 依現行法制用語，將第1項序文「左列」修正為「下列」，並將各款之「者」字刪除。
2. 第1項第5款所稱「花柳病」係指透過性行為而感染的傳染病，俗稱性病。考量此非現代醫學用語，且性病之嚴重程度有輕重之別，不宜於一方得病時即賦予他方解除婚約之權，倘該性病係屬重大不治時，可適用第4款「有重大不治之病」之解除婚姻事由，爰將本款花柳病部分刪除；至本款「其他惡疾」之定義並不明確，爰併予刪除。

3. 第1項第6款因有「殘廢」之不當、歧視性文字，經行政院身心障礙者權益推動小組列為身心障礙者權利公約優先檢視法規，爰依身心障礙者權利公約施行法第10條規定，予以刪除。
4. 第1項第7款「與人通姦」，參酌第1052條第1項第2款，修正為「與他人合意性交」，並移列為第5款。
5. 第2項未更動。

(三) **「司法院釋字第748號解釋施行法」於108年5月24日施行**

為落實司法院釋字第748號解釋之施行，特制定本法。該法第2條定義：相同性別之二人，得為經營共同生活之目的，成立具有親密性及排他性之永久結合關係。此種永久結合之關係，得準用民法親屬編關於婚姻、收養等規定，以及繼承編之相關規定。（於112年修正第20條完全準用民法關於收養之規定，修法前僅能收養他方之親生子女而不能共同收養與雙方皆無血緣關係之第三人之子女）

四、104年修法重點

第1111-2條

現行條文：照護受監護宣告之人之法人或機構及其代表人、負責人，或與該法人或機構有僱傭、委任或其他類似關係之人，不得為該受監護宣告之人之監護人。但為該受監護宣告之人之配偶、四親等內之血親或二親等內之姻親者，不在此限。

原條文：照護受監護宣告之人之法人或機構及其代表人、負責人，或與該法人或機構有僱傭、委任或其他類似關係之人，不得為該受監護宣告之人之監護人。

理由：原條文之規定固係為避免提供照顧者與擔任監護人同一人時之利益衝突。惟實務上容有可能受監護人之配偶、父母、兒女、手足、女婿、媳婦或岳父母為提供照顧機構之代表人、負責人，或與該法人或機構有僱傭、委任或其他類似關係之人，以利就近提供照顧之情況，原條文一律排除適用，恐不符事實上之需要。爰增列「為該受監護宣告之人之配偶、四親等內之血親或二親等內之姻親」於但書予以排除。另倘若此類型監護人就特定監護事務之處理，有利益衝突之情事，得依民法第一千一百十三條之一準用第一千零九十八條第二項規定，選任特別代理人可資因應。

五、103年修法重點

第1132條
現行條文：依法應經親屬會議處理之事項，而有下列情形之一者，得由有召集權人或利害關係人聲請法院處理之：
(一)無前條規定之親屬或親屬不足法定人數。
(二)親屬會議不能或難以召開。
(三)親屬會議經召開而不為或不能決議。
原條文：無前條規定之親屬，或親屬不足法定人數時，法院得因有召集權人之聲請，於其他親屬中指定之。
親屬會議不能召開或召開有困難時，依法應經親屬會議處理之事項，由有召集權人聲請法院處理之。親屬會議經召開而不為或不能決議時，亦同。

(一) 民法親屬編「親屬會議」之規定，係基於「法不入家門」之傳統思維，為農業社會「宗族制」、「父系社會」解決共同生活紛爭的途徑。但因時代及家族觀念之變遷，親屬共居已式微，親屬成員不足、召開不易、決議困難，所在多有。又近年「法入家門」已取代傳統的「法不入家門」思維，加強法院的監督及介入已成趨勢。民法繼承編關於遺產管理、遺囑提示、開示、執行，與親屬會議亦有許多關聯，但同有親屬成員不足、召開不易等困難。

(二) 原條文造成民法第一千二百十一條適用疑義：
1. 被繼承人或立遺囑人如無民法第一千一百三十一條親屬會議成員，或親屬會議成員不足法定人數5人，或親屬會議不能或難以召開、或召開而不為、不能決議時，實務見解常以原條文第一項為由，駁回聲請。
2. 但如不能直接適用第一千二百十一條第二項聲請法院指定遺囑執行人，（即須先適用第一千一百三十二條第一項，不能直接適用第一千一百三十二條第二項或第一千二百十一條第二項），只能聲請法院先指定親屬會議成員，再來召集親屬會議，不但無法預知親屬會議是否可以召開或決議，且容易形成讓與被繼承人或立遺囑人親等較遠或較無生活關聯的人來決定，不但讓親屬會議決定之原立法意義盡失，也讓法院有推案的藉口，對人民是無謂的延宕。

(三) 綜上所述，爰修正原條文。

六、102年修法重點

第1055-1條

現行條文：法院為前條裁判時，應依子女之最佳利益，審酌一切情狀，尤應注意下列事項：

(一)子女之年齡、性別、人數及健康情形。

(二)子女之意願及人格發展之需要。

(三)父母之年齡、職業、品行、健康情形、經濟能力及生活狀況。

(四)父母保護教養子女之意願及態度。

(五)父母子女間或未成年子女與其他共同生活之人間之感情狀況。

(六)父母之一方是否有妨礙他方對未成年子女權利義務行使負擔之行為。

(七)各族群之傳統習俗、文化及價值觀。

前項子女最佳利益之審酌，法院除得參考社工人員之訪視報告或家事調查官之調查報告外，並得依囑託警察機關、稅捐機關、金融機構、學校及其他有關機關、團體或具有相關專業知識之適當人士就特定事項調查之結果認定之。

原條文：法院為前條裁判時，應依子女之最佳利益，審酌一切情狀，參考社工人員之訪視報告，尤應注意左列事項：

(一)子女之年齡、性別、人數及健康情形。

(二)子女之意願及人格發展之需要。

(三)父母之年齡、職業、品行、健康情形、經濟能力及生活狀況。

(四)父母保護教養子女之意願及態度。

(五)父母子女間或未成年子女與其他共同生活之人間之感情狀況。

(一) 我國於民國八十五年九月二十五日增訂本條後，實務上均以各地縣市承接縣市政府社會局訪視報告業務之社團做為提出社工人員訪視報告主體，然因各該社團之經驗及專業知識的無法齊一，故訪視報告之製作內容及參考價值不一而足。

(二) 有鑑於父母親在親權酌定事件中，往往扮演互相爭奪之角色，因此有時會以不當之爭取行為（例如：訴訟前或訴訟中隱匿子女、將子女拐帶出國、不告知未成年子女所在等行為），獲得與子女共同相處之機會，以符合所謂繼續性原則，故增列第一項第六款規定，供法院審酌評估父母何方較為善意，以作為親權所屬之判斷依據。

(三) 原條文第一項增列第七款，以兼顧各族群之習俗及文化。

(四) 民國一百年十二月十二日三讀通過「家事事件法」，該法第十七條及第十八條規定，法院在承審家事事件審酌必要事項時，得囑託警察機關、稅捐機關、金融機構、學校及其他有關機關、團體、具有相關專業知識之適當人士或由家事調查官進行特定事項之調查，俾利審酌相關事項。

(五) 為因應家事事件法制定，民法第一千零五十五條之一有關子女最佳利益原則之審酌與認定，應該適當引進具備專業知識人士協助法院，或法院得參考除社工訪視報告以外之調查方式所得到之結論，以斟酌判斷子女最佳利益，爰增訂第二項。

七、101年修法重點

第1030-1條

現行條文：法定財產制關係消滅時，夫或妻現存之婚後財產，扣除婚姻關係存續所負債務後，如有剩餘，其雙方剩餘財產之差額，應平均分配。但下列財產不在此限：

一、因繼承或其他無償取得之財產。

二、慰撫金。

依前項規定，平均分配顯失公平者，法院得調整或免除其分配額。

第一項請求權，不得讓與或繼承。但已依契約承諾，或已起訴者，不在此限。

第一項剩餘財產差額之分配請求權，自請求權人知有剩餘財產之差額時起，二年間不行使而消滅。自法定財產制關係消滅時起，逾五年者，亦同。

原條文：法定財產制關係消滅時，夫或妻現存之婚後財產，扣除婚姻關係存續所負債務後，如有剩餘，其雙方剩餘財產之差額，應平均分配。但下列財產不在此限：

一、因繼承或其他無償取得之財產。

二、慰撫金。

依前項規定，平均分配顯失公平者，法院得調整或免除其分配額。第一項剩餘財產差額之分配請求權，自請求權人知有剩餘財產之差額時起，二年間不行使而消滅。自法定財產制關係消滅時起，逾五年者，亦同。

▼修正重點

(一) 新增第3項。

(二) 剩餘財產分配請求權制度目的原在保護婚姻中經濟弱勢之一方，使其對婚姻之協力、貢獻，得以彰顯，並於財產制關係消滅時，使弱勢一方具有最低限度之保障。參酌司法院大法官釋字第620號解釋，夫妻剩餘財產分配請求權，乃立法者就夫或妻對家務、教養子女、婚姻共同生活貢獻之法律上評價，是以，剩餘財產分配請求權既係因夫妻身分關係而生，所彰顯者亦係「夫妻對於婚姻共同生活之貢獻」，故所考量者除夫妻對婚姻關係中經濟上之給予，更包含情感上之付出，且尚可因夫妻關係之協力程度予以調整或免除，顯見該等權利與夫妻「本身」密切相關而有屬人性，故其性質上具一身專屬性，要非一般得任意讓與他人之財產權。

(三) 或有論者主張剩餘財產分配請求權之性質屬財產權，若賦予其專屬權，對債權人及繼承人保障不足，並有害交易安全云云。惟此見解不僅對剩餘財產分配請求權之性質似有違誤，蓋剩餘財產分配請求權本質上就是夫妻對婚姻貢獻及協力果實的分享，不應由與婚姻經營貢獻無關的債權人享有，自與一般債權不同；更違反債之關係相對性原則，尤其是自2007年將剩餘財產分配請求權修法改為非一身專屬權後，配合民法第1011條及民法第242條之規定，實際上造成原本財產各自獨立之他方配偶，婚後努力工作累積財產，反因配偶之債權人代位行使剩餘財產分配請求權而導致事實上夫（妻）債妻（夫）還之結果。更有甚者，由於民法第1011條之「債權人」並未設有限制，造成實務上亦發生婚前債務之債權人向法院聲請宣告改用分別財產制並代位求償之事，造成債務人之配偶須以婚後財產償還他方婚前債務之現象，如此種種均已違背現行法定財產制下，夫妻於婚姻關係存續中各自保有所有權權能並各自獨立負擔自己債務之精神。

(四) 現行民法第244條已對詐害債權訂有得撤銷之規範，債權人對於惡意脫產之夫妻所為之無償或有償行為本即可依法行使撤銷權，法律設計實已可保障債權人，若於親屬編中，再使第三人可代位行使本質上出於「夫妻共同協力」而生之剩餘財產分配請求權，不但對該債權人之保護太過，更有疊床架屋之疑。

(五) 再者，近代法律變遷從權利絕對主義，演變至權利相對化、社會化的觀念，法律對權利之保障並非絕對，倘衡平雙方法益，權利人行使權利所能取得之利益，與該等權利之行使對他人及整個社會國家可能之損失相較，明顯不成比例時，當可謂權利之濫用。本條自2007年修法改為非一身專屬權後至今已逾五年，目前司法實務之統計資料顯示，近兩年債權銀行或資產管理公司利用本條規定配合民法第1011條及民法第242條之規定追討夫或妻一方之債務的案件量暴增並占所有案件九成以上，僅為了要滿足其債權，已讓數千件的家庭失和或破裂，夫妻離異、子女分離等情況亦不斷發生，產生更多的社會問題，使國家需花費更多資源與社會成本以彌補。2007年之修法，顯然為前述債權人濫用債權大開方便之門，為滿足少數債權人，而犧牲家庭和諧並讓全民共同承擔龐大社會成本，修法後所欲維護之權益與所付出之代價顯有失當。

(六) 又參酌日本夫妻財產制立法例，法定財產制僅於離婚時由夫妻協議或訴請法院分配財產，並無類似台灣債權人得聲請宣告改用分別財產制後再代位請求剩餘財產差額分配之規定，甚至縱使夫妻之一方聲請個人破產，因非離婚，故亦無財產分配之問題。

(七) 是以，仿民法第195條第2項之規定，修正剩餘財產分配請求權為專屬於配偶一方之權利，增訂第3項，僅夫或妻之一方始得行使剩餘財產分配請求權，但若已取得他方同意之承諾或已經向法院提起訴訟請求者，則可讓與或繼承。

(八) 原條文第3項移列為第4項。

八、親屬編施行法修正

第4-2條（110年1月13日增訂，112年1月1日施行）
中華民國一百零九年十二月二十五日修正之民法第973條、第980條、第981條、第990條、第1049條、第1077條、第1091條、第1127條及第1128條，自一百十二年一月一日施行。
中華民國一百零九年十二月二十五日修正之民法第990條、第1077條、第1091條、第1127條及第1128條施行前結婚，修正施行後未滿十八歲者，於滿十八歲前仍適用修正施行前之規定。

▼立法理由

(一) 本條新增。
(二) 有關訂婚、結婚年齡相關規定之修正，直接影響十六歲以上未滿十八歲女性結婚之權利，且間接影響未成年人因結婚而具行為能力之年齡，涉及民眾生活規劃及社會觀念之改變，宜設有緩衝期間二年，以維護法安定性及人民之信賴利益，另配合民法總則第十二條及第十三條關於成年年齡之修正及其施行法第三條之一修正，將本次修正規定之施行日期訂於一百十二年一月一日施行，爰為第一項規定。
(三) 本次民法修正成年年齡與最低結婚年齡均為十八歲，一百十二年一月一日施行後即無未成年已結婚之情形，惟考量於本次修正施行日前結婚，修正施行後未滿十八歲之情形，其婚姻之要件及於滿十八歲成年前之身分事宜，不宜受本次修法影響，爰有關結婚未得法定代理人同意時之撤銷、是否為收養認可效力所及、是否置監護人、得否請求或令其由家分離等情形，於修正施行後至其滿十八歲之期間，仍宜適用修正施行前有關未成年已結婚者之規定，爰於第二項增訂過渡規定，以資明確。

參、繼承編近年命題趨勢及修法重點

一、104年修法重點

第1183條

現行條文：遺產管理人得請求報酬，其數額由法院按其與被繼承人之關係、管理事務之繁簡及其他情形，就遺產酌定之，必要時，得命聲請人先為墊付。

原條文：遺產管理人得請求報酬，其數額由親屬會議按其勞力及其與被繼承人之關係酌定之。

理由：

(一)為因應現代社會親屬會議功能不彰之情事，乃刪除親屬會議規定，並參酌家事事件法第一百四十一條準用第一百五十三條規定，由法院酌定遺產管理人之報酬。

(二)如有繼承人承認繼承時，應為遺產之移交，原遺產管理人之報酬，由繼承人與原遺產管理人協議，無法達成協議時。則由原遺產管理人向法院請求，乃當然之理。

(三)又遺產管理人之報酬，具有共益性質，依實務見解亦認屬民法第一千一百五十條所稱之遺產管理之費用（最高法院一〇一年度台上字第二三四號及九十九年度台上字第四〇八號判決參照），自得於遺產中支付。又法院為使遺產管理執行順利，必要時，得命聲請人先行墊付報酬。

第1211-1條（新增）

現行條文：除遺囑人另有指定外，遺囑執行人就其職務之執行，得請求相當之報酬，其數額由繼承人與遺囑執行人協議定之；不能協議時，由法院酌定之。

理由：

(一)本條新增。

(二)民法第一千一百八十三條定有遺產管理人之報酬，惟遺囑執行人之報酬，卻未有相關規定，宜使其得請求報酬；惟報酬之數額應先由當事人協議，當事人如不能協議時，則由法院酌定，爰增訂本條規定。

(三)又遺囑執行人之報酬，因具有共益性質，應認屬民法第一千一百五十條所稱之遺產管理之費用。

二、103年修法重點

第1212條
現行條文：遺囑保管人知有繼承開始之事實時，應即將遺囑交付遺囑執行人，並以適當方法通知已知之繼承人；無遺囑執行人者，應通知已知之繼承人、債權人、受遺贈人及其他利害關係人。無保管人而由繼承人發現遺囑者，亦同。
原條文：遺囑保管人知有繼承開始之事實時，應即將遺囑提示於親屬會議；無保管人而由繼承人發見遺囑者亦同。

(一) 修正通過。
(二) 依現行規定，遺囑保管人有無提示，並不影響遺囑之真偽及其效力，且現今社會親屬會議召開不易且功能式微，故提示制度並未被廣泛運用。為使繼承人及利害關係人得以知悉遺囑之存在，爰將現行提示制度，修正為由遺囑保管人將遺囑交付遺囑執行人，並以適當方法通知已知繼承人之方式。如無遺囑執行人者，則應通知已知之繼承人、債權人、受遺贈人及其他利害關係人。至於遺囑無保管人而由繼承人發見遺囑者，亦為相同之處理。
(三) 又由於遺囑保管人僅係保管被繼承人之遺囑之人，未必了解立遺囑人其繼承人之狀態，包括究竟有無繼承人之情況，故條文所稱「已知之繼承人」宜參酌民法第一千一百七十七條「繼承人有無不明」之解釋，應從廣義解釋，亦即依戶籍資料之記載（最高法院85年度台上字第2101號判決參照）或其他客觀情事而為認定。

專題講解

司法院釋字第748號解釋施行法（108年5月24日生效）

一、前導

有鑑於今年國際性別平權浪潮洶湧，性別多元化、有別於傳統一男一女結合之婚姻家庭制度也必須受到法律保護，司法院於106年5月24日做成大法官解釋第748號，解釋爭點為：「民法親屬編婚姻章，未使相同性別二人，得為經營共同生活之目的，成立具有親密性及排他性之永久結合關係，是否違反憲法第22條保障婚姻自由及第7條保障平等權之意旨？」大法官對於同性二人間之結合，是否相當於民法婚姻親屬章所定之婚姻關係、親屬關係做了詳細的論證，做成「民法親屬編婚姻章，未使相同性別二人，得為經營共同生活之目的，成立具有親密性及排他性之永久結合關係，違反憲法第22條保障婚姻自由及第7條保障平等權」之違憲結論，因此方有此部施行法之誕生。

二、本法摘要

本施行法由釋字第748號直接授權制定，第2條規定：「相同性別之二人，得為經營共同生活之目的，成立具有親密性及排他性之永久結合關係。」明確定義相同性別之兩人亦能具有如同夫妻間之「永久結合關係」，並以此認定來設計下列條文，多數準用民法親屬編婚姻章之規定。以下彙整本法準用民法之條文，方便記憶重點：

民法	施行法
§980（結婚之年齡） 男未滿十八歲，女未滿十六歲者，不得結婚。 §981（未成年人結婚） 未成年人結婚，應得法定代理人之同意。 （※110年1月13日修正、112年1月1日施行之第980條規定：「男女未滿十八歲者，不得結婚。」；第981條條文現已刪除）	未滿十八歲者，不得成立前條關係。 未成年人成立前條（應為「項」誤）關係，應得法定代理人之同意。

民法	施行法
§982（結婚之要式） 結婚應以書面為之，有二人以上證人之簽名，並應由雙方當事人向戶政機關為結婚之登記。	成立第2條關係應以書面為之，有二人以上證人之簽名，並應由雙方當事人，依司法院釋字第748號解釋之意旨及本法，向戶政機關辦理結婚登記。
§983（禁婚親） 與左列親屬，不得結婚： 一、直系血親及直系姻親。 二、旁系血親在六親等以內者。但因收養而成立之四親等及六親等旁系血親，輩分相同者，不在此限。 三、旁系姻親在五親等以內，輩分不相同者。 前項直系姻親結婚之限制，於姻親關係消滅後，亦適用之。 第1項直系血親及直系姻親結婚之限制，於因收養而成立之直系親屬間，在收養關係終止後，亦適用之。	與下列相同性別之親屬，不得成立第2條關係： 一、直系血親及直系姻親。 二、旁系血親在四親等以內者。但因收養而成立之四親等旁系血親，輩分相同者，不在此限。 三、旁系姻親在五親等以內，輩分不相同者。 前項與直系姻親成立第2條關係之限制，於姻親關係消滅後，適用之。 第1項與直系血親及直系姻親成立第2條關係之限制，於因收養而成立之直系親屬間，在收養關係終止後，適用之。
§984（監護人利害關係） 監護人與受監護人，於監護關係存續中，不得結婚。但經受監護人父母之同意者，不在此限。	相同性別之監護人與受監護人，於監護關係存續中，不得成立第2條關係。但經受監護人父母同意者，不在此限。
§985（重婚禁止） 有配偶者，不得重婚。 一人不得同時與二人以上結婚。	有配偶或已成立第2條關係者，不得再成立第2條關係。 一人不得同時與二人以上成立第2條關係，或同時與二人以上分別為民法所定之結婚及成立第2條關係。 已成立第2條關係者，不得再為民法所定之結婚。

民法	施行法
§988（結婚無效） 結婚有下列情形之一者，無效： 一、不具備第982條之方式。 二、違反第983條規定。 三、違反第985條規定。但重婚之雙方當事人因善意且無過失信賴一方前婚姻消滅之兩願離婚登記或離婚確定判決而結婚者，不在此限。	第2條關係有下列情形之一者，無效： 一、不具備第4條之方式。 二、違反第5條之規定。 三、違反前條第1項或第2項之規定。 違反前條第3項之規定者，其結婚無效。 民法第988條第3款但書及第988-1條之規定，於第1項第3款及前項情形準用之。
§989（結婚得撤銷－違反年齡限制） 結婚違反第980條之規定者，當事人或其法定代理人得向法院請求撤銷之。但當事人已達該條所定年齡或已懷胎者，不得請求撤銷。 §990（結婚得撤銷－未得法代同意） 結婚違反第981條之規定者，法定代理人得向法院請求撤銷之。但自知悉其事實之日起，已逾六個月，或結婚後已逾一年，或已懷胎者，不得請求撤銷。 §991（結婚得撤銷－與監護人結婚） 結婚違反第984條之規定者，受監護人或其最近親屬得向法院請求撤銷之。但結婚已逾一年者，不得請求撤銷。 （※第990條條文現已刪除）	成立第2條關係違反第3條第1項之規定者，當事人或其法定代理人，得向法院請求撤銷之。但當事人已達該項所定年齡者，不得請求撤銷之。 成立第2條關係違反第3條第2項之規定者，法定代理人得向法院請求撤銷之。但自知悉其事實之日起，已逾六個月，或成立第2條關係後已逾一年者，不得請求撤銷之。 成立第2條關係違反第6條之規定者，受監護人或其最近親屬，得向法院請求撤銷之。但第2條關係成立後已逾一年者，不得請求撤銷之。
§996（結婚意思瑕疵之撤銷權除斥期間） §997（結婚意思不自由之撤銷權除斥期間） §998（結婚撤銷之效力不溯及既往） §999（結婚無效或被撤銷時得請求損害賠償） §999-1（婚姻無效或經撤銷時，準用離婚之規定）	第2條關係撤銷之要件及效力，準用民法第996條至第998條之規定。 第2條關係無效或經撤銷者，其子女親權之酌定及監護、損害賠償、贍養費之給與及財產取回，準用民法第999條及第999-1條之規定。

民法	施行法
§1001（夫妻同居義務） 夫妻互負同居之義務。但有不能同居之正當理由者，不在此限。	第2條關係雙方當事人互負同居之義務。但有不能同居之正當理由者，不在此限。
§1002（夫妻住所） 夫妻之住所，由雙方共同協議之；未為協議或協議不成時，得聲請法院定之。 法院為前項裁定前，以夫妻共同戶籍地推定為其住所。	第2條關係雙方當事人之住所，由雙方共同協議；未為協議或協議不成時，得聲請法院定之。
§1003（夫妻互為代理） 夫妻於日常家務，互為代理人。 夫妻之一方濫用前項代理權時，他方得限制之。但不得對抗善意第三人。	第2條關係雙方當事人於日常家務，互為代理人。 第2條關係雙方當事人之一方濫用前項代理權時，他方得限制之。但不得對抗善意第三人。
§1003-1（家庭生活費用之分擔） 家庭生活費用，除法律或契約另有約定外，由夫妻各依其經濟能力、家事勞動或其他情事分擔之。 因前項費用所生之債務，由夫妻負連帶責任。	第2條關係雙方當事人之家庭生活費用，除法律或契約另有約定外，由雙方當事人各依其經濟能力、家事勞動或其他情事分擔之。 因前項費用所生之債務，由雙方當事人負連帶責任。
民法親屬編第二章第四節： §1004～§1048	第2條關係雙方當事人之財產制，準用民法親屬編第二章第四節關於夫妻財產制之規定。
§1049（兩願離婚） 夫妻兩願離婚者，得自行離婚。但未成年人，應得法定代理人之同意。 §1050（離婚之要件） 兩願離婚，應以書面為之，有二人以上證人之簽名並應向戶政機關為離婚之登記。	第2條關係得經雙方當事人合意終止。但未成年人，應得法定代理人之同意。 前項終止，應以書面為之，有二人以上證人簽名並應向戶政機關為終止之登記。

<table>
<tr><th>民法</th><th>施行法</th></tr>
<tr><td>§1052（裁判離婚之要件）
夫妻之一方，有下列情形之一者，他方得向法院請求離婚：
一、重婚。
二、與配偶以外之人合意性交。
三、夫妻之一方對他方為不堪同居之虐待。
四、夫妻之一方對他方之直系親屬為虐待，或夫妻一方之直系親屬對他方為虐待，致不堪為共同生活。
五、夫妻之一方以惡意遺棄他方在繼續狀態中。
六、夫妻之一方意圖殺害他方。
七、有不治之惡疾。
八、有重大不治之精神病。
九、生死不明已逾三年。
十、因故意犯罪，經判處有期徒刑逾六個月確定。
有前項以外之重大事由，難以維持婚姻者，夫妻之一方得請求離婚。但其事由應由夫妻之一方負責者，僅他方得請求離婚。
§1053（同意或宥恕不得請求裁判離婚）
對於前條第1款、第2款之情事，有請求權之一方，於事前同意或事後宥恕，或知悉後已逾六個月，或自其情事發生後已逾二年者，不得請求離婚。
§1054（請求裁判離婚罹於消滅時效）
對於第1052條第6款及第10款之情事，有請求權之一方，自知悉後已逾一年，或自其情事發生後已逾五年者，不得請求離婚。</td><td>第2條關係雙方當事人之一方有下列情形之一者，他方得向法院請求終止第2條關係：
一、與他人重為民法所定之結婚或成立第2條關係。
二、與第2條關係之他方以外之人合意性交。
三、第2條關係之一方對他方為不堪同居之虐待。
四、第2條關係之一方對他方之直系親屬為虐待，或第2條關係之一方之直系親屬對他方為虐待，致不堪為共同生活。
五、第2條關係之一方以惡意遺棄他方在繼續狀態中。
六、第2條關係之一方意圖殺害他方。
七、有重大不治之病。
八、生死不明已逾三年。
九、因故意犯罪，經判處有期徒刑逾六個月確定。
有前項以外之重大事由，難以維持第2條關係者，雙方當事人之一方得請求終止之。
對於第1項第1款、第2款之情事，有請求權之一方，於事前同意或事後宥恕，或知悉後已逾六個月，或自其情事發生後已逾二年者，不得請求終止。
對於第1項第6款及第9款之情事，有請求權之一方，自知悉後已逾一年，或自其情事發生後已逾五年者，不得請求終止。</td></tr>
</table>

民法	施行法
§1052-1（職權通知） 離婚經法院調解或法院和解成立者，婚姻關係消滅。法院應依職權通知該管戶政機關。	第2條關係之終止經法院調解或法院和解成立者，第2條關係消滅。法院應依職權通知該管戶政機關。
§1055（未成年子女之權利義務行使及負擔） §1055-1（未成年子女最佳利益） §1055-2（選定父母以外之監護人） §1056（判決離婚之財產與非財產上損害賠償） §1057（贍養費） §1058（財產各自取回）	第2條關係終止者，其子女親權之酌定及監護、損害賠償、贍養費之給與及財產取回，準用民法第1055條至第1055-2條、第1056條至第1058條之規定。
民法親屬編第三章 §1072～§1083-1	第2條關係雙方當事人之一方收養他方之子女或共同收養時，準用民法關於收養之規定。
§1111（監護宣告） §1111-1（受監護人之最佳利益） §1111-2（選定監護人之利害關係）	民法第1111條至第1111-2條中關於配偶之規定，於第2條關係雙方當事人準用之。
§1116-1（夫妻互負扶養義務及順序） §1117I（扶養要件） §1118但書（扶養義務之減輕） §1118-1I、II（法定扶養義務減輕或免除） §1119（扶養程度之酌定） §1120（扶養之方法） §1121（情事變更）	第2條關係雙方當事人互負扶養義務。 第2條關係雙方當事人間之扶養，準用民法第1116-1條、第1117條第1項、第1118條但書、第1118-1條第1項及第2項、第1119條至第1121條之規定。
民法繼承編關於繼承人之規定： §1138（繼承人資格）、§1139（繼承順序）、§1140（代位繼承） 民法繼承編關於配偶之規定： §1144（配偶之繼承順位與應繼分）	第2條關係雙方當事人有相互繼承之權利，互為法定繼承人，準用民法繼承編關於繼承人之規定。 民法繼承編關於配偶之規定，於第2條關係雙方當事人準用之。

民法	施行法
民法總則編、債編關於夫妻、配偶、結婚或婚姻之規定（舉例）： §143（夫妻之一方對他方權利之消滅時效特別規定） 民法以外之法規（舉例）： 刑法第237條（重婚罪）	民法總則編及債編關於夫妻、配偶、結婚或婚姻之規定，於第2條關係準用之。 民法以外之其他法規關於夫妻、配偶、結婚或婚姻之規定，及配偶或夫妻關係所生之規定，於第2條關係準用之。但本法或其他法規另有規定者，不在此限。
家事事件法相關規定： 家事事件法第3編第2章（婚姻事件程序）、第4章（繼承訴訟事件）、第4編第2章～第4章、第6章等等	因第2條關係所生之爭議，為家事事件，適用家事事件法有關之規定。

三、重要實務見解

臺灣臺北地方法院108年度簡字第67號：胡勝翔v.s勞保局案

（以下部分節錄108年8月14日臺灣臺北地方法院新聞稿以及臺灣臺北地方法院108年度簡字第67號判決全文）

(一) 案件事實：原告胡勝翔以宜蘭縣針織業職業工會為投保單位，參加勞工保險為被保險人，原告與相同性別之訴外人潘世新於民國104年5月23日在滿穗台菜餐廳公開舉行婚禮，經婚禮參加者在簽名簿上簽名見證，司法院釋字第748號解釋於民國106年5月24日公布後，原告與潘世新於106年6月20日書立同性伴侶書約，並於同日經新北市中和戶政事務所為同性伴侶註記，詎潘世新於106年11月24日死亡。

原告於107年1月31日以其配偶潘世新死亡，向被告勞動部勞工保險局申請勞工保險家屬死亡給付，經被告於107年3月22日以保職命字第10760057081號函（下稱原處分）核定不予給付。原告不服原處分，經申請審議、提起訴願均遭駁回後，向本院提起行政訴訟（案號為108年度簡字第67號）。

(二) 爭點：

1. 本件課予義務訴訟應適用之裁判基準時？（究竟應否適用「司法院大法官748號解釋施行法」？）

2. 潘世新死亡時，是否為原告之配偶？（「同性伴侶註記」是否相當於「結婚登記」？）

(三) 法院見解：

1. 是。

本件應依潘世新「死亡時」之事實，適用「裁判時有效且合憲之法律」，判斷潘世新是否為原告之配偶。

本件原告所提為行政訴訟法第5條第2項之課予義務訴訟，因勞工保險條例（下稱勞保條例）第62條第1款已明定以「父母、配偶或子女死亡時」之事實及法律為基礎，則原告得否請領喪葬津貼，自應以「配偶死亡時」之事實及法律狀態，判斷潘世新是否為原告之配偶。關於「配偶」之定義，勞保條例並無規定，依勞保條例第1條後段規定，即應依規範人民身分關係之民法親屬編第982條所定結婚之形式要件定之。惟因釋字第748號解釋已宣告民法結婚章節未規範同性成立具有親密性及排他性之永久結合關係，屬「涵蓋不足」之立法不作為違憲，並同時諭知有關機關應於一定期間內填補規範不足之違憲狀態，逾期即依解釋意旨定期生效。又該號解釋屬規範不足之違憲宣告，並非違憲定期失效，且基於行政訴訟係以保障人民權益，確保國家行政權之合法行使為目的，本院自有義務適用「裁判時有效且合憲之法律」，且就介於「釋字第748號解釋公布後至748號解釋施行法制定前」之具體個案，普通法院法官更有義務於不違背立法者明顯可辨之價值決定範圍內，適當運用類推適用、目的性擴張解釋等法律解釋方法，為合乎憲法意旨之裁判。

2. 是。

本件依釋字第748號解釋意旨類推適用748號解釋施行法規定，將過渡期間之「同性伴侶註記」認定其性質相當於「結婚登記」，並準用勞保條例第 62 條第 1 款「配偶」之規定依民法第 982 條及108年5月22日制定、同年5月24日施行之748號解釋施行法第 2 條、第 4 條規定，無論係異性結婚或同性成立具有親密性及排他性之永久結合關係，均以「書面」、「2人以上證人之簽名」、「結婚登記」為形式要件。潘世新死亡時，原告與潘世新已以經營共同生活為目的，成立具有親密性及排他性之永久結合關係，且有書面、2人以上證人簽名，並經中和戶政事務所為同性伴侶註記，被告於本院審理中亦不爭執原告與潘世新除未經戶政機關為結婚登記外，均符合民法第 982 條所定結婚之形式要件。

最新實務見解

親屬編

【憲法法庭判決】

112年憲判字第4號（限制唯一有責配偶請求裁判離婚案）

主文：民法第1052條第2項規定，有同條第1項規定以外之重大事由，難以維持婚姻者，夫妻之一方得請求離婚；但其事由應由夫妻之一方負責者，僅他方得請求離婚。其中但書規定限制有責配偶請求裁判離婚，原則上與憲法第22條保障婚姻自由之意旨尚屬無違。惟其規定不分難以維持婚姻之重大事由發生後，是否已逾相當期間，或該事由是否已持續相當期間，一律不許唯一有責之配偶一方請求裁判離婚，完全剝奪其離婚之機會，而可能導致個案顯然過苛之情事，於此範圍內，與憲法保障婚姻自由之意旨不符。相關機關應自本判決宣示之日起2年內，依本判決意旨妥適修正之。逾期未完成修法，法院就此等個案，應依本判決意旨裁判之。

【最高法院民事庭具參考價值裁判】

一、110年度台上字第304號

相關法條：民法第1079-4條

按收養之目的，在使無直系血親關係者之間，發生親子關係，並依法履行及享有因親子身分關係所生之各種義務及權利，該身分行為之效力，重在當事人之意思及身分之共同生活事實，蓋收養乃創設之身分行為，當事人如未預定為親子之共同生活，雖已履行身分行為之法定方式，倘是為其他目的而假藉收養形式，無意使之發生親子之權利義務者，難認具有收養之真意，應解為無收養之合意，該收養行為應屬無效。又收養之有效或無效，收養關係當事人或法律上利害關係之第三人如有爭議，於家事事件法101年6月1日施行前，應以確認收養關係無效之訴主張之，該法施行後，於第3條明定以確認收養關係存在或

不存在之訴為之，此訴自含民法第1079條之4所指之收養無效情形，即有確認過去法律關係之有效、無效及成立、不成立之訴訟類型。而收養關係之存在與否，不以收養成立時，收養人與被收養人間之收養意思是否合致為唯一判斷基準，苟於收養時欠缺該收養之實質要件，其後因一定之養親子身分關係生活事實之持續，足以使收養關係人及一般人信其等間之收養關係成立者，亦非不得成立收養關係。

二、109年度台簡抗字第253號

相關法條：民法第1059條

按法律適用之思考過程，可分為法律解釋、制定法內之法律續造、制定法外之法律續造，其中制定法內之法律續造得以類推適用為其填補方法。所謂類推適用，係就法律未規定之事項，比附援引與其性質相類似事項之規定，加以適用，為基於平等原則及社會通念以填補法律漏洞的方法，而是否得以類推適用，應先探求法律規定之規範目的，再判斷得否基於「同一法律理由」，依平等原則，將該法律規定類推及於該未經法律規範之事項。又姓氏屬姓名權而為人格權之一部分，並具有社會人格之可辨識性，與身分安定及交易安全有關，復因姓氏具有家族制度之表徵，故亦涉及國情考量及父母之選擇權，我國立法者綜合上開因素，以民法第1059條第1項規定子女出生姓氏登記之決定方式，惟為因應情事變更，於第2項、第3項分別規定未成年父母及已成年子女之意定變更，但因顧及身分安定及交易安全，各以一次為限；同條第5項則規定裁判變更，於未成年子女有：(一)父母離婚，(二)父母之一方或雙方死亡，(三)父母之一方或雙方生死不明滿三年，(四)父母之一方顯有未盡保護或教養義務之情事之一者，法院得依父母之一方或子女之請求，為子女之利益，宣告變更子女之姓氏為父姓或母姓。查兩造於未成年子女出生時，約定子女從父姓，兩願離婚時，約定該子女變更為從母姓，現兩造已再行結婚，為原法院確定之事實，而上開裁判變更之列舉事由，皆屬未能預測之事件，則兩造間之兩願離婚與再行結婚，似均為未成年子女父母婚姻關係之變動且同屬不能預測之事由。果爾，就子女姓氏裁判變更之事項，兩者是否具有類似性？父母再行結婚後，倘有為未成年子女之利益而變更姓氏之必要時，依民法第1059條規定之內在目的及規範計劃，可否謂係應有規定而未設規定之法律漏洞？基於平等原則及社會通念，是否不能類推適用民法第1059條第5項第1款規定？非無進一步研求之必要。

三、107年度台上字第1649號

相關法條：民法第1030-1、1030-3條

法定財產關係消滅時，夫或妻現存之婚後財產，扣除婚姻關係存續所負債務後，如有剩餘，其雙方剩餘財產之差額，應平均分配。平均分配剩餘財產顯失公平者，法院得調整或免除其分配額。夫妻之一方如有不務正業，或浪費成習等情事，於財產之累積或增加並無貢獻或協力，欠缺參與分配剩餘財產之正當基礎時，自不能獲得非分之利益。於此情形，若就夫妻剩餘財產差額平均分配顯失公平者，法院始得調整或免除其分配額。

四、105年度台抗字第802號

相關法條：民法第971、1052條、民事訴訟法第496條

准許離婚判決一經確定，婚姻關係即因該確定判決所生之形成力而解消，此與夫妻一方死亡，婚姻關係當然解消者，在身分法上效果未盡一致，此觀民法第九百七十一條規定，姻親關係因離婚而消滅，不及於因夫妻一方死亡者自明。而家庭婚姻制度為憲法所保障之基本人權，夫妻之一方如非本於自由意思予以解消（兩願離婚），或因有法定事由並經法院依法定程序強制解消（判決離婚），均應受法律制度之持續性保障。倘合法成立之婚姻關係，因法院離婚確定判決解消，而當事人之一方，主張於該訴訟程序進行中，有未受充足程序權保障之法定再審事由者，即應賦與其提出再審訴訟以求救濟之權利，且不應因他方是否於判決確定後死亡，而有不同，俾保障該一方之訴訟權、身分權及財產權。惟查，夫妻之一方，於准許離婚判決確定後死亡，囿於民法第一千零五十二條有關當事人適格之規定，且家事事件法復無關於由他人承受訴訟之明文，倘生存之一方認該確定判決有法定再審事由，致其身分上或財產上之重大利益，受到損害，竟因現有法律並無得適用再審程序之明文規定，復無其他足以有效救濟其身分權、財產權之途徑，使其不能享有糾正該錯誤裁判之機會，自係立法之不足所造成之法律漏洞。為保障生存配偶一方之再審權及基於法倫理性須求（如身分權關係），法院就此有為法之續造以為填補之必要。復由於離婚訴訟係以合法成立之婚姻關係，是否將因具有法定事由而應予解消之判斷為目的，且因夫妻可兩願離婚，當事人就夫妻身分關係，具有一定程度之處分權，與親子關係之身分訴訟，具有高度公益及維護未成年子女權益之目的者，尚屬有間，故無從類推適用家事事件法第六十三條、第六十四條、第六十五條有關以檢察官為被告或由繼承人承受訴訟之規定，而有由法院為法律外之程序法上法之續造必要。爰審酌相對人主張原確定判決有再審事由而提起再審之訴，與於該判決確定後死亡之劉恆修繼承人，在財產權（繼承權）或身分權（姻親關係）均有重大關連，本院認由劉恆修繼承人承受該離婚再審訴訟之再審被告地位，最能兼顧相對人、被繼承人、繼承人之利益，可使再審程序之進行及判決結果獲得正當性。

五、105年度台上字第1750號

相關法條：民法第1030-1條

按我國民法夫妻財產制除另有契約約定外，係採法定財產制（即原聯合財產制），夫或妻各自所有其婚前或婚後之財產，並各自管理、使用、收益及處分（民法第一千零十七條第一項前段、第一千零十八條規定參照）。惟夫或妻婚後收益之盈餘（淨益），實乃雙方共同創造之結果，法定財產制關係消滅時，應使他方得就該盈餘或淨益予以分配，始符公平。為求衡平保障夫妻雙方就婚後財產盈餘之分配，及貫徹男女平等原則，民法親屬編於民國七十四年六月三日修正時，參考德國民法有關夫妻法定財產制即「淨益共同制」之「淨益平衡債權」規範，增設第一千零三十條之一，規定法定財產制（原聯合財產制）關係消滅時，夫或妻得就雙方剩餘婚後財產之差額請求分配。所謂差額，係指就雙方剩餘婚後財產之價值計算金錢數額而言。上開權利之性質，乃金錢數額之債權請求權，並非存在於具體財產標的上之權利，自不得就特定標的物為主張及行使。是以，除經夫妻雙方成立代物清償合意（民法第三百十九條規定參照），約定由一方受領他方名下特定財產以代該金錢差額之給付外，夫妻一方無從依民法第一千零三十條之一規定，逕為請求他方移轉其名下之特定財產。此與適用共同財產制之夫妻，依民法第一千零四十條第二項規定，就共同財產關係存續中取得之共同財產請求分割之情形，尚有不同。

六、104年度台上字第773號

相關法條：民法第1030-1條

按民法第一千零三十條之一規定之夫妻剩餘財產差額分配請求權，乃立法者就夫或妻對共同生活所為貢獻所作之法律上評價；與繼承制度之概括繼承權利、義務不同。夫妻剩餘財產差額分配請求權在配偶一方先他方死亡時，屬生存配偶對其以外之繼承人主張之債權，與該生存配偶對於先死亡配偶之繼承權，為各別存在的請求權，兩者迥不相同，生存配偶並不須與其他繼承人分擔該債務，自無使債權、債務混同之問題。

七、104年度台簡抗字第1號

相關法條：民法第1079條

按收養應以書面為之，並向法院聲請認可，民法第一千零七十九條第一項定有明文。故收養契約於當事人間簽署收養書面契約時即為成立，且以經法院認可為收養契約生效要件。而收養人與被收養人間有無收養之合意？端以簽署收養書面契約時為準，而非以法院審理時為據，僅於收養契約成立後，若當事人一方或雙方有反悔之情事者，法院應不予認可而已。

【高等法院民事庭具參考價值裁判】

臺灣高等法院臺南分院106年家上字第13號民事判決

相關法條：民法第1052、1055、1055-1條；家事事件法第44條

婚姻是否已生破綻而無回復之希望，應以維持婚姻之事實，是否已達於倘處於同一境況，任何人均將喪失維持婚姻意欲之程度而定。此外，難以維持婚姻之重大事由應由夫妻之一方負責者，僅他方得請求離婚，如該重大事由，夫妻雙方均須負責時，應比較衡量雙方之有責程度，責任較重之一方應不得向責任較輕之他方請求離婚。

然112年憲判字第4號理由中提到：系爭規定之規範內涵，係在民法第1052條第1項規定列舉具體裁判離婚原因外，及第2項前段規定有難以維持婚姻之重大事由為抽象裁判離婚原因之前提下，明定難以維持婚姻之重大事由應由配偶一方負責者，排除唯一應負責一方請求裁判離婚。至難以維持婚姻之重大事由，雙方均應負責者，不論其責任之輕重，本不在系爭規定適用範疇。

因此雙方均為有責時，雙方皆可請求裁判離婚而不受限制，「雙方皆有責」本不在民法第1052條第2項但書之文義範圍內，自不受此但書限制，此具有參考價值裁判應不再適用。

【高地院民事足資討論裁判】

臺灣高等法院108年度家上字第338號

相關法條：民法第1067條

按有事實足認其為非婚生子女之生父者，非婚生子女或其生母或其他法定代理人，得向生父提起認領之訴。生父死亡後，得向生父之繼承人為之。生父無繼承人者，得向社會福利主管機關或檢察官為之。由子女提起之認領之訴，原告於判決確定前死亡者，有權提起同一訴訟之他人，得於知悉原告死亡時起10日內聲明承受訴訟。非婚生子女經生父認領者，溯及於出生時視為婚生子女。家事事件法第66條第1項、第2項前段、民法第1067條第1項、第1065條第1項前段、第1069條前段分別定有明文。又兒童於出生後應立即被登記，並自出生起即應有取得姓名及國籍之權利，並於儘可能的範圍內有知其父母並受父母照顧的權利（兒童權利公約第7條第1項），認領之訴係對於應認領而不為認領之生父，請求法院確定非婚生子女與生父之血緣關係存在，本此事實而創設法律上之親子關係，並溯及於非婚生子女出生起，視為婚生子女。認領之訴之原因不一，或為繼承生父財產；或為請求生父扶養；或單純為認祖歸宗（家事事件法第66條立法理由參照），非婚生子女提起認領之訴後死亡，其生母尚得聲明承受訴訟，且法無明文排除生父得認領已死亡之非婚生子女，如生母已為扶養，自得向生父提起認領之訴及請求給付其應負擔之部分，不因非婚生子女已否死亡而有不同。是非婚生子女死亡後，其生母或其他法定代理人，仍得向生父提起認領之訴，始符前開立法意旨。

【法律問題座談】

一、臺灣高等法院暨所屬法院111年法律座談會民事類提案第14號

相關法條：民法第15條之2、第1098條、第1113條之1，民事訴訟法第51條，家事事件法第36條

法律問題

問題(一)：關於分割遺產之事件，若受輔助宣告人某甲與其輔助人某乙，均為繼承人，且為同一造當事人時，「就他造之起訴」，其等利益相反，是否應依

民法第1113條之1第2項規定準用同法第1098條第2項規定為受輔助宣告之人某甲選任特別代理人？

問題(二)：承上，若需為受輔助宣告人某甲選任特別代理人，則就該遺產分割事件於調解程序，是否能成立調解？

討論意見：

問題(一)：

甲說：肯定說。

按「監護人之行為與受監護人之利益相反或依法不得代理時，法院得因監護人、受監護人、主管機關、社會福利機構或其他利害關係人之聲請或依職權，為受監護人選任特別代理人。」為民法第1098條第2項所明定，而該規定依同法第1113條之1第2項規定於輔助人及有關輔助之職務準用之。又受輔助宣告之人為捨棄、認諾、撤回或和解，應經輔助人以書面特別同意，為民事訴訟法第45條之1第3項所明文。準此，受輔助宣告之人甲與其輔助人乙，均為繼承人，縱為同一造當事人，就他造之起訴，其等利益相反，為維護受輔助宣告之人權益，自仍有為某甲選任特別代理人之必要。

乙說：否定說。

按受輔助宣告之人為訴訟行為時，應經輔助人同意，民法第15條之2第1項第3款定有明文，而探究該條之立法理由意旨，受輔助宣告之人並不因輔助宣告而喪失行為能力，惟為保護其權益，於為重要之法律行為時，應經輔助人同意，是受輔助宣告之人仍有行為能力即有訴訟能力，僅係欲為某類訴訟行為時，應經輔助人同意而已，故輔助人所得行使僅為同意權，並非直接代理受輔助宣告之人為訴訟行為，故依民法第1113條之1第2項規定準用同法第1098條第2項規定為受輔助宣告之人選任特別代理人，其權限應僅止於對受輔助宣告之人因遺產分割事宜而提起分割遺產訴訟之訴訟行為行使同意權，然按受輔助宣告之人就他造之起訴或上訴為訴訟行為時，無須經輔助人同意，家事事件法第51條準用民事訴訟法第45條之1第2項定有明文，而本件分割遺產事件，受輔助宣告之人甲係就他造之起訴而為訴訟行為，本無須得輔助人乙之同意，自無為甲選任特別代理人之必要。

問題(二)：

甲說：

按「特別代理人於法定代理人或本人承當訴訟以前，代理當事人為一切訴訟行為。但不得為捨棄、認諾、撤回或和解。」民事訴訟法第51條第4項定有明文，且此規定依家事事件法第51條準用民事訴訟法，於家事事件亦準用之。此為對於無訴訟能力人為訴訟行為或無訴訟能力人有為訴訟行為之必要，而其無法定代理人或其法定代理人不能行代理權時，得聲請法院選任特別代理人之訴訟程序上規定。而關於依民法第1113條之1第2項準用第1098條第2項為受輔助宣告之人選任之特別代理人，係輔助人之行為與受輔助宣告之人利益衝突或相反而依法就法定特定事項不能行使同意權，得就該利益相反之特定事項聲請法院選任特別代理人之實體規定，然無論係依程序法或實體法選任之特別代理人，均係由法院選任而發生，究與法定代理人或輔助人與當事人間，通常具有相當之感情及利害關係情形有別，自不宜授以影響當事人重大利益之權限，準此，上揭依民法第1113條之1準用第1098條第2項為受輔助宣告之人選任之特別代理人若進入訴訟程序，自有民事訴訟法第51條第4項之適用，亦即特別代理人雖得進行和解或調解程序，但不得成立和解或調解。但於調解程序兩造對於分割遺產請求所主張之原因事實均無爭執，並均陳明合意聲請法院為裁定，法院可依家事事件法第36條規定為適當之裁定。

乙說：

如前所述，民事訴訟法第51條關於法院選任特別代理人之程序，乃屬訴訟程序上規定，其立法目的在避免對於無訴訟能力人為訴訟行為或無訴訟能力人有為訴訟行為之必要，而其無法定代理人或其法定代理人不能行代理權，恐致對於無訴訟能力人為訴訟行為者久延而生損害，或無訴訟能力若不及為訴訟行為，恐有喪失重大利益之情形，自得選任特別代理人以除去訴訟程序之障礙。然依民法第1113條之1第2項準用第1098條第2項所選任之特別代理人，乃屬實體法上規定，其立法目的在於維護受輔助宣告之人之利益，防止其與輔助人利益相衝突，而遭受不利之情事，故法院在選任特別代理人時，應就利益衝突事項為審酌，並就特定利益相衝突之事項選任適當之輔助人，此與法院依民事訴訟法第51條選任之特別代理人係為排除程序障礙之目的不同。若受輔助宣告之人因分割遺產事宜經法院依前揭規定為其選任特別代理人，之後進行相關訴訟程序包括調解程序，特別代理人亦得為受輔助告人之利益，就分割遺產之訴訟行為或調解行使同意權，是輔助人所得行使僅為同意權，並非直接代理受輔助宣告之人為訴訟行為，再者，本件係受輔助宣告之人就他造之起訴為應訴行為，本無須經輔助人同意，則受輔助宣告之人對他造之起訴有單獨為訴訟行為之能力，此與民事訴訟法第51條所定「無法定代理人或其法定代理人不能行代理權」而為無訴訟能力之人選任訴訟上之特別代理人之情形有別，準此，法院為受輔助人選任之特別代理人既非依民事訴訟法第51條所選任之特別代理人，兩者行使之權限不同，而前者係法院審酌相關事證後所選任之特別代理人，自足期待該特別代理人能維護受輔助人之相關權益，則民事訴訟法第51條第4項但書於此即無適用之餘地。從而，依民法第1113條之1準用第1098條第2項所選任之特別代理人，得於進行調解程序時行使其同意權而成立調解。

初步研討結果：問題(一)：多數採甲說。問題(二)：多數採甲說。

審查意見：

問題(一)：採乙說，補充理由如下：輔助人並非受輔助宣告人之法定代理人，此由民法第1113條之1第2項規定輔助人及有關輔助之職務未準用同法第1098條第1項規定即明。又民法第1113條之1第2項規定輔助人及有關輔助之職務，準用同法第1098條第2項之規定，故輔助人之行為與受輔助宣告人利益相反時，法院得因輔助人、受輔助宣告之人、主管機關、社會福利機構或其他利害關係人之聲請或依職權，為受輔助宣告之人選任特別代理人。此特別代理人代行之輔助人職務，包含但不限於訴訟行為，且通常係訴訟以外之法律行為，並非專為訴訟行為而選任，其功能、目的與選任程序與民事訴訟法第51條規定之特別代理人均有不同，無該條規定之適用。受輔助宣告之人於遺產分割訴訟中如與輔助人有利益相反之情形，且係必須經輔助人同意之行為，固有依前開規定，為其選任特別代理人之必要。然依民事訴訟法第45條之1第2項規定，受輔助宣告之人就他造之起訴，為單純應訴之行為，無須經輔助人同意，且民法第15條之2第1項第6款關於受輔助宣告之人為遺產分割需經輔助人同意之規定，係指協議分割遺產之行為，並不包含法院裁判分割。故某甲就他造起訴單純應訴，並無輔助人需執行之職務，即無庸為某甲選任特別代理人。

問題(二)：採乙說，補充理由如下：受輔助宣告之人在遺產分割事件如要成立調解，依民事訴訟法第45條之1第3項規定應經輔助人之書面特別同意，然受輔助宣告之人與輔助人為共同被告，有利益相反之情形，即有依民法第1113條之1第2項準用同法第1098條第2項規定為其選任特別代理人之必要。而此選任特別代理人係為代行輔助人同意受輔助宣告之人為調解之職務，自得經特別代理人同意成立調解。

研討結果：

問題(一)：(一)審查意見理由倒數第9行「然依民事訴訟法……」修正為「然依家事事件法第51條準用民事訴訟法……」。(二)照修正後之審查意見通過。

問題(二)：照審查意見通過。

二、臺灣高等法院暨所屬法院111年法律座談會民事類提案第7號

相關法條：民法第301條、第1084條、第1115條、第1116條之2、第1119條。

法律問題：甲、乙婚後共同育有一未成年子丙，甲、乙於民國108年1月1日協議離婚，並以離婚協議書約定由父親甲單獨行使或負擔丙之權利義務，並約定：「未成年子丙之扶養費由甲單獨負擔」。嗣未成年子丙於109年1月1日以自己名義，向母親乙請求自109年1月1日起至其成年日止，按月給付其1萬元之扶養費，並經法院裁准如丙之聲明而確定。則乙日後得否依前開離婚協議，向甲請求給付予其依法院裁定內容所業已給付給丙之扶養費？

討論意見：

甲說：肯定說。

(一) 按父母對於未成年子女有保護教養之權利義務，且不因離婚而受影響，此為民法第1084條第2項、第1116條之2明文。是父母離婚後，自應各依其經濟能力及身分，與未成年子女之需要，共同對未成年子女負扶養義務，不因父母之一方之經濟能力足以使受扶養人獲得完全滿足之扶養，而解免他方之義務；即令父母約定由一方負扶養義務時，亦僅為父母內部間分擔之約定，該約定並不因此免除他方扶養未成年子女之外部義務，未成年子女仍得請求未任權利義務行使或負擔之一方扶養。是甲、

乙間離婚協議約定甲單獨負擔未成年子丙之扶養費用，不過為甲、乙內部間之債務承擔契約，並無免除他方扶養義務之效力，對於未成年子丙不生效力，亦即未成年子丙仍得本於自己之權利向該他方請求扶養，但於父母內部間則非無效。

(二) 甲、乙約定在未成年子丙成年前所有扶養費用均由甲負擔，係其等內部約定由其中一方承擔另一方對未成年子女所負擔之扶養費用之給付義務（債務），不影響未成年子女丙之權利。

(三) 故乙於法律上固不能因其與甲之間之離婚協議而免除其對未成年子丙之扶養義務，然依甲、乙之離婚協議書約定，於未成年子丙成年之前，最終之扶養費負擔義務人應為甲，故甲本應依離婚協議書約定，履行承擔乙對未成年子丙所負擔之扶養費用之給付義務（債務），詎甲未履行上開約定，致乙因法院裁定內容而給付未成年子丙扶養費，此屬乙受有本應由甲承擔此給付卻仍由其支出之損害，乙依離婚協議書約定及履行承擔契約關係，請求甲賠償其債務不履行之損害，應屬有據。

乙說：否定說。

(一) 乙依離婚協議書約定及履行承擔契約關係，請求甲賠償其債務不履行之損害負擔，需以甲主觀上具有故意或過失為前提要件。而按扶養之程度，應按受扶養權利者之需要，與負扶養義務者之經濟能力及身分定之；負扶養義務者有數人而其親等同一時，應各依其經濟能力，分擔義務，民法第1119條、第1115條第3項分別定有明文。故未成年子丙以自己名義，向乙請求按月給付其扶養費，係由法院綜合考量甲、乙財產及所得概況、工作收入所得，再依未成年子丙之年齡與所需，決定未成年子丙每月所需扶養費、甲、乙各應分擔之比例後，而裁定乙每月應支付未成年子丙1萬元之扶養費，乙因法院確定裁定而給付未成年子丙之扶養金額，但此係因未成年子丙以自己名義向法院聲請且經法院裁判之結果所致，不能認為甲具有可歸責原因，自不應負債務不履行之損害賠償責任。

(二) 且乙既因法院確定裁判之強制力而受拘束，致需給付未成年子丙未來按月之扶養費，此乃基於未成年子女對父母請求扶養之法律基礎，與甲、乙雙方約定關於未成年子女之扶養費，於彼此間應如何負擔，概無關連，法院裁定之扶養費金額亦非甲、乙間成立離婚協議時所能預見，乙自不得依前開離婚協議，向甲請求其依法院裁定內容所業已給付給丙之扶養費。

初步研討結果：採甲說。

審查意見：採甲說，補充理由如下：依題旨，丙為未成年人，且由甲單獨行使或負擔丙之權利義務，故丙應係以甲為法定代理人，向法院請求乙給付扶養費，如認乙依法院裁定內容給付扶養費予丙後，不得就其已給付之金額請求甲給付，將使甲得以此方式脫免其應單獨負擔對丙之扶養義務，應不符合甲乙離婚協議之約定真意。若係丙之扶養費不足而對乙請求之情形（例如甲經濟能力嗣後發生變化，已不足以支付丙之扶養費），如非甲乙另有約定，則於甲乙內部關係間，甲仍為應負擔丙全部扶養義務之人，故乙依法院裁定支付予丙之扶養費，仍屬甲應負擔之義務，乙對甲應有請求權存在。

研討結果：照審查意見通過。

三、臺灣高等法院暨所屬法院111年法律座談會民事類提案第6號

相關法條：民法第1118條之1。

法律問題：甲與前妻於民國80年間生下1子乙，甲因不耐乙哭鬧，經常以菸頭凌虐或重摔乙，82年間甲爆怒痛毆乙，致乙受有硬腦膜下出血合併全身骨折之嚴重傷害，前妻與甲兩願離婚，並約定乙之權利義務行使負擔由前妻單獨任之，其後至乙成年前，甲與前妻完全無往來，甲未曾探視乙，也未曾給付乙之扶養費。甲於83年間與後婚配偶生下子丙。乙於成年後曾在104年1月1日對甲依民法第1118條之1規定，向法院聲請免除乙對甲之扶養義務（此案以下簡稱104年案件），惟因當時甲尚有固定工作收入不須受扶養，法院因而駁回乙之請求。乙敗訴後，與甲再度失聯。甲於107年1月1日因病失能，無財產無積蓄而不能維持生活，甲完全由丙1人照顧扶養。111年1月1日甲與丙共同向法院對乙請求給付扶養費，甲向乙請求給付自111年1月1日起至其往生日止之未來扶養費；丙向乙請求其為乙自107月1月1日起至110年12月31日止所代墊之甲扶養費（此案以下簡稱111年案件）。乙於該案進行中，先於111年4月1日當庭抗辯「甲於乙未成年時，對乙故意為虐待且完全未盡扶養義務，情節重大」，而依民法第1118條之1規定為拒絕扶養之意思表示；其後又於111年7月1日「具狀反聲請免除乙對甲之扶養義務」。如法院調查後認為乙之抗辯及反聲請有理由（應免除乙對甲之扶養義務），試問：乙對甲之扶養義務，自何時起免除？

討論意見：

甲說：

自111年案件「乙之反聲請勝訴裁定確定之日」起免除。由立法者同時增訂民法第1118條之1及刑法第294條之1，暨於刑法第294條之1之立法理由中對民法第1118條之1規定所為說明，可知民法第1118條之1規定，係認定負扶養義務者在法院裁判免除扶養義務之前，依民法規定仍負扶養義務，是以負扶養義務者依該條第2項規定，請求法院免除其扶養義務之權利，係形成權，自法院予以免除確定時起始發生扶養義務者對受扶養權利者免除負扶養義務之法律效果。

乙說：

自111年案件「乙之反聲請提起日（即111年7月1日）」起免除。刑法第294條之1之立法理由第10點僅謂「依民法第1118條之1修正草案之規定，扶養義務之減輕或免除，須請求法院為之，法院減輕或免除扶養義務之確定裁判，『僅向後發生效力，並無溯及既往之效力』」，並未表明須「自法院予以免除確定時起」始發生扶養義務者對受扶養權利者免除負扶養義務之法律效果。如乙已對甲反聲請免除乙對甲之扶養義務，卻須等到該案確定始可免除其對甲之扶養義務，乙之扶養義務免除始點，繫諸於法院審理時間快慢，若甲、丙故意拖延訴訟，對乙至為不公平。參酌民法第442條請求增加租金之訴亦為形成之訴，另佐以最高法院105年度台上字第875號判決要旨：「請求法院酌定地租之訴，屬形成之訴，僅得自請求酌定之意思表示時起算，不得溯及請求酌定該意思表示前之地租。」本題自111年案件「乙之反聲請提起日（即111年7月1日）」起，可開始免除乙對甲之扶養義務。

丙說：

自111年案件「乙依民法第1118條之1規定抗辯應免除乙對甲之扶養義務日（即111年4月1日）」起免除。參酌民法第442條請求增加租金之訴亦為形成之訴及最高法院48年度台上字第521號判決意旨：「房屋或土地出租人，依民法第442條提起請求增加租金之訴，如起訴前之租金並未按原約定租額付清，則法院准許增加之判決，得自出租人為調整租金之意思表示時起算。」乙於104年1月1日對甲依民法第1118條之1規定「提起免除乙對甲之扶養義務」案件（即104年案件），可視為乙已經對甲為拒絕扶養之意思表示，惟104年當時甲不需他人扶養，乙所提起之訴遭駁回確定，應認該意思表示未合法生效，故應自乙再次對甲為免除之意思表示（即111年4月1日），即乙對甲當庭依民法第1118條之1規定為免除扶養義務之抗辯日起，可開始免除乙對甲之扶養義務。

丁說：

乙於104年案件，已對甲為拒絕扶養之意思表示，其扶養義務應自「甲需受扶養日（即107年1月1日）」起免除。參酌民法第442條請求增加租金之訴亦為形成之訴及前述最高法院48年度台上字第521號判決意旨，乙於104年1月1日對甲依民法第1118條之1規定「提起免除乙對甲之扶養義務」案件（即104年案件）」，可視為乙已經對甲為拒絕扶養之意思表示，惟104年當時甲不需他人扶養，故該意思表示延後至「甲需受他人扶養日」（即107年1月1日）起發生效力，乙得自107年1月1日起免除對甲之扶養義務。倘採丙說，乙於甲與前妻離婚後，即失聯多年，若要求失聯多年之乙，可未卜先知「甲將於何時陷於不能維持生活」而「適時在107年1月1日」提起免除扶養義務之聲請，顯屬不可能，亦不合情理，此使民法第1118條之1之規定徒成具文，顯非立法之本旨。

戊說：

縱乙未提起104年案件，亦不曾對甲為拒絕扶養之意思表示，其扶養義務仍自「甲需受扶養日（即107年1月1日）」起免除。

(一) 形成之訴所形成之法律關係或法律效果可否溯及生效，應依所形成法律關係之性質及內容而定，與形成判決之效力係判決確定時始發生者應予區別。民法第1118條之1之立法理由已明載：「受扶養權利者對負扶養義務者有民法第1118條之1第1項各款行為之一，且情節重大者，例如故意致扶養義務者於死而未遂或重傷、強制性交或猥褻、妨害幼童發育等，法律仍令其負扶養義務，顯強人所難，爰增列第2項，明定法院得『完全免除』其扶養義務。」立法者明定有符合民法第1118條之1第1項第1、2款之要件事實（以下簡稱「免除要件」），情節重大者，法院即得「完全免除」扶養義務，係考量受扶養權利人對扶養義務人「先有」符合免除要件而情節重大之「前行為」，如仍令扶養義務人負扶養義務，顯強人所難而為立法，基此立法原意之考量，本條規定之性質，本即應發生「完全免除（全部）扶養義務」的法律效果，即「自扶養義務人原須開始負扶養義務時起」免除其扶養義務，此乃適用此法律條文之性質其結果所當然，並非法院所創設，即無所謂「溯及免除」問題。從而，乙於111年案件中已主張民法第1118條之1規定之抗辯並為反聲請，縱乙未提起104年案件，亦不曾對甲為拒絕扶養之意思表示，其扶養義務仍自「甲需受扶養日（即107年1月1日）」起免除。

(二) 如採丙說，乙尚須對甲給付3個月（111年1月1日至111年3月31日）及對丙給付4年（107年1月1日至110年12月31日）之全部代墊扶養費，此顯非立法原意，亦顯失公平。復且法院既適用民法第1118條之1之規定，認應免除乙之扶養義務，卻於主文諭知甲對乙之扶養請求一部准許，一部駁回，此在法律論述上顯有矛盾，亦與人民之法感情不符。

(三) 若採丁說，乙須在「甲不能維持生活而需受扶養前」，即「先」對甲有拒絕扶養之意思表示，並妥為保存證據，始可於日後面對甲之請求時充分舉證，以達免除全部扶養義務之目的，此於甲、乙早已失聯20餘年、生死兩不知的情形下，顯強人所難，亦形同要求與乙相同情形之扶養義務人，一旦成年就須立即向法院聲請免除扶養義務（不問其聲請時甲是否需受扶養或可否維持生活），徒增法院大量案件負荷，顯非妥適。

初步研討結果：採戊說。

審查意見：採戊說，補充理由如下：本項法院之裁定兼具形成及確認性質，可溯及「自扶養義務人開始負扶養義務時起」免除其扶養義務。法院應依當事人之聲明，於裁定主文宣示自何時起免除扶養義務，當事人聲明如未表明，應予闡明，令其補充之。又當事人僅得就尚未履行部分聲請免除，已履行部分債務消滅，並無聲請免除之餘地，附此敘明。

研討結果：照審查意見通過。

四、臺灣高等法院暨所屬法院108年法律座談會民事類提案第8號

相關法條：民法第1120條及其立法理由。

法律問題

問題(一)：乙、丙、丁為甲之子女，依民法第1114條、第1115條規定，甲為受扶養權利人，乙、丙、丁為對甲負有扶養義務之人，因甲不能以自己財產維持生活而有受扶養之必要，然丙、丁未曾聞問或給付任何費用扶養甲，甚且失去行蹤，均由乙獨力扶養照顧並支出扶養費用，乙、丙、丁間未曾協議定期給付扶養費用作為甲之扶養方法，

乙得否逕依民法第179條不當得利之法律關係，請求丙、丁返還其代墊之扶養費用？

問題(二)：乙、丙、丁為甲之子女，依民法第1114條、第1115條規定，甲為受扶養權利人，乙、丙、丁為對甲負有扶養義務之人，因甲不能以自己財產維持生活而有受扶養之必要，然乙、丙、丁未曾聞問或給付任何費用扶養甲，甚且失去行蹤，均由與甲同住之乙之子戊獨力扶養照顧並支出扶養費用，乙、丙、丁間未曾協議定期給付扶養費用作為甲之扶養方法，戊得否逕依民法第179條不當得利之法律關係，請求乙、丙、丁返還其代墊之扶養費用？

討論意見：

問題(一)：

甲說：否定說。

按扶養之方法，由當事人協議定之；不能協議時，由親屬會議定之；民法第1120條前段所定扶養方法事件，應由當事人協議定之；不能協議者，由親屬會議定之。依法應經親屬會議處理之事項，而有下列情形之一者，得由有召集權人或利害關係人聲請法院處理之：一、無前條規定之親屬或親屬不足法定人數。二、親屬會議不能或難以召開。三、親屬會議經召開而不為或不能決議；又親屬會議不能召開或召開有困難時，由有召集權之人聲請法院處理之。前條所定扶養方法事件，法院得命為下列之扶養方法：一、命為同居一處而受扶養。二、定期給付。三、分期給付。四、撥給一定財產由受扶養權利人自行收益。五、其他適當之方法。民法第1120條前段、第1132條、家事事件審理細則第147條第1項、第2項、第148條分別有明文。又97年1月9日修正公布、同年月11日施行之民法第1120條有關「扶養方法決定」之規定，尋繹其修正之背景暨經過，既未採立法院原提案委員暨審查會通過之修正草案條文（即「扶養之方法，由當事人協議定之，不能協議時，由法院定之。」），改於原條文增列但書，規定為「但扶養費之給付，當事人不能協議時，由法院定之。」再依扶養費之給付，本是扶養方法之一種，且該但書祇將其中「扶養費之給付」部分予以單獨設其規範，應認當事人已就扶養之方法議定為扶養費之給付，扶養之方法即告協議完成，倘雙方僅就扶養費給付金額之多寡有所爭執，從扶養費給付之本質觀之，殊無由親屬會議議定之必要，亦非親屬會議所得置喙。於此情形，為求迅速解決紛爭，節省時間勞費，自應由法院介入，並依非訟事件法第140條之1規定（按本條因家事事件法第100條第1項已定有相同規定，業經刪除），直接聲請法院以非訟程序，本於職權探知以定該扶養費之給付金額，此乃該條但書之所由設。因此，對於一定親屬間之扶養方法，究採扶養義務人迎養扶養權利人，或由扶養義務人給與一定金錢或生活資料予扶養權利人，或依其他之扶養方法為之？應由當事人協議定之，以切合實際上之需要，並維持親屬間之和諧；若當事人就是否以扶養費給付為扶養之方法不能協議者，則仍應回歸依該條本文規定，由親屬會議定之，或依同法第1132條、第1137條規定暨最高法院45年台上字第346號判例意旨為之，尚不得逕向法院訴請給付扶養費。惟於當事人已協議以扶養費之給付為扶養之方法，而僅對扶養費給付金額之高低，不能達成協議時，始可依該條但書之規定，逕向管轄法院聲請以非訟程序裁判之（最高法院100年度台上字第2150號判決、101年度台簡抗字第50號、107年度台簡抗字第140號裁定意旨參照）。基上說明，如當事人間無法就扶養方法達成協議，自不得逕向法院聲請酌定給付扶養費，亦不應准許某一扶養義務人得先片面地決定扶養之方法為給付扶養費用，之後再以不當得利之法律關係，向其他扶養義務人請求返還所代墊之扶養費用，否則前揭法律規定將成具文。是以，受扶養人之扶養方法，究為：命為同居一處而受扶養、定期給付、分期給付、撥給一定財產由受扶養權利人自行收益，或其他適當之方法，依法仍需由當事人以上述之方式先予確定，使全體扶養義務人均有以其認為適當且可行之扶養方式履行其扶養義務之機會，非得由某一扶養義務人先片面地加以決定其扶養方式為給付扶養費，再於事後以不當得利之法律關係加以救濟，此乃當然之理（臺灣臺中地方法院107年度家親聲字第999號、108年度家親聲字第187號、106年度家親聲抗字第52號、臺灣士林地方法院106年度家親聲字第22號、臺灣嘉義地方法院107年度家親聲字第74號裁定意旨參照），準此，乙、丙、丁並未協議以何種方式扶養甲，則乙逕向法院請求丙、丁給付其代墊之扶養費，難認適法。

乙說：肯定說。

按扶養之方法，由當事人協議定之；不能協議時，由親屬會議定之；但扶養費之給付，當事人不能協議時，由法院定之，民法第1120條固有明文。惟觀諸前揭規範，明定應經親屬會議者，係以當事人不能協議「扶養之方法」為要件，如兩造間所存之爭執，並非其等不能協議「扶養之方法」，自不符上開要件，而無前揭規定之適用（臺灣高等法院102年度家上易字第17號裁定意旨同此見解）。況且，考以立法院於96年間就上開條文進行修法審查、三讀程序時，係經綜合審酌現今社會主要的家庭主流型態為「核心家庭」，親屬會議召開不易，在現代社會之功能日漸式微，惟扶養乃扶養人與受扶養人間基於親屬或家長家屬之情感及關係所生之權利義務，基本上係建基於家庭和諧之基礎，如直接由法院公權力介入，實難再恢復往昔之圓融，極易影響當事人間及家庭之和諧，亦容易因訴訟過程間之不愉快，而影響扶養義務人確實依裁判結果履行的意願，甚至須經由強制執行始能獲得履行，對受扶養人而言未必有利；且扶養方法包含受扶養人之食衣住行，範圍極廣，項目有時甚為細微，如一有爭議即由法院介入解決，客觀上並不一定能迅速有效且經濟的解決當事人爭議，是以，基於當事人之最佳利益考量，不宜逕由法院直接立即取代親屬會議之角色，仍宜提供當事人一個更迅速便捷且能保護其等之私密、和諧的機制，以解決其等關於扶養方法之途徑等節（立法院法律系統公布之立法歷程紀錄參照）。然而，本件乃扶養義務人乙援引民法第179條規定為據，主張其他扶養義務人丙、丁應負不當得利之返還責任，並非援引親屬間之扶養法律關係，請求其他扶養義務人丙、丁應以給付金錢之方法扶養甲，所爭執者為請求返還已墊付之扶養費之問題，並非其等不能協議甲之扶養方法，抑或乙是否片面地自行決定以給付金錢方式作為扶養方法。是以，本件自無按民法第1120條規定應先協議扶養方法，不能協議再經親屬會議定之等程序要求。遑論衡諸我國實務所常見者，乃扶養義務人多以其無資力、經濟困難為由，請求減免扶養義務，扶養義務之履行甚或可能須透過強制執行程序為之，至扶養義務人欲「先下手為強」扶養受扶養人，進以請求其他扶養義務人給付金錢之情形，實非常見，苟謂扶養義務人間如未先經親屬會議程序，即一概無法向其他扶養義務人請求先為墊付之不當得利之返還，恐將造成各該扶養義務人均袖手旁觀，不願先盡妥適良善之扶養義務，甚且可能致使受扶養權利人成為俗稱「人球」，此等人倫悲劇顯非符合立法本旨。是以，本件既為扶養義務人乙援引民法第179條規定為據，主張其他扶養義務人丙、丁應負不當得利之返還責任，核與民法第1120條所規定之「扶養之方法，由當事人協議定之；不能協議，由親屬會議定之。」等情不同，自無民法第1120條之適用（臺灣彰化地方法院105年度家親聲字第258號、臺灣基隆地方法院106年度家親聲字第67、151號、臺灣高等法院102年度家上易字第17號裁定意旨參照）。

問題(二)：

甲說：否定說。

如問題(一)否定說理由所述，如當事人間無法就扶養方法達成協議，自不得逕向法院聲請酌定給付扶養費，亦不應准許某一扶養義務人得先片面地決定扶養之方法為給付扶養費用，之後再以不當得利之法律關係，向其他扶養義務人請求返還所代墊之扶養費用，否則民法第1120條規定將成具文。是依舉重以明輕之法理，不負扶養義務之第三人豈能在扶養義務人未就扶養權利人之扶養方法為協議前，逕自採取扶養方法為給付扶養費用，之後再以不當得利之法律關係，向扶養義務人請求返還所代墊之扶養費用，準此，乙、丙、丁既未協議以何種方式扶養甲，則第三人戊逕向法院請求乙、丙、丁給付其代墊之扶養費，難認適法（臺灣臺南地方法院103年度家簡字第7號判決意旨參照）。

乙說：肯定說。

按扶養之方法，由當事人協議定之；不能協議時，由親屬會議定之。但扶養費之給付，當事人不能協議時，由法院定之。民法第1120條固定有明文。然該條既明定扶養之方法由當事人協議定之，則得參與扶養方法之協議者，應限於扶養義務人，否則若謂不限於扶養義務人均得參與扶養方法協議，無異謂任何人得對本屬他人家務事之扶養方法均得干預，此顯不合理。況親屬會議之目的，係為藉由親屬協調溝通促使扶養權利人及義務人間達成協議，所作成之決議，倘無爭執，亦僅能約束受扶養義務人及權利人雙方，效力並不及於其他人。本件戊依民法第1115條第1項第1款、第2項規定，對甲之扶養義務順序尚在親等近之直系血親卑親屬乙、丙、丁之後，可見戊對於甲之扶養方法之協議，尚非當事人，從而自亦不得以本件扶養方法未經協議，據以否認戊代為照顧甲所為之勞力支出，並致乙、丙、丁免於支出扶養費利益之事實（臺灣桃園地方法院95年度家訴字第47號判決、臺灣臺南地方法院103年度家聲抗字第77號裁定意旨參照）。

初步研討結果：問題(一)：採乙說。問題(二)：採乙說。

審查意見：問題(一)、(二)：均採乙說，理由如下：

(一) 民法第1120條前段規定「扶養之方法，由當事人協議定之；不能協議時，由親屬會議定之。」係為解決受扶養權利人與扶養義務人間不能就扶養之方法達成協議所為之規定，其協議之規範對象不包含扶養義務人彼此間就扶養義務履行所生之爭議（臺灣高等法院暨所屬法院107年法律座談會民事類提案第4號參照）。問題(一)、(二)既非關於受扶養權利人與扶養義務人間關於扶養方法之爭議，自均無民法第1120條規定之適用。

(二) 問題(一)：甲不能維持生活，乙、丙、丁為甲之子女，依民法第1114條、第1115條、第1116條規定，對於甲均負有扶養義務，丙、丁既未履行其扶養義務，而由乙獨力扶養甲，則乙所支出扶養費用，本應由乙、丙、丁三人負擔，丙、丁因乙之支出而受有免於支出其所應負擔扶養費之利益，致乙受損害，乙自得依不當得利之法律關係，請求丙、丁二人返還其代墊之扶養費用。

(三) 問題(二)：甲不能維持生活，乙、丙、丁為甲之子女，依民法第1114條、第1115條、第1116條規定，對於甲均負有扶養義務，戊依民法第1115條第1項第1款、第2項規定，對甲所負扶養義務之順序在乙、丙、丁之後，乙、丙、丁既未履行對甲之扶養義務，而由戊扶養甲，則戊所支出扶養費用，本係乙、丙、丁三人所應負擔，其三人因戊之支出而受有免於支出其所應負擔扶養費用之利益，致戊受損害，戊自得依不當得利之法律關係，請求乙、丙、丁三人返還其代墊之扶養費用。

研討結果：照審查意見通過。

五、臺灣高等法院暨所屬法院105年法律座談會民事類提案第16號

相關法條：民法第549條、第1092條。

法律問題：甲、乙原為夫妻，育有1名未成年子女丙，嗣甲、乙離婚後，共同約定將丙事實上之保護教養事項，委託給甲之母親丁監護。茲因丙於國中時期學壞，在外屢涉非行，丁深感無力管教，而欲終止委託監護，惟甲已死亡，乙再婚不願再處理丙之事務，致丁無法至戶政機關辦理合意終止委託監護。試問，丁可否逕以存證信函通知乙其終止所有委託監護權責，而發生終止委託監護之效力？

討論意見：

甲說：肯定說。

(一) 委託監護實質上乃屬委任契約之一種，因此行使親權之父母仍可隨時終止其委託監護。要之，委託監護與一般法定監護在本質上仍有差異，關於法

定監護之相關規定並不在適用之範圍內，而應適用委任契約之相關規定（林秀雄、親屬法講義2012年7月二版第348頁）。

(二) 委託監護人乃由於父母之委託，而行使、負擔父母對於子女之權利義務，非由親權人受讓親權或監護權，故父母選任委託監護人之後，尚得行使親權或監護權，且不能推卸其責任（不許辭任）。父母（為親權人或監護人）與委託監護人間之關係為準委任契約，親權人仍可隨時解除委託（戴炎輝、戴東雄、戴瑀如合著《親屬法》2010年9月最新修訂版第459頁）；委託監護人之法律上地位如何？宜解為：係由法定代理人（父母）所選任之複代理人。申言之，委託監護人，並非父母（親權人）之代理人而是基於父母之複任權，被選任之未成年子女之代理人。委託監護人，既由父母所選任，而非由父母受讓親權，故父母縱在選任委任監護人後，仍得行使其親權，對於委託之特定事項亦然（陳棋炎、黃宗樂、郭振恭合著《民法親屬新論》修訂九版第451頁）。

(三) 由上可知，甲、乙雖選任丁為受託監護人，惟仍為丙之親權人，不能推卸其責任，丁僅係其所選任之複代理人，且民法第1092條「受委託行使監護職務之人」，其監護職務係基於親權人之委託而來，此項委託，類似民法之委任，應可準用民法債編關於委任之規定，而民法第549條既已規定，當事人之任何一方，得隨時終止委託契約，丁自得準用該條規定，自行決意終止其與乙間之委託關係。又依民法第263條準用同法第258條第1項及第94條、第95條第1項規定，終止權之行使，應向他方當事人以意思表示為之，其以對話為意思表示者，其意思表示以相對人了解時，發生效力；非對話為意思表示者，其意思表示以通知到達相對人時，發生效力，故受託（監護）人丁以存證信函通知委託人乙終止委託監護，應屬合法，並應發生終止委託監護之效力（臺灣臺北地方法院98年度訴字第984號判決意旨參照）。

乙說：否定說。

(一) 委託監護之性質並非一般事物之委任，而係涉及未成年子女之最佳利益，為避免受託監護人任意終止委任監護後，造成未成年子女處於事實上無人照顧之情形（如父母出國，雖得到通知，但無法及時接回未成年子女），對未成年子女顯有不利。應認就民法第1092條委託監護之性質，受託監護人方尚不宜類推適用民法第549條，得自行、隨時終止委託契約之規定，以保障未成年子女之權益。

(二) 本例中乙雖拒不配合辦理合意終止委託監護關係，造成丁之困擾，惟因乙仍為丙之親權人，對丙仍負有保護教養義務，若乙對丙之事務不予聞問，或經丁告知後仍消極不予處理，丁應可以利害關係人之身分，依兒童及少年福利與權益保障法第71條、民法第1090條等相關規定，請求法院宣告停止乙對丙之親權並聲請改定監護人，則丁自新監護人任職之日起，因原委託監護關係已無繼續之必要，即會當然終止。

初步研討結果：採乙說。

審查意見：多數採甲說。

研討結果：多數採甲說。

六、臺灣高等法院暨所屬法院104年法律座談會民事類提案第16號

相關法條：民法第1030條之1。

法律問題：民法第1030條之1第1項前段規定：「法定財產制關係消滅時，夫或妻現存之婚後財產，扣除婚姻關係存續所負債務後，如有剩餘，其雙方剩餘財產之差額，應平均分配。」所謂「夫或妻現存之婚後財產」，有無包含夫妻間之債權？又所謂「扣除婚姻關係存續所負債務」，有無包含夫妻間之債務？

討論意見：

甲說：肯定說。

法無明文排除夫妻間之債權、債務，均應列入婚後積極、消極財產計算。至於乙說所指不公平之處，則依民法第1030條之1第2項規定，法院得調整或免除其分配額，仍可解決。

乙說：否定說。

參照74年6月3日立法理由，及101年12月26日立法理由二、三，可知夫妻剩餘財產分配請求權，乃立法者就夫或妻對家務、教養子女、婚姻共同生活貢獻之法律上評價，是以，剩餘財產分配請求權本質上就是夫妻對婚姻貢獻及協力果實的分享。惟夫妻一方對他方負債，就夫妻財產之增加並無貢獻，且該債務倘得列為扣除婚後財產之債務，將使該債務頓時消失，他方之婚後財產卻要加計

該債權，一減一增之下，他方之債權因剩餘財產差額平均分配致減半，負債者反而坐享其成，獲得非分之利益（即取得該債權之一半），甚不公平。故不應將夫妻間之債權、債務列入婚後積極、消極財產計算，而應於算定夫妻剩餘財產差額分配額後，由他方以該債權主張抵銷，如此計算方便，亦較公允。

審查意見：

(一) 多數採乙說。

(二) 補充意見如下：夫妻離婚時，夫有存款A元，妻有股票價值B元（假設A小於B），夫請求妻分配剩餘財產差額，妻則抗辯其為夫代墊子女扶養費a元，並主張與夫之上開債權請求互為抵銷。民法第1030條之1第1項前段規定：「法定財產制關係消滅時，夫或妻現存之婚後財產，扣除婚姻關係存續所負債務後，如有剩餘，其雙方剩餘財產之差額，應平均分配。」所稱「夫或妻現存之婚後財產，扣除婚姻關係存續所負債務」。

1. 倘包含夫妻間互負之債權、債務者，題示情形，將造成夫對妻之債務憑空消滅。

   計算式：

   夫之婚後財產：A元－（債務）a元

   妻之婚後財產：B元＋（債權）a元

   夫妻剩餘財產差額為〔（B元＋a元）－（A元－a元）〕÷2＝（B－A）元÷2＋a元

   因妻主張以債權A元與夫之上開債權請求互為抵銷，則妻須給付夫（B－A）元÷2【計算式：（B－A）元÷2＋a元－a元＝（B－A）元÷2】

2. 倘不包含夫妻間互負之債權、債務者，題示情形，對妻較公平，即不會無端喪失債權。

   計算式：

   夫之婚後財產：A元

   妻之婚後財產：B元

   夫妻剩餘財產差額為（B－A）元÷2

   因妻主張以債權A元與夫之上開債權請求互為抵銷，則妻須給付夫（B－A）元÷2－a元

研討結果：多數採甲說

七、臺灣高等法院暨所屬法院104年法律座談會民事類提案第17號

相關法條：民法第1079條。

法律問題：74年6月5日修正生效前民法第1079條規定：「收養子女，應以書面為之。但自幼撫養為子女者，不在此限。」所謂「自幼撫養為子女」，除以收養之意思，自幼撫養未滿7歲之未成年人為子女外，是否應得該未成年子女生父母之同意？

討論意見：

甲說：肯定說。

所稱「自幼撫養為子女者，不在此限」，係指以自幼撫養為子女之方式收養子女，無庸訂立書面收養契約而言，非謂第三人得不經幼年子女法定代理人之同意，擅自帶走其幼年子女撫養為自己之養子女。所謂「幼」，係指未滿7歲者而言。又民法第13條第1項規定，未滿7歲之未成年人，無行為能力；第76條規定，無行為能力人由法定代理人代為意思表示，並代受意思表示。是以收養之意思自幼撫養未滿7歲之未成年人為子女，應由該未成年人之法定代理人代為或代受被收養之意思表示，始生效力（最高法院103年度台上字第2449號判決參照）。

乙說：否定說。

所謂「自幼」，係指未滿7歲；「撫育」則指以有收養他人之子女為自己之子女之意思養育在家而言（司法院31年院字第2332號解釋、35年院解字第3120號解釋意旨參照）。再參以74年6月5日修正生效之民法第1079條立法理由：依舊法本條但書之規定，自幼撫養為子女者，不必具備書面，即認有合法之收養，惟本條修正第4項已明定收養子女應聲請法院認可，僅有自幼撫養為子女事實，已不能認有合法收養等詞，足認74年6月5日修正生效前之民法第1079條但書規定，收養人收養未滿7歲無意思能力之被收養人，只須收養人單方之收養意思與自幼撫育之事實結合，即成立養親子關係，不以將原報戶籍塗銷，辦妥收養登記為生效之要件，法律亦未明定應得生父母之同意，故祇須有自幼撫養之事實，並有以之為子女之意思即可成立（最高法院102年度台上字第2301號、103年度台上字第51號、103年度台上字第528號判決參照）。

審查意見：採乙說。

(一) 按74年6月3日修正立法理由，民法第1079條第2項才明定，未滿7歲之未成年人，被收養時須由法定代理人代為意思表示或代受意思表示，似意旨修正前原條文不須由法定代理人代為或代受意思表示，自包括不須由法定代理人同意，以此推認，74年6月5日修正前民法第1079條規定【自幼撫養為子女者】，是不須經未成年子女父母之同意的。

(二) 因最高法院裁判見解尚有歧異，建請司法院轉請最高法院研究。

研討結果：照審查意見通過。

而最高法院民事大法庭108年度台大上字第1719號裁定，認適用民國19年民法第1079條之收養事件，於未滿7歲被收養人有法定代理人且事實上能為意思表示時，應由該法定代理人代為並代受意思表示，始成立收養關係（即契約說）。

該件裁定係因最高法院合議庭受理有關確認親子關係存在上訴事件，因該院有：(1)以收養人單方收養意思與自幼（未滿7歲）撫育之事實結合，即得成立養親子關係（即單獨行為說）；(2)未滿7歲被收養人有法定代理人且事實上能為意思表示時，應由該法定代理人代為並代受意思表示，始成立收養關係（即契約說）之歧異見解，經徵詢程序後提案予大法庭統一見解。

民事大法庭採契約說之理由略以：

(一) 依19年民法第1079條規定：「收養子女，應以書面為之。但自幼撫養為子女者，不在此限」，由文義合併體系邏輯觀察可知，該條在規範收養應以書面為之之要式性及其例外，並未變更收養係身分契約之性質，無從據以推認19年民法之立法者有意以該條但書之規定，排除未成年子女及其法定代理人，而謂收養人得以單方收養之意思及自幼撫育之事實成立收養關係。

(二) 基於人格之自由發展，被收養人有決定是否與他人成立養親子關係之自由，其與他人成立收養關係身分契約之主體地位及身分形成意思，應受保障與尊重。我國之收養，多發生在被收養者幼年時，解釋上應認得由其法定代理人為意思能力之補充，例外承認身分行為得為代理，俾保障幼年子女契約主體地位及身分形成意思，及其最佳利益。

(三) 19年民法制定前、後，依大陸地區舊律、舊慣，及臺灣地區民事習慣，均認收養為身分契約。74年修正後該條第2項「收養有無效、得撤銷之原因或違反其他法律規定者，法院應不予認可」之規定，明認收養係身分上契約。介於其間之19年民法，關於收養之法律性質，自應為相同解釋，以保護幼年被收養子女之利益，並維持收養之性質為身分契約理論之一貫性。

(四) 19年民法關於收養關係之創設，未如74年修正後民法採行法院許可等機制，倘認得因收養人單方收養之意思及自幼撫育之事實成立收養關係，否定幼年子女之契約主體地位及身分形成意思，排除其與法定代理人於收養關係成立上之地位，不僅與保障兒童尊嚴與利益之價值有違，且所為立論悖於收養為身分契約之性質，亦與當時慣行不符，應不可採。

(五) 本爭議採契約說，符合國民慣行。至於能否以自幼撫育之事實，推認被收養子女之法定代理人已為同意之意思表示，或被收養子女於年滿7歲具意思能力後已為同意收養之意思，屬具體個案事實認定問題，應由事實審法院於個案兼顧身分關係安定及子女最佳利益，為公平之衡量。

八、臺灣高等法院暨所屬法院104年法律座談會民事類提案第43號

相關法條：家事事件法第3條、第23條、第24條、第30條、第36條，民法第1059條、第1059條之1。

法律問題：未婚之甲女於民國101年生下未成年子女A子並登記從甲女之姓，未幾，生父乙男出面認領未成年子女A，並與甲女書面協議：(1)A子由乙男照顧，關於A子權利義務的行使或負擔，改由乙男單獨任之；(2)A子之姓氏變更從乙男之父姓。嗣於104年3月間，已另結婚的甲女接回未成年子女A子，並向法院聲請(1)關於A子權利義務的行使或負擔，改由甲女單獨任之；(2)變更未成年子女A子姓氏為母姓。試問，如於調解程序中，甲女與乙男就A子權利義務的行使或負擔已合意改由甲女行使，法院可否依雙方之合意，於調解程序中，成立變更姓氏之調解？

討論意見：

甲說：否定說。

(一) 按「子女經出生登記後，於未成年前，得由父母以書面約定變更為父姓或母姓。子女已成年者，得變更為父姓或母姓。前2項之變更，各以一次為

限。」、「非婚生子女從母姓。經生父認領者，適用前條第2項至第4項之規定。非婚生子女經生父認領，而有下列各款情形之一，法院得依父母之一方或子女之請求，為子女之利益，宣告變更子女之姓氏為父姓或母姓：一、父母之一方或雙方死亡者。二、父母之一方或雙方生死不明滿三年者。三、子女之姓氏與任權利義務行使或負擔之父或母不一致者。四、父母之一方顯有未盡保護或教養義務之情事者。」民法第1059條第2項至第4項、第1059條之1分別定有明文。

(二) 今甲女與乙男既已依民法第1059條之1第1項規定適用前條第2項規定合意變更為父姓，自應受同條第4項規定合意之變更姓氏以一次為限之限制。今若再依兩造之合意調解成立變更子女姓氏，無異規避上開條文合意變更姓氏之限制，自不得准許。

乙說：肯定說。

(一) 按變更子女姓氏事件業經家事事件法第3條第5項第7款定為家事事件之戊類事件，又家事事件除第3條所定丁類事件外，於請求法院裁判前，應經法院調解。關於未成年子女權利義務行使負擔之內容、方法及其身分地位之調解，不得危害未成年子女之利益。家事事件之調解，就離婚、終止收養、分割遺產或其他得處分之事項，經當事人合意，並記載於調解筆錄時成立……前項調解成立，與確定裁判有同一之效力。家事事件法第23條第1項、第24條、第30條第1項前段、第2項分別定有明文。次按非婚生子女從母姓，經生父認領者，適用前條（1059）第1項至第4項之規定。非婚生子女經生父認領，而有下列各款情形之一，法院得依父母之一方或子女之請求，為子女之利益，宣告變更子女之姓氏為父姓或母姓：三、子女之姓氏與任權利義務行使或負擔之父或母不一致者。民法第1059條之1第2項第3款亦定有明文。

(二) 本件變更子女姓氏事件依上開規定，為當事人具有處分權的強制調解事件，且雙方業於調解程序達成合意，如調解法官認為未危害未成年人A子之利益，自得成立調解，並賦予與確定裁判同一之效力。

初步研討結果：採甲說。

審查意見：多數採甲說。

研討結果：採甲說。

繼承編

【司法院大法官解釋】

司法院大法官解釋第771號

解釋文：

繼承回復請求權與個別物上請求權係屬真正繼承人分別獨立而併存之權利。繼承回復請求權於時效完成後，真正繼承人不因此喪失其已合法取得之繼承權；其繼承財產如受侵害，真正繼承人仍得依民法相關規定排除侵害並請求返還。然為兼顧法安定性，真正繼承人依民法第767條規定行使物上請求權時，仍應有民法第125條等有關時效規定之適用。於此範圍內，本院釋字第107號及第164號解釋，應予補充。最高法院40年台上字第730號民事判例：「繼承回復請求權，……如因時效完成而消滅，其原有繼承權即已全部喪失，自應由表見繼承人取得其繼承權。」有關真正繼承人之「原有繼承權即已全部喪失，自應由表見繼承人取得其繼承權」部分，及本院37年院解字第3997號解釋：「自命為繼承人之人於民法第1146條第2項之消滅時效完成後行使其抗辯權者，其與繼承權被侵害人之關係即與正當繼承人無異，被繼承人財產上之權利，應認為繼承開始時已為該自命為繼承人之人所承受。……」關於被繼承人財產上之權利由自命為繼承人之人承受部分，均與憲法第15條保障人民財產權之意旨有違，於此範圍內，應自本解釋公布之日起，不再援用。本院院字及院解字解釋，係本院依當時法令，以最高司法機關地位，就相關法令之統一解釋，所發布之命令，並非由大法官依憲法所作成。於現行憲政體制下，法官於審判案件時，固可予以引用，但仍得依據法律，表示適當之不同見解，並不受其拘束。本院釋字第108號及第174號解釋，於此範圍內，應予變更。

【最高法院民事庭具參考價值裁判】

一、110年度台簡抗字第116號

相關法條：民法第1140、1176條

按先順序繼承人均拋棄其繼承權時，由次順序之繼承人繼承民法第1176條第6項定有明文。故被繼承人死亡時，由先順序繼承人承受被繼承人財產上之權利

義務，於其等合法拋棄繼承權時，次順序繼承人始得繼承。惟次順序之繼承人倘於先順序繼承人均拋棄繼承權時即已死亡，斯時其業無權利能力，無從承受被繼承人財產上之權利義務，自不生由其繼承後，再由其繼承人拋棄其對被繼承人繼承權之問題。（民法第1140條代位繼承限於民法第1138條之「第一順序繼承人」始有適用）

二、109年度台上字第95號

相關法條：民法第1191、1198條

按民法第1191條第1項規定公證遺囑，應指定二人以上之見證人，乃為確保公證人製作之公證遺囑內容，係出於遺囑人之真意，本其口述意旨作成。而民法第1198條第4款規定受遺贈人之「直系血親」，不得為遺囑見證人，無非因其就遺囑有間接利害關係，為免自謀利益，違反遺囑人之本意，故明文禁止之。惟於收養關係存續期間，受遺贈之養子女與本生父母之權利義務關係停止，本生父母就受遺贈人純獲法律上利益之遺囑作成，已無利害關係，難認有自謀利益而違反遺囑人本意之情形，即不應受遺囑見證人之身分限制。是民法第1198條第4款所稱「受遺贈人之直系血親」，於受遺贈人之收養關係存續期間，應僅指其養父母而言，不包含其本生父母，始符立法意旨。

【最高法院具參考價值裁判】

108年度第5次民事庭會議決議

院長提議：被繼承人甲生前指定乙、丙、丁三人為見證人立代筆遺囑，遺囑製作過程中，由甲口述遺囑意旨，見證人乙筆記，見證人丙宣讀、講解遺囑內容，甲認可後，經記明日期與代筆人姓名，由見證人全體及遺囑人簽名，此代筆遺囑之製作程式，是否符合民法第1194條之規定？

甲說：肯定說（不限制說）

民法第1194條所定使見證人中之一人筆記、宣讀、講解，乃在使見證人之一人依遺囑人口述之遺囑內容加以筆記，並由見證人宣讀，以確定筆記之內容是否與遺囑人口述之意旨相符，講解之目的則在說明、解釋筆記遺囑之內容，以使見證人及遺囑人瞭解並確認筆記之內容是否與遺囑人口述之遺囑相合，最後並須經遺囑人認可及簽名或按指印後，始完成代筆遺囑之方式。法律規定須由見證人加以筆記、宣讀、講解，僅在確保代筆遺囑確係遺囑人之真意。準此，見證人筆記、宣讀、講解之行為，乃係各自分立之行為，各有其作用及目的，並非三者合成一個行為，見證人三人並得互證所為遺囑筆記、宣讀、講解之真實，初無限於同一見證人為筆記、宣讀、講解之必要，俾能符合其立法之目的，並免增加法律所無之限制。

乙說：否定說（限制說）

遺囑制度乃在尊重死亡人之遺志，遺囑之發生效力既在遺囑人死亡之後，遺囑是否確係遺囑人之本意，屆時已難對質，遺囑之內容又多屬重要事項，攸關遺囑人之財產分配，利害關係人易起糾紛，為確保遺囑人之真意，避免糾紛，我國民法繼承編就遺囑規定須具備法定之方式，始生遺囑之效力。而代筆遺囑須由見證人中之一人筆記、宣讀、講解，此見證人必須親自筆記、宣讀、講解，不得使他人代為，此為民法第1194條所明定，若立法意旨兼允許一見證人或數見證人為筆記、宣讀、講解，條文無須記載「由見證人中之一人」等語。另對照民法第1191條第1項關於公證遺囑之製作，規定為：「公證遺囑，應指定二人以上之見證人，在公證人前口述遺囑意旨，由公證人筆記、宣讀、講解」，顯然認為筆記、宣讀、講解需由同一人即公證人為之較為嚴謹，並無由二位見證人與公證人分別為筆記、宣讀、講解並互證其效力之餘地。代筆遺囑之見證人並無資格限制，亦未若公證遺囑有具專業資格之公證人在場，其程序之要求自不宜少於公證遺囑。系爭遺囑非由同一見證人即代筆人為代筆、宣讀、講解，即不符代筆遺囑之法定方式，應屬無效。以上二說，何者為當，請公決。
決議：採甲說（不限制說）。

【高等法院具參考價值裁判】

一、臺灣高等法院臺南分院民事判決107年度家上易字第6號

要旨：口述遺囑意旨無須由遺囑人將遺囑之全部逐字逐句口頭陳述，口述之遺囑意旨已足以表達其真意，且因數字關係或內容複雜，以口述不能盡意，亦得於見證人面前口頭表示以某文書內容為其遺囑意旨，經代筆人筆記後，向遺囑人宣讀、講解，經遺囑人認可後簽名。

二、臺灣高等法院104年家上易字第14號民事判決

相關法條：民法第73、1194條。
民事訴訟法第247、256條。
家事事件法第51條。

要旨：代筆遺囑應由遺囑人指定見證人，並由遺囑人親自口述，以確保遺囑內容之真確，且口述應以言詞為之，不得以其他舉動表達，由見證人發問，僅以點頭或搖頭示意，不能解之遺囑人「口述」。

【民事法律問題座談】

一、臺灣高等法院暨所屬法院111年法律座談會民事類提案第8號

相關法條：民法第1140條、第1173條。

法律問題：甲之子女為乙、丙、丁、戊等4人，乙之子女為A、B等2人，甲於乙結婚時，贈與乙價值新臺幣（下同）300萬元之D房地乙筆，於乙開業時，贈與乙100萬元之營業資金；乙於91年間死亡，乙之遺產（含D房地）由A、B繼承。嗣甲於108年間死亡，遺有價值各900萬元之E、F2筆土地及現金200萬元。試問：乙生前受有甲之特種贈與共400萬元，代位繼承人A、B是否負歸扣之義務？

討論意見：

甲說：肯定說。

(一) 按代位繼承人係承襲被代位人之應繼分（民法第1140條規定參照），此應繼分自包括被代位人之特種贈與（應繼分之前付），若解為不須歸扣，則有違被繼承人應繼分前付之意思，被繼承人之意思不應因被代位人之死而有所變更。且其他共同繼承人於被代位人生存時，本可期待歸扣之利益，卻因被代位人之死亡而喪失，亦難期共同繼承人間之公平（林秀雄，繼承法講義，修訂八版參照）。至於民法第1140條規定之「代位繼承」，固有【固有權說】及【代位權說】之爭，惟無論採何者，基於公平正義原則下，若許代位繼承人得不負歸扣義務者，必有損於其他繼承人之合法繼承權益，故縱使國內實務及通說就「繼承資格存否」一節，採【固有權說】，但在「繼承之權利義務關係」一節，仍應以被代位繼承人原有之地

位而享有權利及負擔義務，方為公允（臺灣高等法院臺中分院104年度家上字第63號判決意旨參照）。

(二) 查本件A、B雖係以固有之繼承權，直接繼承祖父甲之遺產，然A、B不過係提高至被代位人乙之順序以代位行使其權利，A、B所取得者即為乙之應繼分（包括乙所受之特種贈與），故乙所原應負擔之義務亦應隨同移轉，方不違甲應繼分前付之意思，亦符合共同繼承人間之公平。是乙自甲處所獲得之特種贈與價額400萬元，應列入甲所有之財產中，成為應繼遺產，並應將該贈與額400萬元自A、B之應繼分中予以扣除，方符公平正義之原則。

乙說：否定說。

(一) 按代位繼承，係以自己固有之繼承權直接繼承其祖父之遺產，並非繼承其父（被代位人）之權利（最高法院32年度上字第1992號、108年度台上字第2030號判決意旨參照）。基於文義解釋及理論之一貫性，應採否定見解，蓋代位繼承人並非被繼承人生前特種贈與之受贈人，自不應將其解釋為亦屬該條所指之歸扣義務人。惟因被代位人實際上並未及成為繼承人時即已死亡，解釋上應非屬民法第1173條所定之繼承人，故其所受生前特種贈與（應繼分之前付）之利益，已屬無法律上之原因，而為不當得利，須負返還該生前特種贈與利益之義務，而此項返還之義務於被代位人死亡後，應由被代位人之繼承人繼承。如此之解釋，方符合代位繼承人之代位繼承權性質上係固有權，而非代位權，亦不違繼承人與代位繼承人之公平繼承原則及被繼承人為生前特種贈與之意思（司法研究年報第24輯第2篇遺產分割之理論與實務，第40-42頁參照）。

(二) 查本件A、B係以固有之繼承權，直接繼承祖父甲之遺產，而非繼承乙之權利，乙實際上並未及成為繼承人前即已死亡，並非本件之繼承人，與民法第1173條第1項所規定須為「繼承人」所獲之特種贈與始能歸扣之要件不符。是乙自甲處所獲得之特種贈與價額400萬元，不應列入甲所有之財產中，成為應繼遺產，代位繼承人A、B不負歸扣之義務。

初步研討結果：採乙說。

審查意見：採甲說，補充理由如下：

(一) 實務上通說認代位繼承權為固有權，係指代位繼承人之繼承資格（來源）；至於被代位人生前所受特種贈與是否應由代位繼承人負歸扣義務，則係涉及應繼分之計算，其計算方法並不受繼承權利來源影響。

(二) 依民法第1173條為贈與，受贈之法律上原因為贈與契約，且不因受贈人早於被繼承人死亡，即變成無法律上原因。否定說理由(一)認如特種贈與之受贈人（被代位人）早於被繼承人死亡，其所受特種贈與即為無法律上原因，代位繼承人須依繼承及不當得利之法律關係返還該特種贈與，並以上開方式而非以歸扣方式達到繼承人及代位繼承人間的公平，說理似有疑義，亦增加處理程序之繁瑣。

研討結果：照審查意見通過。

二、臺灣高等法院暨所屬法院109年法律座談會民執類提案第1號

相關法條：民法第758條、第1148條、第1148條之1、第1175條，土地法第43條，強制執行法第4條之2第1項第1款。

法律問題：債務人乙於民國（下同）109年1月1日死亡，其債權人甲於109年1月15日持對乙之支付命令及確定證明書所換發之債權憑證正本為執行名義（下稱系爭執行名義），聲請對乙之唯一法定繼承人丙強制執行乙於死亡前2年內贈與並已辦妥所有權移轉登記予丙之A土地及B建物（下合稱系爭不動產）。惟丙於109年2月15日向法院聲明拋棄繼承，經法院准予備查。執行法院應否續行強制執行系爭不動產？

討論意見：

甲說：肯定說。

按繼承人自繼承開始時，除本法另有規定外，承受被繼承人財產上之一切權利、義務。但權利、義務專屬於被繼承人本身者，不在此限。繼承人對於被繼承人之債務，以因繼承所得遺產為限，負清償責任。繼承人在繼承開始前2年內，從被繼承人受有財產之贈與者，該財產視為其所得遺產。前項財產如已移轉或滅失，其價額依贈與時之價值計算。民法第1148條、第1148條之1分別定有明文。依民法第1148條之1立法理由謂：「本次修正之第1148條第2項已明定繼承人對於被繼承人之債務，僅以所得遺產為限，負清償責任。為避免被繼承人於生前將遺產贈與繼承人，以減少繼承開始時之繼承人所得遺產，致影響被繼承人債權人之權益，宜明定該等財產視同所得遺產。惟若被繼承人生前所有贈與繼承人之財產均視為所得遺產，恐亦與民眾情感相違，且對繼承人亦有失

公允。故為兼顧繼承人與債權人之權益，爰參考現行遺產及贈與稅法第15條規定，明定繼承人於繼承開始前2年內，從被繼承人受有財產之贈與者，該財產始視為其所得遺產，爰增訂第1項規定。本條視為所得遺產之規定，係為避免被繼承人於生前將遺產贈與繼承人，以減少繼承開始時之繼承人所得遺產，致影響被繼承人之債權人權益而設，並不影響繼承人間應繼財產之計算。」由上開立法理由可知，民法第1148條之1視為所得遺產之規定，係為避免被繼承人於生前將遺產贈與繼承人，以減少繼承開始時之繼承人所得遺產，致影響被繼承人之債權人權益而設。另繼承人向法院為拋棄繼承之意思表示，係屬非訟事件性質，故法院僅須為形式上之審查為已足，毋庸為實體上之審究，當無確定實體法律關係之效力。換言之，原法院僅係形式審查丙拋棄繼承是否合法，並不能因原法院形式審查其拋棄繼承之聲明而准予備查，即可推翻系爭不動產依法視為所得遺產之規定，否則，繼承人或被繼承人明知被繼承人積欠債權人債務，而由被繼承人於死亡前2年內，將其財產贈與繼承人，繼承人復於被繼承人死亡後聲明拋棄繼承，無異以此規避債權人之追償，顯非事理之平，亦非法律承認拋棄繼承所欲保護法益之本旨。

乙說：否定說。

按不動產物權，依法律行為而變更者，非經登記不生效力，民法第758條定有明文。次按土地法第43條規定，依土地法所為之登記，有絕對效力。再按民法第1175條規定，繼承之拋棄，溯及於繼承開始時發生效力，則聲明拋棄繼承之人自繼承開始時起，脫離繼承關係，未取得被繼承人財產上之權利亦不負擔其債務，僅於執行名義係確定終局判決者，依強制執行法第4條之2第1項第1款規定，其效力始及於受判決被告之繼承人或占有請求標的物之人。執行法院依形式審查原則判斷，系爭不動產既登記於丙名下，其復因拋棄繼承而已非債務人乙之繼承人，即無再適用民法第1148條之1、第1153條規定，將系爭不動產視為丙所得遺產之理。依上開民法第758條及土地法第43條規定，系爭不動產所有權歸屬於丙，其既非系爭執行名義所載之債務人，債權人甲聲請就系爭不動產為強制執行，自屬無理由，應予駁回。

初步研討結果：採甲說。

審查意見：採甲說結論，理由如下：

(一) 按繼承人對於被繼承人之債務，以因繼承所得遺產為限，負清償責任。繼承人在繼承開始前2年內，從被繼承人受有財產之贈與者，該財產視為其所得遺產。繼承之拋棄，溯及於繼承開始時發生效力。民法第1148條第2項、第1148條之1第1項、第1175條分別定有明文。次按民法第1148條之1第1項立法理由謂：「本次修正之第1148條第2項已明定繼承人對於被繼承人之債務，僅以所得遺產為限，負清償責任。為避免被繼承人於生前將遺產贈與繼承人，以減少繼承開始時之繼承人所得遺產，致影響被繼承人債權人之權益，宜明定該等財產視同所得遺產。惟若被繼承人生前所有贈與繼承人之財產均視為所得遺產，恐亦與民眾情感相違，且對繼承人亦有失公允。故為兼顧繼承人與債權人之權益，爰參考現行遺產及贈與稅法第15條規定，明定繼承人於繼承開始前2年內，從被繼承人受有財產之贈與者，該財產始視為其所得遺產，爰增訂第1項規定。」

(二) 題旨乙於死亡前2年內以贈與為原因，移轉系爭不動產所有權予丙，於乙死亡時，依民法第1148條之1第1項規定，即擬制發生系爭不動產視為係丙所得乙遺產之效力，丙嗣後雖拋棄繼承而溯及於乙死亡時生效，惟參酌該項規定立法旨趣，應認為不影響該擬制效力，故系爭不動產仍屬於擔保乙所負總債務之責任財產，執行法院應續行執行程序。

(三) 系爭不動產依上開規定雖視為乙之遺產，而應受其債權人甲之強制執行，惟此不影響丙為系爭不動產所有權人之地位，故關於系爭不動產之強制執行程序應以丙為執行債務人，執行所得清償甲之債權後如有餘額，應返還予丙，附此敘明。

研討結果：

(一) 增列丙說：丙受贈與之財產應視為乙之遺產，不歸屬於丙所有，丙拋棄繼承而無人繼承時，應另選任遺產管理人處理。

(二) 多數採審查意見。

三、臺灣高等法院暨所屬法院108年法律座談會民事類提案第7號

相關法條：民法第106條、第1086條、第1087條、第1088條。

法律問題：甲乙育有一子丙，丁為丙之妻，二人育有子女A、B、C三名未成年子女，嗣丙於105年死亡，甲復於107年死亡，試問：A、B、C三名未成年子女代位繼承甲之遺產部分，丁以A、B、C三名未成年子女之法定代理人身分代理訂定之遺產分割協議書，有無違反雙方代理之規定？

討論意見：

甲說：肯定說。

(一) 按父母為其未成年子女之法定代理人。父母之行為與未成年子女之利益相反，依法不得代理時，法院得依父母、未成年子女、主管機關、社會福利機構或其他利害關係人之聲請或依職權，為子女選任特別代理人。次按代理人非經本人之許諾，不得為本人與自己之法律行為，亦不得既為第三人之代理人，而為本人與第三人之法律行為。但其法律行為，係專履行債務者，不在此限，民法第1086條、第106條分別定有明文。復觀諸民法第1086條之立法理由，所謂「依法不得代理」係採廣義，包括民法第106條禁止自己代理或雙方代理之情形，以及其他一切因利益衝突，法律上禁止代理之情形在內。

(二) 關於本件被繼承人甲之遺產分割事宜，未成年子女A、B、C既同為繼承人之一，彼此間有利益相反之情形，而丁為未成年子女A、B、C之法定代理人，倘同時代理A、B、C三人為遺產分割之法律行為，有違上開禁止雙方代理之規定，難期能維護A、B、C三人之利益，故應認丁僅得擔任未成年子女A、B、C中一人之法定代理人，另為其餘二名子女各自選任特別代理人（福建金門地方法院104年度家親聲字第5號、臺灣高雄少年及家事法院105年度家親聲字第339號、臺灣苗栗地方法院106年度家親聲字第147號、臺灣新竹地方法院106年度家親聲抗字第4號、臺灣彰化地方法院107年度司家親聲字第41號裁定意旨參照）。

乙說：否定說。

(一) 按未成年子女，因繼承、贈與或其他無償取得之財產，為其特有財產；未成年子女之特有財產，由父母共同管理。父母對於未成年子女之特有財產，有使用、收益之權，但非為子女之利益，不得處分之，民法第1087條、第1088條分別定有明文。因繼承所得之遺產為未成年子女之特有財產，倘父母本身非繼承人之一，則於法律上並無利害相反之情事，在符合各該未成年子女之利益下，父母本得處分未成年子女之特有財產，自無選任特別代理人之必要。

(二) 本件被繼承人甲之遺產由乙、A、B、C繼承，而丁非甲之繼承人，就被繼承人甲之遺產分割事宜並無法律上利害關係，又被繼承人甲之遺產為未成年子女A、B、C之特有財產，依據上開條文規定，丁本得為A、B、C之利益處分渠等之特有財產，為遺產分割之行為，毋庸選任特別代理人為之（臺灣屏東地方法院107年度司家親聲字第14號、臺灣新北地方法院108年度家親聲字第171號、臺灣桃園地方法院106年度家聲字第1號裁定意旨參照）。

初步研討結果：採甲說。

審查意見：採甲說。

理由如下：民法第1086條第2項規定：「父母之行為與未成年子女之利益相反，依法不得代理時，法院得依父母、未成年子女、主管機關、社會福利機構或其他利害關係人之聲請或依職權，為子女選任特別代理人。」所稱「依法不得代理」，依其立法理由係採廣義，包括民法第106條禁止自己代理或雙方代理之情形，以及其他一切因利益衝突，法律上禁止代理之情形。而遺產分割之協議，在客觀性質上，其行為於繼承人相互間有利益對立之情形，由一法定代理人代理多名未成年子女訂定遺產分割協議書，於未成年子女間亦有產生利害關係相反之可能，例如其中一未成年子女拋棄繼承或同意分受低於其應繼分額之財產，則其他未成年子女之應繼分或可分受之財產數額即隨之增大。故父或母以法定代理人身分一人代理多名未成年子女訂定遺產分割協議書，自有違雙方代理之規定，於超過一名未成年子女部分，即屬民法第1086條第2項所定「依法不得代理」之情形。故題示情形，丁僅得擔任未成年子女A、B、C中一人之法定代理人，另聲請法院為其餘二人未成年子女各自選任特別代理人。

研討結果：照審查意見通過。

Part 01 親屬編

各章重要性分析

民法親屬編	條文起迄	重要程度	重要考點提醒
第一章 通則	967至971	★★★	有關親等計算，一定要會。
第二章 婚姻	972至 1058	★★★ ★★	結婚與離婚之要件相當重要，有關結婚要件有修法，要多留意，還有新修正之夫妻財產制亦不可忽視，雖近年來考題尚未考較困難的新修正的夫妻財產制題型，但會配合繼承問題而成為重要考點。
第三章 父母子女	1059至 1090	★★★ ★★	有關認領、收養的規定常常考，要多留意，尤其針對認領及否認認領有修法，及收養要件內容修正，此部分應為這幾年來相當重要的考試重點議題。
第四章 監護	1091至 1113-10	★★	108年增訂「意定監護制度」，可能增加考出之機會。
第五章 扶養	1114至 1121	★★★	有關不能扶養的要件要記熟。
第六章 家	1122至 1128	★	應熟記定義。
第七章 親屬會議	1129至 1137	★	應熟記定義，並應注意103年之修法。

【焦點速記】

焦點1 親屬之種類 頻出度A 依據出題頻率分為：A頻率高 B頻率中 C頻率低

- (一) 血親（民§967）
  - 1. 意義：有血統連絡之人，互為血親。
  - 2. 分類
    - (1)
      - A. 自然血親：出於同一祖先，且其血統有連絡者。
      - B. 法定血親：本無血統連絡，因收養之法律行為，由法律擬制其有血統關係之連絡者。
    - (2)
      - A. 直系血親：己身所從出或從己身所出。
      - B. 旁系血親：非直系血親，而與己身出於同源之血親。
- (二) 姻親（民§969）
  - 1. 意義：姻親者，因婚姻媒介而發生之親屬關係。
  - 2. 分類
    - (1) 血親之配偶。
    - (2) 配偶之血親。
    - (3) 配偶之血親之配偶。
- (三) 配偶：指夫妻之互稱。

焦點2 親系與親等 頻出度B 依據出題頻率分為：A頻率高 B頻率中 C頻率低

- (一) 親系
  - 1. 血親
    - (1) 直系血親（民§967Ⅰ）
      - A. 己身所從出之血親。
      - B. 從己身所出之血親。
    - (2) 旁系血親（民§967Ⅱ）：非直系血親而與己身出於同源之血親。
  - 2. 姻親（民§970）
    - (1) 血親之配偶，從其配偶之親系。
    - (2) 配偶之血親，從其與配偶之親系。
    - (3) 配偶之血親之配偶：從其與配偶之親系。注意：不包含血親之配偶之血親，血親之配偶之血親無任何親屬關係。
- (二) 親等
  - 1. 血親
    - (1) 直系血親：從己身上下數，以一世為一親等。（民§968）
    - (2) 旁系血親：從己身數至同源之直系血親，再由同源之直系血親，數至與之計算親等之血親，以其總世數為親等之數。（民§968）
  - 2. 姻親（民§970）
    - (1) 血親之配偶，從其配偶之親等。
    - (2) 配偶之血親，從其與配偶之親等。
    - (3) 配偶之血親之配偶，從其與配偶之親等。

焦點3　親屬關係之得喪原因

頻出度B　依據出題頻率分為：A頻率高　B頻率中　C頻率低

- (一) 發生
  - 1. 自然血親：出生。
  - 2. 擬制血親：收養。
  - 3. 姻親關係：結婚。
- (二) 消滅
  - 1. 自然血親：死亡。
  - 2. 擬制血親：收養關係終止。
  - 3. 姻親關係：離婚或撤銷婚姻。

焦點4　婚姻(訂婚)

頻出度C　依據出題頻率分為：A頻率高　B頻率中　C頻率低

- (一) 意義：婚約者，男女雙方約定將來應互相結婚之契約。
- (二) 要件
  - 1. 應由當事人自行訂定。（民§972）
  - 2. 須達訂婚年齡，男、女滿十七歲。（民§973）
  - 3. 未成年人訂婚須得法定代理人同意。（民§974）
  - 4. 須無婚約無效之原因。
- (三) 效力
  - 1. 身分上之效力
    - (1) 不發生身分問題。
    - (2) 不得請求強迫履行。（民§975）
  - 2. 違反婚約之損害賠償
    - (1) 財產：以直接損害為限。
    - (2) 非財產：須請求權人無過失。
- (四) 無效與撤銷
  - 1. 無效
    - (1) 原因
      - A. 無訂婚能力。
      - B. 當事人無合意。
      - C. 禁婚親之婚約。
      - D. 有配偶人之婚姻。
    - (2) 效力：當然，絕對，自始無效。
  - 2. 撤銷
    - (1) 原因
      - A. 未達訂婚年齡。
      - B. 未得法定代理人同意。
      - C. 被詐欺或被脅迫。
      - D. 不能人道。
    - (2) 效力：溯及婚約時無效。
- (五) 解除
  - 1. 法定事由（民§976）
    - (1) 婚約訂定後，再與他人訂定婚約或結婚。
    - (2) 故違結婚期約。
    - (3) 生死不明已滿一年。

- (4) 有重大不治之病。
- (5) 婚約訂定後與他人合意性交。
- (6) 婚約訂定後受徒刑之宣告。
- (7) 有其他重大事由。

2. 效果
   - (1) 損害賠償。（民§977）
   - (2) 贈與物之返還。（民§979-1）
   - (3) 損害賠償請求權時效：請求權因二年間不行使而消滅。（民§979-2）

焦點5 結婚

頻出度A 依據出題頻率分為：A頻率高 B頻率中 C頻率低

- (一) 要件
  1. 實質要件
     - (1) 須達法定年齡（民§980）：男、女須滿十八歲。
     - (2) 須有婚姻之合意。
     - (3) 須不違反結婚之限制。（如：重婚、近親婚）
     - (4) 須非在無意識或精神錯亂中。（民§996）
     - (5) 須非被詐欺或被脅迫。（民§997）
     - (6) 須非不能人道。（民§995）
  2. 形式要件（民§982）：結婚，應以書面為之，有二人以上證人之簽名，並應由雙方當事人向戶政機關為結婚之登記。
  3. 已婚之推定：已依戶籍法為結婚登記者。
- (二) 無效
  1. 原因
     - (1) 不具備法定方式者。（民§982）
     - (2) 違反近親結婚之限制者。（民§983）
     - (3) 重婚。（民§985）
  2. 效力：當然，絕對，自始無效。
- (三) 撤銷
  1. 原因
     - (1) 違反適婚年齡之規定。（民§989）
     - (2) 違反監護人與受監護人不得結婚之規定。（民§991）
     - (3) 當事人之一方不能人道者。（民§995）
     - (4) 當事人之一方係在精神錯亂中。（民§996）
     - (5) 因被詐欺脅迫而結婚者。（民§997）
  2. 效力：不溯及既往。（民§998）

- (四) 婚姻之普通效力
  - 1. 身分上之效力
    - (1) 夫妻之稱姓。（民§1000）
    - (2) 夫妻之同居。（民§1001）
    - (3) 夫妻之住所。（民§1002）
    - (4) 貞操義務。
    - (5) 互助義務。
  - 2. 財產上之效力
    - (1) 日常家務之相互代理。（民§1003）
    - (2) 夫妻之扶養義務。（民§1116-1）
- (五) 無效與撤銷之損害賠償
  - 1. 財產上之損害賠償。
  - 2. 非財產上之損害賠償。

焦點6 夫妻財產制

頻出度A　依據出題頻率分為：A頻率高 B頻率中 C頻率低

- (一) 立法原則
  - 1. 貫徹男女平等原則。
  - 2. 維護婚姻生活和諧。
  - 3. 肯定家事勞動價值。
  - 4. 保障財產交易安全。
- (二) 夫妻財產契約
  - 1. 夫妻財產制契約之登記。（民§1008）
  - 2. 夫妻財產制約定方式之準用。（民§1008-1）
- (三) 夫妻財產制種類
  - 1. 法定財產制：新法修正廢棄聯合財產制，以修正分別財產制為主。
    - (1) 財產：區分「婚前財產」與「婚後財產」。
    - (2) 所有權歸屬：夫妻各自所有。
    - (3) 夫妻各自管理、使用、收益、處分其財產。（民§1018）
    - (4) 夫妻各自對其債務負清償之責。（民§1023）
    - (5) 夫妻財產相互間義務
      - A. 自由處分金酌給。（民§1018-1）
      - B. 婚後財產互負報告義務。（民§1022）
      - C. 婚後財產濫用之限制
    - (6) 剩餘財產分配請求權。
  - 2. 約定財產制
    - (1) 共同財產制
      - A. 權利歸屬
        - a. 管理用益權。
        - b. 處分權。
      - B. 債務
        - a. 由夫負清償責任者。
        - b. 由妻負清償責任者。
        - c. 家庭生活費用。
        - d. 補償請求權。

- (2) 分別財產制
  - a. 管理權：各有管理權。
  - b. 生活費用負擔：以夫負擔為原則。
  - c. 債務償還責任。

焦點7 婚姻之解消

頻出度B　依據出題頻率分為：A頻率高 B頻率中 C頻率低

- (一) 死亡及死亡宣告
- (二) 離婚
  - 1. 意義：離婚者，謂夫妻於婚姻關係存續中，經由雙方協議或經法院判決，消滅其婚姻關係之謂。
  - 2. 方式
    - (1) 兩願離婚
      - A. 意義：兩願離婚者，夫妻雙方以消滅婚姻關係為目的之要式契約，亦稱為協議離婚。（民§1049）
      - B. 要件
        - a. 實質要件
          - (a) 須當事人自行決定。
          - (b) 須有離婚能力。
        - b. 形式要件：應以書面為之，並有二人以上證人簽名，並向戶政機關為離婚之登記。（現行民§1050）
    - (2) 裁判離婚
      - A. 意義：判決離婚者，夫妻之一方，依據法定原因，請求法院宣告雙方離婚之謂。
      - B. 原因：夫妻之一方，有下列情形之一者，他方得向法院請求離婚：
        - a. 重婚。
        - b. 與配偶以外之人合意性交。
        - c. 夫妻之一方受他方不堪同居之虐待。
        - d. 夫妻之一方對他方之直系親屬為虐待，或受他方之直系親屬之虐待，致不堪為共同生活。

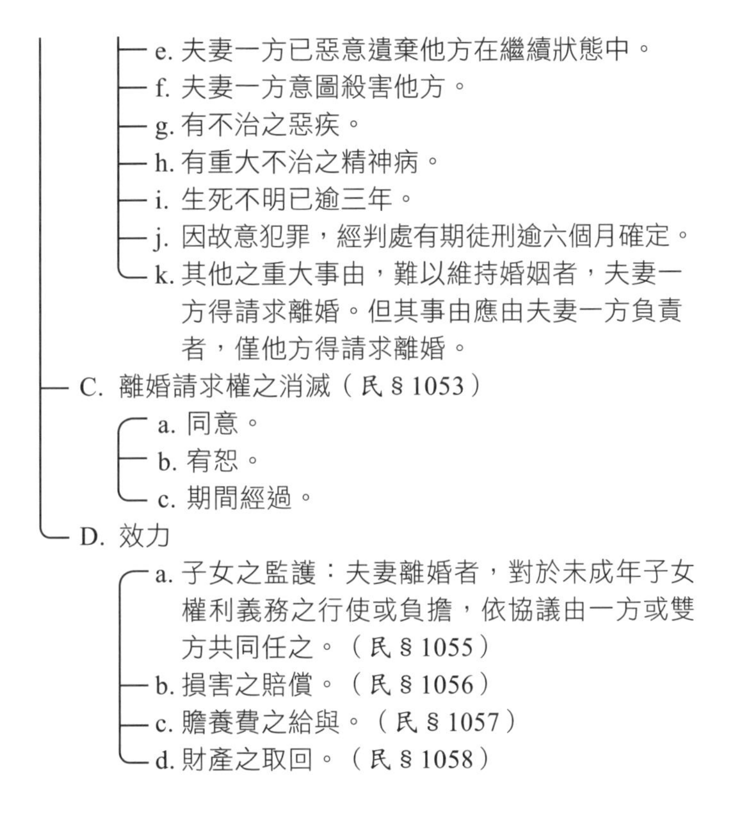

e. 夫妻一方已惡意遺棄他方在繼續狀態中。
f. 夫妻一方意圖殺害他方。
g. 有不治之惡疾。
h. 有重大不治之精神病。
i. 生死不明已逾三年。
j. 因故意犯罪，經判處有期徒刑逾六個月確定。
k. 其他之重大事由，難以維持婚姻者，夫妻一方得請求離婚。但其事由應由夫妻一方負責者，僅他方得請求離婚。

C. 離婚請求權之消滅（民§1053）
a. 同意。
b. 宥恕。
c. 期間經過。

D. 效力
a. 子女之監護：夫妻離婚者，對於未成年子女權利義務之行使或負擔，依協議由一方或雙方共同任之。（民§1055）
b. 損害之賠償。（民§1056）
c. 贍養費之給與。（民§1057）
d. 財產之取回。（民§1058）

焦點8 婚生與非婚生子女

頻出度A 依據出題頻率分為：A頻率高 B頻率中 C頻率低

(一) 婚生子女
1. 意義：稱婚生子女者，係指由婚姻關係受胎而生之子女。（民§1061）
2. 受胎期間：從子女出生日回溯第181日起至第302日止。（民§1062）
3. 推定：妻之受胎，係在婚姻關係存續中者，推定其所生子女為婚生子女。
推定，夫妻之一方或子女能證明子女非為婚生子女者，得提起否認之訴。
否認之訴，夫妻之一方自知悉該子女非為婚生子女，或子女自知悉其非為婚生子女之時起二年內為之。但子女於未成年時知悉者，仍得於成年後二年內為之。（民§1063）

- (二) 非婚生子女
  - 1. 意義：謂非由婚姻關係受胎而生之子女。
  - 2. 認領
    - (1) 意義：生父承認非婚生子女為其所生之單獨行為。
    - (2) 當事人：認領之權，專屬於生父。
    - (3) 方式：無限制， 經生父撫育者， 視為認領。（民§1065 I）
    - (4) 效力
      - A. 準婚生子女身分之取得。
      - B. 以溯及效力為原則。（民§1069）
    - (5) 強制認領
      - A. 意義：謂非婚生子女對於應認領而不認領之生父，向法院請求確認生父子女關係之存在。
      - B. 原因（民§1067）
        - a. 有事實足認其為非婚生子女之生父者，非婚生子女或其生母或其他法定代理人，得向生父提起認領之訴。
        - b. 認領之訴，於生父死亡後，得向生父之繼承人為之。生父無繼承人者，得向社會福利主管機關為之。
        - c. 生母為生父強制性交或略誘性交者。
        - d. 生母因生父濫用權勢性交者。
  - 3. 準正：
    - (1) 定義：稱準正者，對非婚生子女，以其父母之結婚為原因，與以婚生子女身分之謂。（民§1064）
    - (2) 要件
      - A. 血統上有父母子女關係。
      - B. 生父與生母結婚。

焦點9 收養

頻出度B｜依據出題頻率分為：A頻率高 B頻率中 C頻率低

- (一) 意義：養子女者，收養他人之子女為自己之子女。
- (二) 要件
  - 1. 實質要件
    - (1) 當事人間須有收養之合意。
    - (2) 須間隔一定年齡（收養者之年齡應長於被收養者二十歲以上）。
    - (3) 不違反親屬收養之限制。

- (4) 夫妻收養子女時，應共同為之。但有下列各款情形之一者，得單獨收養：
  - A. 夫妻之一方收養他方之子女。
  - B. 夫妻之一方不能為意思表示或生死不明已逾三年。
- (5) 被收養者應得配偶之同意。
- (6) 除夫妻共同收養外，一人不得同時為二人之養子女。
- (7) 法定代理人同意。（民§1076-2）

2. 形式要件
- (1) 以書面為之。
- (2) 應聲請法院認可。

(三) 效力
1. 婚生子女身分之取得。
2. 親屬關係之效力
- (1) 養子女與養父母之關係：（民§1077）
  - A. 養子女與養父母及其親屬間之關係，除法律另有規定外，與婚生子女同。
  - B. 養子女與本生父母及其親屬間之權利義務，於收養關係存續中停止之。但夫妻之一方收養他方之子女時，他方與其子女之權利義務，不因收養而受影響。
  - C. 收養者收養子女後，與養子女之本生父或母結婚時，養子女回復與本生父或母及其親屬間之權利義務。但第三人已取得之權利，不受影響。
  - D. 養子女於收養認可時已有直系血親卑親屬者，收養之效力僅及於其未成年且未結婚之直系血親卑親屬。但收養認可前，其已成年之直系血親卑親屬表示同意者，不在此限。
  - E. 前項同意，準用第一千零七十六條之一第二項及第三項之規定。
- (2) 養子女與本生父母之關係：對於養子女之利益，本生父母仍得加以保護。

(四) 終止
1. 原因
- (1) 合意終止。（民§1080）
- (2) 聲請法院許可終止。（民§1080）
- (3) 判決終止。（民§1081）

2. 效力
- (1) 在養親方之效力：親屬關係之權利義務消滅。
- (2) 在本生方之效力：回復原來之效力。

焦點10 監護

頻出度C｜依據出題頻率分為：A頻率高 B頻率中 C頻率低

- (一) 監護之意義：監護者，為監督保護無父母或父母不能行使親權之未成年人或受監護宣告之人之身體財產，法律所加予有能力人之任務。
- (二) 監護之事由
  - 1. 未成年人之事由
    - (1) 未成年人無父母或父母均不能行使、負擔其權利義務時。（民§1091）
    - (2) 父母對其未成年子女因特定事項，於一定期限內，以書面委託他人行使監護職務時。（民§1092）
  - 2. 受監護宣告之監護開始之事由：由法院宣告。
- (三) 未成年人之監護人
  - 1. 指定監護人。
  - 2. 法定監護人。
  - 3. 選定監護人。
  - 4. 委託監護人。
  - 5. 遺囑監護人。
- (四) 受監護宣告之人之監護人
  - 1. 法定監護人。
  - 2. 選任監護人。
  - 3. 意定監護人。
- (五) 不得為監護人（民§1096）：有下列情形之一者，不得為監護人：
  - 1.未成年。
  - 2.受監護或輔助宣告尚未撤銷。
  - 3.受破產宣告尚未復權。
  - 4.失蹤。
- (六) 解任監護（民§1095）：監護人有正當理由，經法院許可者，得辭任其職務。
- (七) 監護人之撤退
  - 1. 違反法定義務時。
  - 2. 無支付能力時。
  - 3. 違反親屬會議之指示時。
- (八) 監護人之權利義務
  - 1. 監護人之報酬請求權。
  - 2. 對於受監護人身體上之職務。
  - 3. 代為法律行為之職務。（民§1098）
  - 4. 管理財產之職務。

焦點11 扶養

頻出度C 依據出題頻率分為：A頻率高 B頻率中 C頻率低

- (一) 意義：扶養者，對於不能維持生活而無謀生能力者，予以扶助養育之謂。
- (二) 要件
  - 1. 受扶養權利者之要件
    - (1) 不能維持生活。
    - (2) 無謀生能力。
  - 2. 負扶養義務之要件：有維持自己之生活能力。
- (三) 互負扶養義務之親屬（民§1114）
  - 1. 直系血親相互間。
  - 2. 夫妻之一方與他方之父母同居者，其相互間。
  - 3. 兄弟姊妹相互間。
  - 4. 家長家屬相互間。
  - 5. 夫妻。（民§1116-1）
- (四) 順序
  - 1. 負扶養義務者（民§1115）
    - (1) 原則
      - A. 直系血親卑親屬（夫妻）。
      - B. 直系血親尊親屬。
      - C. 家長。
      - D. 兄弟姊妹。
      - E. 家屬。
      - F. 子婦、女婿。
      - G. 夫妻之父母。
    - (2) 同系直系尊親屬或直系卑親屬者，以親等近者為先。
    - (3) 親等同一時，各依經濟能力分擔義務。
  - 2. 受扶養權利者（民§1116）
    - (1) 原則
      - A. 直系血親尊親屬（夫妻）。
      - B. 直系血親卑親屬。
      - C. 家屬。
      - D. 兄弟姊妹。
      - E. 家長。
      - F. 夫妻之父母。
      - G. 子婦、女婿。
    - (2) 同系直系血親尊親屬或直系血親卑親屬者，以親等近者為先。
    - (3) 親等同一時，按其需要狀況酌為扶養。
- (五) 扶養程度之決定
  - 1. 依扶養權利人之需要。
  - 2. 依扶養義務人之經濟能力。
  - 3. 依扶養義務人之身分。
- (六)扶養義務之消滅
  - 1. 當事人死亡。
  - 2. 當事人之身分關係消滅。
  - 3. 扶養要件消滅。

焦點12 家

頻出度C 依據出題頻率分為：A頻率高 B頻率中 C頻率低

- (一) 意義：稱家者，謂以永久共同生活為目的而同居之親屬團體。（民§1122）
- (二) 家長
  - 1. 產生方法（民§1124）
    - (1) 推定。
    - (2) 法定。
    - (3) 指定。
  - 2. 家長之權利義務。
    - (1) 身分上之事項
      - A. 扶養家屬之義務。
      - B. 得令家屬由家分離。
    - (2) 財產上之事項
- (三) 家務之管理：由家長管理。（民§1125）
- (四) 家屬之分離
  - 1. 家屬請求分離。
  - 2. 家長令其分離。

焦點13 親屬會議

頻出度C 依據出題頻率分為：A頻率高 B頻率中 C頻率低

- (一) 意義：親屬會議者，乃以親屬為會員之會議機關，為處理民法上所規定之事項，由當事人、法定代理人、或其他利害關係人所召集之會議。
- (二) 組織
  - 1. 人數：以會員五人組織之。（民§1130）
  - 2. 會員之產生
    - (1) 法定會員。（民§1131）
    - (2) 指定會員。（民§1132）
      （103.1.10修正刪除指定會員之規定，由有召集權人或利害關係人聲請法院處理）
  - 3. 會員資格之限制：監護人、未成年人及受監護宣告之人，不得為親屬會議會員。（民§1133）
  - 4. 辭職之限制：會員非有正當理由，不得辭其職務。（民§1134）
- (三) 開會：親屬會議，非有三人以上之出席，不得開會，非有出席會員過半數之同意，不得為決議。（民§1135）

【重點整理】

壹、通則

親屬編之通則較少成為單獨性之考題，多與其他章節合併出題。但本章為親屬編重要名詞定義，因此必須完整背下來應試。

一、直系與旁系血親

稱**直系血親**者，謂己身所從出或從己身所出之血親。稱**旁系血親**者，謂非直系血親，而與己身出於同源之血親。（民§967）

二、親等之計算

血親親等之計算，直系血親，從己身上下數，以一世為一親等；旁系血親，從己身數至同源之直系血親，再由同源之直系血親，數至與之計算親等之血親，以其總世數為親等之數。（民§968）

三、姻親之定義

(一) **姻親範圍包括**：（民§969）

1. 血親之配偶。
2. 配偶之血親。
3. 配偶之血親之配偶。

老師叮嚀

「血親之配偶之血親」不包括在內。目的在避免姻親範圍過廣，而使親等的計算較困難。

(二) **姻親之親系及親等**：姻親之親系及親等之計算如下：（民§970）

1. 血親之配偶，從其配偶之親系及親等。
2. 配偶之血親，從其與配偶之親系及親等。
3. 配偶之血親之配偶，從其與配偶之親系及親等。

老師叮嚀

親等的立法主義：

羅馬法主義：直系是一世一親等，旁系是同源的直系血親與跟己身同源之直系血親相加計算。我國親屬法親等計算即採此主義。

寺院法主義：直系是一世一親等；旁系血親則不採合併計算，而是以要計算的二人，與其共同來源的世數先算出，若是相同，則以一方與共同來源之世數，為二人間之親等，若數目不同，則以世數較多的數目作為二人間的親等。

(三) **姻親關係之發生與消滅**：血親之發生，事由有「出生」、「認領」、「婚姻」以及「收養」。姻親關係因結婚而發生。而姻親關係，因離婚而消滅；結婚經撤銷者亦同。（民§971）

老師叮嚀

姻親關係不因夫妻一方死亡而消滅。
夫死亡者，妻與夫之親屬間，姻親關係不因此而消滅。
妻死亡者，夫與妻之親屬間，姻親關係不因此而消滅。

貳、婚姻

一、婚約

(一) **婚約成立之形式要件及實質要件**：婚約成立之形式為不要式行為，實質要件為：

1. 婚約，應由男女當事人自行訂定。（民§972）
2. 男、女未滿十七歲，不得訂定婚約。（民§973）
3. 未成年人訂定婚約，應得法定代理人之同意。（民§974）

(二) **婚約之效力**：**婚約之效力無強制性，不得強迫履行**。（民§975）並且違背婚約解除者可請求損害賠償，依照民法第976條規定婚約解除之事由及方法：「婚約當事人之一方，有下列情形之一者，他方得解除婚約：

1. 婚約訂定後，再與他人訂定婚約或結婚。
2. 故違結婚期約。
3. 生死不明已滿一年。
4. 有重大不治之病。
5. 婚約訂定後與他人合意性交。
6. 婚約訂定後受徒刑之宣告。
7. 有其他重大事由。

依前項規定解除婚約者，如事實上不能向他方為解除之意思表示時，無須為意思表示，自得為解除時起，不受婚約之拘束。」

依上述之規定，婚約解除時，無過失之一方，得向有過失之他方，請求賠償其因此所受之損害，雖非財產上之損害，受害人亦得請求賠償相當之金額，此類請求權不得讓與或繼承，但已依契約承諾或已起訴者，不在此限。（民§977）如婚約當事人之一方，無第976條之理由而違反婚約者，對於他方因此所受之損害，應負賠償之責。又非財產上之損害，受害人無過失者亦得請求賠償相當之金額，此項請求權，也是不得讓與或繼承。（民§978）

(三) **婚約不存在時贈與物之返還**：因訂定婚約而為贈與者，婚約無效、解除或撤銷時，當事人之一方，得請求他方返還贈與物。贈與物返還請求權之消滅時效，因二年間不行使而消滅。

二、婚姻之要件

(一) **結婚之實質要件**：

1. 需有結婚之意思能力。
2. **男、女未滿十八歲者，不得結婚。若違反者，依照民法第989條規定得撤銷**：「結婚違反第980條之規定者，當事人或其法定代理人得向法院請求撤銷之。但當事人已達該條所定年齡或已懷胎者，不得請求撤銷。」

相關大法官解釋（婚姻不再限於一男一女之二人）：「司法院釋字第748號解釋施行法」自108年5月24日施行。

748	民法親屬編婚姻章，未使相同性別二人，得為經營共同生活之目的，成立具有親密性及排他性之永久結合關係，是否違反憲法第22條保障婚姻自由及第7條保障平等權之意旨？	民法第4編親屬第2章婚姻規定，未使相同性別二人，得為經營共同生活之目的，成立具有親密性及排他性之永久結合關係，於此範圍內，與憲法第22條保障人民婚姻自由及第7條保障人民平等權之意旨有違。有關機關應於本解釋公布之日起2年內，依本解釋意旨完成相關法律之修正或制定。至於以何種形式達成婚姻自由之平等保護，屬立法形成之範圍。逾期未完成相關法律之修正或制定者，相同性別二人為成立上開永久結合關係，得依上開婚姻章規定，持二人以上證人簽名之書面，向戶政機關辦理結婚登記。

3. **非禁婚親**：依照民法第983條規定：「與下列親屬，不得結婚：
   (1) 直系血親及直系姻親。
   (2) 旁系血親在六親等以內者。但因收養而成立之四親等及六親等旁系血親，輩分相同者，不在此限。
   (3) 旁系姻親在五親等以內，輩分不相同者。
   前項直系姻親結婚之限制，於姻親關係消滅後，亦適用之。第1項直系血親及直系姻親結婚之限制，於因收養而成立之直系親屬間，在收養關係終止後，亦適用之。」
4. **須無監護關係**：監護人與受監護人，於監護關係存續中，不得結婚。但經受監護人父母之同意者，不在此限。（民§984）
5. **非重婚**：有配偶者，不得重婚。一人不得同時與二人以上結婚。（民§985）

相關大法官解釋（重婚禁止之原則與例外規定）

242	於國家遭遇重大變故，夫妻隔離相聚無期之情況下之重婚關係，得否聲請撤銷？	中華民國74年6月3日修正公布前之民法親屬編，其**第985條規定：「有配偶者，不得重婚」；第992條規定：「結婚違反第985條之規定者，利害關係人得向法院請求撤銷之。但在前婚姻關係消滅後，不得請求撤銷」，乃維持一夫一妻婚姻制度之社會秩序所必要，與憲法並無牴觸。惟國家遭遇重大變故，在夫妻隔離，相聚無期之情況下所發生之重婚事件，與一般重婚事件究有不同，對於此種有長期實際共同生活事實之後婚姻關係，仍得適用上開第993條之規定予以撤銷，嚴重影響其家庭生活及人倫關係，反足妨害社會秩序，就此而言，自與憲法第22條保障人民自由及權利之規定有所牴觸。**
362	民法重婚無效之規定，是否違憲？	**民法第988條第2款關於重婚無效之規定，乃所以維持一夫一妻婚姻制度之社會秩序，就一般情形而言，與憲法尚無牴觸。惟如前婚姻關係已因確定判決而消滅，第三人本於善意且無過失，信賴該判決而與前婚姻之一方相婚者，雖該判決嗣後又經變更，致後婚姻成為重婚，究與一般重婚之情形有異，依信賴保護原則，該後婚姻之**

362	民法重婚無效之規定，是否違憲？	**效力，仍應予以維持。首開規定未兼顧類此之特殊情況，與憲法保障人民結婚自由權利之意旨未盡相符，應予檢討修正。在修正前，上開規定對於前述因信賴確定判決而締結之婚姻部分，應停止適用。如因而致前後婚姻關係同時存在，則重婚者之他方，自得依法請求離婚，併予指明。**
552	釋字第362號解釋所稱「類此之特殊狀況」，是否包括協議離婚所致之重婚？重婚之後婚姻於何條件下始為有效？	本院釋字第362號解釋謂：「民法第988條第2款關於重婚無效之規定，乃所以維持一夫一妻婚姻制度之社會秩序，就一般情形而言，與憲法尚無牴觸。惟如前婚姻關係已因確定判決而消滅，第三人本於善意且無過失，信賴該判決而與前婚姻之一方相婚者，雖該判決嗣後又經變更，致後婚姻成為重婚，究與一般重婚之情形有異，依信賴保護原則，該後婚姻之效力，仍應予以維持。首開規定未兼顧類此之特殊情況，與憲法保障人民結婚自由權利之意旨未盡相符，應予檢討修正。」其所稱類此之特殊情況，並包括協議離婚所導致之重婚在內。**惟婚姻涉及身分關係之變更，攸關公共利益，後婚姻之當事人就前婚姻關係消滅之信賴應有較為嚴格之要求，僅重婚相對人之善意且無過失，尚不足以維持後婚姻之效力，須重婚之雙方當事人均為善意且無過失時，後婚姻之效力始能維持，**就此本院釋字第362號解釋相關部分，應予補充。如因而致前後婚姻關係同時存在時，為維護一夫一妻之婚姻制度，究應解消前婚姻或後婚姻、婚姻被解消之當事人及其子女應如何保護，屬立法政策考量之問題，應由立法機關衡酌信賴保護原則、身分關係之本質、夫妻共同生活之圓滿及子女利益之維護等因素，就民法第988條第2款等相關規定儘速檢討修正。在修正前，對於符合前開解釋意旨而締結之後婚姻效力仍予維持，民法第988條第2款之規定關此部分應停止適用。在本件解釋公布之日前，僅重婚相對人善意且無過失，而重婚人非同屬善意且無過失者，此種重婚在本件解釋後仍為有效。如因而致前後婚姻關係同時存在，則重婚之他方，自得依法向法院請求離婚，併此指明。

(二) **結婚之形式要件：**結婚，應以書面為之，有二人以上證人之簽名，並應由雙方當事人向戶政機關為結婚之登記。（民§982）

(三) 婚姻之效力：

1. 結婚無效：

(1) 無形式要件：不具備第982條第1項之以書面為之，有二人以上證人之簽名，並應由雙方當事人向戶政機關為結婚之登記。

(2) 違反近親結婚之限制（民§983）。

(3) 重婚（民§985）。但重婚之雙方當事人因善意且無過失信賴一方前婚姻消滅之兩願離婚登記或離婚確定判決而結婚者，不在此限。

相關大法官解釋

12	某甲收養某丙，同時以女妻之，有否民法第983條之限制？	某甲收養某丙，同時以女妻之，此種將女抱男習慣，其相互間原無生理上之血統關係，自不受民法第983條之限制。
34	母之養女與本身之養子得否結為夫妻？	母之養女與本身之養子係輩分不相同之擬制血親，依民法第983條第1項第2款之規定，不得結婚，本院釋字第12號解釋與此情形有異，自不能援用。

2. 結婚之撤銷：

(1) 未達法定年齡：結婚違反第980條之規定者，當事人或其法定代理人得向法院請求撤銷之。但當事人已達該條所定年齡或已懷胎者，不得請求撤銷。（民§989）

(2) 有監護關係：結婚違反第984條之規定者，受監護人或其最近親屬得向法院請求撤銷之。但結婚已逾一年者，不得請求撤銷。（民§991）

(3) 不能人道：當事人之一方，於結婚時不能人道而不能治者，他方得向法院請求撤銷之。但自知悉其不能治之時起已逾三年，不得請求撤銷。（民§995）

老師叮嚀

不能人道要件：

1.須於結婚時存在：(1) 結婚時存在：三年內得撤銷。(2) 結婚後存在：為民法第1052條第1項第7款或民法第1052條第2項之原因。

2.須達不能治之程度。

(4) 精神不健全：當事人之一方，於結婚時係在無意識或精神錯亂中者，得於常態回復後六個月內向法院請求撤銷之。（民§996）

(5) 被詐欺或脅迫：因被詐欺或被脅迫而結婚者，得於發見詐欺或脅迫終止後，六個月內向法院請求撤銷之。（民§997）

(6) 結婚撤銷之效力，不溯及既往。（民§998）

(四) **婚姻無效或撤銷之損害賠償**：當事人之一方，因結婚無效或被撤銷而受有損害者，得向他方請求賠償，但他方無過失者，不在此限。結婚無效或被撤銷雖非財產上之損害，受害人亦得請求賠償相當之金額，但以受害人無過失者為限，並此項請求權，不得讓與或繼承，但已依契約承諾或已起訴者，不在此限。（民§999）

(五) **婚姻無效或撤銷準用離婚之部分規定**：（民§999-1）

1. **婚姻無效時之準用**：第1057條（贍養費）及第1058條（夫妻財產分配）之規定，於結婚無效時準用之。
2. **婚姻撤銷時之準用**：第1055條、第1055條之1、第1055條之2（以上為有關子女權利義務行使之規定）、第1057條及第1058條之規定，於結婚經撤銷時準用之。

有關婚姻撤銷事由相關規定表列如下：

撤銷之原因事由	撤銷權人	撤銷權之消滅
未達法定年齡	當事人或法定代理人	當事人已達法定年齡。
監護人與被監護人結婚	受監護人、最近親屬	結婚已逾一年。
結婚時不能人道	他方當事人	知悉其不能治之時起已逾三年。
精神不健全	當事人	常態回復後六個月內向法院請求。
被詐欺或脅迫	當事人	發見詐欺或脅迫終止後六個月內向法院請求。

三、婚姻普通之效力

(一) **稱姓**：夫妻各保有其本姓。但得書面約定以其本姓冠以配偶之姓，並向戶政機關登記。冠姓之一方得隨時回復其本姓。但於同一婚姻關係存續中以一次為限。（民§1000）

(二) **夫妻之同居義務**：夫妻互負同居之義務，但有不能同居之正當理由者，不在此限。（民§1001）

相關大法官解釋

147	夫納妾，妻是否即有正當理由不履行同居義務？	**夫納妾，違反夫妻互負之貞操義務，在是項行為終止以前，妻主張不履行同居義務，即有民法第1001條但書之正當理由；至所謂正當理由，不以與同法第1052條所定之離婚原因一致為必要。**本院院字第770號解釋所謂妻請求別居，即係指此項情事而言，非謂提起別居之訴，應予補充解釋。

(三) **住所協議**：夫妻之住所，由雙方共同協議之；未為協議或協議不成時，得聲請法院定之。法院為裁定前，以夫妻共同戶籍地推定為其住所。（民§1002）

相關大法官解釋

452	民法關於夫妻住所以單方意思決定之規定，是否違憲？	**民法第1002條規定，妻以夫之住所為住所，贅夫以妻之住所為住所。但約定夫以妻之住所為住所，或妻以贅夫之住所為住所者，從其約定。本條但書規定，雖賦予夫妻雙方約定住所之機會，惟如夫或贅夫之妻拒絕為約定或雙方協議不成時，即須以其一方設定之住所為住所。上開法律未能兼顧他方選擇住所及具體個案之特殊情況，與憲法上平等及比例原則尚有未符，應自本解釋公布之日起，至遲於屆滿一年時失其效力。又夫妻住所之設定與夫妻應履行同居之義務尚有不同，住所乃決定各項法律效力之中心地，非民法所定履行同居義務之唯一處所。夫妻縱未設定住所，仍應以永久共同生活為目的，而互負履行同居之義務，要屬當然。**

(四) **日常家務代理權**：夫妻於日常家務，互為代理人。夫妻之一方濫用前項代理權時，他方得限制之。但不得對抗善意第三人。（民§1003）

老師叮嚀

日常家務代理權包含同居之男女：

通說認為同居之男女雖無婚姻關係，但有實際組成共同生活之家庭情形，第三人判斷夫妻身分極為困難，為了保護善意第三人，促進交易安全，應認為日常家務代理權包含同居之男女較為妥適。

(五) **家庭生活費負擔**：家庭生活費用，除法律或契約另有約定外，由夫妻各依其經濟能力、家事勞動或其他情事分擔之。因前述費用所生之債務，由夫妻負連帶責任。（民§1003-1）

四、夫妻財產制

(一) **夫妻財產制於民國91年修正重點概述**：

1. **前言**：向來著重於保障婦幼權利的婦女新知基金會、晚晴協會自民國79年起，即在亞洲基金會之贊助及台北市律師公會婦女問題研究委員會、身分法研究會之共同協助下，邀集了實務、學術界等專家，組成「民間團體民法親屬編修正委員會」，進行民法親屬編夫妻財產制修法之討論，並研擬其相關條文。在耗時長達十一年的研擬與遊說之篳路藍縷歷程後，終使立法院在民國91年6月4日三讀通過民法親屬編關於夫妻財產制之部分條文修正草案，該草案除確立我國婚姻關係中夫妻實質地位平等之原則外，並力求貫徹憲法所保障之男女平等原則。而長期致力於民法夫妻財產制之立法推動及國會遊說工作的婦女新知基金會與晚晴協會除了表達萬分欣慰之外，並表示仍有許多配套的工程需要繼續努力。而此次之修改，其所賦予夫妻財產制之新意義，實在至深且遠。

2. **修正要點**：析言之，本次修正三讀通過之要點如下：

   (1) **夫妻應共同分擔家庭生活費用**：明定夫妻應共同分擔家庭生活費用，且分擔之方式不以金錢為限，亦可各依其經濟能力、家事勞動或其他情事、方法為之，此乃具體肯定家務勞動之價值，並落實兩性平權觀念（第1003-1條）。而舊法中關於家庭生活費用負擔之相關規定（第1026條、第1037條及第1048條），並配合第1003-1條之增訂，予以刪除。

   (2) **夫妻財產制仍可區別為法定財產制及約定財產制**：夫妻財產制仍可區別為法定財產制及約定財產制（親屬編第4節第2、3款參照），約定財產制則又分為共同財產制及分別財產制（親屬編第4節第3款以下參照）。

   (3) **法定財產制之新內涵**：

      A. 改以「婚前財產」、「婚後財產」為分類標準：修正後之法定財產制，其財產種類不再區分為「原有財產」及「特有財產」，而改以「婚前財產」、「婚後財產」為其分類標準（第1017條第1項），以期易於區分。

B. 剩餘財產之分配方法：法定財產制之關係消滅時，夫或妻現存之婚後財產，於扣除婚姻關係存續中所負債務及與婚姻貢獻無關之財產（如因繼承、其他無償取得之財產及慰撫金等）後，均為剩餘財產之範圍，原則上由夫妻平均分配，但如其分配有顯失公平之情形時，一方配偶得請求法院調整或免除他方配偶之分配額，以維公平（第1030條）。

C. 將「聯合財產制」，改為「所得分配財產制」（或稱為「限制性的分別財產制」）——以瑞士所得分配制為基礎之法定財產制。

a. 採用法定財產制時，不論是婚前財產或婚後財產，明定由夫妻各自所有，並各自管理、使用、收益、處分（第1018條），就其婚後財產互負報告義務（第1022條），並就所負債務各自負其清償責任（第1023條）。

b. 此相關之修正，除在將法定財產由現行的聯合財產制改採行之於瑞士之所得分配財產制外，亦在主張夫妻的財產本應各自擁有、管理，才能符合兩性獨立的平等精神及時代趨勢，亦才能保障女性在婚姻關係中的經濟地位，及離婚時能夠有效取得其合理的分配權利，並貫徹憲法實質之平等權。

(4) **「自由處分金」概念之確立：**

A. 肯定「家務有價」：為肯定家務勞動之價值，以貫徹憲法所賦予之兩性平等權精神，新法第1018-1條增訂夫妻於家庭生活費用外，得協議一定數額之金錢，供夫或妻自由處分，此規定除了肯定夫妻於家庭共居之生活為合夥關係外，更確立了「提前分紅」之「自由處分金」概念，亦即夫妻可以在婚姻關係存續中，依雙方之協議、認同下，即得進行剩餘財產的分配。

B. 相關疑慮之釐清：惟關於本條立法，或以為：該條文未定明「自由處分金」之基本意義，又因其不具備強制性、應否定其履行期間、遲延之效果及是否需加以課稅……云云，或將導致其在適用時產生疑義。而「自由處分金」之數額是否於必要時得建立機制，並得交由法院加以裁定，甚或得加以強制執行等等，或為日後需加省思之處。而夫妻間若果為此自由處分金之多寡而生齟齬，並且對簿於公堂，只見其家居生活，亦早已冰凍三尺矣！雖是如此，吾人仍應肯定，此一規定除積極宣示「家務有價」之概念外，亦宣示了夫妻所共營之生活為類似於合夥之型態，並展現兩性平權與夫妻共同協力之婚姻精神。

(5) **配偶間剩餘財產分配請求權之保障——即「脫產保全」之設計**：新法為防止一方配偶脫產，致影響他方配偶之剩餘財產分配請求權，增訂下列規定，以加強保障配偶之剩餘財產分配請求權：

A. 婚姻關係存續中詐害行為之撤銷：夫妻之一方在婚姻關係存續中，就婚後財產所為之有償或無償行為，有害及法定財產關係消滅後他方之剩餘財產分配請求權時，於一定要件下，他方得向法院聲請撤銷該有償或無償行為：

a. 無償行為之撤銷：「夫或妻於婚姻關係存續中就其婚後財產所為之無償行為，有害及法定財產制關係消滅後他方之剩餘財產分配請求權者，他方得聲請法院撤銷之。但為履行道德上義務所為之相當贈與，不在此限。」（第1020-1條第1項）

b. 有償行為之撤銷：「夫或妻於婚姻關係存續中就其婚後財產所為之有償行為，於行為時明知有損於法定財產制關係消滅後他方之剩餘財產分配請求權者，以受益人受益時亦知其情事者為限，他方得聲請法院撤銷之。」（第1020-1條第2項）

c. 撤銷期間：「前條撤銷權，自夫或妻之一方知有撤銷原因時起，六個月間不行使，或自行為時起經過一年而消滅。」（第1020-2條）

B. 剩餘財產之計算及其追加：就剩餘財產的計算，原則上以法定財產消滅時為準，但夫妻之一方為減少他方對於剩餘財產之分配，而於法定財產制消滅前五年內處分其婚後財產者，應追加計算其婚後財產，並納入分配（第1030-3條）。

C. 婚後財產價值之計算：為避免夫妻就現存婚後財產價值之計算及應追加計算財產之計價時點，於適用上發生疑義，故新增第1030-4條規定：「夫妻現存婚後財產價值之計算，原則上以法定財產制關係消滅時為準，但因判決而離婚者，以起訴時為準」，以期明確。

D. 親屬編施行法第6-2條：「中華民國91年民法親屬編修正前適用聯合財產制之夫妻，於修正施行後仍採用法定財產制者，其特有財產或結婚時之原有財產，於修正施行後視為夫或妻之婚前財

產；婚姻關係存續中取得之原有財產，於修正施行後視為夫或妻之婚後財產。」（親屬編施行法第6-2條）

(6) **共同財產制之變革：**

A. 共同財產，由夫妻共同管理：舊法原規定共同財產由夫管理，未能貫徹男女平等原則，新法則改依公同共有之法理，修正為以夫妻共同管理為原則，但夫妻得約定由一方管理，以符需要。故新法第1032條第1項規定「共同財產，由夫妻共同管理。但約定由一方管理者，從其約定。」

B. 財產之管理、同意權：舊法第1033條第1項之但書規定，管理權人為管理上之必要，得不經他方同意，處分共同財產，原係配合舊法第1032條共同財產由夫管理之規定，固有其理。惟為貫徹憲法保障之男女平等原則，共同財產之管理既已修正為由夫妻共同管理為原則，例外得約定一方管理；為強化共同財產制為夫妻公同共有之精神，並避免何謂「管理上所必要之處分」在解釋上所可能滋生之疑義，故將第1033條修正為「夫妻之一方，對於共同財產為處分時，應得他方之同意。前項同意之欠缺，不得對抗第三人。但第三人已知或可得而知其欠缺，或依情形，可認為該財產屬於共同財產者，不在此限。」

C. 債務之清償方式：共同財產制下，夫或妻所負之債務應如何清償，舊法規定係區分夫之債務與妻之債務，並分別於第1034條至第1036條規定負清償責任之人，內容不僅複雜且與共同財產之法理未盡相符，故將其合併為第1034條，並修正為「夫或妻結婚前或婚姻關係存續中所負之債務，應由共同財產，並各就其特有財產負清償責任。」俾使夫或妻之債權人得自由選擇先就共同財產或為債務人之夫或妻一方之特有財產請求清償，以保障其權益，並求簡化明確。而第1035條、第1036條並配合第1034條之修正，予以刪除。

3. **實例解說——以剩餘財產分配為例：**

(1) 案例：甲男與乙女結婚時未約定夫妻財產制，婚後乙女即辭去工作，從事家務之操持。結婚時乙女有工作所得30萬元，娘家之嫁妝50萬元；甲男則有工作所得60萬元，豪華汽車一部（時價70萬元），華宅一間（時價800萬元）。結婚七年後，兩人依法辦理協議離婚，小孩之監護權歸乙女。在婚姻關係存續之七年中，乙女曾投資失利負債100萬元，由甲男清償，之後乙女則繼承其父之遺產100萬元外，其兄長並因空難事件獲賠2,000萬元，乙女為唯一之受益人，之後乙女並獨資簽中樂透獲得500萬元彩金，後因遭人倒會又負債300萬元。甲乙兩人離婚時，甲男有所得存款540萬元（含婚前工作所得60萬元），試問甲乙間之財產應如何分配？

(2) 解析：

A. 舊法之分配（第1030-1條）

a. 甲男之原有財產連同結婚時之財產合計：540萬元＋70萬元＋800萬元＝1410萬元。

甲男之剩餘財產：1410萬元（聯合財產關係消滅時甲男之原有財產）－〔60萬元（工作所得）＋70萬元（汽車一部）＋800萬元（華宅一間）〕（結婚時之原有財產）＋100萬元（為乙清償債務）＝580萬元。

b. 乙女之原有財產包括結婚時所有及因繼承與無償取得之財產合計：30萬元＋50萬元＋100萬元＋2000萬元＋500萬元＝2680萬元。

乙女之剩餘財產：2680萬元（聯合財產關係消滅時乙女之原有財產）—〔30萬元（工作所得）＋50萬元（娘家嫁妝）〕（結婚時之原有財產）－100萬元（繼承其父之遺產）－2000萬元（其兄之慰撫金）－300萬元（倒會債務）－500萬元（彩金）＝－300萬元。

c. 循前例計算之結果，剩餘財產之分配為：乙女得向甲男請求剩餘差額之半數（因乙女之剩餘財產小於甲男），即〔580萬元－（－300萬元）〕之半數，即440萬元。

d. 此時甲男僅得依舊法第1030-1條第2項規定，向法院聲請酌減其分配。

B. 新法之分配：

a. 依新法，本案剩餘財產之計算並無太大差異。

b. 「慰撫金」，因其屬於非財產上之損害賠償，具一身專屬性，其取得與婚姻之貢獻及協力無關，且縱為婚後取得，亦非屬剩餘財產分配之對象，故新法第1030-1條之第1項特加以明定，避免疑義，殊值贊同。

c. 新法第1030-1條第2項為避免本案所可能產生分配不公之情形，故修改為「依前項規定，平均分配顯失公平者，法院得調整或免除其分配額。」

d. 剩餘財產分配請求權係因夫妻之身分關係而產生，具專屬性，且其取得與婚姻之貢獻及協力有密切之關係，故夫妻之一方死亡時，其繼承人除不得繼承外，於夫妻離婚時任何一方之債權人亦不得代位行使；且夫妻之任何一方不得將該期待權任意讓與，但若已取得他方之承諾或已經向法院提起訴訟請求者，則應允其得讓與及繼承。故新法第1030-1條第3項乃仿民法第195條第2項之規定，新增第3項規定「第1項請求權，不得讓與或繼承。但已依契約承諾，或已起訴者，不在此限」，以示公允。

e. 依新法，如甲男從未給予乙女「自由處分金」者，則乙女可受分配之金額必將較舊法所得受之分配額為高。餘茲不贅。

4. **結語**：夫妻間之財產計算，實在是一本剪不斷、理還亂的帳啊！但因民法親屬編自民國74年6月3日修正後，在聯合財產之管理、使用、收益、家庭生活費用分擔及剩餘財產分配之設計上，均存有相當之矛盾或不足處，故本次民法親屬編關於夫妻財產制之修正，其幅度為歷年來最大者，其原因不難想見。**本次修正除肯定家事勞動之價值外，又立足於婚姻合夥及維護婚姻和諧之目的，揚棄舊日之夫妻權力服從之尊卑關係、注重婚姻相互協力成果的分享，可謂兼顧婚姻共同生活本質及夫妻（男女）平等原則，又不損及交易安全之立法**，殊值吾人深表讚揚。（本文轉載自考選情報雜誌第二十九期，2002年7月，鄭方）
親屬法在民法中由於篇幅較小，故而常常容易被忽視。甚至在坊間有些參考書裡，尚能發現只能適用於民國74年親屬法大規模修正前的解答！但是，不管怎麼樣，在考民法概要時，總會出現一題親屬或繼承吧？再加上總則區區一百多條條文，準備起來就已經可以涵蓋百分之50的出題範圍了，又何必輕視它呢？所以，以下筆者不但將舊有之考古題重新編寫、列表，更設計了新的題型；希望能夠有助於你的記憶與思考。

(二) **夫妻財產修正比較說明**：民法親屬編夫妻財產制修正案立法院於91年6月4日完成三讀，建立家庭中兩性地位平等的新里程碑，闡述修法重點並釐清修法前後之差異，敘述如下：

1. **夫妻財產制有三種：法定財產制、約定財產制（共同財產制及分別財產制）**。依照民法第1007條及1008條之規定，夫妻財產制契約之訂立，變更或廢止，應以書面為之。而夫妻財產制契約之訂立、變更或廢止，非經登記，不得以之對抗第三人。故夫妻財產制契約訂立之後，必須到夫妻住所所在地的法院辦理登記。另依非訟事件法第43條之規定，夫妻財產制契約登記之後，如果日後夫妻的住所地有變更，必須在住所變更後三個月內向新的住所所在地的法院重為登記，如果沒有重為登記，三個月期滿，原來的登記就會自動失效。此外，依民法第1008條第2項之規定，前項夫妻財產制契約之登記，不影響依其他法律行為所為財產權登記之效力，易言之，對於登記前夫或妻所負債務之債權人，不生效力，亦不影響依其他法律所為財產權登記之效力。
2. 夫妻得於婚前或婚後，以契約約定選用共同財產制或分別財產制，並向法院登記，如未約定則採用法定財產制。夫妻財產制之約定時點，依民法第1004條之規定，夫妻得於結婚前及結婚後，以契約就本法所定之約定財產制中，選擇其一，為夫妻財產制。而依民法第1007條及1012條之規定，夫妻財產制約定之後，可以隨時依夫妻雙方的合意予以廢止或變更內容，但仍然必須以書面的方式廢止或變更，並且也要到法院辦理登記。
3. **法定財產制的種類區分為婚前財產與婚後財產**，不動產可以登記之時點認定，動產則以取得時間認定，如不能證明為婚前財產或婚後財產時，法律先推定為婚後財產；不能證明為夫所有或妻所有時，例如家中電視機沒有發票或任何支出證明時，法律先推定為夫妻共有，如有反證時可以推翻之。又婚前財產在婚後所生之孳息，應算入婚後財產，例如婚前擁有之股票於婚後產生之紅利，納入婚後財產範圍。另新法刪除有關法定財產制中「特有財產」（係指一、專供夫或妻個人使用之物；二、夫或妻職業上必需之物；三、夫或妻所受之贈物，經贈與人聲明為其特有財產者）之規定，該等財產應依取得時間劃分婚前財產或婚後財產，加以定性。
4. **婚前財產與婚後財產之區別實益**：婚後財產於法定財產制關係消滅時，應為剩餘財產之分配，由夫妻各得二分之一，但如果平分結果對配偶之一方不利時，得請求法院調整或免除。例如夫妻之一方好吃懶做，靠另一方努力辛苦養家，因對家庭無貢獻，所以其剩餘財產分配請求權法院可以調整或免除，以維公平。

5. **不論婚前或婚後財產，所有權由夫妻分別所有，各自管理、使用、收益（例如出租）及處分（例如變賣）**。如有負債，亦各自負清償責任。
6. **家庭生活費用由夫妻依其能力負擔，包括家務勞動之負擔方式亦屬之**。夫妻可以在家庭生活費用外，相互約定一定數額之金錢，供夫或妻自由處分。關於家庭生活費用之分擔問題，依民法第1003-1條第1項規定，家庭生活費用，除法律或契約有約定外，由夫妻各依其經濟能力、家事勞動或其他情事分擔之。另同條第2項規定，因前項費用所生之債務，由夫妻負連帶責任。
7. 如夫妻之一方在婚姻關係存續當中，有脫產之行為，將害及未來剩餘財產分配時，不論有償或無償行為，在一定要件下，他方可以向法院聲請撤銷上開有償或無償行為，以保全剩餘財產分配。
8. **夫妻離婚或法定財產制消滅時，婚後財產扣除與婚姻貢獻無關者（包括繼承、贈與及慰撫金）為剩餘財產，應予平分**。所謂法定財產制消滅時，包括夫妻改用其他財產制，因此台商在大陸如另起爐灶，在台配偶為防止財產被淘空，可以聲請法院改用分別財產制，提前進行剩餘財產之分配，以保障權利。
9. 剩餘財產的計算，以法定財產制消滅時為準，但應追加計算前五年處分之婚後財產納入分配。惟此一部分法律並無溯及既往之規定，故新法上路後非馬上可以追加五年的處分財產。
10. **新法將剩餘財產分配請求權規定為一身專屬權（舊法未規定，實務上及學者通說均認係普通財產權），換言之，依新法僅夫或妻有請求權，夫或妻之債權人或繼承人均無代位請求權**，此點攸關交易安全，不可不慎。至約定財產制部分仍維持「共同財產制」與「分別財產制」二種，夫妻可視個別需要自行選用。前者尚可選定全部財產之共有或僅以勞力所得部分（即薪資、工資、紅利、獎金及其他勞力所得）為共有，其餘財產仍適用分別財產制。共同財產制的特色是將財產所有權共有，管理、使用、收益、處分及負債亦均共同為之，因此處分時，相對人（夫妻以外之第三人）應注意是否雙方均同意，未經同意之處分可能無效。總括來說，法定財產制之管理權原由夫妻之一方擔任者，自新法公布施行後，不論婚前或婚後財產，所有權由夫妻分別所有，各自管理、使用、收益（例如出租）及處分（例如變賣）。如有負債，亦各自負清償責任。

11. 肯定家務勞動之價值，具體落實於條文內容，不再淪為口號，並確認兩性在家庭中獨立人格地位，鼓勵兩性共同經營家庭，不論主外或主內，並無區別。提醒適用新法之夫妻應注意之事項：(1)確認婚前財產與婚後財產之範圍。(2)新增剩餘財產分配請求權之要件規定。
12. 進行自由處分金之約定，並建議以書面為之，約定內容儘量詳實，例如是否會因情事變更而減少數額、增加數額或預留彈性空間，俾免未來產生爭議。

(三) 夫妻財產制的種類：

1. **法定財產制**：依民法第1005條之規定，夫妻未以契約訂立夫妻財產制者，除本法另有規定外，以法定財產制，為其夫妻財產制。

(1) 財產內容：

A. 婚前財產：指結婚時屬於夫或妻之財產：

a. 依民法第1017條第2項規定，夫或妻婚前財產，於婚姻關係存續中所生之孳息，視為婚後財產。

b. 依民法第1017第3項規定，夫妻以契約訂立夫妻財產制後，於婚姻關係存續中改用法定財產制者，其改用前之財產視為婚前財產。

B. 婚後財產：依民法第1017條第1項規定，夫或妻之財產分為婚前財產與婚後財產，由夫妻各自所有。不能證明為婚前或婚後財產者，推定為婚後財產。依民法第1018條之規定，夫或妻各自所有、管理、使用、收益及處分其財產。依第1017第1項後段規定，不能證明為夫或妻個人所有之財產，推定為夫妻共有的財產。而債務部分，依民法第1023條規定，夫妻各自對其債務負清償責任，夫妻之一方以自己財產清償他方之債務時，雖於婚姻關係存續中，亦得請求償還。自由處分金，依民法第1018-1條規定，夫妻於家庭生活費用外，得協議一定數額之金錢，供夫或妻自由處分。

(2) **剩餘財產分配請求權**：

A. **原則**：依民法第1030-1條規定，**法定財產制關係消滅時**（消滅的原因包括：夫妻離婚、死亡、或約定改用其他財產制等情況），**夫或妻現存的婚後財產，扣除其在婚姻關係存續中所負債務後，如有剩餘，其雙方剩餘財產之差額，應平均分配**。例如：夫的婚前財產有100萬元，離婚時的財產總價額為500萬元，婚後負債100萬元。則夫的婚後財產為500萬－100萬＝400萬元。扣除婚姻中的負債100萬元，則夫的剩餘財產為300萬元。妻的婚前財產有200萬元，離婚時的財產總價額為400萬元，婚後負債100萬元。則妻的婚後財產為400萬－200萬＝200萬元。扣除婚姻中的負債100萬元，則妻的剩餘財產為100萬元。夫的剩餘財產為300萬元、妻的剩餘財產為100萬元，則雙方剩餘財產的差額即為300萬－100萬＝200萬元。這項差額應由夫妻平均分配，即各自分配200萬除以2等於100萬，亦即應由夫給妻100萬元。

B. **例外**：依民法第1030-1條第1項但書規定，**夫或妻個人因為繼承或其他無償取得（例如贈與）之財產以及慰撫金**，不在此限，亦即**不列入法定財產制關係消滅時，剩餘財產分配之計算**。

C. 法院之調整或免除：

a. 夫妻之一方對於婚姻生活無貢獻或協力，或有其他情事，致平均分配有失公平者，得依同條第2項之規定，由法院得調整或免除其分配額。（民§1030-1II）

b. 法院為前項裁判時，應綜合衡酌夫妻婚姻存續期間之家事勞動、子女照顧養育、對家庭付出之整體協力狀況、共同生活及分居時間之久暫、婚後財產取得時間、雙方之經濟能力等因素。（民§1030-1III）

D. 一身專屬權及時效：

a. 第一項請求權，不得讓與或繼承。但已依契約承諾，或已起訴者，不在此限。（民§1030-1 IV）

b. 第一項剩餘財產差額之分配請求權，自請求權人知有剩餘財產之差額時起，二年間不行使而消滅。自法定財產制關係消滅時起，逾五年者，亦同。（民§1030-1 V）

(3) 對夫妻之一方不當減少婚後財產之行為（例如脫產行為）之補救：

A. **夫或妻之一方以其婚後財產清償其婚前所負債務，或以其婚前財產清償婚姻關係存續中所負債務，除已補償者外，於法定財產制關係消滅時，應分別納入之婚後財產或婚姻關係存續中所負債務計算**（民§1030-2 I），又夫或妻之一方以其第1030-1條第1項但書之財產清償婚姻關係存續中其所負債務者，亦適用前項之規定（民§1030-2 II）。

B. 第1030-3條規定，**夫或妻為減少他方對於剩餘財產之分配，而於法定財產制關係消滅前五年內，處分其婚後財產者，應將該財產追加計算，視為現存之財產。但為履行道德上義務之所為之相當贈與，不在此限**。前項情形，分配權利人於義務人不足清償其應得之分配額時，得就其不足額，對受領之第三人於其所受利益內請求返還。但受領為有償者，以顯不相當對價取得者為限。易言之，夫或妻為了躲避將剩餘財產分配給對方的責任，故意減少婚後財產時，如果該脫產行為是在法定財產制關係消滅前五年內所為者，應該先將該財產追加計入現存的婚後財產，再行計算剩餘財產的差額，如果脫產之後的實際財產不足以支付其分配額時，亦可以向受益的第三人在受益範圍內請求返還。

C. 民法就婚後財產之價值計算規定於第1030-4條，即夫妻現存之婚後財產，其價值計算以法定財產制關係消滅時為準。但夫妻因判決而離婚者，以起訴時為準。**如係依第1030-3條規定應追加計算之婚後財產，其價值計算以處分時為準。**

2. **共同財產制**：共同財產之定義規定於民法第1031條，夫妻之財產及所得，除特有財產外，合併為共同財產，屬於夫妻公同共有。惟依第1031-1條規定專供夫或妻個人使用之物、夫或妻職業上所必需之物及夫或妻所受之贈物，經贈與人以書面聲明為其特有財產者。此外，民法第1041條規定，夫妻得以契約訂定僅以勞力所得為限為共同財產。而**所謂的「勞力所得」是指夫或妻在婚姻中陸續取得的薪水、工資、紅利及其他與勞力所得有關的財產收入，諸如員工分紅或入股所發的股票、股息等**。不能證明為勞力所得或勞力所得以外財產者，推定為勞力所得。

(1) 財產權利：

A. 共同財產：依民法第1032條規定，共同財產，由夫妻共同管理。但約定由一方管理者，從其約定。而共同財產之管理費用，由共同財產負擔。另第1033條規定夫妻任一方必須徵得另一方的同意，才可以處分共同財產。而此種同意之欠缺，不得對抗第三人。但第三人已知或可得而知其欠缺，或依情形，可認為該財產屬於共同財產者，不在此限。

B. 至於特有財產的部分則由夫或妻各自所有，各自管理、使用、收益及處分。

(2) 債務之清償：

A. 夫妻所負債務之清償：依民法第1034條規定，夫或妻結婚前或婚姻關係存續中所負之債務，應由共同財產，並各就其特有財產負清償責任。

B. 共同財產或特有財產所負債務之清償：依第1038條規定，共同財產所負之債務，而以共同財產清償者，不生補償請求權；而以特有財產清償，或特有財產之債務，而以共同財產清償者，有補償請求權，雖於婚姻關係存續中，亦得請求。

(3) 共同財產制之消滅情況有二：

A. 夫妻的一方死亡時：依民法第1039條之規定，夫妻之一方死亡時，共同財產之半數，歸屬於死亡者之繼承人，其他半數，歸屬於生存之他方。

B. 因其他原因而消滅時：依民法第1040條規定，共同財產制關係消滅時，除法律另有規定外，夫妻各取回其訂立共同財產制契約時之財產。共同財產制關係存續中取得之共同財產，由夫妻各得其半數。但另有約定者，從其約定。

3. **分別財產制：**

(1) 分別財產制之定義：依民法第1044條之規定，**分別財產制，夫妻各保有其財產之所有權，各自管理、使用、收益及處分**。

(2) 分別財產制之原因為以下規定：

法院應夫妻一方之聲請而為宣告：依民法第1010條規定，夫妻之一方有下列情形之一時，法院因他方之請求，得宣告改用分別財產制：

A. 依法應給付家庭生活費用而不給付時。

B. 夫或妻之財產不足清償其債務時。

C. 依法應得他方同意所為之財產處分，他方無正當理由拒絕同意。

D. 有管理權的一方對於共同財產之管理顯有不當，經他方請求改善而不改善時。

E. 因不當減少其婚後財產，而對他方剩餘財產分配請求權有侵害之虞時。

F. 有其他重大事由時。

G. 夫妻之總財產不足清償總債務或夫妻難於維持共同生活，不同居已達六個月以上時。

101年12月7日刪除民法第1009條規定，夫妻之一方受破產宣告時，其夫妻財產制，當然成為分別財產制。

(一) 民法親屬編於民國十九年制定時，係以聯合財產制為法定財產制，故為解決夫妻一方受破產宣告時破產財團範圍之問題，訂有本條規定。惟為貫徹憲法保障之男女平等原則，現行法定財產制已修正以瑞士所得分配制為基礎，因此在財產分離為架構下，夫妻之財產均各自保有其所有權權能，亦各負擔債務。故可知我國民法基於男女平等、人格獨立之精神，對夫妻之債務既以各自清償為原則，本條已不符現行法定財產制之精神。

(二) 再法定財產制關係消滅時之剩餘財產分配請求權，既係一身專屬權，他人不得代位行使之，又消費者債務清理條例第98條第2項亦規定專屬於債務人本身之權利不屬於清算財團，故於法定財產制之情況下，本條已無規定之實益，爰刪除之。

(三) 又參酌日本個人破產制度立法例，夫妻僅於離婚時得由夫妻協議或訴請法院分配財產，婚姻關係存續中，縱使一方聲請個人破產，亦不將配偶財產納入破產財團，故不生財產分配之問題，考量我國清算制度多參酌日本個人破產制度，故實無再於本法另訂夫妻受破產後改為分別財產制之必要。

(四) 至於夫妻約定共同財產制者，因共同財產本為夫妻公同共有，債務人進入破產或清算程序後，共同財產本應依比例列入破產或清算財團，故無再改用分別財產制之必要，縱刪除本條，亦不影響共同財產制夫妻債務人破產或清算程序之進行。

101年12月7日刪除民法第1011條規定，債權人之聲請：依民法第1010條之規定，債權人對於夫妻一方之財產已為扣押，而未得受清償時，法院因債權人之聲請，得宣告改用分別財產制。

(一) 現行法定財產制已改以瑞士所得分配制為基礎，採財產分離之架構，讓夫或妻各保有所有權之權能，並自負擔債務。然本條規定，造成目前司法實務上，債權銀行或資產管理公司為追討夫或妻一方之債務，得利用本條規定訴請法院宣告改用分別財產制，再依民法第242條代位債務人行使民法第1030-1條之剩餘財產分配請求權，致使與夫妻關係完全無關之第三人，可以債權滿足為由，借國家權力之手，強行介入夫妻間財產制之狀態，除將導致夫妻婚後財產因第三人隨時可能介入而產生不穩定狀況，更與法定財產制係立基夫妻財產獨立之立法精神有悖。

(二) 本條規定與民法第1009條相同，均係民國十九年以聯合財產制為法定財產制時所制定，多年來我國夫妻法定財產制已歷經多次修正，本條規定已不合時宜。

(三) 至於夫妻約定共同財產制者，因債權人本可直接對共同財產求償，無再訴請法院另宣告改用分別財產制之必要，故縱刪除本條，亦無損債權人對共同財產制夫妻之求償。

(四) 綜上理由，爰刪除民法第1011條。

各種財產制重點比較表

財產制區別	所有權	管理權與處分權	責任關係	剩餘財產分配
法定夫妻財產制	各自所有	各自管理各自處分	各自對債務負清償責任	夫妻婚後財產剩餘部分之差額應平均分配
約定共同財產制	共同財產：公同共有 特有財產：各自所有	共同財產：共同管理 特有財產：各自處分	由共同財產及夫或妻之特有財產連帶負責	訂立財產制契約前各自取回共同財產；訂立財產制契約後原則平均分配新增之共同財產
約定分別財產制	各自所有	各自管理各自處分	各自對債務負清償責任	無

新法之法定夫妻財產制（新制）與舊法之聯合財產制（舊制）比較

項目	新制	舊制
財產種類	區分為婚前財產及婚後財產。	區分為原有財產、特有財產及聯合財產。
所有權	各自所有。	分別所有。
管理權	各自管理。	聯合財產，原則由夫管理；例外得約定由妻管理。特有財產，各自管理。
管理費用負擔	各自負擔。	聯合財產，由管理權之一方負擔。特有財產，各自負擔。
使用及收益權	各自使用、收益。	管理權之一方對他方之原有財產有使用、收益之權。

項目	新制	舊制
處分權	各自處分其財產。	管理權之一方經他方同意，始得處分他方之原有財產。但管理上必要之處分，有管理權之一方可逕行為之。
債務清償責任	各自對其債務負清償責任。	依財產種類之不同區分責任歸屬，關係較為複雜。
保全措施	婚姻關係存續中夫妻一方所為詐害他方剩餘財產分配請求權之行為，他方得聲請法院撤銷。	無。
剩餘財產分配請求權	1. 法定財產制關係消滅時，夫或妻現存之婚後財產，扣除債務後，應平均分配。 2. 不列入分配之財產：因繼承或其他無償取得之財產及慰撫金。 3. 法定財產制關係消滅前五年內，夫或妻惡意處分婚後財產之價額，得追加計算。 4. 夫妻應受分配之一方，得就不足部分，向特定第三人請求返還。	1. 聯合財產制關係消滅時，夫或妻於婚姻關係存續中所取得而現存之原有財產，扣除債務後，應平均分配。 2. 不列入分配之財產：因繼承或其他無償取得之財產。
家庭生活費用負擔	除法律或契約另有約定外，由夫妻各依其經濟能力、家事勞動或其他情事分擔之。	夫無支付能力時，由妻就全部財產負擔。
自由處分金	夫妻於家庭生活費用外，得協議一定數額之金錢，供夫或妻自由處分。	無。

共同財產及特有財產之處理相異處

項目	共同財產	特有財產
所有權	公同共有	各自所有
管理權	共同管理	各自管理

項目	共同財產	特有財產
管理費用負擔	由共同財產負擔	由各自特有財產負擔
處分權	經他方同意得處分之	各自處分

修法前後之一般共同財產制比較

項目	修法後	修法前
共同財產之管理權	共同管理	由夫管理
共同財產之處分權	經他方同意得處分之	原則應經他方同意；但管理上所必要者，得自行處分
債務清償責任	由共同財產及夫或妻之特有財產負責	依債務種類，分別規定負清償責任之人，較為複雜
共同財產制關係消滅時之處理	訂立財產制契約前取得之共同財產，各自取回；訂立財產制契約後新增之共同財產，原則平均分配	無論訂約前或訂約後取得之共同財產，均以平均分配為原則
家庭生活費用分擔	除法律或契約另有約定外，由夫妻各依其經濟能力、家事勞動或其他情事分擔之	於共同財產不足負擔時，妻個人亦應負責

修法前後之所得共同財產制比較

項目	修法後	修法前
財產種類	包括勞力所得財產及勞力所得以外財產	包括所得財產及原有財產
財產關係	包括所得財產及原有財產	所得財產，適用共同財產制；原有財產，適用法定財產制

修法前後之分別財產制比較

項目	修法後	修法前
管理權	夫妻各自管理	原則各自管理，例外妻得將其財產管理權付與夫

項目	修法後	修法前
債務清償責任	各自對其債務負清償責任	依債務種類（結婚前、結婚後或日常家務代理所生債務）分別規定負清償責任之人，較為複雜
家庭生活費用分擔	除法律或契約另有約定外，由夫妻各依其經濟能力、家事勞動或其他情事分擔之	夫得請求妻對於家庭生活費用，為相當之負擔

(四) **夫妻財產制之訂立、變更與廢止：**

1. **夫妻財產制契約之訂立（約定財產制之選擇）**：夫妻得於結婚前或結婚後，以契約就本法所定之約定財產制中，選擇其一為其夫妻財產制，因此夫妻得分別約定採行「分別財產制度」或「共同財產制度」。若夫妻未以契約訂立夫妻財產制者，除本法另有規定外，以法定財產制，為其夫妻財產制。
2. **訂立方式**：夫妻財產制契約之訂立、變更或廢止，應以書面為之（民§1007）。並夫妻財產制契約之訂立、變更或廢止，非經登記，不得以之對抗第三人。且該登記，不影響依其他法律所為財產權登記之效力。（民§1008）
3. **夫妻財產制之變更廢止**：夫妻於婚姻關係存續中，得以契約廢止其財產契約，或改用他種約定財產制。

相關大法官解釋

410	親屬編施行法未配合聯合財產所有權歸屬之修正設特別規定，致夫方繼續享有修正前之權利，是否違憲？	民法親屬編施行法第1條規定「關於親屬之事件，在民法親屬編施行前發生者，除本施行法有特別規定外，不適用民法親屬編之規定。其在修正前發生者，除本施行法有特別規定外，亦不適用修正後之規定」，**旨在尊重民法親屬編施行前或修正前原已存在之法律秩序，以維護法安定之要求，同時對於原已發生之法律秩序認不應仍繼續維持或須變更者，則於該施行法設特別規定**，以資調和，與憲法並無牴觸。惟查關於夫妻聯合財產制之規定，民國74年6月3日修正前民法第1017條第1項規定：「聯合財產中，妻於結婚時所有之財產，及婚姻關係存續中因繼承或其他無償取得之財產，為妻之原有財產，保有其所有權」，同條第2項

		規定：「聯合財產中，夫之原有財產及不屬於妻之原有財產部分，為夫所有」，第3項規定：「由妻之原有財產所生之孳息，其所有權歸屬於夫」，及最高法院55年度台抗字第161號判例謂「妻於婚姻關係存續中始行取得之財產，如不能證明其為特有或原有財產，依民法第1016條及第1017條第2項之規定，即屬聯合財產，其所有權應屬於夫」，基於憲法第7條男女平等原則之考量，民法第1017條已於74年6月3日予以修正，上開最高法院判例亦因適已於74年6月3日予以修正，上開最高法院判例亦因適用修正後之民法，而不再援用。**由於民法親屬編施行法對於民法第1017條夫妻聯合財產所有權歸屬之修正，未設特別規定，致使在修正前已發生現尚存在之聯合財產，仍適用修正前之規定，由夫繼續享有權利，未能貫徹憲法保障男女平等之意旨。對於民法親屬編修正前已發生現尚存在之聯合財產中，不屬於夫之原有財產及妻之原有財產部分，應如何處理，俾符男女平等原則，有關機關應儘速於民法親屬編施行法之相關規定檢討修正。**至遺產及贈與稅法第16條第11款被繼承人配偶及子女之原有財產或特有財產，經辦理登記或確有證明者，不計入遺產總額之規定，所稱「被繼承人之配偶」並不分夫或妻，均有其適用，與憲法第7條所保障男女平等之原則，亦無牴觸。

五、離婚

(一) 兩願離婚：

1. **定義**：夫妻兩願離婚者，得自行離婚。（民§1049）
2. **離婚之要式性**：兩願離婚，應以書面為之，有二人以上證人之簽名並應向戶政機關為離婚之登記。

(二) 裁判離婚：（民§1052）

1. **定義**：係指民法規定有離婚之原因時，夫妻之一方對於他方提起離婚之訴，法院認為有理由時，以判決解消婚姻關係之離婚方式。
2. **裁判離婚原因**：夫妻之一方，有下列情形之一者，他方得向法院請求離婚：
   (1) 重婚。
   (2) 與配偶以外之人合意性交。

(3) 夫妻之一方對他方為不堪同居之虐待。
(4) 夫妻之一方對他方之直系親屬為虐待，或夫妻一方之直系親屬對他方為虐待，致不堪為共同生活。
(5) 夫妻之一方以惡意遺棄他方在繼續狀態中。

相關大法官解釋

18	婚後歸寧不返家同居，是否合於民法第1052條第5款惡意遺棄他方之規定？	**夫妻之一方於同居之訴判決確定後仍不履行同居義務，在此狀態繼續存在中而又無不能同居之正當理由者，裁判上固得認為合於民法第1052條第5款情形。至來文所稱某乙與某甲結婚後歸寧不返，迭經某甲託人邀其回家同居，某乙仍置若罔聞。此項情形，尚難遽指為上項條款所謂以惡意遺棄他方之規定。**

(6) 夫妻之一方意圖殺害他方。
(7) 有不治之惡疾。
(8) 有重大不治之精神病。
(9) 生死不明已逾三年。
(10) 因故意犯罪，經判處有期徒刑逾六個月確定。

有前項以外之重大事由，難以維持婚姻者，夫妻之一方得請求離婚。但其事由應由夫妻之一方負責者，僅他方得請求離婚。

離婚經法院調解或法院和解成立者，婚姻關係消滅。法院應依職權通知該管戶政機關。（民§1052-1）

相關憲法判決

112年度憲判字第4號	民法第1052條第2項規定，有同條第1項規定以外之重大事由，難以維持婚姻者，夫妻之一方得請求離婚；但其事由應由夫妻之一方負責者，僅他方得請求離婚。其中但書規定限制有責配偶請求裁判離婚，原則上與憲法第22條保障婚姻自由之意旨尚屬無違。惟其規定不分難以維持婚姻之重大事由發生後，是否已逾相當期間，或該事由是否已持續相當期間，一律不許唯一有責之配偶一方請求裁判離婚，完全剝奪其離婚之機會，而可能導致個案顯然過苛之情事，於此範圍內，與憲法保障婚姻自由之意旨不符。相關機關應自本判決宣示之日起2年內，依本判決意旨妥適修正之。逾期未完成修法，法院就此等個案，應依本判決意旨裁判之。

(三) 裁判離婚之限制：

1. 對於配偶重婚或與人通姦者之情事，有請求權之一方，於事前同意或事後宥恕，或知悉後已逾六個月，或自其情事發生後已逾二年者，不得請求離婚。（民§1053）
2. 對於民法第1052條第6款及第10款之情事（夫妻之一方意圖殺害他方、因故意犯罪，經判處有期徒刑逾六個月確定），有請求權之一方，自知悉後已逾一年，或自其情事發生後已逾五年者，不得請求離婚。（民§1054）

(四) 子女權利義務之行使：

1. **基本原則：**（民§1055）
 (1) 夫妻離婚者，對於未成年子女權利義務之行使或負擔，依協議由一方或雙方共同任之。未為協議或協議不成者，法院得依夫妻之一方、主管機關、社會福利機構或其他利害關係人之請求或依職權酌定之。
 (2) 前項協議不利於子女者，法院得依主管機關、社會福利機構或其他利害關係人之請求或依職權為子女之利益改定之。
 (3) 行使、負擔權利義務之一方未盡保護教養之義務或對未成年子女有不利之情事者，他方、未成年子女、主管機關、社會福利機構或其他利害關係人得為子女之利益，請求法院改定之。
 (4) 前三項情形，法院得依請求或依職權，為子女之利益酌定權利義務行使負擔之內容及方法。
 (5) 法院得依請求或依職權，為未行使或負擔權利義務之一方酌定其與未成年子女會面交往之方式及期間。但其會面交往有妨害子女之利益者，法院得依請求或依職權變更之。
2. **法院裁判時應注意：**（民§1055-1）
 (1) 法院為前條裁判時，應依子女之最佳利益，審酌一切情狀，尤應注意下列事項：
 A. 子女之年齡、性別、人數及健康情形。
 B. 子女之意願及人格發展之需要。
 C. 父母之年齡、職業、品行、健康情形、經濟能力及生活狀況。
 D. 父母保護教養子女之意願及態度。
 E. 父母子女間或未成年子女與其他共同生活之人間之感情狀況。

F. 父母之一方是否有妨礙他方對未成年子女權利義務行使負擔之行為。

G. 各族群之傳統習俗、文化及價值觀。

(2) 前項子女最佳利益之審酌，法院除得參考社工人員之訪視報告或家事調查官之調查報告外，並得依囑託警察機關、稅捐機關、金融機構、學校及其他有關機關、團體或具有相關專業知識之適當人士就特定事項調查之結果認定之。

3. **父母均不適合行使權利時：**（民§1055-2）

父母均不適合行使權利時，法院應依子女之最佳利益並審酌上述各款事項，選定適當之人為子女之監護人，並指定監護之方法、命其父母負擔扶養費用及其方式。

老師叮嚀

父母離婚有關子女監護權分配行使之重要概念

(1) 夫妻離婚，子女監護權之歸屬：依照民法第1084條規定：「父母對於未成年之子女，有保護及教養之權利義務。」對於未成年子女的保護和教養，不僅是父母的權利，也是父母的義務，應是父母雙方共同行使負擔。但是在父母離婚時，通常父母不再住在一起，所以未成年子女由誰來保護、教養，就須另外分配。

「監護」是指包括身心監護、財產監護及對子女的代理權在內。夫妻離婚後，對於子女的監護，如果以協議方式離婚，可以由夫妻雙方協商約定子女由誰監護，並明白地寫於離婚協議書內即可，如果協議不成，可以訴請法院來裁定之。

在舊的民法親屬編，對於子女監護較偏向丈夫一方，惟嗣後在婦女團體要求之壓力下，親權行使條文在85年9月27日有了大幅更改，已符合男女平等原則。如今新法保障了父母在爭取子女監護權部分已相當公平，**法院在為裁定之時，得為子女之利益考量**，法官依照民法**第1055-1條所列七款**，根據兒童的年齡、性別、健康狀況及兒童自己的意願、父母的年齡、經濟狀況、職業、品德及意願等條件，並參酌社工人員所作的訪視報告，考量子女之最佳利益來決定子女的監護權的歸屬；**父或母的經濟條件並不是評量適任監護與否的唯一標準**。

(2) 子女的最佳利益：若雙方能達成協議，即以協議內容訂定子女監護權，如協議不成請法院裁定時，則必須考量由誰監護較符合「子女的最佳利益」。**何謂「子女的利益」？法院的認定是：監護除了生活扶養外，還包**

括子女的家庭教育、身心的健全發展及培養倫理道德等習性。因而法院得就夫妻的職業、經濟狀況、監護能力及其子女的多寡等一切情形，加以通盤考量。並且法官在裁定子女監護權時，會請社工人員做家庭訪視，亦會尊重子女個人意願來酌定監護人。**

(3) **未取得監護權的一方，亦可探視子女**：夫妻離婚後，沒有擔任監護的一方，對未成年子女，可以要求探視，這就是「探視權」。85年9月27日新修正生效之民法親屬編已明定未得監護權之一方有與子女會面交往之權利，其探視之方式及期間先由父母雙方協議，協議不成即由法院判決。法院得依請求或依職權酌訂與未成年子女會面交往之方式及期間。為了子女身心健全發展，沒有擔任監護權的父母，本於親權，可以探視子女，但是如果濫用探視權，或探視對子女不利，或子女已有意思能力，而不願和父母見面時，法院為了子女的利益，可依當事人之請求停止探視權利的全部或一部分。

有探視權之一方若遭拒絕之時，可以向監護者提出探視的要求，也可向法院起訴，請求定期探視子女。如果判決勝訴，但有監護之一方仍不履行，則可向法院請求強制執行，強迫監護人交出孩子給沒有監護之一方探視。如監護人仍拒絕配合的話，可依強制執行法第129條之規定，命他方容忍無監護權之一方行使探視或禁止他方為阻礙探視之行為，若其仍不履行，執行法院得拘提管收之，或處新臺幣3萬元以上30萬元以下之怠金。

(4) 變更監護權：85年9月27日新修正通過的民法親屬編規定，父母協議離婚時，就子女監護權所為協議，如果不利於子女，法院應可以依主管機關、社會福利機構或利害關係人之請求或依職權為子女利益改定子女監護人。

(五) 損害賠償：夫妻之一方，因判決離婚而受有損害者，得向有過失之他方，請求賠償。雖非財產上之損害，受害人亦得請求賠償相當之金額。但以受害人無過失者為限。此種損害賠償請求權，不得讓與或繼承。但已依契約承諾或已起訴者，不在此限。（民§1056）

(六) 贍養費：夫妻無過失之一方，因判決離婚而陷於生活困難者，他方縱無過失，亦應給與相當之贍養費。（民§1057）

(七) 剩餘財產分配：夫妻離婚時，除採用分別財產制者外，各自取回其結婚或變更夫妻財產制時之財產。如有剩餘，各依其夫妻財產制之規定分配之。（民§1058）

(八) **民國96年增訂第988-1條，規定當如事人重婚，後婚姻有效而前婚姻視為消滅時，除法律另有規定外，準用離婚之效力，因此有關離婚之法律效果以及所產生之請求權，與前婚姻之配偶均得準用。**

參、父母子女

一、婚生子女與非婚生子女

父母子女間之關係，指父母與子女間之權利義務之關係，分為自然的與擬制的兩種。自然的親子關係，指婚生子女關係及非婚生子女關係。擬制的親子關係，則指養父母子女關係。

(一) 婚生子女：

1. **定義**：稱婚生子女者，謂由婚姻關係受胎而生之子女。（民§1061）
從子女出生日回溯第181日起至第302日止，為受胎期間，能證明受胎回溯在前項第181日以內或第302日以前者，以其期間為受胎期間。（民§1062）

老師叮嚀

受胎期間

係指於婚姻關係存續中，推測妻所生之子女為夫之血脈的法定期間。亦即依據胎兒在母體中最短之日數與最長之日數，兩相比較，而以其差數為受胎期間。換言之，**子女一出生後，回溯出生日起第181日至第302日止之122日期間內，只要受胎期間中有一日生父與生母有婚姻關係，即推定其所生之子女為婚生子女**，惟此為一般標準；若能證明受胎在此期間外者，亦可認其為婚生子女。

相關實務見解：

最高法院94年度第7次民事庭會議	一、**以法律所定「後」為期間起算之標準是否適用民法第120條第2項規定始日不算入？適用民法第120條第2項規定始日不算入。** 二、以法律所定「翌日」為期間起算之標準是否自期間計算「基準日」之翌日起算，即「基準日」不算入，與適用民法第120條第2項規定結果相同？**期間自「翌日」起算。** 三、以法律所定「前」為期間計算之標準是否以計算基準日之前一日為期間之終止？**以計算基準日之前一日為期間之起算日。** 四、「受胎期間」起算是否依民法第1062條第1項規定：**「從子女出生日回溯第181日起至第302日止，為受胎**	民法第120條第1062條

期間。能證明受胎回溯在前項第302日以前者，以其期間為受胎期間。」即類推適用民法第120條第2項規定，出生日不算入，自子女出生日前一日起算？自子女出生日起算。

2. **婚生推定**：妻之受胎，係在婚姻關係存續中者，推定其所生子女為婚生子女。（民§1063I）
3. **婚生否認**：就前述之婚生推定夫妻之一方或子女能證明子女非為婚生子女者，得提起否認之訴。此（民§1063）否認之訴，夫妻之一方自知悉該子女非為婚生子女，或子女自知悉其非為婚生子女之時起二年內為之。但子女於未成年時知悉者，仍得於成年後二年內為之。

老師叮嚀

婚生子女的否認：

受婚生推定之婚生子女，若有反證推翻其為婚生子女者，則夫對妻所生的子女，可不承認有父子關係，而予否認。惟為保護子女，應有所限制：

(1) **僅夫或妻及子女本人有否認權。**
(2) **須以訴訟方式為之（確認訴訟）。**
(3) **須有確實的否認原因，例如夫患不能人道。**
(4) **需在法定期間內，夫妻之一方自知悉該子女非為婚生子女，或子女自知悉其非為婚生子女之時起二年內為之。但子女於未成年時知悉者，仍得於成年後二年內為之。**

婚生否認：

(1) 婚生否認之提起權人：
  A. 夫○。
  B. 妻○。
  C. 繼承權被侵害之人○。（家事事件法第64條規定參照）
  D. 受婚生推定之子女○。
  E. **受婚生推定之子女其原生父×。**
(2) 婚生否認提起之時間：
  A. 夫妻之一方自知悉該子女非為婚生子女，或子女自知悉其非為婚生子女之時起二年內為之。但子女於未成年時知悉者，仍得於成年後二年內為之。
  B. 被繼承人死亡時起一年內。

相關大法官解釋

587	民法第1063條及相關判例，限制子女提起否認生父之訴，並不許親生父對受推定為他人之婚生子女提否認之訴，是否違憲？	**子女獲知其血統來源，確定其真實父子身分關係，攸關子女之人格權，應受憲法保障。民法第1063條規定：「妻之受胎，係在婚姻關係存續中者，推定其所生子女為婚生子女。前項推定，如夫妻之一方能證明妻非自夫受胎者，得提起否認之訴。但應於知悉子女出生之日起，一年內為之。」係為兼顧身分安定及子女利益而設，惟其得提起否認之訴者僅限於夫妻之一方，子女本身則無獨立提起否認之訴之資格，且未顧及子女得獨立提起該否認之訴時應有之合理期間及起算日，是上開規定使子女之訴訟權受到不當限制，而不足以維護其人格權益，在此範圍內與憲法保障人格權及訴訟權之意旨不符。**最高法院23年上字第3473號及同院75年台上字第2071號判例與此意旨不符之部分，應不再援用。**有關機關並應適時就得提起否認生父之訴之主體、起訴除斥期間之長短及其起算日等相關規定檢討改進，以符前開憲法意旨。**確定終局裁判所適用之法規或判例，經本院依人民聲請解釋認為與憲法意旨不符時，其受不利確定終局裁判者，得以該解釋為基礎，依法定程序請求救濟，業經本院釋字第177號、第185號解釋闡釋在案。本件聲請人如不能以再審之訴救濟者，應許其於本解釋公布之日起一年內，以法律推定之生父為被告，提起否認生父之訴。其訴訟程序，準用民事訴訟法關於親子關係事件程序中否認子女之訴部分之相關規定，至由法定代理人代為起訴者，應為子女之利益為之。**法律不許親生父對受推定為他人之婚生子女提起否認之訴，係為避免因訴訟而破壞他人婚姻之安定、家庭之和諧及影響子女受教養之權益，與憲法尚無牴觸。**至於將來立法是否有限度放寬此類訴訟，則屬立法形成之自由。

(二) 非婚生子女

1. **種類：**
   (1) 不受婚生推定之子女。
   (2) 經夫或妻否認婚生推定者。
2. **準正：**非婚生子女，其生父與生母結婚者，視為婚生子女。（民§1064）

老師叮嚀

準正：

指非婚生子女，因生父母結婚，而取得婚生子女的身分。準正之要件有二：

(1) 生父之認領。民法無明文規定，解釋上應為要件之一。

(2) 生父與生母結婚（§1064）。若其婚姻無效，則無所謂準正；婚姻經撤銷者，因撤銷無溯及效力，準正不受影響。因準正而為準婚生子女者，限於父母結婚前出生之子女。至結婚後出生而受胎在結婚前者，若父不提否認子女之訴，則當然為婚生子女。準正子女視為婚生子女，與婚生子女同，全面享有生父與生母因結婚所生之利益。因認領有溯及效力，而準正以認領為要件，故準正溯及出生時發生效力。

3. **認領**：非婚生子女經生父認領者，視為婚生子女。其經生父撫育者，視為認領。非婚生子女與其生母之關係，視為婚生子女，無須認領。（民§1065），對於生父之認領，得否認之。（民§1066）

老師叮嚀

(1) 認領：

即生父承認非婚生子女為自己所生之子女，不必以訴訟請求。認領可分為任意認領及強制認領二種。我國民法另有規定認領之擬制，即非婚生子女經生父撫育者，視為認領（§1065I後）。一般的認領，應為任意認領。

(2) 認領之要件：

A. 認領人須為非婚生子女之生父。且應自行為之，不許他人代理。又認領人有意思能力即可，不必有完全行為能力，不必得被認領人或其生母之承諾，惟被認領人或生母有否認權（§1066）。

B. 被認領人須為非婚生子女。已被推定為他人之婚生子女者，非經他人提起否認子女之訴勝訴判決確定後，不得認領。又被認領人亦得為胎兒；認領可以遺囑為之。

認領人與被認領人間須有血統上之父子女關係，不得因認領而成為法律上之父子女。認領須經戶籍登記，但其僅為證明方法而已，並非法律上之要件。非婚生子女因認領取得婚生子女之地位，認領之效力溯及子女出生時（§1069）。

(3)認領之種類：

A.任意認領：指生父自動的承認其非婚生子女為其所生之子女。

B.強制認領：指非婚生子女或其生母或其他法定代理人，對於應認領而不為認領之生父，向法院請求確定生父子女關係存在。又稱「法定認領」、「裁判上認領」。為保護非婚生子女之利益，除非婚生子女之生母或其他法定代理人外，非婚生子女本人也可以為認領訴訟的原告請求生父認領。故非婚生子女，祇須有意思能力，即可獨立請求認領，不必得法定代理人之同意。為保護胎兒之利益，胎兒於出生前得由其生母請求生父認領。已為他人認領在先之子女，或已受婚生推定之子女，在其認領或婚生推定經否認前，不得再對他人請求認領。

4. **認領之請求**：有事實足認其為非婚生子女之生父者，非婚生子女或其生母或其他法定代理人，得向生父提起認領之訴。認領之訴，於生父死亡後，得向生父之繼承人為之。生父無繼承人者，得向社會福利主管機關為之。（民§1067）

5. **認領之溯及效力**：非婚生子女認領之效力，溯及於出生時。但第三人已得之權利，不因此而受影響。（民§1069）非婚生子女經認領者，關於未成年子女權利義務之行使或負擔，準用第1055條、第1055-1條及第1055-2條之規定。（民§1069-1）

相關條文：

第1055條

(1)夫妻離婚者，對於未成年子女權利義務之行使或負擔，依協議由一方或雙方共同任之。未為協議或協議不成者，法院得依夫妻之一方、主管機關、社會福利機構或其他利害關係人之請求或依職權酌定之。

(2)前項協議不利於子女者，法院得依主管機關、社會福利機構或其他利害關係人之請求或依職權為子女之利益改定之。

(3)行使、負擔權利義務之一方未盡保護教養之義務或對未成年子女有不利之情事者，他方、未成年子女、主管機關、社會福利機構或其他利害關係人得為子女之利益，請求法院改定之。

(4)前三項情形，法院得依請求或依職權，為子女之利益酌定權利義務行使負擔之內容及方法。

(5) 法院得依請求或依職權，為未行使或負擔權利義務之一方酌定其與未成年子女會面交往之方式及期間。但其會面交往有妨害子女之利益者，法院得依請求或依職權變更之。

第1055-1條 法院為前條裁判時，應依子女之最佳利益，審酌一切情狀，尤應注意下列事項：

一、子女之年齡、性別、人數及健康情形。

二、子女之意願及人格發展之需要。

三、父母之年齡、職業、品行、健康情形、經濟能力及生活狀況。

四、父母保護教養子女之意願及態度。

五、父母子女間或未成年子女與其他共同生活之人間之感情狀況。

六、父母之一方是否有妨礙他方對未成年子女權利義務行使負擔之行為。

七、各族群之傳統習俗、文化及價值觀。

前項子女最佳利益之審酌，法院除得參考社工人員之訪視報告或家事調查官之調查報告外，並得依囑託警察機關、稅捐機關、金融機構、學校及其他有關機關、團體或具有相關專業知識之適當人士就特定事項調查之結果認定之。

第1055-2條 父母均不適合行使權利時，法院應依子女之最佳利益並審酌前條各款事項，選定適當之人為子女之監護人，並指定監護之方法、命其父母負擔扶養費用及其方式。

6. **認領之絕對效力**：生父認領非婚生子女後，不得撤銷其認領。但有事實足認其非生父者，不在此限。（第1070條參照）

民法上婚生否認與認領否認之比較：

	婚生否認	認領否認
訴權人	夫或妻或子女	生母或非婚生子女
期間限制	夫妻或子女知悉（2年），但子女未成年知悉時，成年後2年內仍可為之	無
本質	以「未成年子女最佳利益」作為最高指導原則	重視真實血統之認領，因此認領否認無期間限制

二、收養

(一) **概說**：係指收養他人之子女為自己之子女，於法律上視同親生子女。收養人須長於被收養人二十歲以上。若二者有親屬關係，輩分須相當。收養人有配偶者，則須與配偶共同收養，被收養人有配偶者則須得配偶同意。一人不得同時有二個親子關係，故一人不得同時為二人之養子女。收養契約除有當事人之合意並應書立書面，且須經法院審查認可，始得生效。收養一經生效後，被收養人即取得婚生子女之關係，其與本生父母間之法律上關係則處於停止狀態，但自然血親關係並不受影響。

本有親生子女者，仍得收養他人子女。**以遺囑委託他人於死後代為收養子女，按現行法律自非有效**。故子死亡後由父母為之收養者，不能認為子之養子女。約定被收養者不得繼承收養者財產之收養行為應為無效，如經公證，亦不生公證效力。夫妻之一方收養他方子女，收養者之年齡未長於被收養者二十歲者其收養無效，法院不得認可收養。夫妻之一方收養他方之子女或養子女者，不必與他方共同為之。養子女與已故養親一方之收養關係，並不當然終止，生存養親之後配偶不得再為收養。故養父母死亡後，養子女不得再為他人收養。收養與終止收養關係，皆須辦理登記。養女與養父兄弟之子有旁系血親關係，不得結婚。收養不限於同姓。夫妻離婚約定未成年子女由妻監護後，未成年子女之出養，應經有監護權之一方與無監護權之他方，共同行使監護權。收養子女，約定收養期間者，則屬無效。婚姻關係存續中所共同收養之子女，收養關係不因養父母離婚而消滅。而**兩願收養終止又稱協議終止收養，係指收養當事人合意並以書面消滅收養關係。兩願收養終止，在實質上須收養當事人有收養終止之合意。如為未成年之養子女，須經本生父母或由親屬會議指定之人之同意**。於養父母則須共同終止收養。在形式上應以書面為之。

(二) **收養之定義**：收養他人之子女為子女，而在法律上視同為婚生子女。收養他人之子女為子女時，其收養者為養父或養母，被收養者為養子或養女。（民§1072）

相關大法官解釋

91	養子女於終止收養關係前，得否與養父母之婚生子女結婚？	**養親死亡後，養子女之一方無從終止收養關係，不得與養父母之婚生子女結婚。但養親收養子女時本有使其與婚生子女結婚之真意者，不在此限。**

(三) 收養之要件：

1. 實質要件：

(1) **雙方合意**。

(2) **雙方當事人年齡相差20歲以上**：收養者之年齡，應長於被收養者20歲以上。但夫妻共同收養時，夫妻之一方長於被收養者20歲以上，而他方僅長於被收養者16歲以上，亦得收養。夫妻之一方收養他方之子女時，應長於被收養者16歲以上。（民§1073）

相關大法官解釋

502	民法關於收養者應長於被收養者二十歲以上之規定，是否合憲？	**民法第1073條關於收養者之年齡應長於被收養者二十歲以上，及第1079-1條關於違反第1073條者無效之規定，符合我國倫常觀念，為維持社會秩序、增進公共利益所必要，與憲法保障人民自由權利之意旨並無牴觸。收養者與被收養者之年齡合理差距，固屬立法裁量事項，惟基於家庭和諧並兼顧養子女權利之考量，上開規定於夫妻共同收養或夫妻之一方收養他方子女時，宜有彈性之設，以符合社會生活之實際需要，有關機關應予檢討修正。**

(3) **輩份相當**：（民§1073-1）

下列親屬不得收養為養子女：

A. 直系血親。

B. 直系姻親。但夫妻之一方，收養他方之子女者，不在此限。

C. 旁系血親在六親等以內及旁系姻親在五親等以內，輩分不相當者。

(4) **夫妻共同收養**：（民§1074）

夫妻收養子女時，應共同為之。但有下列各款情形之一者，得單獨收養：

A. 夫妻之一方收養他方之子女。

B. 夫妻之一方不能為意思表示或生死不明已逾三年。

(5) **同時被收養之禁止**：（民§1075）

除夫妻共同收養外，一人不得同時為二人之養子女。

(6) **被收養人配偶之同意**：（民§1076、1076-1、1076-2）

A. 夫妻之一方被收養時，應得他方之同意。但他方不能為意思表示或生死不明已逾三年者，不在此限。

B. 子女被收養時，應得其父母之同意。但有下列各款情形之一者，不在此限：

a. 父母之一方或雙方對子女未盡保護教養義務或有其他顯然不利子女之情事而拒絕同意。

b. 父母之一方或雙方事實上不能為意思表示。

前項同意應作成書面並經公證。但已向法院聲請收養認可者，得以言詞向法院表示並記明筆錄代之。同意，不得附條件或期限。

C. 法定代理人之代為代受意思表示及同意：

a. 被收養者未滿七歲時，應由其法定代理人代為並代受意思表示。

b. 滿七歲以上之未成年人被收養時，應得其法定代理人之同意。

c. 被收養者之父母以法定代理人之身分代為並代受意思表示或為同意時，得免為同意。

2. **法院認可**：**收養應以書面為之，並向法院聲請認可**。收養有無效、得撤銷之原因或違反其他法律規定者，法院應不予認可。（民§1079）法院為未成年人被收養之認可時，應依養子女最佳利益為之。（民§1079-1）被收養者為成年人而有下列各款情形之一者，法院應不予收養之認可：（民§1079-2）

(1) 意圖以收養免除法定義務。

(2) 依其情形，足認收養於其本生父母不利。

(3) 有其他重大事由，足認違反收養目的。

收養自法院認可裁定確定時，溯及於收養契約成立時發生效力。但第三人已取得之權利，不受影響。（民§1079-3）

(四) 收養之無效及撤銷：

1. **收養之無效**：收養子女，違反第1073條（收養年齡限制）、第1073-1條、第1075條（輩分限制）、第1076-1條（得本生父同意）、第1076-2條第1項（法定代理人代為並代作意思表示）或第1079條第1項（以書面為之）之規定者，無效。（民§1079-4）

2. **收養之撤銷：**（民§1079-5）

收養子女：

(1) 違反第1074條之規定者，收養者之配偶得請求法院撤銷之。但自知悉其事實之日起，已逾六個月，或自法院認可之日起已逾一年者，不得請求撤銷。

(2) 違反第1176條或第1076-2條第2項之規定者，被收養者之配偶或法定代理人得請求法院撤銷之。但自知悉其事實之日起，已逾六個月，或自法院認可之日起已逾一年者，不得請求撤銷。經法院判決撤銷收養者，準用第1082條及第1083條之規定。

相關條文

第1073條　收養者之年齡，應長於被收養者二十歲以上。

第1073-1條　下列親屬不得收養為養子女：

(1) 直系血親。

(2) 直系姻親。但夫妻之一方，收養他方之子女者，不在此限。

(3) 旁系血親在六親等以內及旁系姻親在五親等以內，輩分不相當者。

第1074條　夫妻收養子女時，應共同為之。但有下列各款情形之一者，得單獨收養：

一、夫妻之一方收養他方之子女。

二、夫妻之一方不能為意思表示或生死不明已逾三年。

第1075條　除夫妻共同收養外，一人不得同時為二人之養子女。

第1076條　夫妻之一方被收養時，應得他方之同意。但他方不能為意思表示或生死不明已逾三年者，不在此限。

第1076-1條　子女被收養時，應得其父母之同意。但有下列各款情形之一者，不在此限：

一、父母之一方或雙方對子女未盡保護教養義務或有其他顯然不利子女之情事而拒絕同意。

二、父母之一方或雙方事實上不能為意思表示。

前項同意應作成書面並經公證。但已向法院聲請收養認可者，得以言詞向法院表示並記明筆錄代之。

第一項之同意，不得附條件或期限。

第1076-2條　被收養者未滿七歲時，應由其法定代理人代為並代受意思表示。

滿七歲以上之未成年人被收養時，應得其法定代理人之同意。

被收養者之父母已依前二項規定以法定代理人之身分代為並代受意思表示或為同意時，得免依前條規定為同意。

第1079條 收養應以書面為之，並向法院聲請認可。

收養有無效、得撤銷之原因或違反其他法律規定者，法院應不予認可。

第1079-1條 法院為未成年人被收養之認可時，應依養子女最佳利益為之。

第1079-2條 被收養者為成年人而有下列各款情形之一者，法院應不予收養之認可：

一、意圖以收養免除法定義務。

二、依其情形，足認收養於其本生父母不利。

三、有其他重大事由，足認違反收養目的。

第1079-3條 收養自法院認可裁定確定時，溯及於收養契約成立時發生效力。但第三人已取得之權利，不受影響。

第1079-4條 收養子女，違反第一千零七十三條、第一千零七十三條之一、第一千零七十五條、第一千零七十六條之一、第一千零七十六條之二第一項或第一千零七十九條第一項之規定者，無效。

第1079-5條 收養子女，違反第一千零七十四條之規定者，收養者之配偶得請求法院撤銷之。但自知悉其事實之日起，已逾六個月，或自法院認可之日起已逾一年者，不得請求撤銷。

收養子女，違反第一千零七十六條或第一千零七十六條之二第二項之規定者，被收養者之配偶或法定代理人得請求法院撤銷之。但自知悉其事實之日起，已逾六個月，或自法院認可之日起已逾一年者，不得請求撤銷。

依前二項之規定，經法院判決撤銷收養者，準用第一千零八十二條及第一千零八十三條之規定。

(五) 收養之效力：

1. **收養後之親屬關係：**（現行民§1077）

(1) 養子女與養父母及其親屬間之關係，除法律另有規定外，與婚生子女同。

(2) 養子女與本生父母及其親屬間之權利義務，於收養關係存續中停止之。但夫妻之一方收養他方之子女時，他方與其子女之權利義務，不因收養而受影響。

(3) 收養者收養子女後，與養子女之本生父或母結婚時，養子女回復與本生父或母及其親屬間之權利義務。但第三人已取得之權利，不受影響。

(4) 養子女於收養認可時已有直系血親卑親屬者，收養之效力僅及於其未成年之直系血親卑親屬。但收養認可前，其已成年之直系血親卑親屬表示同意者，不在此限。

(5) 前項同意，準用第一千零七十六條之一第二項及第三項之規定。

相關大法官解釋

28	收養期間，本生父母得否為出養子女之利益提起獨立告訴？	**養子女與本生父母及其兄弟姊妹原屬民法第967條所定之直系血親與旁系血親。其與養父母之關係，縱因民法第1077條所定，除法律另有規定外，與婚生子女同，而成為擬制血親，惟其與本生父母方面之天然血親仍屬存在。同法第1083條所稱養子女自收養關係終止時起，回復其與本生父母之關係。所謂回復者，係指回復其相互間之權利義務，其固有之天然血親自無待於回復。**當養父母與養子女利害相反涉及訴訟時，依民事訴訟法第582條規定，其本生父母得代為訴訟行為，可見雖在收養期間，本生父母對於養子女之利益，仍得依法加以保護。就本件而論，刑事訴訟法第214條後段所稱被害人之血親得獨立告訴，尤無排斥其天然血親之理由。本院院字第2747號及院解字第3004號解釋，僅就養父母方面之親屬關係立論，初未涉及其與本生父母方面之法律關係，應予補充解釋。
70	養子女之婚生子女、養子女之養子女，以及婚生子女之養子女是否有代位繼承權？	養子女與養父母之關係為擬制血親，本院釋字第28號解釋已予說明。**關於繼承人在繼承開始前死亡時之繼承問題，與釋字第57號解釋繼承人拋棄繼承之情形有別。來文所稱養子女之婚生子女、養子女之養子女，以及婚生子女之養子女，均得代位繼承。**至民法第1077條所謂法律另有規定者，係指法律對於擬制血親定有例外之情形而言，例如同法第1142條第2項之規定是。

2. **養子女之姓氏：**（民§1078）

(1) 養子女從收養者之姓或維持原來之姓。

(2) 夫妻共同收養子女時，於收養登記前，應以書面約定養子女從養父姓、養母姓或維持原來之姓。

(3) 第一千零五十九條第二項至第五項之規定，於收養之情形準用之。

相關條文

民法第1059條　父母於子女出生登記前，應以書面約定子女從父姓或母姓。
未約定或約定不成者，於戶政事務所抽籤決定之。
子女經出生登記後，於未成年前，得由父母以書面約定變更為父姓或母姓。
子女已成年者，得變更為父姓或母姓。
前二項之變更，各以一次為限。
有下列各款情形之一，法院得依父母之一方或子女之請求，為子女之利益，宣告變更子女之姓氏為父姓或母姓：
一、父母離婚者。
二、父母之一方或雙方死亡者。
三、父母之一方或雙方生死不明滿三年者。
四、父母之一方顯有未盡保護或教養義務之情事者。

相關大法官解釋

32	收養同時，以女妻之，究為招贅抑為收養？被收養為子女後，與養父母之婚生子女結婚者，應否先行終止收養關係？	本院**釋字第12號解釋所謂將女抱男之習慣，係指於收養同時以女妻之，而其間又無血統關係者而言。此項習慣實屬招贅行為，並非民法上之所謂收養，至被收養為子女後而另行與養父母之婚生子女結婚者，自應先行終止收養關係。**

(六) 收養之終止：

1. **合意終止：**（民§1080）
   (1) 養父母與養子女之關係，得由雙方合意終止之。
   (2) 前項終止，應以書面為之。養子女為未成年人者，並應向法院聲請認可。
   (3) 法院為認可時，應依養子女最佳利益為之。
   (4) 養子女為未成年人者，終止收養自法院認可裁定確定時發生效力。
   (5) 養子女未滿七歲者，其終止收養關係之意思表示，由收養終止後為其法定代理人之人為之。
   (6) 養子女為滿七歲以上之未成年人者，其終止收養關係，應得收養終止後為其法定代理人之人之同意。

(7) 夫妻共同收養子女者，其合意終止收養應共同為之。但有下列情形之一者，得單獨終止：

A. 夫妻之一方不能為意思表示或生死不明已逾三年。

B. 夫妻之一方於收養後死亡。

C. 夫妻離婚。

(8) 夫妻之一方依前項但書規定單獨終止收養者，其效力不及於他方。

2. **向法院聲請許可終止：**

(1) 養父母死亡後，養子女得聲請法院許可終止收養。（民§1080-1）

A. 養子女未滿七歲者，由收養終止後為其法定代理人之人向法院聲請許可。

B. 養子女為滿七歲以上之未成年人者，其終止收養之聲請，應得收養終止後為其法定代理人之人之同意。

C. 法院認終止收養顯失公平者，得不許可之。

(2) 因特殊事由聲請法院宣告終止：養父母、養子女之一方，有下列各款情形之一者，法院得依他方、主管機關或利害關係人之請求，宣告終止其收養關係：（民§1081）

A. 對於他方為虐待或重大侮辱。

B. 遺棄他方。

C. 因故意犯罪，受二年有期徒刑以上之刑之裁判確定而未受緩刑宣告。

D. 有其他重大事由難以維持收養關係。

養子女為未成年人者，法院宣告終止收養關係時，應依養子女最佳利益為之。

3. **終止收養之無效與不得撤銷之情事：**（民§1080-2、1080-3）

(1) 終止收養，違反第1080條第2項、第5項或第1080條之1第2項規定者，無效。

(2) 終止收養，違反第1080條第7項之規定者，終止收養者之配偶得請求法院撤銷之。但自知悉其事實之日起，已逾六個月，或自法院認可之日起已逾一年者，不得請求撤銷。

(3) 終止收養，違反第1080條第6項或第1080條之1第3項之規定者，終止收養後被收養者之法定代理人得請求法院撤銷之。但自知悉其事實之日起，已逾六個月，或自法院許可之日起已逾一年者，不得請求撤銷。

相關大法官解釋

58	養子女與養父母已具終止收養關係之實質要件，而未能踐行形式要件時，得否聲請法院為終止收養之裁定？	查民法第1080條終止收養關係須雙方同意，並應以書面為之者，原係以昭鄭重。如養女既經養親主持與其婚生子正式結婚，則收養關係人之雙方同意變更身分已具同條第1項終止收養關係之實質要件。縱其養親未踐行同條第2項之形式要件，旋即死亡，以致踐行該項程式陷於不能，則該養女之一方自得依同法第1081條第6款聲請法院為終止收養關係之裁定，以資救濟。

4. **收養終止之效果：**

(1) 相當金額之請求：因收養關係終止而生活陷於困難者，得請求他方給與相當之金額。但其請求顯失公平者，得減輕或免除之。（民§1082）

(2) 復姓：養子女及收養效力所及之直系血親卑親屬，自收養關係終止時起，回復其本姓，並回復其與本生父母及其親屬間之權利義務。但第三人已取得之權利，不受影響。（民§1083）

三、父母之權利與義務

(一) 子女對父母之義務：

1. **子女應孝敬父母。**（民§1084I）
2. **子女之稱姓：**（民§1059、1059-1）

(1) **父母於子女出生登記前，應以書面約定子女從父姓或母姓。未約定或約定不成者，於戶政事務所抽籤決定之。**

(2) **子女經出生登記後，於未成年前，得由父母以書面約定變更為父姓或母姓。**

(3) **子女已成年者，得變更為父姓或母姓。**

(4) **前二項之變更，各以一次為限。**

(5) **有下列各款情形之一，法院得依父母之一方或子女之請求，為子女之利益，宣告變更子女之姓氏為父姓或母姓：**

A. 父母離婚者。

B. 父母之一方或雙方死亡者。

C. 父母之一方或雙方生死不明滿三年者。

D. 父母之一方顯有未盡保護或教養義務之情事者。

(6) 非婚生子女從母姓。經生父認領者，適用第1059條第2項至第4項之規定。

(7) 非婚生子女經生父認領，而有下列各款情形之一，法院得依父母之一方或子女之請求，為子女之利益，宣告變更子女之姓氏為父姓或母姓：

A. 父母之一方或雙方死亡者。

B. 父母之一方或雙方生死不明滿三年者。

C. 子女之姓氏與任權利義務行使或負擔之父或母不一致者。

D. 父母之一方顯有未盡保護或教養義務之情事者。

3. **子女之住所**：未成年之子女，以其父母之住所為住所。（民§1060）

(二) 親權之內容：

1. **孝親、保護及教養**：子女應孝敬父母，父母對於未成年之子女，有保護及教養之權利義務。（民§1084）
2. **懲戒**：父母得於必要範圍內懲戒其子女。（民§1085）
3. **代理**：父母為其未成年子女之法定代理人。
父母之行為與未成年子女之利益相反，依法不得代理時，法院得依父母、未成年子女、主管機關、社會福利機構或其他利害關係人之聲請或依職權，為子女選任特別代理人。（民§1086）
4. **子女特有財產之管理**：未成年子女，因繼承、贈與或其他無償取得之財產，為其特有財產。未成年子女之特有財產，由父母共同管理，父母對於未成年子女之特有財產，有使用、收益之權。但非為子女之利益，不得處分之。（民§1087、1088）

(三) 親權行使之原則：

1. 對於未成年子女之權利義務，除法律另有規定外，由父母共同行使或負擔之。父母之一方不能行使權利時，由他方行使之。父母不能共同負擔義務時，由有能力者負擔之。父母對於未成年子女重大事項權利之行使意思不一致時，得請求法院依子女之最佳利益酌定之。法院為裁判前，應聽取未成年子女、主管機關或社會福利機構之意見。（民§1089）
2. 父母不繼續共同生活達六個月以上時，關於未成年子女權利義務之行使或負擔，準用第1055條、第1055條之1及第1055條之2之規定。但父母有不能同居之正當理由或法律另有規定者，不在此限。（民§1089-1）

相關大法官解釋

365	民法關於父母親權行使意思不一致時，父權優先之規定，是否違憲？	**民法第1089條，關於父母對於未成年子女權利之行使意思不一致時，由父行使之規定部分，與憲法第7條人民無分男女在法律上一律平等，及憲法增修條文第9條第5項消除性別歧視之意旨不符，應予檢討修正，並應自本解釋公布之日起，至遲於屆滿二年時，失其效力。**

(四) **親權濫用之制裁**：父母濫用其對於子女之權利時，其最近尊親屬或親屬會議，得糾正之；糾正無效時，得請求法院宣告停止其權利之全部或一部。（民§1090）

相關大法官解釋

171	父母濫用對子女權利，其最近尊親屬得糾正，「其」係指何人？	**民法第1090條：「父母濫用其對於子女之權利時，其最近尊親屬或親屬會議，得糾正之。糾正無效時，得請求法院宣告停止其權利之全部或一部」之規定，所稱其最近尊親屬之「其」字，係指父母本身而言，本院院字第1398號解釋，應予維持。**

肆、監護

一、未成年人之監護

(一) **監護人之設置**：未成年人無父母，或父母均不能行使、負擔對於其未成年子女之權利、義務時，應置監護人。（民§1091）

(二) **委託監護人**：父母對其未成年之子女，得因特定事項，於一定期限內，以書面委託他人行使監護之職務。（民§1092）

(三) **遺囑指定監護人**：最後行使、負擔對於未成年子女之權利、義務之父或母，得以遺囑指定監護人。遺囑指定之監護人，應於知悉其為監護人後十五日內，將姓名、住所報告法院；其遺囑未指定會同開具財產清冊之人者，並應申請當地直轄市、縣（市）政府指派人員會同開具財產清冊。於法定期限內，監護人未向法院報告者，視為拒絕就職。（民§1093）

(四) **法定監護人：父母均不能行使、負擔對於未成年子女之權利義務或父母死亡而無遺囑指定監護人，或遺囑指定之監護人拒絕就職時，依下列順序定其監護人：**

1. **與未成年人同居之祖父母。**
2. **與未成年人同居之兄姊。**
3. **不與未成年人同居之祖父母。**

監護人，應於知悉其為監護人後十五日內，將姓名、住所報告法院，並應申請當地直轄市、縣（市）政府指派人員會同開具財產清冊。未能依上開順序定其監護人時，法院得依未成年子女、四親等內之親屬、檢察官、主管機關或其他利害關係人之聲請，為未成年子女之最佳利益，就其三親等旁系血親尊親屬、主管機關、社會福利機構或其他適當之人選定為監護人，並得指定監護之方法。法院依前項選定監護人或依第1106條及第1106-1條另行選定或改定監護人時，應同時指定會同開具財產清冊之人。未成年人無法定之監護人，於法院依法為其選定確定前，由當地社會福利主管機關為其監護人。（民§1094）

(五) **法院應注意之事項**：法院選定或改定監護人時，應依受監護人之最佳利益，審酌一切情狀，尤應注意下列事項：（民§1094-1）

1. 受監護人之年齡、性別、意願、健康情形及人格發展需要。
2. 監護人之年齡、職業、品行、意願、態度、健康情形、經濟能力、生活狀況及有無犯罪前科紀錄。
3. 監護人與受監護人間或受監護人與其他共同生活之人間之情感及利害關係。
4. 法人為監護人時，其事業之種類與內容，法人及其代表人與受監護人之利害關係。

(六) **監護人之辭任**：監護人有正當理由，經法院許可者，得辭任其職務。（民§1095）

(七) **監護人資格之限制**：有下列情形之一者，不得為監護人：（民§1096）

1. 未成年。
2. 受監護或輔助宣告尚未撤銷。
3. 受破產宣告尚未復權。
4. 失蹤。

(八) **監護人之權利義務：除另有規定外，監護人於保護、增進受監護人利益之範圍內，行使、負擔父母對於未成年子女之權利、義務。但由父母暫時委託者，以所委託之職務為限**。監護人有數人，對於受監護人重大事項權利之行使意思不一致時，得聲請法院依受監護人之最佳利益，酌定由其中一監護人行使之。法院為裁判前，應聽取受監護人、主管機關或社會福利機構之意見。（民§1097）

(九) **監護人之法定代理權：監護人於監護權限內，為受監護人之法定代理人**。監護人之行為與受監護人之利益相反或依法不得代理時，法院得因監護人、受監護人、主管機關、社會福利機構或其他利害關係人之聲請或依職權，為受監護人選任特別代理人。（民§1098）

(十) **監護人對受監護人之財產管理**

1. 財產清冊之開具：（民§1099、1099-1）
   (1) 監護開始時，監護人對於受監護人之財產，應依規定會同遺囑指定、當地直轄市、縣（市）政府指派或法院指定之人，於二個月內開具財產清冊，並陳報法院。
   (2) 前項期間，法院得依監護人之聲請，於必要時延長之。
   (3) 於前條之財產清冊開具完成並陳報法院前，監護人對於受監護人之財產，僅得為管理上必要之行為。
2. 監護人應以善良管理人之注意，執行監護職務。（民§1100）
3. 監護人管理受監護人財產之原則：（民§1101）
   (1) 監護人對於受監護人之財產，非為受監護人之利益，不得使用、代為或同意處分。
   (2) 監護人為下列行為，非經法院許可，不生效力：
      A. 代理受監護人購置或處分不動產。
      B. 代理受監護人，就供其居住之建築物或其基地出租、供他人使用或終止租賃。
   (3) 監護人不得以受監護人之財產為投資。但購買公債、國庫券、中央銀行儲蓄券、金融債券、可轉讓定期存單、金融機構承兌匯票或保證商業本票，不在此限。
4. 監護人不得受讓受監護人之財產。（民§1102）

5. 必要費用及監護事務之檢查：（民§1103）
   (1) 受監護人之財產，由監護人管理。執行監護職務之必要費用，由受監護人之財產負擔。
   (2) 法院於必要時，得命監護人提出監護事務之報告、財產清冊或結算書，檢查監護事務或受監護人之財產狀況。

(十一) **監護人報酬請求權**：監護人得請求報酬，其數額由法院按其勞力及受監護人之資力酌定之。（民§1104）

(十二) **監護人之另行選定**

1. 監護人有下列情形之一，且受監護人無第1094條第1項之監護人者，法院得依受監護人、第1094條第3項聲請權人之聲請或依職權，另行選定適當之監護人：
   (1) 死亡。
   (2) 經法院許可辭任。
   (3) 有第1096條各款情形之一。
   法院另行選定監護人確定前，由當地社會福利主管機關為其監護人。（民§1106）
2. 有事實足認監護人不符受監護人之最佳利益，或有顯不適任之情事者，法院得依第1106條第1項聲請權人之聲請，改定適當之監護人，不受第1094條第1項規定之限制。法院於改定監護人確定前，得先行宣告停止原監護人之監護權，並由當地社會福利主管機關為其監護人。（民§1106-1）
3. 法院於選定監護人、許可監護人辭任及另行選定或改定監護人時，應依職權囑託該管戶政機關登記。（民§1109-1）

(十三) **監護財產之移交與結算**

1. 監護人變更時，原監護人應即將受監護人之財產移交於新監護人。受監護之原因消滅時，原監護人應即將受監護人之財產交還於受監護人；如受監護人死亡時，交還於其繼承人。原監護人應於監護關係終止時起二個月內，為受監護人財產之結算，作成結算書，送交新監護人、受監護人或其繼承人。新監護人、受監護人或其繼承人對於前項結算書未為承認前，原監護人不得免其責任。（民§1107）

2. 監護人死亡時，前條移交及結算，由其繼承人為之；其無繼承人或繼承人有無不明者，由新監護人逕行辦理結算，連同依第一千零九十九條規定開具之財產清冊陳報法院。（民§1108）

(十四) **監護人之賠償責任**：監護人於執行監護職務時，因故意或過失，致生損害於受監護人者，應負賠償之責。賠償請求權，自監護關係消滅之日起，五年間不行使而消滅；如有新監護人者，其期間自新監護人就職之日起算。（民§1109）

二、成年人之監護及輔助

(一) **監護人之設置**：受監護宣告之人應置監護人。（民§1110）

(二) **法院審酌事項**：法院為監護之宣告時，應依職權就配偶、四親等內之親屬、最近一年有同居事實之其他親屬、主管機關、社會福利機構或其他適當之人選定一人或數人為監護人，並同時指定會同開具財產清冊之人。法院為選定及指定前，得命主管機關或社會福利機構進行訪視，提出調查報告及建議。監護之聲請人或利害關係人亦得提出相關資料或證據，供法院斟酌。（民§1111）

法院選定監護人時，應依受監護宣告之人之最佳利益，優先考量受監護宣告之人之意見，審酌一切情狀，並注意下列事項：

1. 受監護宣告之人之身心狀態與生活及財產狀況。
2. 受監護宣告之人與其配偶、子女或其他共同生活之人間之情感狀況。
3. 監護人之職業、經歷、意見及其與受監護宣告之人之利害關係。
4. 法人為監護人時，其事業之種類與內容，法人及其代表人與受監護宣告之人之利害關係。（民§1111-1）

(三) **不得為監護人之限制**：照護受監護宣告之人之法人或機構及其代表人、負責人，或與該法人或機構有僱傭、委任或其他類似關係之人，不得為該受監護宣告之人之監護人。但為該受監護宣告之人之配偶、四親等內之血親或二親等內之姻親者，不在此限。（民§1111-2）

(四) **尊重受監護人**：監護人於執行有關受監護人之生活、護養療治及財產管理之職務時，應尊重受監護人之意思，並考量其身心狀態與生活狀況。（民§1112）

(五) **選定數人為監護人**：法院選定數人為監護人時，得依職權指定其共同或分別執行職務之範圍。法院得因監護人、受監護人、第十四條第一項聲請權人之聲請，撤銷或變更前項之指定。（民§1112-1）

(六) **法院依職權囑託戶政機關登記**：法院為監護之宣告、撤銷監護之宣告、選定監護人、許可監護人辭任及另行選定或改定監護人時，應依職權囑託該管戶政機關登記。（民§1112-2）

(七) **輔助宣告**：受輔助宣告之人，應置輔助人。
輔助人及有關輔助之職務，準用第1095條、第1096條、第1098條第2項、第1100條、第1102條、第1103條第2項、第1104條、第1106條、第1106-1條、第1109條、第1110條至第1111-2條、第1112-1條及第1112-2條之規定。（民§1113-1）

三、意定監護

(一) **立法目的**：現行民法成年監護制度係於本人喪失意思能力時，經聲請權人聲請後，由法院為監護之宣告，並依職權就一定範圍內之人選定為監護人（民法第14條、第1111條規定參照），惟上開方式無法充分尊重本人之意思自主決定，爰參酌先進國家之立法例及我國國情，民國108年5月24日新增「意定監護」（民法第1113-2條～1113-10條）一節，規範成年人之意定監護制度。

(二) **制度特色**：由於尊重當事人自主意思、容許當事人預為安排受監護宣告後之權利義務關係，意定監護與法定監護相比，具有下列特性：

1. **意定監護契約之訂立或變更、撤回，均須經公證，以確保當事人之意思自由及有效**：民法第1113-3條第1項規定：意定監護契約之訂立或變更，應由公證人作成公證書始為成立。公證人作成公證書後七日內，以書面通知本人住所地之法院。
   民法第1113-5條第2項規定：意定監護契約之撤回，應以書面先向他方為之，並由公證人作成公證書後，始生撤回之效力。公證人作成公證書後七日內，以書面通知本人住所地之法院。契約經一部撤回者，視為全部撤回。
2. **意定監護契約之生效時點**：民法第1113-3條第3項：意定監護契約於本人受監護宣告時，發生效力。

3. **意定監護人得於有特約的情況下處分受監護人之財產**：與法定監護人相比，意定監護人於意定監護契約約定的範圍內，擁有更多的權限。

	法定監護	意定監護
法源依據	民法第1101條	民法第1113-9條
差異內容	監護人對於受監護人之財產，非為受監護人之利益，不得使用、代為或同意處分。 監護人為下列行為，非經法院許可，不生效力： 一、代理受監護人購置或處分不動產。 二、代理受監護人，就供其居住之建築物或其基地出租、供他人使用或終止租賃。 監護人不得以受監護人之財產為投資。但購買公債、國庫券、中央銀行儲蓄券、金融債券、可轉讓定期存單、金融機構承兌匯票或保證商業本票，不在此限。	意定監護契約約定受任人執行監護職務不受第1101條第2項、第3項規定限制者，從其約定。

(三) **規定內容**：

1. **定義**：（民§1113-2）
   (1) 稱意定監護者，謂本人與受任人約定，於本人受監護宣告時，受任人允為擔任監護人之契約。
   (2) 前項受任人得為一人或數人；其為數人者，除約定為分別執行職務外，應共同執行職務。
2. **意定監護契約之要式及生效時點**：（民§1113-3）
   (1) 意定監護契約之訂立或變更，應由公證人作成公證書始為成立。公證人作成公證書後七日內，以書面通知本人住所地之法院。
   (2) 前項公證，應有本人及受任人在場，向公證人表明其合意，始得為之。
   (3) 意定監護契約於本人受監護宣告時，發生效力。
3. **以意定監契約為優先**：（民§1113-4）
   (1) 法院為監護之宣告時，受監護宣告之人已訂有意定監護契約者，應以意定監護契約所定之受任人為監護人，同時指定會同開具財產清冊之人。其意定監護契約已載明會同開具財產清冊之人者，法院應依契約所定者指定之，但意定監護契約未載明會同開具財產清冊之人或所載明之人顯不利本人利益者，法院得依職權指定之。

(2) 法院為前項監護之宣告時，有事實足認意定監護受任人不利於本人或有顯不適任之情事者，法院得依職權就第一千一百十一條第一項所列之人選定為監護人。

4. **撤回與終止：**（民§1113-5）

(1) 法院為監護之宣告前，意定監護契約之本人或受任人得隨時撤回之。意定監護契約之撤回，應以書面先向他方為之，並由公證人作成公證書後，始生撤回之效力。

(2) 公證人作成公證書後七日內，以書面通知本人住所地之法院。契約經一部撤回者，視為全部撤回。

(3) 法院為監護之宣告後，本人有正當理由者，得聲請法院許可終止意定監護契約。受任人有正當理由者，得聲請法院許可辭任其職務。

(4) 法院依前項許可終止意定監護契約時，應依職權就第一千一百十一條第一項所列之人選定為監護人。

5. **法院另行選定或改定監護人：**（民§1113-6）

(1) 法院為監護之宣告後，監護人共同執行職務時，監護人全體有第1106條第1項或第1106-1條第1項之情形者，法院得依第14條第1項所定聲請權人之聲請或依職權，就第1110條第1項所列之人另行選定或改定為監護人。

(2) 法院為監護之宣告後，意定監護契約約定監護人數人分別執行職務時，執行同一職務之監護人全體有第1106條第1項或第1106-1條第1項之情形者，法院得依前項規定另行選定或改定全體監護人。但執行其他職務之監護人無不適任之情形者，法院應優先選定或改定其為監護人。

(3) 法院為監護之宣告後，前二項所定執行職務之監護人中之一人或數人有第1106條第1項之情形者，由其他監護人執行職務。

(4) 法院為監護之宣告後，第1項及第2項所定執行職務之監護人中之一人或數人有第1106-1條第1項之情形者，法院得依第14條第1項所定聲請權人之聲請或依職權解任之，由其他監護人執行職務。

6. **意定監護人之報酬：**（民§1113-7）

意定監護契約已約定報酬或約定不給付報酬者，從其約定；未約定者，監護人得請求法院按其勞力及受監護人之資力酌定之。

7. **意定契約前後相牴觸時：**（民§1113-8）

前後意定監護契約有相牴觸者，視為本人撤回前意定監護契約。

8. **意定監護契約限制之排除：**（民§1113-9）
   意定監護契約約定受任人執行監護職務不受第1101條第2項、第3項規定限制者，從其約定。
9. **準用規定：**（民§1113-10）
   意定監護，除本節有規定者外，準用關於成年人監護之規定。

伍、扶養

一、互負扶養義務之親屬（民§1114）

下列親屬，互負扶養之義務：

(一) 直系血親相互間。

(二) 夫妻之一方與他方之父母同居者，其相互間。

(三) 兄弟姊妹相互間。

(四) 家長家屬相互間。

二、扶養義務人之順序（民§1115）

負扶養義務者有數人時，應依下列順序定其履行義務之人：

(一) 直系血親卑親屬。
(二) 直系血親尊親屬。
(三) 家長。
(四) 兄弟姊妹。
(五) 家屬。
(六) 子婦、女婿。
(七) 夫妻之父母。

同係直系尊親屬或直系卑親屬者，以親等近者為先。

負扶養義務者有數人而其親等同一時，應各依其經濟能力，分擔義務。

三、扶養權利人之順序（民§1116）

受扶養權利者有數人，而負扶養義務者之經濟能力，不足扶養其全體時，依下列順序定其受扶養之人：

(一) **直系血親尊親屬。**
(二) **直系血親卑親屬。**
(三) **家屬。**
(四) **兄弟姊妹。**
(五) **家長。**
(六) **夫妻之父母。**
(七) **子婦、女婿。**

同係直系尊親屬或直系卑親屬者，以親等近者為先。
受扶養權利者有數人而其親等同一時，應按其需要之狀況，酌為扶養。

四、夫妻與其他人扶養權利義務之順位（民§1116-1）

夫妻互負扶養之義務，其負扶養義務之順序與直系血親卑親屬同，其受扶養權利之順序與直系血親尊親屬同。

五、父母對於未成年子女之扶養義務（民§1116-2）

不因結婚經撤銷或離婚而受影響。

六、受扶養之要件（民§1117）

(一) 不能維持生活。
(二) 無謀生能力者，無謀生能力之限制，於直系血親尊親屬，不適用之。

七、扶養義務之免除（民§1118）

因負擔扶養義務而不能維持自己生活者，免除其義務。但受扶養權利者為直系血親尊親屬或配偶時，減輕其義務。

91年臺上字第1798號判例	民法第1118條規定**因負擔扶養義務而不能維持自己生活者，免除其義務。但受扶養權利者為直系血親尊親屬或配偶時，減輕其義務。依此規定，直系血親卑親屬因負擔扶養義務而不能維持自己生活者，固僅得減輕其義務，而不得免除之；惟此係指直系血親卑親屬有能力負擔扶養義務而言，倘該直系血親卑親屬並無扶養能力，自無該條規定之適用。**	民法第1118條

八、減輕或免除扶養義務之情形（民§1118-1）

(一) 受扶養權利者有下列情形之一，由負扶養義務者負擔扶養義務顯失公平，負扶養義務者得請求法院減輕其扶養義務：
   1. 對負扶養義務者、其配偶或直系血親故意為虐待、重大侮辱或其他身體、精神上之不法侵害行為。
   2. 對負扶養義務者無正當理由未盡扶養義務。

(二) 受扶養權利者對負扶養義務者有前項各款行為之一，且情節重大者，法院得免除其扶養義務。

(三) 前二項規定，受扶養權利者為負扶養義務者之未成年直系血親卑親屬者，不適用之。

九、扶養程度（民§1119）

扶養之程度，應按受扶養權利者之需要，與負扶養義務者之經濟能力及身分定之。

十、扶養方法之決定（民§1120）

扶養之方法，由當事人協議定之；不能協議時，由親屬會議定之。

十一、扶養程度及方法之變更（民§1121）

扶養之程度及方法，當事人得因情事之變更，請求變更之。

相關大法官解釋

415	所得稅法施行細則關於扶養親屬免稅額以「同一戶籍」為唯一認定標準之規定，是否違憲？	所得稅法有關個人綜合所得稅「免稅額」之規定，其目的在以稅捐之優惠使納稅義務人對特定親屬或家屬盡其法定扶養義務。同法第17條第1項第1款第4目規定：「納稅義務人其他親屬或家屬，合於民法第1114條第4款及第1123條第3項之規定，未滿20歲或滿60歲以上無謀生能力，確係受納稅義務人扶養者」，**得於申報所得稅時按受扶養之人數減除免稅額，固須以納稅義務人與受扶養人同居一家為要件，惟家者，以永久共同生活之目的而同居為要件，納稅義務人與受扶養人是否為家長家屬，應取決於其有無共同生活之客觀事實，而不應以是否登記同一戶籍為唯一認定標準。**所得稅法施行細則第21-2條規定：「本法第17條第1項第1款第4目**關於減除扶養親屬免稅額之規定，其為納稅義務人之其他親屬或家屬者，應以與納稅義務人或其配偶同一戶籍，且確係受納稅義務人扶養者為限，其應以與納稅義務人或其配偶「同一戶籍」為要件，限縮母法之適用，有違憲法第19條租稅法律主義，其與上開解釋意旨不符部分應不予援用。」**

陸、家

一、定義（民§1122）

稱「家」者，謂以永久共同生活為目的而同居之親屬團體。

二、家長與家屬（民§1123）

家置家長。同家之人，除家長外，均為家屬。雖非親屬，而以永久共同生活為目的同居一家者，視為家屬。

三、家長之選定（民§1124）

家長由親屬團體中推定之；無推定時，以家中之最尊輩者為之；尊輩同者，以年長者為之；最尊或最長者不能或不願管理家務時，由其指定家屬一人代理之。

四、家務之管理（民§1125）

家務由家長管理。但家長得以家務之一部，委託家屬處理。

五、管理家務之注意義務（民§1126）

家長管理家務，應注意於家屬全體之利益。

六、家屬之分離（現行民§1127、1128）

(一) **請求分離**：家屬已成年者，得請求由家分離。

(二) **命令分離**：家長對於已成年之家屬，得令其由家分離。但以有正當理由時為限。

柒、親屬會議

一、召集人（民§1129、1130）

依本法之規定應開親屬會議時，由當事人、法定代理人或其他利害關係人召集之。

二、親屬會議組織（民§1130、1131、1133）

親屬會議，以會員五人組織之。親屬會議會員，應就未成年人、受監護宣告之人或被繼承人之下列親屬與順序定之：

(一) 直系血親尊親屬。

(二) 三親等內旁系血親尊親屬。

(三) 四親等內之同輩血親。

同一順序之人，以親等近者為先；親等同者，以同居親屬為先，無同居親屬者，以年長者為先。所定之親屬會議會員，不能出席會議或難於出席時，由次順序之親屬充任之。監護人、未成年人及受監護宣告之人，不得為親屬會議會員。

三、聲請由法院處理之情事（民§1132）

依法應經親屬會議處理之事項，而有下列情形之一者，得由有召集權人或利害關係人聲請法院處理之：(一)無前條規定之親屬或親屬不足法定人數。(二)親屬會議不能或難以召開。(三)親屬會議經召開而不為或不能決議。

四、會員辭職之限制（民§1134）

依法應為親屬會議會員之人，非有正當理由，不得辭其職務。

五、會議之召開及決議（民§1135、1136）

親屬會議，非有三人以上之出席，不得開會；非有出席會員過半數之同意，不得為決議。親屬會議會員，於所議事件有個人利害關係者，不得加入決議。

六、不服決議之聲訴（民§1137）

民法所定有召集權之人，對於親屬會議之決議有不服者，得於三個月內向法院聲訴。

【重要試題精選】

壹、申論題

一、通則

一、現行民法將親屬作如何之分類？

答 現行民法將親屬分為血親、姻親及配偶三種，茲分述如下：

(一) 血親：有血統關係之親屬，又可分為二：（民法第967條）

1. 自然血親出自同一祖先，其血統有聯繫之血親，又稱天然血親。父系母系之親屬，及同父異母或同母異父之半血緣兄弟姊妹均屬之。
2. 擬制血親本無自然之血統關係，因法律之規定而取得血親身分之親屬，又稱法定血親；養父母與養子女之關係即是。至於養子女相互間亦應成立法定血親關係。

(二) 姻親：由婚姻關係而生之親屬。依民法第969條之規定，姻親可分為三種：

1. 血親之配偶，例如：女婿。
2. 配偶之血親，例如：岳父。
3. 配偶之血親之配偶，例如：連襟。

(三) 配偶：因婚姻而結合之男女。

二、何謂親等？血親及姻親之親等如何計算？並請舉例說明。

答 親等者，測定親屬關係親疏之尺度也。其計算有羅馬法與寺院法兩種，我民法係採羅馬法，其計算方式為：

(一) 血親親等之計算：（民法第968條）

1. 直系血親從己身上下數，以一世為一親等。
例如，父母子女間為一親等，祖父母與孫子女間為二親等。

2. 旁系血親從己身數至同源之直系血親，再由同源之直系血親數至與之計算親等之血親，以其總世數為親等之數。

   例如，兄弟因為其父母即為同源故乃二親等，而叔姪間因為同源之直系血親為姪之祖父故為三親等。

(二) 姻親親系及親等之計算：（民法第970條）

1. 血親之配偶從其「配偶」之親系與親等。

   例如，甲乙為父子，乙之妻丙與甲間乃直系姻親，甲丙之間的親等即與甲與乙間者同，故為一親等。

2. 配偶之血親從其「與配偶」之親系與親等。

   例如，甲與乙為夫妻，甲與其祖父丙之間的親等即為乙與丙之間的親等，為二親等之直系姻親。

3. 配偶之血親之配偶從其「與配偶」之親系與親等。

   例如，甲乙為姊妹，甲之配偶丙與乙之配偶丁之間之親等，即為姊妹間之親等，故屬旁系二親等之姻親關係。

三、試述親屬關係之發生與消滅之原因。

答 (一) 親屬關係發生之原因：

1. 自然血親子女之出生。但非婚生子女須經認領或撫育或生父與生母結婚，始能與其父發生血親關係；至於非婚生子女與生母之關係，自始即視為婚生子女。
2. 擬制血親收養。
3. 姻親關係結婚。

(二) 親屬關係之消滅原因：

1. 自然血親死亡乃唯一之原因。但死者以外之親屬關係仍然存續如昔。
2. 擬制血親因收養關係之終止而消滅。
3. 姻親關係因離婚或婚姻關係被撤銷而消滅。

二、婚姻

☑ 婚約

一、何謂婚約？婚約之要件與效力如何？

破題分析

在婚約之撤銷雖可類推適用結婚之撤銷事由及撤銷權人之規定，然而撤銷權行使之方式則有不同。結婚之撤銷必須向法院起訴請求，但婚約之撤銷則僅以意思表示向他方為之即可。

民法第979-1條所稱「贈與」係指附有以「婚姻不成立」為解除條件之贈與，條件成就時，贈與即失其效力。

(1)解除婚約
- 法定解除：適用第979-1條
- 合意解除：依約定，無約定則類推適用第979-1條

(2)因當事人之一方死亡而婚約消滅：不得請求返還贈與物。

答 (一) 意義：婚約者，男女雙方約定將來互相結婚之契約也，俗稱訂婚。

(二) 要件：

1. 由當事人自行訂立—由父母代訂之婚約自屬無效（民法第972條）。
2. 當事人有訂定婚約之意思即可，為一不要式行為。
3. 當事人達到法定年齡—男、女未滿十七歲者訂定之婚約雖屬有效，但當事人或其法定代理人得「撤銷」之（類推適用民法第989條）。
4. 須非禁婚親（類推適用民法第983條）。
5. 當事人之任何一方須無配偶，亦非一人同時與二人以上訂立婚約（類推適用民法第985條）。
6. 須非不能人道—當事人之任何一方於訂婚時不能人道而不能治者，他方得撤銷婚約（類推適用民法第995條）。如於訂婚後始發生不能人道之情事者，則為他方得依民法第976條第1項第6款以婚約訂定後成為殘廢為原因解除婚約之問題。
7. 須非被詐欺或脅迫—否則得撤銷（類推適用民法第997條）。

(三) 效力：

1. 身分上之效力：

(1) 不發生身分關係：法律上尚未發生配偶關係或姻親關係。故未結婚已訂婚者生育子女者，該子女與生父間仍屬非婚生子女。

(2) 不得請求強迫履行：結婚須絕對由當事人以自由意思決定之，故婚約不得訴請法院強制他方履行。

(3) 在訴訟法上構成拒絕證言及司法人員迴避之事由。

(4) 貞操義務之存在。

2. 違反婚約之效力：

(1) 贈與物之返還：因訂定婚約而為贈與者，婚約無效或撤銷時，當事人之一方得請求他方返還贈與物（民法第979-1條）；此種返還請求權性質上為專屬性權利，請求權主體限於婚約當事人，其得請求返還贈與物之客體及範圍應適用不當得利之規定。

(2) 財產上之損害賠償：婚約當事人之一方，無民法第976條所示之理由而違反婚約者，對於他方因此所受之損害應負賠償之責（民法第978條）。

(3) 非財產上之損害賠償：婚約當事人之一方，無民法第976條所示之理由而違反婚約者，他方所受者雖非財產上之損害，受害人若無過失，亦得請求賠償（民法第979條第1項）。

二、在婚約之解除、婚約之違反、結婚之無效及撤銷、判決離婚等情形下，應如何定損害賠償責任？贍養費請求權發生之要件又為何？

答 (一) 各種情況下之損害賠償責任發生之要件：（請參見表一）

表一　身分關係之損害賠償

事由	財產上之損害	精神上之損害
婚約之解除	無過失者向有過失者請求。	無過失者向有過失者請求。
婚約之違反	違約者之相對人向違約者請求。	違約者之相對人無過失時，得向違約人請求。
結婚之無效及撤銷*	有過失者之相對人向該有過失者請求。	有過失者之相對人無過失時，得向該有過失者請求。

事由	財產上之損害	精神上之損害
判決離婚	同結婚之無效及撤銷	

＊然而本法對於婚約之無效、撤銷卻未對損害賠償加以明文規定，所以學者之見解即有不一致之情況。在考試時若出現婚約之無效撤銷後之損害責任歸屬的問題，請逕以「類推適用結婚之無效、撤銷之損害賠償責任歸屬方式」作答即可。理由是，在婚約之合法成立有效要件，並其無效與撤銷事由既然都類推適用結婚的規定，顯然其間的價值判斷標準亦極為接近；是以在損害賠償責任之處亦應援引之而為適用。

(二) 贍養費請求權之要件：（請參見表二），另，依民法第999-1條之規定，於結婚無效及結婚經撤銷之情況準用民法第1057條之規定（即「贍養費之給與」之條文）。

表二　贍養費請求權之要件

事由	請求給與相當之贍養費
判決離婚	無過失之一方因判決離婚而陷於生活困難者對他方請求（他方縱然無過失亦應給與相當之贍養費）

婚姻之要件

試述結婚之要件。

答　結婚之要件可分為形式要件與實質要件，茲述之如下：

(一) 形式要件：結婚，應以書面為之，有二人以上證人之簽名，並應由雙方當事人向戶政機關為結婚之登記。（民法第982條）

(二) 實質要件：

1. 結婚之意思：當事人須能理解結婚意義及其效果。
2. 非在無意識或精神錯亂中，否則得向法院訴請撤銷（民法第996條）。
3. 須非被詐欺或脅迫，否則得向法院訴請撤銷（民法第997條）。
4. 須達到法定年齡，男女未滿十八歲而結婚者，當事人或其法定代理人得向法院請求撤銷之。但當事人已達該條所定年齡或已懷胎者，不得請求撤銷（民法第989條）。
5. 須非禁婚親屬間結婚，以下所列之禁婚親屬，對直系姻親結婚之限制，在姻親關係消滅後亦有適用；對直系血親及直系姻親之限制，於因收養而成立之直系親屬間，在收養關係終止後亦有適用。違反者，其結婚無效（民法第983條參照）：

(1) 直系血親及直系姻親。

(2) 旁系血親在六親等以內者。但因收養而成立之四親等及六親等旁系血親，輩分相同者，不在此限。

(3) 旁系姻親在五親等以內，輩分不相同者。

6. 須無監護關係，於監護關係持續中，均被禁止。但如經受監護人之父母同意者則不在此限（民法第984條）。

7. 須非重婚，不僅有配偶者不得重婚，一人亦不得同時與二人以上結婚；否則無效（民法第985條）。

8. 須非不能人道，當事人之一方於結婚時，不能人道而不能治者，他方得訴請法院撤銷其結婚（民法第995條）。

☑ 婚姻普通之效力

一、試述結婚無效之原因。

答 由於結婚乃是身分行為，立法意旨乃在於儘量維持其效力，故明文規定結婚無效者，惟因該種關係或者違反結婚公示保護之要求，或違背優生學與倫理之規範，而不得不將之定為自始、當然無效也。依民法之規定，婚姻無效之情形有下列兩種：

(一) 形式要件之欠缺：結婚應以書面為之，有二人以上證人之簽名，並應由雙方當事人向戶政機關為結婚之登記（民法第982條）。

(二) 違反近親結婚之限制：以下所列之禁婚親屬間結婚者無效。對姻親結婚之限制，在姻親關係消滅後亦有適用；對直系血親及直系姻親之限制，於因收養而成立之直系親屬間，在收養關係終止後亦有適用。違反者，其結婚無效（民法第983條、第988條）。

1. 直系血親及直系姻親。
2. 旁系血親在六親等以內者。但因收養而成立之四親等及六親等旁系血親，輩分相同者，不在此限。
3. 旁系姻親在五親等以內，輩分不相同者。

(三) 違反重婚禁止之規定者（民法第985條、第988條）。

二、撤銷婚姻之原因如何？撤銷權人與撤銷期限又為何？

答 婚姻撤銷之原因依民法之規定有五種，可分為保護公益及保護私益兩者，分述如下：

(一) 以保護公益為目的之撤銷原因：違反適婚年齡之規定—違反民法第980條之規定者，當事人或其法定代理人得向法院請求撤銷。但當事人已達該條所定年齡或已懷胎者，不在此限（民法第989條）。

(二) 以保護私益為目的之撤銷原因：

1. 監護人與受監護人結婚—受監護人或其最近親屬得向法院請求撤銷。但結婚已逾一年者，不得請求撤銷（民法第991條）。
2. 當事人之一方不能人道者—當事人之一方於結婚時不能人道而不能治者，他方得向法院請求撤銷。但知悉其不能治之時起已逾三年者，不得請求撤銷（民法第995條）。
3. 結婚時當事人一方係在精神錯亂中者—得於常態恢復後六個月內向法院請求撤銷之。若六個月內不行使其撤銷權者，其婚姻依然有效存續（民法第996條）。
4. 因被詐欺脅迫而結婚者—得於發現詐欺或脅迫終止後，六個月內撤銷之（民法第997條）。

三、依照我國民法規定，婚姻之普通效力如何？試詳述之。

答 結婚乃男女雙方以發生婚姻關係之法律效果所為之意思表示。是因結婚而產生之法律效果，民法上主要可分為普通效力與夫妻財產制之效力。茲分述婚姻之普通效力如下：

(一) 身分上之效力：

1. 貞操義務——夫妻互負貞操義務，關此民法雖無直接明文之規定，但由於以重婚及通姦為離婚之請求原因（民法第1052條第1項第1、2款），故得知之。
2. 同居義務——夫妻互負同居之義務。但若有不能同居之正當理由者，例如就職在外或服兵役，或一方有民法第1052條之事由時，他方則可以之為抗辯而免除其義務；又民法上夫妻之住所，由雙方共同協議之；未為協議或協議不成時，得聲請法院定之。法院為前項裁定前，以夫妻共同戶籍推定為其住所（民法第1002條）。

(二) 財產上之效力：

1. 日常家務代理權—民法第1003條第1項規定：「夫妻於日常家務，互為代理人」，本條所謂之代理權，與通常之意定代理權不同，實為家之日常家務代理權。而日常家務者，指一般家庭日常所處理之事項而言。決定其是否屬於日常家務，應個別依據各該家庭之經濟能力及日常之支出情形而定。
2. 扶養義務—夫妻互負扶養之義務（民法第1116-1條）。其負扶養義務之順序與直系血親卑親屬同（可知係最優先之義務者），其受扶養權利之順序與直系血親尊親屬同（可知其乃居於最優先之權利者之地位）。

四、甲男與乙男為父子關係，乙男已成年而與丙女依法結婚。嗣甲男之妻丁女死亡。丙女有一未婚之姊戊，因探望丙女而與甲男認識，且墜入情網。試問：甲男與戊女之結婚是否可能？

破題分析

本題測驗關於親屬關係之認定與禁婚親規定之適用。

答 (一) 依照民法第969條規定：「稱姻親者，謂血親之配偶、配偶之血親及配偶之血親之配偶。」 此種關係之人，具有姻親關係。至於血親之配偶之血親，現行民法並不承認具姻親關係，以免姻親範圍過度擴張，而又不具法律上之實益。

(二) 基於優生及倫理之公益理由，我國限制近親之結婚行為，民法第983條第1項規定：「與左列親屬，不得結婚：一、直系血親及直系姻親。二、旁系血親在六親等以內者。但因收養而成立之四親等及六親等旁系血親，輩分相同者，不在此限。三、旁系姻親在五親等以內，輩分不相同者。」其違反者，婚姻無效（民法第988條參照）。

(三) 本例中，甲乙為一親等直系血親，丙為乙之妻，因此丙為甲之一親等直系姻親。惟丙之姐戊，並非甲之姻親，蓋甲戊係屬血親之配偶之血親，依前揭說明，並不在姻親關係之列，更無近親結婚限制之問題。因此甲、戊二人依法可以結婚。

參考資料：陳棋炎、黃宗樂、郭振恭合著，《民法親屬新論》，90年4月，第42～44、99～101頁。

五、甲男之祖父與乙女之祖母為兄妹。甲乙二人青梅竹馬，情投意合，惟因父母反對，未能結婚。其後，乙女與丙男結婚，但仍不忘甲男之情，而與甲男通姦。丙知悉後，訴請法院判決離婚，於民國87年6月30日判決確定。甲、乙乃於同年7月30日結婚，問：甲乙之結婚是否有效？

破題分析

關於近親結婚之限制（禁婚親）之問題，測驗對於新法修正之掌握。

答 (一) 甲、乙之親屬關係：甲、乙之祖父母為兄妹，甲、乙為旁系血親，且其親等依民法第968條後段之規定，旁系血親，從己身數至同源之直系血親，再由同源之直系血親，數至與之計算親等之血親，以其總世數為親等之數。因此甲、乙為六親等之表兄弟姊妹。

(二) 甲、乙得否結婚：

1. 民國87年6月18日以前，舊民法第983條第1項第3款係規定旁系血親之輩分相同而在八親等以內，不得結婚，但六親等之表兄弟姊妹不在此限。因此甲、乙依舊法規定，兩人得結婚。
2. 民國87年6月19日以後，新修正民法第983條第1項第2款則規定，旁系血親在六親等以內者，不得結婚。因此依新修正之規定，甲乙不得結婚，縱使結婚，其結婚行為無效（民法第988條參照）。
3. 本例中，甲、乙於87年6月30日結婚，依上開說明，應適用新法之規定，因此甲乙之婚姻因違反近親結婚之限制而無效。

參考資料：戴炎輝、戴東雄合著，《中國親屬法》，90年5月，第92～96頁。

六、請回答下列問題：

(一)甲女無法生育，專業媒婆乙隱瞞該事實，將甲介紹予急於傳宗接代之丙男。丙與甲結婚後半年，丙發現甲之前述情事。再過三年，丙請求法院撤銷其與甲之婚姻，有無理由？

(二)甲已喪偶，但有乙、丙二女。乙已婚並生下丁。某日，丙故意殺死乙。丙被判刑出獄後，未婚而生下戊。不久，甲死亡。甲之繼承人為何人？其應繼分為何？

破題分析

本題測驗關於結婚之撤銷事由以及繼承權喪失之問題。

答 (一) 丙不得請求法院撤銷婚姻：

1. 結婚為男女雙方生活之結合，倘若一方於結婚時無法人道而不能治，甚難期待其共同生活之圓滿，因此民法第995條規定：「當事人之一方，於結婚時不能人道而不能治者，他方得向法院請求撤銷之。」
2. 惟所謂不能人道，並不包括不能生育，因此本例之丙不得以此為由請求法院撤銷婚姻。
3. 依民法第997條規定，因被詐欺而結婚者，得於發見詐欺後，六個月內向法院請求撤銷婚姻。關於是否具有生育能力，不一定是婚姻之要素，應視一般社會觀念與具體情形而定，但若當事人之一方知悉他方不具備生育能力即不願與其結婚時，應可認為係婚姻之要素。故今乙刻意隱瞞甲無法生育之事實，丙又急於傳宗接代，應可認丙受有詐欺。
4. 於第三人詐欺之情形，依學說見解，有認為應類推民法第92條第1項之規定，亦即限於相對人明知或可得知之情形，方得主張之。但亦有認為婚姻行為與當事人之人格性密切相關，無論相對人是否為惡意，均應得主張被詐欺。惟本例之丙，於知悉甲不能生育後已逾六個月，除斥期間經過，因此無論採取上述何者見解，丙均不得撤銷婚姻。

(二) 甲之繼承人以及其應繼分：

1. 乙：乙屬民法第1138條第1款之繼承人，應有繼承權。惟被繼承人財產上之一切權利義務，於繼承開始時當然移轉於繼承人，故繼承人自應為於繼承開始時生存之人，是為同時存在原則。今乙先於甲死亡，乙應不具備繼承人之資格，無法繼承甲之財產。
2. 丙：丙原屬民法第1138條第1款之繼承人，應有繼承權。今丙殺害乙，依照民法第1145條第1項第1款之規定，故意致被繼承人或應繼承人於死或雖未致死因而受刑之宣告者，當然喪失其繼承權。故丙無繼承權。
3. 丁、戊：丁、戊二人為甲之孫，亦屬民法第1138條第1款之繼承人，且此順序中無親等較近之繼承人，故丁、戊得基於本位繼承。

4. 結論：甲之繼承人為丁、戊二人，因甲未以遺囑指定應繼分，故應以法定應繼分計算繼承人之應繼分。故依民法第1141條之規定，同一順序之繼承人有數人時，按人數平均繼承。丁、戊各得遺產之二分之一。

參考資料：1.陳棋炎、黃宗樂、郭振恭合著，《民法親屬新論》，91年4月，第92～103頁。
2.陳棋炎、黃宗樂、郭振恭合著，《民法繼承新論》，86年2月，第79～86頁。

七、夫妻之住所如何決定？試就我國民法之規定評述之。

破題分析

關於夫妻住所之決定問題，係針對法條修正問題而作成之命題。

答 (一) 夫妻須經營共同之生活，互負同居之義務，因此有決定共同住所之必要。舊民法規定妻以夫之住所為住所，贅夫以妻之住所為住所，經司法院大法官釋字第452號解釋認為未能兼顧他方選擇住所及具體個案之特殊情況，與憲法上平等及比例原則有違，而宣告違憲。

(二) 民國87年新修正之民法第1002條第1項規定：「夫妻之住所，由雙方共同協議之；未為協議或協議不成時，得聲請法院定之。」因此關於夫妻住所之決定：

1. 男女平等之婚姻住所：為落實男女平等原則，應以當事人之意願為原則，故關於夫妻住所之決定，應交由夫妻雙方協議定之，而毋庸再區別嫁娶婚或招贅婚。
2. 法院決定婚姻住所：於夫妻未為協議或協議不成時，得聲請由法院依家庭背景與住所之功能決定夫妻之住所。
3. 法定住所：新修正之民法第1002條第2項規定，於法院為夫妻住所之裁定前，以夫妻共同戶籍地推定為其婚姻住所。

參考資料：1.陳棋炎、黃宗樂，郭振恭合著，《民法親屬新論》，91年4月，第131～134頁。
2.戴炎輝、戴東雄合著，《中國親屬法》，91年5月，第156～158頁。

八、試問我國民法親屬編關於夫妻冠姓，87年修法前與現行規定為何？

破題分析

關於夫妻冠姓之修法前後比較問題。

答 (一) 關於夫妻之冠姓問題，我國民法第1000條原規定：「妻以其本姓冠以夫姓。贅夫以其本姓冠以妻姓。但當事人另有訂定者，不在此限。」因此於嫁娶婚中，妻於本姓冠以夫姓，反之贅夫則以其本姓冠以妻姓，但當事人得以特約變更之。

(二) 於87年6月修法前，我國民法關於夫妻冠姓乃以同一婚姓為原則，注重同婚姻共同體之同一性，惟87年6月修法後，民法第1000條修正為：「夫妻各保有其本姓。但得書面約定以其本姓冠以配偶之姓，並向戶政機關登記。冠姓之一方得隨時回復其本姓。但於同一婚姻關係存續中以一次為限。」因此修法後，夫妻以各自保有其本姓為原則，冠姓為例外，且冠姓之一方得隨時回復其本姓。夫妻之一方欲以其本姓冠以配偶之姓時，應以書面約定，並向戶政機關登記，方符合法定要件。

參考資料：陳棋炎、黃宗樂、郭振恭合著，《民法親屬新論》，90年4月，第129～131頁。

夫妻財產制

一、新法有關夫妻財產制之修正原則？

答 夫妻財產制係規範夫妻間財產上之權利義務關係，因以夫妻為規範對象，故修法首重貫徹男女平等原則；又於夫妻內部關係上，注意維護婚姻生活之和諧；於外部關係上，對於財產交易安全之保障亦兼籌並顧。此外，為落實肯定家事勞動價值，本次修法除加強保障剩餘財產分配請求權外，更在相關規定彰顯對於家事勞動價值之肯定（如家庭生活費用之分擔方式等）。故本次修法即在實現並平衡「貫徹男女平等原則」、「維護婚姻生活和諧」、「保障財產交易安全」及「肯定家事勞動價值」等四大原則。

二、修法為貫徹男女平等原則之規定有哪些？

答 (一) 確立以分別財產為基本架構之法定財產制，並刪除「聯合財產制」之名稱，承認夫妻各對其財產享有所有權、管理權、使用權、收益權及處分權（民法第1017條、第1018條），並各自對其債務負清償責任之法定財產制（民法第1023條）。

(二) 於法定財產制及約定分別財產制中，明定夫妻之一方以自己財產清償他方之債務時，雖於婚姻關係存續中，亦得請求他方償還（民法第1023條、第1046條）。

(三) 將共同財產一律由夫管理之規定修正為共同財產原則上由夫妻共同管理，例外亦得約定由一方管理（民法第1032條），以符合共同財產之本質，並落實男女平等原則。

(四) 補強、增訂家庭生活費用分擔及剩餘財產分配請求權之相關規定，以肯定家事勞動價值，並保障婚姻弱勢之一方，追求實質之男女平等（民法第1003-1條、第1010條第1項第5款、第1020-1條、第1020-2條及第1030-1條～第1030-4條）。

三、修法為維護婚姻生活和諧有哪些規定？

答 (一) 明定家庭生活費用，由夫妻各依其經濟能力、家事勞動或其他情事分擔之（民法第1003-1條第1項）。

(二) 增訂夫妻於家庭生活費用外，得協議一定數額之金錢，供夫或妻自由處分（民法第1018-1條）。

(三) 明定法定財產制關係存續中，夫妻就其婚後財產，互負報告之義務（民法第1022條）。

四、修法為保障財產交易安全有哪些規定？

答 (一) 增訂家庭生活費用所生之債務，由夫妻負連帶責任（民法第1003-1條第2項）。

(二) 增訂夫妻財產制契約之登記，不影響依其他法律所為財產權登記之效力（民法第1008條第2項）。

(三) 對於夫或妻之一方行使第1020-1條所定撤銷權，增設短期除斥期間之規定，以維護交易安全（民法第1020-2條）。

(四) 於約定共同財產制中明定夫或妻於結婚前或婚姻關係存續中所負之債務，應由共同財產，並各就其特有財產負清償之責，以保障債權人之利益（民法第1034條）。

五、修法為肯定家事勞動價值有哪些規定？

答 (一) 明定家庭生活費用由夫妻各依其經濟能力、家事勞動或其他情事分擔。換言之，家事勞動亦為家庭生活費用之內涵（民法第1003-1條）。

(二) 完善剩餘財產分配請求權制度，增訂保全及追加計算之規定，包括明定夫或妻惡意處分財產之價額，於法定財產制關係消滅時得追加計算，不足部分並得向第三人請求返還，使經濟弱勢一方之剩餘財產分配請求權獲得真正保障、家事勞動之價值得有公平合理之評價（民法第1020-1條、第1020-2條、第1030-1條～第1030-4條）。

六、夫妻之家庭生活費用如何分擔？第1003-1條第1項所稱「除法律或契約另有約定」究何所指？

答 (一) 依民法第1003-1條第1項規定：「家庭生活費用，除法律或契約另有約定外，由夫妻各依其經濟能力、家事勞動或其他情事分擔之。」本次修法增訂從事家務之夫或妻，可以家事勞動之方式分擔家庭生活費用。所以，家庭生活費用之分擔，已由過去以有形的財產，修正為得以無形的家事勞動等方式分擔。

(二) 民法第1003-1條第1項所稱「除法律或契約另有約定」，查目前尚無其他法律規定家庭生活費用之分擔方式，惟仍不排除將來可能有相關之規範對於家庭生活費用為不同之規定，故本次修法乃預留一定空間，俾增訂相關制度規定時，本條即無須再配合修正。此外，家庭生活費用屬家庭自治之一環，且因家庭生活費用係規定於「婚姻之普通效力」一節，而非規定於「夫妻財產制」中，故應許夫妻以契約方式約定其家庭生活費用之分擔方式（例如約定全部由一方負擔之情形）。

七、因家庭生活費用所生債務究應由夫或妻清償？

答 家庭生活費用在夫妻雙方內部關係中，固得依其經濟能力、家事勞動或其他情事分擔。惟對外關係上，宜兼顧交易安全之保障，故本次民法修法增訂第1003-1條第2項規定：「因家庭生活費用所生之債務，由夫妻負連帶責任。」

八、家庭生活費用之分擔及其所生債務，是否因採用不同財產制而有所不同？

答 家庭生活費用乃維持圓滿婚姻共同生活基本需求之一，不因夫妻婚後採行何種財產制而有不同，故本次民法修法乃於「婚姻之普通效力」增設第1003-1條規定，俾各種夫妻財產制得一體適用。而舊法第1026條、第1037條及第1048條，均配合刪除之。

九、夫妻依第1003-1條所為之約定，應否依第1007條及第1008條規定，以書面為之並向法院登記？

答 按家庭生活費用之分擔，係規定於民法親屬編第二章「婚姻」第三節「婚姻之普通效力」，並非第四節「夫妻財產制」以下之規定，故夫妻對於家庭生活費用分擔所為之約定，應無須依第1007條及第1008條規定，以書面為之並向法院辦理登記。

十、依第1010條規定宣告改用分別財產制之適用情形如何？

答 (一) 民法第1010條第1項各款規定，係夫妻一方有此事由，他方得請求改用分別財產制；第2項則係夫妻雙方均得以該事由請求改用分別財產制。

(二) 至於本條各款項係適用於原採法定財產制而經宣告採用分別財產制，或原採共同財產制而經宣告採用分別財產制者，應視各款項規定情形而定。分別說明如下：

1. 依法應給付家庭生活費用而不給付時：包括法定財產制及共同財產制，均有適用。
2. 夫或妻之財產不足清償其債務時：限於法定財產制。
3. 依法應得他方同意所為之財產處分，他方無正當理由拒絕同意時：限於共同財產制。
4. 有管理權之一方對於共同財產之管理顯有不當，經他方請求改善而不改善時，限於共同財產制。
5. 因不當減少其婚後財產，而對他方剩餘財產分配請求權有侵害之虞時：限於法定財產制。
6. 有其他重大事由時：包括法定財產制及共同財產制，均有適用。
7. 夫妻之總財產不足清償總債務時：限於共同財產制。
8. 夫妻難於維持共同生活，不同居已達六個月以上時：包括法定財產制及共同財產制。

十一、修法為何刪除通則中有關特有財產之規定？

答 民法修法前包括聯合財產制及共同財產制下，均有特有財產之規定，惟修法後之法定財產制，區分夫妻財產為婚前及婚後財產，已無特有財產，僅共同財產制下仍有特有財產。故本次修法刪除通則有關法定及約定特有財產之規定，將特有財產移列共同財產制中（增訂第1031-1條）規範。

十二、法定財產制之財產種類有哪些？區別實益為何？

答 (一) 依民法第1017條規定：「夫或妻之財產分為婚前財產與婚後財產，由夫妻各自所有。不能證明為婚前或婚後財產者，推定為婚後財產；不能證明為夫或妻所有之財產，推定為夫妻共有（第1項）。夫或妻婚前財產，於婚姻關係存續中所生之孳息，視為婚後財產。（第2項）夫妻以契約訂立夫妻財產制後，於婚姻關係存續中改用法定財產制者，其改用前之財產視為婚前財產（第3項）。」

(二) 本次修法為貫徹男女平等原則，並明確界定法定財產制關係消滅時，得列入剩餘財產分配對象之範圍，爰於第1017條規定夫或妻之財產區分為婚前財產：即夫妻結婚時所有之財產（例如嫁妝或婚前受贈物）；與婚後財產：即夫妻婚姻關係存續中取得之財產，明文規定屬夫或妻各自所有。又為避免認定夫或妻之婚前或婚後財產產生爭議，並於同條增訂二種擬制規定：一種是「推定」，包括「不能證明為婚前或婚後財產者，推定為婚後財產」及「不能證明為夫或妻所有之財產，推定為夫妻共有」（例如家中電視機無發票或任何支出證明時，先推定為夫妻共有，如有反證時可以推翻之）。另一種是「視為」，包括「夫或妻婚前財產，於婚姻關係存續中所生之孳息，視為婚後財產」（例如婚前擁有之股票於婚後產生之股息，納入婚後財產範圍）及「夫妻以契約訂立夫妻財產制後，於婚姻關係存續中改用法定財產制者，其改用前之財產，視為婚前財產」。

(三) 又本次民法親屬編施行法增訂第6-2條規定：「中華民國91年民法親屬編修正前適用聯合財產制之夫妻，其特有財產或結婚時之原有財產，於修正施行後視為夫或妻之婚前財產；婚姻關係存續中取得之原有財產，於修正施行後視為夫或妻之婚後財產。」另新法刪除有關法定財產制中「特有財產」（指一、專供夫或妻個人使用之物；二、夫或妻職業上必需之物；三、夫或妻所受之贈物，經贈與人聲明為其特有財產者）之規定，該等財產應依取得時間劃分婚前財產或婚後財產，加以定性。

(四) 區分婚前財產與婚後財產之實益在於：婚後財產於法定財產制關係消滅時，應為剩餘財產之分配，由夫妻各得二分之一，但如果平分結果對配偶之一方不利時，得請求法院調整或免除。例如夫妻之一方好吃懶做，靠另一方努力辛苦養家，因對家庭無貢獻，所以其剩餘財產分配請求權法院可以調整或免除，以維公平。婚前財產則無剩餘財產分配之問題。

十三、在法定財產制下，夫妻如何行使權利（所有權、管理、使用、收益及處分權）？又如何負擔債務？

答 (一) 本次修法為貫徹男女平等原則並簡化財產分類，廢除聯合財產制下「原有財產」及「特有財產」之分類概念，改以夫妻「婚前財產」及「婚後財產」取代，無論係「婚前財產」或「婚後財產」，夫妻均各自保有其所有權。

(二) 修正前聯合財產制對於夫妻之聯合財產，規定得約定由夫妻之一方管理；無約定時，則由夫管理。有管理權之一方對於聯合財產有使用、收益權，收取之孳息於支付家庭生活費用與管理費用後，所有權始歸未任管理權之他方配偶所有；對於管理上必要之處分則可不經他方之同意。此等規定於夫妻之一方不為約定時，財產之管理權一律歸夫，未能貫徹男女平等原則，且不重視妻之權益。本次修法為確保夫妻權益之平等，並保障交易安全，乃修正第1018條規定為：「夫或妻各自管理、使用、收益及處分其財產。」並刪除第1019條及第1020條之規定。至於修正後夫或妻個別財產之管理費用，應由夫或妻各自負擔，乃屬當然。

(三) 依修正前之聯合財產制，夫妻對第三人所負債務之責任，係依財產種類之不同而區分責任歸屬，其內容不但複雜且不易辨別，實務運作上亦十分困難。為貫徹憲法保障之男女平等原則，並兼顧交易安全，民法第1023條第1項規定修正為：「夫妻各自對其債務負清償之責。」因此，夫妻之一方如以自己財產清償他方之債務，雖於婚姻關係存續中，亦得向他方請求償還（民法第1023條第2項規定參照）。

十四、何謂「自由處分金」？其立法目的為何？

答 民法增訂第1018-1條規定：「夫妻於家庭生活費用外，得協議一定數額之金錢，供夫或妻自由處分。」其立法目的在於保障夫妻經濟自主及婚姻和諧，明定夫妻於家庭生活費用外，得協議一定數額之金錢，供夫或妻自由處分。

十五、是否在家操持家務之一方（家庭主婦或家庭主夫）才可請求自由處分金？雙薪家庭適用嗎？

答 依民法第1018-1條規定，無論夫妻係一方工作，他方為家庭主婦（或家庭主夫）；或夫妻雙方均有工作之雙薪家庭，均可由夫妻雙方協議自由處分金。而如何協議自由處分金？依第1018-1條規定，對於自由處分金之協議方式並未加以限制，以口頭約定或書面約定均可，故夫妻雙方可自行協議，亦可至律師事務所請求律師協助協議。

十六、如夫妻對於自由處分金未為協議或協議不成，可否向法院起訴請求給付或酌定？可否聲請法院調解？

答 依民法第1018-1條規定，請求自由處分金之前提，必須夫妻雙方達成協議，如夫妻未為協議或未能達成協議，則無請求權，並不能向法院起訴請求。同理，依民事訴訟法第403條以下規定，聲請法院調解亦須有請求權基礎，故如夫妻協議不成，亦不能請求法院調解。至於夫妻如已達成自由處分金之協議，如夫妻協議每月由夫給予妻一萬元之自由處分金，嗣後夫反悔不給時，因夫妻原已達成協議，故妻得以該協議（契約）不履行向法院起訴請求夫給付自由處分金，乃屬當然。

十七、新修正之法定財產制下，夫妻各自保有財產之所有權、管理、使用、收益及處分權，為何就其婚後財產，仍互負報告之義務？又夫妻一方請求他方報告，而他方拒絕時，應如何處理？

答 (一) 依民法修正後之法定財產制規定，夫或妻各自所有、管理、使用、收益及處分其財產，雖已無「聯合財產」、「原有財產」之概念，但基於促使夫妻雙方經濟地位平等、重視夫妻共同生活和諧及肯定家事勞動價值之目的，並避免將來剩餘財產分配請求權落空，對雙方財產狀況之瞭解仍有必要，故民法第1022條爰修正為：「夫妻就其婚後財產，互負報告之義務。」

(二) 又民法第1022條既已規定夫妻互負報告義務，如夫妻一方請求他方報告，而他方拒絕時，應可向法院起訴請求他方報告，如仍不履行時，依強制執行法第128條規定，可處以怠金。

十八、新法之法定夫妻財產制（新制）與舊法之聯合財產制（舊制）有何不同？

答

項目	新制	舊制
財產種類	區分為婚前財產及婚後財產。	區分為原有財產、特有財產及聯合財產。

項目	新制	舊制
所有權	各自所有。	分別所有。
管理權	各自管理。	聯合財產，原則由夫管理；例外得約定由妻管理。特有財產，各自管理。
管理費用負擔	各自負擔。	聯合財產，由管理權之一方負擔。特有財產，各自負擔。
使用及收益權	各自使用、收益。	管理權之一方對他方之原有財產有使用、收益之權。
處分權	各自處分其財產。	管理權之一方經他方同意，始得處分他方之原有財產。但管理上必要之處分，有管理權之一方可逕行為之。
債務清償責任	各自對其債務負清償責任。	依財產種類之不同區分責任歸屬，關係較為複雜。
保全措施	婚姻關係存續中夫妻一方所為詐害他方剩餘財產分配請求權之行為，他方得聲請法院撤銷。	無
剩餘財產分配請求權	1.法定財產制關係消滅時，夫或妻現存之婚後財產，扣除債務後，應平均分配。 2.不列入分配之財產：因繼承或其他無償取得之財產及慰撫金。 3.法定財產制關係消滅前五年內，夫或妻惡意處分婚後財產之價額，得追加計算。 4.夫妻應受分配之一方，得就不足部分，向特定第三人請求返還。	1.聯合財產制關係消滅時，夫或妻於婚姻關係存續中所取得而現存之原有財產，扣除債務後，應平均分配。 2.不列入分配之財產：因繼承或其他無償取得之財產。
家庭生活費用負擔	除法律或契約另有約定外，由夫妻各依其經濟能力、家事勞動或其他情事分擔之。	夫無支付能力時，由妻就全部財產負擔。
自由處分金	夫妻於家庭生活費用外，得協議一定數額之金錢，供夫或妻自由處分。	無

十九、何謂「剩餘財產分配請求權」？其要件為何？

答 (一) 民法第1030-1條規定：「法定財產制關係消滅時，夫或妻現存之婚後財產，扣除婚姻關係存續中所負債務，如有剩餘，其雙方剩餘財產之差額，應平均分配。但下列財產不在此限：一、因繼承或其他無償取得之財產。二、慰撫金（第1項）。夫妻之一方對於婚姻生活無貢獻或協力，或有其他情事，致平均分配有失公平者，法院得調整或免除其分配額（第2項）。法院為前項裁判時，應綜合衡酌夫妻婚姻存續期間之家事勞動、子女照顧養育、對家庭付出之整體協力狀況、共同生活及分居時間之久暫、婚後財產取得時間、雙方之經濟能力等因素（第3項）。……」依上開規定，剩餘財產分配請求權之要件約有如下：

1. 法定財產制關係消滅時：夫妻間無論係因配偶一方死亡、離婚、婚姻無效、婚姻撤銷或改用其他財產制，均為法定財產制關係消滅之原因，而適用剩餘財產分配之規定。
2. 以夫或妻現存之婚後財產，扣除婚姻關係存續中所負債務、因繼承或其他無償取得之財產與慰撫金：剩餘財產分配請求權之立法目的，在於肯定家務管理對於婚姻生活之貢獻，故僅以婚後財產方須列入分配。又因繼承或無償取得之財產與本次修法增訂之慰撫金，其取得與婚姻貢獻及協力無關，縱屬婚後取得，亦非剩餘財產分配之對象。
3. 夫妻雙方剩餘財產，如有差額，應平均分配；惟如平均分配顯失公平，法院得調整或免除其分配額。

(二) 舉例如下：甲男乙女於民國88年結婚，婚前甲有工作收入100萬元，乙結婚時娘家贈與嫁妝50萬元，婚後甲乙均上班工作，惟二人因個性不合於91年7月10日兩願離婚，此時，甲連同結婚前之工作收入，共有財產計500萬元，其中30萬元係婚後繼承其父遺產所得，20萬元係因車禍受傷取得之慰撫金，乙婚後工作收入連同婚前嫁妝及婚後好友贈與生日禮金10萬元，共有200萬元，另負債40萬元，請問應如何分配剩餘財產？甲應列入分配之財產為：全部財產（500萬）－婚前財產（100萬）－婚後繼承取得財產（30萬）－慰撫金（20萬）＝350萬元；乙應列入分配之財產為：全部財產（200萬）－婚前財產（50萬）－婚後負債（40萬）－贈與取得（10萬）＝100萬元，所以甲應給乙125萬元。

二十、為保全並落實剩餘財產之分配，本次民法修法增修哪些規定？

答 (一) 增訂相關規定，以落實未來剩餘財產之分配：夫妻雖各具獨立人格與經濟自主權，但婚姻乃男女雙方為維繫共同生活之結合關係。為保障婚姻生活之和諧，並避免將來剩餘財產分配請求權落空，明定夫妻就其婚後財產互負報告之義務（民法第1022條）；又參考民法第244條之精神，增訂一方對他方惡意所為之有償或無償行為，得聲請法院撤銷。惟為避免撤銷權遭濫用，並保障交易安全，對此撤銷權之行使另設一定除斥期間之限制規定（民法第1020-1條、第1020-2條）。

(二) 修正與補強現行剩餘財產分配請求權規定，使更合理，並落實對婚姻弱勢一方之保障：

1. 將具一身專屬性與婚姻貢獻、協力無關之「慰撫金」，排除於剩餘財產分配之外。
2. 為免夫或妻以其婚前財產清償婚姻關係存續中所負債務；或以其婚後財產清償其婚前所負債務，而未先行補償，致影響列入分配之剩餘財產範圍，爰明定其計算關係，以示公平。
3. 增訂夫妻法定財產制關係消滅前五年內，一方惡意處分之婚後財產，得追加計算其價額，視為現存之婚後財產；並明定夫妻現存婚後財產與應追加計算財產之計價基準，以杜爭議。
4. 增訂夫或妻應給付差額之一方，不足清償他方應得之分配額時，他方得對一方所為有償或無償行為受領之第三人請求返還及其例外，與請求權消滅時效之規定（民法第1030-1條～第1030-4條）。

二一、共同財產制有幾種？

答 民法第1031條規定：「夫妻之財產及所得，除特有財產外，合併為共同財產，屬於夫妻公同共有。」第1041條第1項規定：「夫妻得以契約訂定僅以勞力所得為限為共同財產。」因此，共同財產制包括「一般共同財產制」及「勞力所得共同財產制」二種。夫妻之財產及所得，除特有財產外，合併為共同財產，屬夫妻公同共有者，即為「一般共同財產制」。如果僅以勞力所得為限為共同財產者，則屬「勞力所得共同財產制」。

二二、何謂「勞力所得」？

答 (一) 勞力所得，指夫或妻於婚姻關係存續中取得之薪資、工資、紅利、獎金及其他與勞力所得有關之財產收入。勞力所得之孳息及代替利益（例如：以勞力所得購買彩券獲得之彩金是勞力所得之代替利益），亦屬勞力所得。又不能證明為勞力所得或勞力所得以外財產者，推定為勞力所得。（民法第1041條第2項、第3項規定參照）

(二) 依第1041條之立法理由認為：勞力所得亦包括寫作等勞心所得在內。

二三、何謂「特有財產」？

答 依新修正之民法親屬編夫妻財產制規定，僅共同財產制下方有「特有財產」之規定。而特有財產之範圍如下：

(一) 專供夫或妻個人使用之物。

(二) 夫或妻職業上必需之物。

(三) 夫或妻所受之贈物，經贈與人以書面聲明為其特有財產者。

二四、採一般共同財產制之夫妻如何行使權利？債務如何清償？

答 (一) 採一般共同財產制時，夫妻之財產及所得，除特有財產外，合併為共同財產，屬於夫妻公同共有。夫妻之一方，對於共同財產為處分時，應得他方之同意。惟其同意之欠缺，不得對抗第三人。但第三人已知或可得而知其欠缺，或依情形，可認為該財產屬於共同財產者，不在此限（民法第1033條）。

(二) 為貫徹男女平等原則，共同財產由夫妻共同管理。但夫妻得約定由一方管理，以符需要（民法第1032條第1項）。

(三) 至於夫或妻之「特有財產」，則適用分別財產制之規定，由夫妻各保有財產之所有權，各自管理、使用、收益及處分（民法第1031-1條第2項）。

(四) 共同財產制下，夫或妻結婚前或婚姻關係存續中所負之債務，應由共同財產清償，夫妻並各就其特有財產負清償責任。是以，夫或妻之債權人得自由選擇先就共同財產或為債務人之夫或妻一方之特有財產請求清償，以保障其權益（民法第1034條）。

二五、採一般共同財產制下，對於共同財產及特有財產之處理有何不同？

答

項目	共同財產	特有財產
所有權	公同共有	各自所有
管理權	共同管理	各自管理
管理費用負擔	由共同財產負擔	由各自特有財產負擔
處分權	經他方同意得處分之	各自處分

二六、共同財產制關係消滅時，夫妻如何分割其財產？

答 依民法第1040條規定，夫妻訂立共同財產制契約前取得之共同財產，由夫妻各自取回；至於訂立財產制契約後新增之共同財產，原則平均分配，但另有約定者，從其約定。

二七、修法前後之一般共同財產制有何不同？

答 修法前後之一般共同財產制，其主要差異如下：

項目	修法後	修法前
共同財產之管理權	共同管理	由夫管理
共同財產之處分權	經他方同意得處分之	原則應經他方同意；但管理上所必要者，得自行處分
債務清償責任	由共同財產及夫或妻之特有財產負責	依債務種類，分別規定負清償責任之人，較為複雜

項目	修法後	修法前
共同財產制關係消滅時之處理	訂立財產制契約前取得之共同財產，各自取回；訂立財產制契約後新增之共同財產，原則平均分配	無論訂約前或訂約後取得之共同財產，均以平均分配為原則
家庭生活費用分擔	除法律或契約另有約定外，由夫妻各依其經濟能力、家事勞動或其他情事分擔之	於共同財產不足負擔時，妻個人亦應負責

二八、修法前後之所得共同財產制有何不同？

答 修法前後之所得共同財產制，其差異如下：

項目	修法後	修法前
財產種類	包括勞力所得財產及勞力所得以外財產	包括所得財產及原有財產
財產關係	包括所得財產及原有財產	所得財產，適用共同財產制；原有財產，適用法定財產制

二九、新法之法定財產制與約定分別財產制之差異何在？

答 新法之「法定財產制」與「約定分別財產制」之主要差異，在於「法定財產制」：(一)有婚前及婚後財產之區分；(二)夫妻就其婚後財產互負報告義務；(三)夫妻得協議一定數額之自由處分金；(四)法定財產制關係消滅時，夫妻剩餘財產較少之一方得向剩餘財產較多之一方請求分配剩餘財產；(五)婚姻關係存續中夫妻一方所為詐害他方剩餘財產分配請求權之行為，他方得聲請法院撤銷。

三十、民法親屬編修法前後之分別財產制有何不同？

答 修法前後之分別財產制，其主要差異如下：

項目	修法後	修法前
管理權	夫妻各自管理	原則各自管理，例外妻得將其財產管理權付與夫
債務清償責任	各自對其債務負清償責任	依債務種類（結婚前、結婚後或日常家務代理所生債務）分別規定負清償責任之人，較為複雜
家庭生活費用分擔	除法律或契約另有約定外，由夫妻各依其經濟能力、家事勞動或其他情事分擔之	夫得請求妻對於家庭生活費用，為相當之負擔

三一、民法親屬編施行法第6-2條之意涵？

答 91年6月26日修法於民法親屬編施行法增訂第6-2條規定：「中華民國91年民法親屬編修正前適用聯合財產制之夫妻，其特有財產或結婚時之原有財產，於修正施行後視為夫或妻之婚前財產；婚姻關係存續中取得之原有財產，於修正施行後視為夫或妻之婚後財產。」其理由在於修正前之聯合財產制將夫或妻之財產區分為「特有財產」及「原有財產」，而特有財產及結婚時之原有財產，依第1030-1條規定，係不列入剩餘財產分配者。惟修正後法定財產制係將夫或妻之財產區分為婚前及婚後財產，其中婚前財產亦屬不列入剩餘財產分配之財產。為保障人民之既得權益，並使現存之法律關係得順利過渡至法律修正施行之後，故增列施行法第6-2條，使修正前結婚而婚姻關係尚存續夫妻之特有財產及結婚時之原有財產，仍得排除於剩餘財產分配之列，至於婚姻關係存續期間取得之原有財產，則仍列入分配。

三二、民法第1020-1條，有關撤銷他方於婚姻關係存續中所為有償或無償行為，是否以該行為發生於修法後者為限？

答 修法並未於施行法增訂溯及適用之規定，故依民法親屬編施行法第1條規定之法律適用不溯既往原則，第1020-1條有關撤銷他方於婚姻關係存續中所為有償或無償行為，僅限於本次修法後始有適用。

三三、民法第1030-3條第1項規定，追加計算法定財產制關係消滅前五年內處分之婚後財產，是否以該處分行為發生於修法後者為限？

答 修法並未於施行法增訂溯及適用之規定，故依民法親屬編施行法第1條規定之法律適用不溯既往原則，第1030-3條有關追加計算法定財產制關係消滅前五年內處分之婚後財產，以該處分行為發生於本次修法後者，始有適用。

三四、民法第1030-4條第1項但書規定，夫妻因判決離婚者，其婚後財產之價值計算，以起訴時為準。如夫妻於本法修正前已起訴請求裁判離婚，於新法修正公布後始經法院判決者，有關其婚後財產之價值計算，究應依新修正規定之「起訴時」計算？或依修法前第1030-1條第1項規定「法定財產制關係消滅時」（即判決確定時）計算？

答 修法並未於施行法增訂溯及適用之規定，故依民法親屬編施行法第1條規定之法律適用不溯既往原則，夫妻於本法修正前已起訴請求裁判離婚，於新法修正公布後始經法院判決者，有關其婚後財產之價值計算，仍應依修法前第1030-1條第1項規定「聯合財產關係消滅時」（即判決確定時）作為計算婚後財產價值及範圍之時點。

三五、試問夫妻之法定財產制關係消滅時，其剩餘財產之分配，民法親屬篇有何規定？

破題分析

關於剩餘財產分配請求權之制度。

答 (一) 依民法第1030-1條第1項之規定，法定財產制關係消滅時，夫或妻現存之婚後財產，扣除婚姻關係存續中所負債務後，如有剩餘，其雙方剩餘財產之差額，應平均分配。但因繼承或其他無償取得之財產以及慰撫金，則不在適用之列。夫妻之一方對於婚姻生活無貢獻或協力，或有其他情事，致平均分配有失公平者，法院得調整或免除其分配額。法院為該項裁判時，應綜合衡酌夫妻婚姻存續期間之家事勞動、子女照顧養育、對家庭付出之整體協力狀況、共同生活及分居時間之久暫、婚後財產取得時間、雙方之經濟能力等因素（同條第2項、第3項參照）。且依同條第4項之規定，剩餘財產分配請求權不得讓與或繼承，但已依契約承諾，或已起訴者不在此限，故剩餘財產分配請求權具有一身專屬性。

(二) 依照民法第1030-2條之規定：「夫或妻之一方以其婚後財產清償其婚前所負債務，或以其婚前財產清償婚姻關係存續中所負債務，除已補償者外，於法定財產制關係消滅時，應分別納入現存之婚後財產或婚姻關係存續中所負債務計算。夫或妻之一方以其前條第一項但書之財產清償婚姻關係存續中其所負債務者，適用前項之規定。」

(三) 依照第1030-3條之規定：「夫或妻為減少他方對於剩餘財產之分配，而於法定財產制關係消滅前五年內處分其婚後財產者，應將該財產追加計算，視為現存之婚後財產。但為履行道德上義務所為之相當贈與，不在此限。前項情形，分配權利人於義務人不足清償其應得之分配額時，得就其不足額，對受領之第三人於其所受利益內請求返還。但受領為有償者，以顯不相當對價取得者為限。前項對第三人之請求權，於知悉其分配權利受侵害時起二年間不行使而消滅。自法定財產制關係消滅時起，逾五年者，亦同。」此一規定可預防配偶於離婚前進行脫產之動作，且就其不足額尚有直接對於第三人請求之規定。

(四) 關於夫妻現存之婚後財產之價值計算，依照第1030-4條之規定：「夫妻現存之婚後財產，其價值計算以法定財產制關係消滅時為準。但夫妻因判決而離婚者，以起訴時為準。依前條應追加計算之婚後財產，其價值計算以處分時為準。」

參考資料：陳棋炎、黃宗樂、郭振恭合著，《民法親屬新論》，90年4月，第171～173頁。

離婚

一、夫妻離婚時，請求贍養費與請求損害賠償在要件上有何不同？

答 夫妻離婚，在我國民法上可採取之途徑有二，一為判決離婚（民法第1052條～1057條），一為兩願離婚（民法第1049條～1050條）。對於損害賠償與贍養費之規定，僅對於判決離婚有之；兩願離婚除非當事人自行對於贍養費或其他之補償有所約定，否則不能依照民法親屬編之規定請求。以下茲就判決離婚後贍養費與損害賠償之要件析述之：（見圖一）

(一) 損害賠償請求權（包括財產上與非財產上之損害）之要件：請參見重要試題精選Part 1申論題二、婚姻－婚約第二題。

(二) 相異點之比較：

1. 對象不同：贍養費之請求，乃針對請求者日後之生活上之經濟問題；損害賠償之請求，乃著眼於請求者現時所受到之財產與非財產損害。
2. 責任要件不同：贍養費之請求，只要請求者無過失即可，他方有無過失在所不問；損害賠償之請求，則他方有過失乃絕對之前提，請求人若無過失始得請求非財產上之損害賠償，否則即僅能請求財產上之損害賠償。
3. 立法精神不同：立法者在制訂贍養費與損害賠償之要件上，之所以作出差別待遇，其主要原因乃在於，參照於民法第1052條第1項各款所列舉之事由，固然有因為夫妻之一方之故意或過失而引發的；但也有因為「不幸之事變」而導致的。前者例如夫妻之一方意圖殺害他方，後者可以「有重大不治之精神病」為代表。如果因為夫妻之一方有重大不治之精神病而他方對之請求判決離婚，此本已屬人倫之慘劇，不論請求離婚之原告或被告，若因判決離婚而將在日後陷於生活困難，立法者不強加「不忠一不肯從一而終」、「不義一竟棄之而去」之類的苛責而不准其離婚，而從人性現實的角度一方面准其離婚，他方面令有資力之一方不論其究竟對於判決離婚之原因有無過失都應該對於無過失之他方給與贍養費，以維持社會之安定。而損害賠償之規定，則延續民法之基本立場即「無過失無賠償」而令有過失者對於他方負一定之責任。

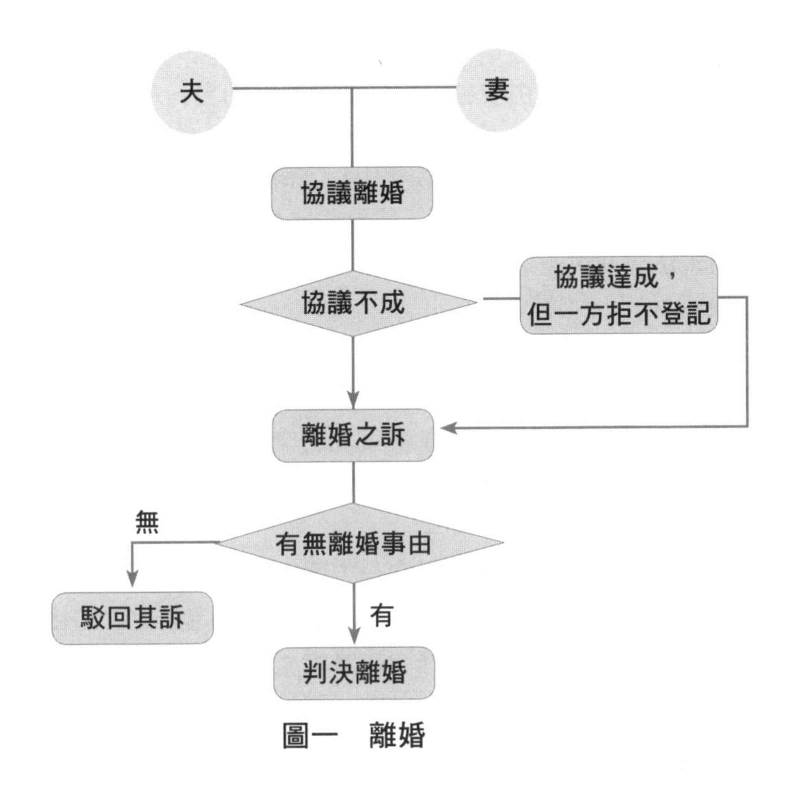

圖一　離婚

二、試述兩願離婚之要件。

答 兩願離婚，須具備下列要件，始生效力：

(一) 實質要件：

1. 夫妻關係之存在：倘雙方當事人間不存在夫妻關係（例如其婚姻無效），則其婚姻關係自始不存在，自無離婚之可言。
2. 離婚之合意：雙方當事人就離婚之意思表示一致；此即現行民法第1049條前段「夫妻兩願離婚者得自行離婚」之意。

(二) 形式要件：（民法第1050條）

1. 書面：必須將夫妻離婚之合意以書面之形式表示。
2. 證人：必須有二人以上之證人簽名於上述之書面。
3. 登記：向戶政機關為離婚之登記。故，離婚縱已作成書面，或經法院和解、調解成立，仍須經戶政機關辦理離婚登記之後始生效力；此即所謂「離婚登記主義」。

三、何謂判決離婚？立法理由安在？判決離婚之原因為何？

答 (一) 意義：夫妻之一方，依據法定原因，請求法院宣告夫妻離婚。故，若夫妻之一方欲與他方離婚而不能達成協議時，須有法定原因存在，始得請求法院判決離婚。

(二) 立法理由：

1. 之所以令夫妻之一方之意思，而得依法律之規定使其婚姻關係消滅者，乃因民法雖承認兩願離婚，然必須當事人雙方有離婚之合意。倘其婚姻關係中存在嚴重之衝突以致於不能在正常情況下維繫夫妻生活，卻又無法達成離婚之合意，則對於社會秩序倫理之維持亦屬毫無意義。
2. 然而亦不能無條件使夫妻之一方因其意思而令婚姻關係消滅，以免不足以維繫家庭之安定，故民法上乃規定一定之事由存在時，始准夫妻之一方請求法院判決離婚；此種「離婚之訴」性質上為形成之訴。

(三) 裁判離婚之原因：

夫妻之一方，有下列情形之一者，他方得向法院請求離婚（民法第1052條）：

1. 重婚。
2. 與配偶以外之人合意性交。
3. 夫妻之一方對他方為不堪同居之虐待。
4. 夫妻之一方對他方之直系親屬為虐待，或夫妻一方之直系親屬對他方為虐待，致不堪為共同生活。
5. 夫妻之一方以惡意遺棄他方在繼續狀態中。
6. 夫妻之一方意圖殺害他方。
7. 有不治之惡疾。
8. 有重大不治之精神病。
9. 生死不明已逾三年。
10. 因故意犯罪，經判處有期徒刑逾六個月確定。

有前項以外之重大事由，難以維持婚姻者，夫妻之一方得請求離婚。但其事由應由夫妻之一方負責者，僅他方得請求離婚。

（※應注意：憲法法庭112年度憲判字第4號判決主文謂：「民法第1052條第2項規定，有同條第1項規定以外之重大事由，難以維持婚姻者，夫妻之一方得請求離婚；但其事由應由夫妻之一方負責者，僅他方得請求離婚。其中但書規定限制有責配偶請求裁判離婚，原則上與憲法第22條保障婚姻自由之意旨尚屬無違。惟其規定不分難以維持婚姻之重大事由發生後，是否已逾相當期間，或該事由是否已持續相當期間，一律不許唯一有責之配偶一方請求裁判離婚，完全剝奪其離婚之機會，而可能導致個案顯然過苛之情事，於此範圍內，與憲法保障婚姻自由之意旨不符。相關機關應自本判決宣示之日起2年內，依本判決意旨妥適修正之。逾期未完成修法，法院就此等個案，應依本判決意旨裁判之。」等語。）

四、裁判離婚之效力如何？可否請求損害賠償？

答 (一) 子女之監護：裁判離婚者，關於子女之監護，由於民法第1055條之明文依協議由一方或雙方共同任之。未為協議或協議不成者，法院得依夫妻之一方、主管機關、社會福利機構或其他利害關係人之請求或依職權酌定之。前項協議不利於子女者，法院得依主管機關、社會福利機構或其他利害關係人之請求或依職權為子女之利益改定之。

(二) 身分上之效力：離婚後，夫妻關係消滅。一方與他方之姻親關係，亦因此消滅。但親屬間結婚之限制，及夫妻與子女間之自然血親關係均仍存在。

(三) 對未成年子女之扶養義務：民法第1116-2條採「扶養與監護分離說」，父母對於未成年子女之扶養義務不因離婚而受影響。

(四) 財產上之效力：夫妻離婚時，無論其原用何種夫妻財產制，各取回其固有財產。如有短少，由有管理權之一方負擔。但其短少係由非可歸責於有管理權之一方之事由而生者，不在此限（民法第1058條）。

(五) 損害賠償：（民法第1056條）

1. 財產上之損害：夫妻之一方，因裁判離婚而受有損害者，得向有過失之他方，請求賠償。
2. 非財產上之損害：上述之受害人如無過失，則亦得請求有過失之他方賠償相當之金額。

(六) 贍養費：夫妻無過失之一方，因判決離婚而陷於生活困難者，他方縱無過失，亦應給與相當之贍養費（民法第1057條）。

五、夫妻離婚時，請求贍養費與請求損害賠償在要件上有何不同？

破題分析

本題測驗關於離婚後請求損害賠償與贍養費要件上之不同，除應掌握法定要件外，對於學說上之輔助說明亦應一併注意。

答 民法僅於裁判離婚之情形，始承認損害賠償與贍養費之給予，若在兩願離婚之情形，則須當事人自行協議，否則不得為此一請求（最高法院28年上字第478號判例參照），茲就請求損害賠償及請求贍養費兩者成立要件分別說明如下：

(一) 損害賠償：依民法第1056條第1項之規定：「夫妻之一方，因判決離婚而受有損害者，得向有過失之他方，請求賠償。」故其成立要件為：

1. 須被請求之配偶有過失，亦即他方有有責之離婚事由存在。
2. 須對方配偶違法，包括重婚、通姦或虐待他方之直系尊親屬均屬之，但是若係純粹目的主義之離婚原因，例如不治之惡疾，則不具違法性。
3. 須受有損害。於受害人無過失時，雖非財產上之損害，受害人亦得請求賠償相當之金額（民法第1056條第2項參照）。且此之無過失，係指受害人無有責之離婚原因存在，而非指受害人就離婚原因之發生無過失。

(二) 贍養費：依民法第1057條之規定：「夫妻無過失之一方，因判決離婚而陷於生活困難者，他方縱無過失，亦應給與相當之贍養費。」故其要件為：

1. 請求人須因判決離婚而陷於生活困難，例如因健康狀況或年紀因素，難以期待其從事工作。
2. 須請求人無過失，亦即請求人無有責之離婚原因存在，至其為有離婚請求權之一方或被請求離婚之他方，均在所不問。
3. 被請求人縱無過失，亦有負擔贍養費之義務。

參考資料： 1.陳棋炎、黃宗樂、郭振恭合著，《民法親屬新論》，90年4月，第249～255頁。
2.最高法院28年上字第478號判例。

六、甲男乙女為夫妻，某日甲因細故持刀將乙殺傷。乙乃訴請離婚，歷經二年餘，終獲離婚判決確定。試問：乙對甲得請求何種損害賠償？

破題分析

本題涉及離婚後，關於損害賠償請求之範圍、要件之問題。

答 (一) 甲持刀殺傷乙，乙訴請離婚，法院判決甲乙離婚，故甲屬有過失之一方。

(二) 依民法第1056條第1項之規定：「夫妻之一方，因判決離婚而受有損害者，得向有過失之他方，請求賠償。」故請求損害賠償之要件為：

1. 對方配偶有過失。
2. 對方配偶違法。
3. 須有損害，亦即須有因判決離婚所受之財產上損害，例如因殺傷而致勞動力減少。

本例之甲持刀殺傷乙，係屬有過失之一方，且其行為違法，故依上述規定，乙應得向其夫甲請求因離婚所致之財產上之損害賠償。

(三) 乙請求損害賠償之內容，除上述之財產上損害外，是否兼及非財產上之損害，依照民法第1056條第2項之規定：「前項情形，雖非財產上之損害，受害人亦得請求賠償相當之金額。但以受害人無過失者為限。」本例中，乙於離婚原因並無責任，依照此一規定，乙應得請求非財產上之損害賠償。所謂非財產上損害，係指因離婚所受之精神上痛苦，乙應得請求之。惟此部分之請求，具有一身專屬性，不得讓與或繼承。但已依契約承諾或已起訴者，不在此限（民法第1056條第3項參照）。

參考資料：陳棋炎、黃宗樂、郭振恭合著，《民法親屬新論》，90年4月，第248～254頁。

七、父母離婚時，應如何定未成年子女之親權人，試就現行民法之規定說明之。

破題分析

本題測驗夫妻離婚時，關於定未成年子女親權之問題。

答 (一) 父母離婚後，關於對未成年子女權利義務之行使、負擔，依照民法第1055條第1項之規定：「夫妻離婚者，對於未成年子女權利義務之行使或負擔，依協議由一方或雙方共同任之。未為協議或協議不成者，法院得依夫妻之一方、主管機關、社會福利機構或其他利害關係人之請求或依職權酌定之。」

(二) 父母之協議不利於子女者，法院得依主管機關、社會福利機構或其他利害關係人之請求或依職權為子女之利益改定之（民法第1055條第2項參照）。

(三) 行使、負擔權利義務之一方未盡保護教養之義務或對未成年子女有不利之情事者，他方、未成年子女、主管機關、社會福利機構或其他利害關係人得為子女之利益，請求法院改定之（民法第1055條第3項參照）。

(四) 法院得依請求或依職權，為未行使或負擔權利義務之一方酌定其與未成年子女會面交往之方式及期間。但其會面交往有妨害子女之利益者，法院得依請求或依職權變更之（民法第1055條第5項參照）。

(五) 法院為前條裁判時，應依子女之最佳利益，審酌一切情狀，尤應注意下列事項：

1. 子女之年齡、性別、人數及健康情形。
2. 子女之意願及人格發展之需要。
3. 父母之年齡、職業、品行、健康情形、經濟能力及生活狀況。
4. 父母保護教養子女之意願及態度。
5. 父母子女間或未成年子女與其他共同生活之人間之感情狀況。
6. 父母之一方是否有妨礙他方對未成年子女權利義務行使負擔之行為。
7. 各族群之傳統習俗、文化及價值觀。（民法第1055-1條參照）

(六) 父母均不適合行使權利時，法院應依子女之最佳利益並審酌前條各款事項，選定適當之人為子女之監護人，並指定監護之方法、命其父母負擔扶養費用及其方式（民法第1055-2條）。

參考資料：陳棋炎、黃宗樂、郭振恭合著，《民法親屬新論》，90年4月，第236～247頁。

八、甲男乙女原為夫妻，有一未成年之子丙。甲乙離婚時，約定由甲任丙之親權人。丙為一優秀棒球選手，年滿十七歲時，擬加入A球隊，惟甲反對。丙乃經由乙之允許而與A球團代表訂立契約，加入該球隊。試問：
(一)丙與A所訂立之契約之效力如何？
(二)甲乙關於丙之加入球隊一事，意思不一致時，應如何處理？

破題分析

關於離婚後父母親權之行使方法，係針對新法修正後之命題。

答 (一) 依民法第1055條之規定，對於未成年子女權利義務之行使或負擔，依協議由一方或雙方共同任之。本例中，甲、乙離婚，約定由甲任丙之親權人，因此關於丙權利義務之行使或負擔，應由甲擔任之。

(二) 丙十七歲，有限制行為能力，依民法第79條之規定，其未得法定代理人之允許，所訂立之契約，須經法定代理人之承認，始生效力。丙與A訂立契約，並未得甲之同意，且乙又非丙之親權人，因此丙、A間之契約，仍須經甲之同意，始生效力。

(三) 甲固然擔任丙之親權人，惟為避免行使或負擔未成年子女權利義務之一方濫用其權利，民法第1055條第3項規定：「行使、負擔權利義務之一方未盡保護教養之義務或對未成年子女有不利之情事者，他方、未成年子女、主管機關、社會福利機構或其他利害關係人得為子女之利益，請求法院改定之」。因此本例中，甲乙關於丙加入球隊之事意思不一致時，乙得依上述規定請求法院改定由其任丙之親權人，而非逕依民法第1089條第2項之規定，主張對於未成年子女重大事項權利之行使意思不一致，而請求法院依子女之最佳利益酌定之。

參考資料：戴炎輝、戴東雄合著，《中國親屬法》，90年5月，第310～314頁。

九、何謂停止條件？抵銷及離婚契約可否附停止條件？此等行為附停止條件之法律效果如何？請附具理由說明之。

破題分析

關於停止條件之意以及不可附條件之法律行為。

答 (一) 所謂條件，係指法律行為效力的發生或消滅，繫於將來成否客觀上不確定事實，例如甲父告訴乙子，今年考上某大學法律系，即贈與機車一輛。能否考上大學法律系，即為一客觀不確定之事實。

(二) 民法之條件尚區別為停止條件與解除條件，附停止條件之法律行為，於條件成就時，發生效力（民法第99條第1項參照）；附解除條件之法律行為，於條件成就時，失其效力（民法第99條第2項參照）。例如前例甲乙之行為，即屬於附有停止條件之贈與契約，於乙考上法律系後，條件成就，贈與契約生效。

(三) 不容許附條件之法律行為：

1. 公益上不可附條件：例如婚姻、收養、離婚、認領等身分行為，均不可附加條件，以維護公序良俗。
2. 私益上不可附條件：例如民法第335條第2項規定，抵銷之意思表示，附有條件或期限者，無效。其他如解除、撤銷、承認權之行使，均不得附條件，以避免法律關係不確定，使相對人陷於不利。但如相對人同意、或條件成就與否，純由相對人決定時，因僅關乎私益，仍可附條件。

(四) 不容許附條件之法律行為，其竟附有條件，其行為之效力仍應分別以觀，並非全部歸於無效。倘解釋上其條件得與該行為分開，其所為之法律行為仍屬有效，在此應參酌民法第111條但書規定解釋之。

參考資料：王澤鑑，《民法總則》，90年10月，第453～459頁。

十、依我國民法規定，協議離婚應自何時生效？又離婚後夫妻之財產如何處理？

破題分析

協議離婚之效力何時發生，應從協議離婚之要件說明之，另外關於離婚財產之處理，民法第1058條已有規定，詳細說明即可。

答 (一) 協議離婚之方式：依民法第1049條、第1050條之規定，說明如下：

1. 實質要件：須當事人有離婚之合意，且應自行為之，不得由其他人代為離婚之意思表示。

2. 形式要件：

(1)應以書面為之。

(2)應有二人以上證人之簽名。

(3)應向戶政機關為離婚之登記。

3. 綜合上述，離婚登記為協議離婚之成立要件，於辦理離婚登記後，始生效力（登記主義）。若未辦理登記，雖有離婚之協議書面，亦不得以訴訟方式強制履行。

(二) 離婚後財產之處理：

1. 依民法第1058條之規定，夫妻離婚時，無論其原用何種夫妻財產制，各取回其固有財產，如有短少，由有管理權之一方負擔。但其短少係由非可歸責於有管理權之一方之事由而生者，不在此限。

2. 所謂之固有財產，於聯合財產制，係指夫或妻之原有財產；於共同財產制，係指各自加入共同財產之財產。

3. 婚姻關係存續中所取得之財產，若採取聯合財產制，則依民法第1030-1條之規定，請求剩餘財產之分配，亦即得請求雙方原有財產差額之半數；若採取共同財產制，所增加之共同財產，則依民法第1040條之規定，夫妻各得半數。

參考資料：詹森林、陳榮傳、馮震宇、林誠二、林秀雄合著，《民法概要》，五南圖書出版公司，90年9月，第618～619、624頁。

三、父母子女

一、何謂婚生子女？

答　婚生子女者，由婚姻關係受胎而生之子女，亦即以「受胎時」有婚姻關係為準。茲分述之：（請參見圖二）

(一) 婚生子女之推定：96年民法親屬編修正後，民法第1063條修正為：「妻之受胎，係在婚姻關係存續中者，推定其所生子女為婚生子女。前項推定，夫妻之一方或子女能證明子女非為婚生子女者，得提起否認之訴。前項否認之訴，夫妻之一方自知悉該子女非為婚生子女，或子女自知悉其非為婚生子女之時起二年內為之。但子女於未成年時知悉者，仍得於成年後二年內為之。」鑑於現行各國親屬法立法趨勢，已將「未成年子女最佳利益」作為最高指導原則，又聯合國大會於

1989年11月20日修正通過之「兒童權利公約」第7條第1項，亦明定兒童有儘可能知道誰是其父母之權利。復參酌德國於1998年修正之民法第1600條，明文規定子女為否認之訴撤銷權人，爰於本條第2項增列子女亦得提起否認之訴。夫或妻提起否認之訴，應於知悉子女出生之日起一年內為之。因其期間過短，且常有知悉子女出生但不知非為婚生子女之情形，致實務上迭造成期間已屆滿，不能提起否認之訴，而產生生父無法認領之情形，爰將現行條文第2項但書所定「知悉子女『出生』之日起『一年』內」修正放寬為「知悉該子女『非為婚生子女』時起『二年』內為之」，以期取得血統真實與身分安定間之平衡。至於子女提起否認之訴之期間，亦以該子女「知悉其非為婚生子女之日起二年內為之」。惟子女若於未成年時知悉者，為避免該子女因思慮未周或不知如何行使權利，爰明定仍得於成年後二年內提起否認之訴，以保障其權益。

(二) 準婚生子女：即本非婚生子女，但民法上因另有一定情況之發生，故視同為婚生子女。其情況共有以下四種：

1. 非婚生子女與其生母之關係：視為婚生子女。（民法第1065條第2項）
2. 非婚生子女經生父認領或撫育者。（民法第1065條）
3. 非婚生子女其生父與生母結婚者。（民法第1064條）
4. 非婚生子女之生父被訴請強制認領經法院判決確定者。（民法第1067條）

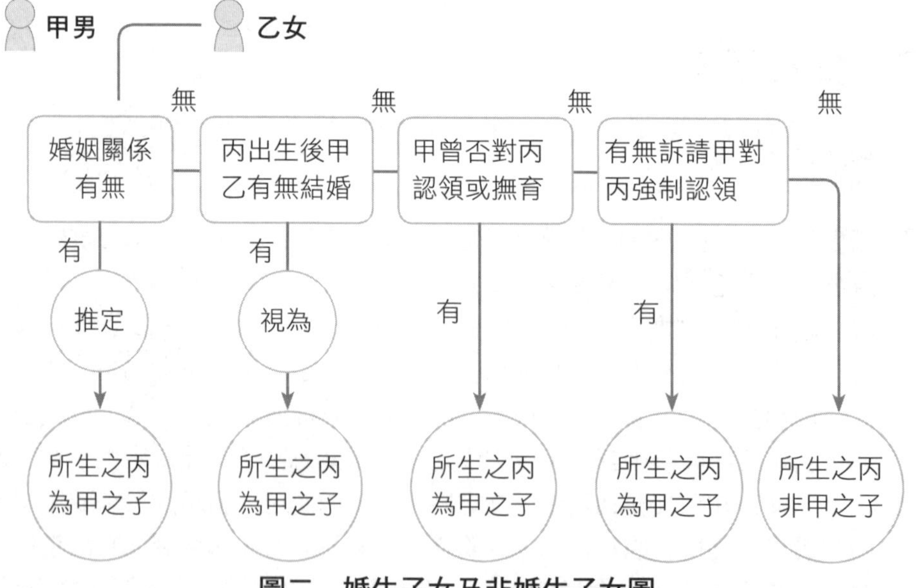

圖二　婚生子女及非婚生子女圖

二、強制認領之要件及效力如何？

答 生父承認其非婚生子女為其自己之子女者，乃認領。生父對於非婚生子女得隨時認領。然而甚多情形下，生父往往不願意「自動」對於非婚生子女為認領，故法律為了使真正的親子關係得到法律的保障，乃於民法第1067條規定強制認領的要件，使非婚生子女、或其生母、或其他法定代理人，得請求非婚生子女之生父認領之為其子女，此乃「身分行為不得代理原則」之例外規定。茲述之如下：

(一) 積極要件：共同之前提，乃是被告須為非婚生子女之「生父」血緣關係之真實性。此一真實性，應由具備下列四款事由，以及消極要件之事由以證明之：

1. 受胎期間生父與生母有同居之事實者。
2. 由生父所作之文書可證明其為生父者。
3. 生母為生父強姦或略誘成姦者。
4. 生母因生父濫用權勢成姦者。

(二)強制認領之訴：

1. 原告：非婚生子女、或其生母、或其他法定代理人。
2. 被告：非婚生子女之生父。於生父死亡後，得向生父之繼承人為之。
3. 無起訴時效：改採客觀主義，96年修法刪除有關強制認領請求權行使期間之限制。

(三) 認領之效力：

1. 非婚生子女經生父認領者，視為婚生子女。認領之效力溯及於出生時，但第三人已得之權利不受影響（民法第1069條）。又，因認領而將真正的親子關係確定，故一經認領之後，即不得撤銷，此即所謂「具有真實血統之認領不得撤銷說」，使血統連繫之親子關係優先於表意人意思之瑕疵而受保護；惟若非生父而認領，則有學者認為應類推適用第997條撤銷其認領。
2. 非婚生子女經生父認領後，生母各自發生親子關係，親權人對該未成年子女之親權行使應依民法第1069-1條準用第1055條規定。

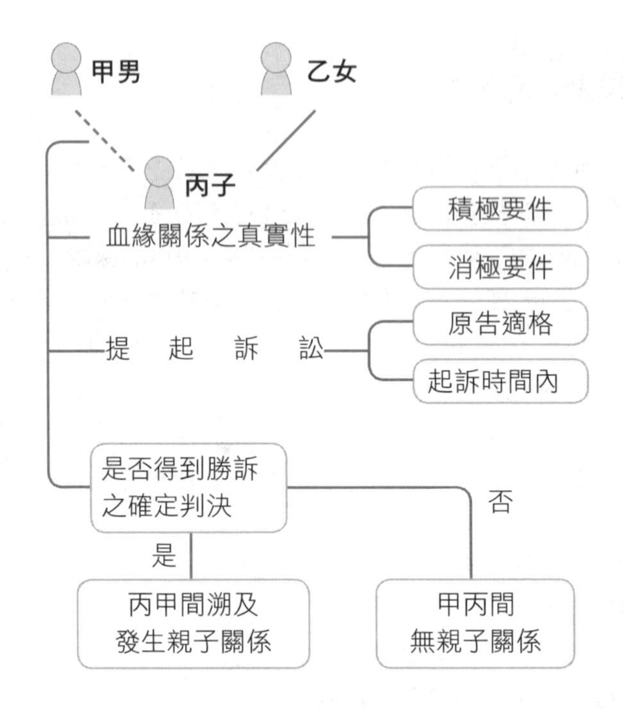

圖三 強制認領之訴

三、收養之要件與效力如何？試分別說明之。

答 (一) 收養之要件：

1. 實質要件

(1) 收養之合意：收養行為，係以發生擬制血親之關係為目的之契約，故須雙方當事人（養父母與養子女）間意思表示達成一致。收養行為係身分行為，故須自行為之；然未滿七歲之未成年人被收養時，由法定代理人代為意思表示並代受意思表示。但無法定代理人時不在此限。又七歲以上之未成年人被收養時，應得法定代理人之同意。

(2) 收養者之年齡，應長於被收養者二十歲以上。但夫妻共同收養時，夫妻之一方長於被收養者二十歲以上，而他方僅長於被收養者十六歲以上，亦得收養。夫妻之一方收養他方之子女時，應長於被收養者十六歲以上（民法第1073條）。

(3) 夫妻收養子女時，應共同為之。但有下列各款情形之一者，得單獨收養：

A.夫妻之一方收養他方之子女。

B.夫妻之一方不能為意思表示或生死不明已逾三年（民法第1074條）。

(4) 共同收養：夫妻須共同收養子女（但夫妻之一方收養他方之子女者不在此限）（民法第1074條）。

(5) 兼祧禁止：一人不得同時為二人之養子女（民法第1075條）。

(6) 夫妻之一方被收養時，應得他方之同意。但他方不能為意思表示或生死不明已逾三年者，不在此限（民法第1076條）。

(7) 須無監護關係：就此民法雖無明文規定，但應類推適用民法第984條，使監護人非得受監護人父母之同意，不得收養受監護人。

2. 形式要件：

(1)收養應以書面為之，並向法院聲請認可。

(2)收養有無效、得撤銷之原因或違反其他法律規定者，法院應不予認可。

(二) 收養之效力：（民法第1077條、第1078條）

1. 婚生子女身分之取得、養子女取得養父母之婚生子女之身分。故從姓義務、相互間之扶養義務、住所、監護甚至繼承等法律關係，其權利義務均與婚生子女相同。

2. 親屬關係之發生：養子女與養父母之關係，除法律另有規定者外（例如，養親子關係可以合意、判決終止，此在自然血親關係當然是不可能之事），與婚生子女同。

四、收養終止之要件及其效力如何？

答 收養之終止亦有兩願終止與裁判終止兩種形態，另有一特殊形態者乃養親死後終止收養，茲分述其要件與效力：

(一) 收養終止之要件：（民法第1080條）

1. 兩願終止：養父母與養子女之關係，得由雙方合意終止之。終止，應以書面為之。養子女為未成年人者，並應向法院聲請認可。法院為認可時，應依養子女最佳利益為之。

養子女為未成年人者，終止收養自法院認可裁定確定時發生效力。養子女未滿七歲者，其終止收養關係之意思表示，由收養終止後為其法定代理人之人為之。

養子女為滿七歲以上之未成年人者，其終止收養關係，應得收養終止後為其法定代理人之人之同意。夫妻共同收養子女者，其合意終止收養應共同為之。但有下列情形之一者，得單獨終止：

(1) 夫妻之一方不能為意思表示或生死不明已逾三年。

(2) 夫妻之一方於收養後死亡。

(3) 夫妻離婚。

A. 合意：由養子女與養父母雙方之同意終止。

B. 書面：前揭合意應以書面為之。

C. 養子女為未滿七歲之未成年人：其終止收養關係之意思表示，由收養終止後為其法定代理人之人代為之。

D. 養子女為滿七歲以上之未成年人：終止收養關係之意思表示，應得收養終止後為其法定代理之人之同意。

2. 養親死亡後之法院許可終止收養：養父母死亡後，養子女不能維持生活而無謀生能力者，得聲請法院許可，終止收養關係（民法第1080-1條）：

(1) 養父母須已死亡：但若養父母僅一方死亡，而養子女與生存之他方終止收養時，因養子女與死亡之一方仍保有收養之關係，故本生父母之親權並未復活，本應開始監護，但此時亦得適用本項之規定，使養子女與已死亡之養親間之親子關係終止。

(2) 聲請人：有意思能力之成年養子女、未滿七歲之養子女由收養終止後為其法定代理人之人代為聲請、養子女為滿七歲之未成年人時，其聲請應得收養終止後為其法定代理人之同意。

(3) 法院之許可：非訟事件之裁定。

(4) 養子女不能維持生活而無謀生能力。

3. 判決終止：

養父母、養子女之一方，有下列各款情形之一者，法院得依他方、主管機關或利害關係人之請求，宣告終止其收養關係：

(1) 對於他方為虐待或重大侮辱。

(2) 遺棄他方。

(3) 因故意犯罪，受二年有期徒刑以上之刑之裁判確定而未受緩刑宣告。

(4) 有其他重大事由難以維持收養關係。

養子女為未成年人者，法院宣告終止收養關係時，應依養子女最佳利益為之。

(二) 收養終止之效力：

1. 養親屬方面之效力

(1) 身分上之效力：收養終止時，因收養所擬制之一切親屬關係消滅。然依民法第983條之規定，在因收養而成立之直系血親、姻親間結婚之限制，於收養關係終止後亦適用，此即禁婚效力之延展。

(2) 財產上之效力：

A. 不溯及既往：養子女在養方既得之財產（繼承或贈與）均不必返還；而養父母就未成年之養子女之特有財產因使用收益所得之利益亦不必返還。

B. 收養關係如係因「判決」而終止，無過失之一方因而陷於生活困難者，得請求他方給與相當之金額。此與民法第1057條之判決離婚後贍養費之給與有相近之立法意旨，其要件亦幾可謂為一般無二。

2. 本生親屬方面之效力：養子女在收養關係存續中，與本生父母之間被停止之權利義務因之而回復其效力。但第三人已取得之權利則不因此而受影響（例如，收養終止時其本生父母已死亡者，養子女對於本生父之遺產並無繼承權，而不得向其他之繼承人求償）。

五、試述收養之無效與撤銷之原因。

答 (一) 收養之無效：收養子女除有一般法律行為無效之原因者外，有下列情形之一者，均屬當然無效，而不發生養親子之關係：

1. 年齡：收養者之年齡未長於被收養者二十歲以上者。

2. 禁養親：收養人與被收養人為禁止收養之親屬：依民法第1073-1條規定，下列親屬不得收養為養子女：(1)直系血親、(2)直系姻親（但夫妻之一方收養他方之子女者不在此限）、(3)旁系血親及旁系姻親之輩分不相當者（但旁系血親在八親等以外、旁系姻親在五親等之外者，不在此限）。

3. 形式要件：未經為書面表示（除非被收養者未滿七歲又無法定代理人）或法院認可之收養均不生效力。

(二) 收養之得撤銷：縱經法院認可，但如有下列情形之一者，仍得請求法院判決撤銷收養關係：

1. 收養未與配偶共同為之者，收養者之配偶得請求法院撤銷之。
2. 有配偶之被收養人於被收養時未得其配偶之同意，被收養者之配偶得向法院請求撤銷之。
3. 滿七歲之未成年人被收養而未得法定代理人之同意者，其收養前之法定代理人得向法院請求撤銷之。

(三) 撤銷後之效力，準用終止收養之效力，故：

1. 身分上之效力：收養經撤銷者，因收養所擬制之一切親屬關係消滅。然依民法第983條之規定，在因收養而成立之直系血親、姻親間結婚之限制，於收養關係被撤銷後亦適用，此即禁婚效力之延展。
2. 財產上之效力
   (1) 不溯及既往：養子女在養方既得之財產（繼承或贈與）均不必返還；而養父母就未成年之養子女之特有財產因使用收益所得之利益亦不必返還。
   (2) 收養關係被撤銷者，無過失之一方因而陷於生活困難者，得請求他方給與相當之金額。此與民法第1057條之判決離婚後贍養費之給與有相近之立法意旨，其要件亦幾可謂為一般無二。

六、民法第1091條以下之監護人對受監護人與父母對未成年子女在財產上之權限有何不同？

答 父母對於未成年子女，有財產法上之法定代理權、對於其未成年子女之特有財產之管理權並使用收益之權、為未成年子女之利益對其特有財產之處分權。而民法第1091條以下之監護人則必為該未成年人無父母或父母均不能行使負擔親權者始應設置，因此法律就其對於未成年之被監護人之財產上權限即有相當之限制規定；監護人對於受監護之未成年子女固有財產上之法定代理權，但其應負一定之清算義務與注意義務甚至損害賠償之責任，且其用益處分權限均受相當之限制。惟民法第1094條第1款之「與未成年人同居之祖父母」倘就任為法定監護人者，則對其財產上之權限又有解除限制之規定。茲詳述之如下：

法定代理人對未成年子女之財產上監護權限比較表

父母與民法第1091條以下之監護人對未成年子女之財產上權限之比較	父母	指定或法定監護人	與未成年子女同居之祖父母
法定代理之權限	有	有	有
監護人對受監護人之財產之管理權	無	有	無
對於受監護人之財產之管理權	有	有	有
管理受監護人之財產應負與處理自己事務同一之義務	無	有	有
對受監護人之財產非為受監護人之利益不得使用收益	無	有	有
對監護人之財產非為受監護人之利益不得處分	有	有	有
對於受監護人之不動產處分時應得親屬會議之允許	無	有	無
監護人不得受讓受監護人之財產	無	有	有
監護人每年向親屬會議報告受監護人財產之義務	無	有	無
監護人執行財產上監護之職務有過失應負損害賠償責任	無	有	無
監護人之報酬請求權	無	有	無
監護關係終止時對於未成年人之財產清算並移交義務	無	有	有
以上所稱之受監護人之財產，參照民法第1087條之規定，應僅以未成年子女繼承、贈與，或其他無償取得之特有財產為限。			
對未成年人之非特有財產（勞力所得）之用益處分權*	無	無	無

* 對此民法並未有明文規定，但學者及判例見解多認為，民法既以人格獨立為基本原則，現代親子法又以保護子女利益為中心理念，是故令子女得以其勞力所得為不假手他人之自行管理、用益、處分乃有助於其社會化，自不應以監護權之存在而限制之。

七、非婚生子女，應具備何種要件，始與其生父發生法律上之父子女關係？試論述之。

破題分析

關於非婚生子女與生父關係之問題，在於對於認領、準正等相關規定之說明。

答 (一) 所謂婚生子女，係指由婚姻關係受胎而生之子女（民法第1061條參照）。而非因婚姻關係而生之子女，則稱為非婚生子女，非婚生子女與生父之關係，於未經認領前，或生父與生母結婚前，不發生法律上直系血親之關係。

(二) 非婚生子女，於法律上若承認其身分關係，即為準婚生子女，其與生父具有法律上之父子女關係，其情形有：

1. 非婚生子女經生父認領：經認領後，非婚生子女取得與生父法律上直系血親之關係，但因其父母並無婚姻關係，故此種準婚生子女，分別與父母發生關係。經認領後，取得與生父法律上之親子關係，且非婚生子女認領之效力，溯及於出生時。但第三人已得之權利，不因此而受影響（民法第1069條參照）。認領之方式包括：

(1) 任意認領：係指生父對於有事實上血統關係之子女，承認為自己子女。至於非婚生子女與其生母之關係，視為婚生子女，無須認領（民法第1065條第2項參照）。其認領之方式法律並無特別規定，以口頭、書面或遺囑為之均可。且若生父撫育非婚生子女者，視為認領（民法第1065條第1項參照），例如預付出生後撫育費用，亦可認為有撫育事實（最高法院44年臺上字第1167號判例參照）。

(2)強制認領：若生父不為認領時，有事實足認其為非婚生子女之生父者，非婚生子女或其生母或其他法定代理人，得向生父提起認領之訴（民法第1067條第1項）。此認領之訴，於生父死亡後，得向生父之繼承人為之。生父無繼承人者，得向社會福利主管機關為之（民法第1067條第2項）。

2. 非婚生子女被準正：非婚生子女，其生父與生母結婚者，該非婚生子女視為婚生子女，此即為準正（民法第1064條參照）。經準正後，學說上認為應類推適用民法第1069條之規定，溯及出生時發生效力。

參考資料：1.戴炎輝、戴東雄合著，《中國親屬法》，90年5月，第374～399頁。
2.最高法院44年臺上字第1167號判例。

八、試解釋「準正」之詞之定義，並舉例說明之。

破題分析

名詞解釋之問題。

答 (一) 婚生子女，係指由婚姻關係受胎而生之子女（民法第1061條參照），而非因婚姻關係而生之子女，則稱為非婚生子女。非婚生子女，其生父與生母結婚者，該非婚生子女視為婚生子女，此即為準正（民法第1064條參照）。經準正後，學說上認為應類推適用民法第1069條之規定，溯及出生時發生效力。

(二) 例如甲男、乙女二人交往，其間乙懷孕，若嗣後甲、乙結婚，婚後產下一子丙，雖丙非於婚姻關係存續中受胎，仍得因準正取得婚生子女之法律地位。出世後，丙為甲之婚生子女，無庸另行認領。

九、依我國民法之規定，「非婚生子女」在何種情形下「視為婚生子女」？又非婚生子女經其生父撫育者，究係「視為婚生子女」？抑或「視為認領」？請併同釋明。

破題分析

關於非婚生子女認領、準正之問題。

答 (一) 所謂婚生子女，係指由婚姻關係受胎而生之子女（民法第1061條參照）。而非因婚姻關係而生之子女，則稱為非婚生子女，非婚生子女與生父之關係，於未經認領前，或生父與生母結婚前，不發生法律上直系血親之關係。

(二) 非婚生子女，視為婚生子女之情形有：

1. 非婚生子女與生母：依民法第1065條第2項之規定，非婚生子女與其生母之關係，視為婚生子女，無須認領。
2. 非婚生子女經生父認領：認領係生父對於非婚生子女承認為其父而領為自己子女之行為，為一觀念之通知。非婚生子女經生父認領者，視為婚生子女，取得與生父法律上直系血親之關係，但因其父母並無婚姻關係，故此種準婚生子女，係分別與父母發生關係。

3. 非婚生子女被準正：非婚生子女，其生父與生母結婚者，該非婚生子女視為婚生子女（民法第1064條參照）。經準正後，學說上認為應類推適用民法第1069條之規定，溯及出生時發生效力。

(三) 非婚生子女經其父撫育者，依民法第1065條第1項後段之規定，並非即視為婚生子女，而係視為其父已有認領之行為，而為準婚生子女。無論其父現實上究竟有無認領行為存在，均因撫育行為而視為認領，但生父之撫育行為，仍須係基於撫育自己子女之意思，方生視為認領之效力。

參考資料：1.陳棋炎、黃宗樂、郭振恭合著，《民法親屬新論》，90年4月，第282～286頁。
2.戴炎輝、戴東雄合著，《中國親屬法》，90年5月，第374～399頁。

十、甲男乙女未婚同居，乙於同居期間被丙男強制性交而生下一子丁，卻偽稱丁係自甲受胎所生，甲乃認領之。惟甲經醫生診斷天生無生殖能力。試問：

(一)甲欲否認丁為其子女時，應為如何之主張？

(二)乙以被強制性交為由，訴請丙認領丁時，丙得否拒絕認領？

破題分析

關於撤銷認領之限制以及強制認領之問題。

答 (一) 甲之主張：

1. 甲之認領，依民法第1070條規定：「生父認領非婚生子女後，不得撤銷其認領。」惟同條但書規定，「但有事實足認其非生父者，不在此限。」
2. 本例中，甲係受乙之詐欺，且事實上甲丁間並無血緣關係，依民法第1070條之規定，甲得撤銷認領。
3. 而通說亦有認為認領之成立以「真實血統」為要件，因此「反於真實之認領」應為無效，甲得主張因其天生無生殖能力，故不可能和丁有真實血統，其認領無效而提起確認認領無效之訴。

(二) 丙不得拒絕認領：

1. 民法親屬篇有關強制認領之規定，於97年5月23日修法後，非婚生子女之認領已趨向「客觀事實主義」，認領之請求，悉依法院發現事實為客觀之判斷，已捨棄列舉規定，改採概括規定。

2. 本例中，乙遭丙強制性交而產子，依民法第1067條之規定，有事實足認其為非婚生子女之生父者，非婚生子女或其生母或其他法定代理人，得向生父提起認領之訴。本條之規定在於「客觀事實主義」，亦即，若經法院為DNA之鑑定，確定丙與丁之間具有血緣關係，則確認丙丁間具有親子關係。且丙依民法第1070條規定，生父認領非婚生子女後，不得撤銷其認領。

十一、甲男乙女為夫妻，有一子丙年僅五歲。甲死亡後，其遺產由乙、丙共同繼承。試問：

(一)乙代理丙所為遺產分割協議之效力如何？

(二)乙代理丙所為保證行為之效力如何？

破題分析

本題測驗未成年子女與其他繼承人分割遺產時，關於其行為能力之問題；以及父母代理未成年子女所為之保證行為之效力。

答 甲、乙為夫妻，丙僅五歲，甲死亡後，遺產由乙、丙共同繼承，此時：

(一) 乙代理丙所為遺產分割協議之效力如何：

1. 關於遺產之分割，如被繼承人未以遺囑指定，共同繼承人得協議分割之。且民法第1164條規定：「繼承人得隨時請求分割遺產。但法律另有規定或契約另有訂定者，不在此限。」

2. 丙僅五歲，無行為能力，關於遺產之分割協議，乃屬財產行為，故其單獨所為之意思表示應屬無效（民法第75條參照），而應由其法定代理人代為意思表示，並代受意思表示。

3. 本例中，丙之法定代理人為其母乙，乙代理丙與自己為遺產之協議，係屬自己代理之行為，依民法第106條之規定：「代理人非經本人之許諾，不得為本人與自己之法律行為，亦不得既為第三人之代理人，而為本人與第三人之法律行為。但其法律行為，係專履行債務者，不在此限。」 蓋此時代理人與本人之利益相衝突，故法律禁止之。今乙代理丙與自己為遺產分割協議，係違反上述民法第106條之禁止規定，故其所為之遺產協議應屬無權代理效力未定。

(二) 乙代理丙所為之保證行為效力如何：

1. 民法第1088條第2項規定：「父母對於未成年子女之特有財產，有使用、收益之權。但非為子女之利益，不得處分之。」亦即父母對於未成年子女之特有財產，有處分權，僅非為子女之利益，不得為之。
2. 關於父母以子女名義所為之保證行為，其效力如何？通說為保護交易安全，認為其所為之保證行為仍為有效。實務上有認為此為法定代理權之行使，非處分行為，而認為有效；亦有認為其為處分行為，因對於子女不利，故屬無權代理，不生效力。
3. 管見以為，為保護交易安全，應以通說見解為當，惟此時可認為父母於親權之行使有濫用之行為，得據此宣告停止親權。
4. 亦有認為此時屬於代理權之濫用，為無權代理。

參考資料：1.陳棋炎、黃宗樂、郭振恭合著，《民法親屬新論》，90年4月，第383頁。
2.陳棋炎、黃宗樂、郭振恭合著，《民法繼承新論》，86年2月，第164～169頁。

四、扶養

扶養義務發生之要件如何？扶養義務之程度是否會因為扶養之對象（受扶養權利人）之不同而作不同之認定？

答 (一) 扶養義務之發生要件：扶養義務，原則上以扶養權利人有受扶養之必要，並扶養義務人有扶養之能力二者，為其要件，茲述之如下：

1. 扶養權利人（扶養之對象）不能維持生活而無謀生能力：民法第1117條第1項「受扶養權利者，以不能維持生活而無謀生能力者為限」；據此，「不能維持生活」乃指受扶養權利人之現有財產之數額而言，而「無謀生能力」則係指其工作之可能性與能力，包括無工作之能力與因正當之原因以致其不能工作者在內。

2. 扶養義務人須有扶養能力：民法第1118條前段規定「因負擔扶養義務而不能維持自己生活者，免除其義務」。

(二) 扶養義務之程度：我國民法於第1114條至第1116條明文規定了負扶養義務人與受扶養權利人之範圍及其順序，而未如瑞士民法將扶養分為生活保持義務並生活扶助義務兩種扶養程度；但因親疏有別，在倫理與社會秩序上不能將所有的親屬關係均一視同仁；故在條文解釋上亦應仿其精神而為不同程度之扶養義務之認定；這就是民法第1119條所稱「扶養之程度，應按……負扶養義務者之……身分定之」之真意。茲述之如下：（參圖四）

1. 生活保持義務：此乃最高程度的扶養義務。並且因為此種義務的特性，而在其扶養之要件上與前述之原則規定有一些修正，義務人必須保持扶養之對象之生活標準能夠與自己所享有的生活標準相同；這樣的扶養程度只要求存在於下列親屬之間：

(1) 直系血親：民法第1084條第2項規定「父母對於未成年之子女，有保護及教養之權利義務」，而上揭之第1117條第2項則謂「前項無謀生能力之限制，於直系血親尊親屬不適用之」，又上揭之第1118條但書稱「受扶養權利者為直系血親尊親屬或配偶時，減輕其義務」。由此可知，父母對於未成年子女、並直系血親卑親屬對於直系血親尊親屬都必須負生活保持義務；且在父母與未成年子女間之生活保持義務應優先適用民法第1084條親權相關規定（尤指民法第1089條）。儘管受扶養權利人仍有謀生能力，扶養義務人亦不得以此為免責理由；又縱然在扶養義務人會因為負擔扶養義務而不能維持自己之生活，亦不能完全免除其義務，僅係得減輕而已。

(2) 夫妻：民法第1116-1條規定「夫妻互負扶養之義務。其負扶養義務之順序與直系血親卑親屬同；其受扶養權利之順序與直系血親尊親屬同」，再配合上已揭示之第1118條但書可知，夫妻間亦應負有生活保持義務之扶養程度。

2. 生活扶助義務：由於關係較為疏遠，故而負生活扶助義務之扶養義務人僅對於在這種程度下的受扶養權利人負有補助其生活之義務。所以，如果受扶養權利者不能維持生活而有謀生能力，或是因為負擔扶養義務會使義務人之生活無法維持時，扶養義務人之義務均不存在。解釋上，凡非為生活保持義務之親屬間若仍負扶養義務，應均僅為生活扶助義務而已。茲述之如下：

(1) 直系血親尊親屬對直系血親卑親屬（但不包括父母對子女，已如上述）。

(2) 夫妻之一方與他方之父母同居者，其相互間。

(3) 兄弟姊妹相互間。

(4) 家長家屬相互間。

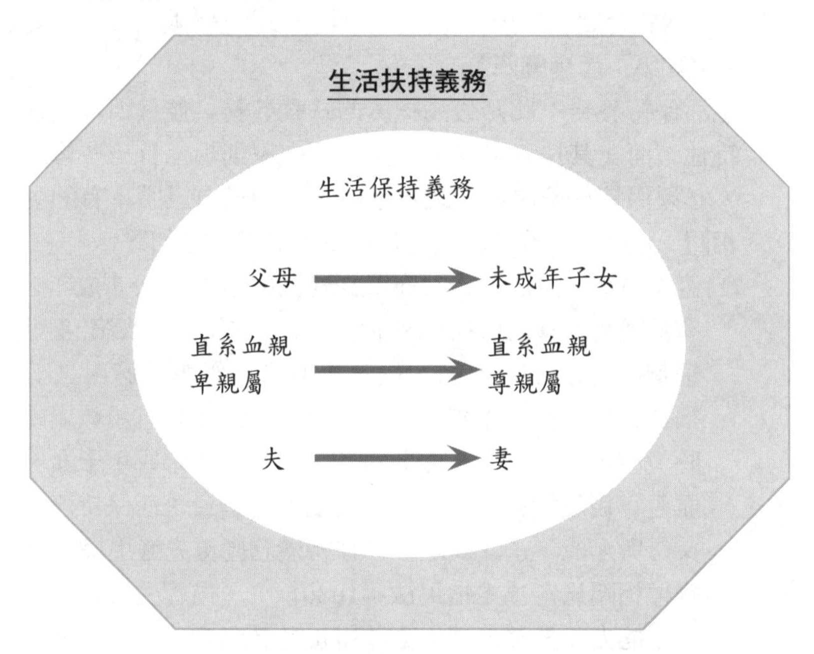

圖四　親屬間之撫養義務

貳、經典範例破題

一、試答覆下列問題：

(一)在何種情況下可使非婚生子女成為婚生子女？

(二)妾在法律上享有何種權利？其子女能否享有繼承權？

破題分析

(1)準婚生子女之三種情形。

(2)對於「妾」之法律上地位之認識。

答 (一) 婚生子女者，謂由婚姻關係受胎而生之子女（民法第1061條）；反之，非婚生子女，謂非由婚姻關係而生之子女。而非婚生子女，法律上承認其身分關係者，即是準婚生子女。分述如下：

1. 非婚生子女對其生母之關係（片面之準婚生子女）：生母無須認領，僅有生理上之事實，便與其非婚生子女之間，發生母子關係（民法第1065條第2項）。亦即準婚生子女與其生母之間，發生直系血親關係，其相互間發生與婚生子女同一之權利義務。

2. 非婚生子女經其生父認領或撫育者（兩面之準婚生子女）：在此，不但非婚生子女須與生父有生理之關係，而且須有其他事實（撫育、任意認領或強制認領），非婚生子女與其生父始發生直系血親關係（民法第1065條第1項）。

3. 非婚生子女被準正者（全面的準婚生子女）：非婚生子女，其生父與生母結婚（民法第1064條），是謂準正。然究僅因生父與生母結婚，即取得其身分，抑或尚須生父認領，始取得身分？管見以為，尚須經生父之認領或撫育始可。蓋其與生父發生親子關係，須有確實的基礎，不可僅形式地因其生父與生母已結婚，即與以親子關係之身分。

(二) 1. 妾在法律上享有的權利，分述如下：

(1) 民法親屬編施行前，夫妾關係為準配偶關係，為合法之關係；施行後，不承認夫妾關係為配偶關係，僅係類似配偶的結合關係。

(2) 民國19年上字第55號判例，承認夫對妾負扶養義務。而事實上之夫死亡後，該家之家長與該妾之間有家長、家屬關係時，則發生一般家長家屬間之扶養義務（20年上字第1943號判例、21年上字第2238號判例）。

(3) 夫妾終止關係時，33年上字第4412號判例，承認符合一定要件時，妾得向夫請求贍養費。

(4) 事實上之夫死亡時，妾因無繼承權，但可適用民法第1149條，由親屬會議依其所受扶養之程度及其他關係，酌給遺產。

2. 承前所述，夫與妾非配偶關係，妾所生之子女，自無從適用婚生推定之規定（民法第1062條及1063條）。故除經準正或生父認領外，僅係生父之非婚生子女，對生父之財產並無繼承權。然值得注意的是，21年院字第735號解釋認為，妾生遺腹子女，應解為已經生父之撫育（民法第1065條第1項但書），與生父發生父子關係，故其對生父之財產有繼承權。

參考書目：1.戴炎輝、戴東雄合著，《中國親屬法》，第279～284、291～293頁。
2.戴東雄著，《親屬法實例解說》，第231頁。

二、甲男與乙女為夫妻，結婚時未約定夫妻財產制，婚姻存續中，乙女為家中送洗衣物之清潔費，積欠A洗衣店十萬元。試問：

(一) A洗衣店向甲男請求清償該十萬元時，有無依據？

(二) A洗衣店向乙女請求清償該十萬元時，有無依據？

破題分析

關於本題，應先釐清夫妻就日常家務所生之債務，於內部關係中應如何負擔；於外部關係中，是否即得主張法定代理。

答 (一) 民法第1005條規定：「夫妻未以契約訂立夫妻財產制者，除本法另有規定外，以法定財產制，為其夫妻財產制。」本例中，甲乙結婚時未約定夫妻財產制，故應適用法定財產制（即聯合財產制）之規定，合先敘明。

(二) 民法第1003條第1項規定：「夫妻於日常家務，互為代理人。」惟於夫妻之一方與他方為法律行為時，因兼具本人及代理人之身分，其契約相對人有時無法得知其人是否具有配偶。因此為保護交易安全，學說上有主張，於夫妻為日常家務之代理行為時，應從契約相對人之立場解釋其為本人或代理人。故相對人得主張為法律行為之夫妻一方為代理人，而請求他方負本人之責任；亦得主張為法律行為之夫妻一方為本人，令其直接清償。兩請求權如其一已經滿足，另一請求權則不得主張，故夫妻對於其債權人負不真正之連帶責任。但於內部關係上，則依夫妻財產制之規定，決定其責任之先後而請求補償。

(三) 故本例中，A應如何請求其10萬元之清潔費用？

1. A對甲之請求有無依據：

(1) 依上述說明，甲就家庭生活費用，應先負擔。

(2) 且民法第1003條第1項規定：「夫妻於日常家務，互為代理人。」故乙得代理甲送衣交A清洗，甲對A負清償債務之責。

(3) A得主張其乙為甲之代理，應負本人之責任。

2. A對乙之請求有無依據：

(1) 民法第1003條第1項規定：「夫妻於日常家務，互為代理人。」惟依上述說明，為維護交易安全，其代理行為是否成立，應從契約相對人之立場解釋之。

(2) 依照民法新修正之夫妻財產制，其第1018條規定：「夫或妻各自管理、使用、收益及處分其財產。」因此依新修正之法定財產制，夫妻就各自之財產具有獨立之管理、使用、收益及處分之權。且依新修正之第1023條第1項之規定：「夫妻各自對其債務負清償之責。」至於關於家庭生活費用之負擔，新法刪除第1026條之規定，並增訂第1003-1條：「家庭生活費用，除法律或契約另有約定外，由夫妻各依其經濟能力、家事勞動或其他情事分擔之。因前項費用所生之債務，由夫妻負連帶責任。」以解決此一問題。依此一新規定，將來關於家庭生活費用之負擔，在內部關係上原則上應交由夫妻約定，在外部關係上，對於交易之相對人應負起連帶清償之責任，以保護交易安全。

參考書目：1.戴炎輝、戴東雄合著，《中國親屬法》，90年5月，第164～166、213～217頁。
2.戴東雄，《親屬法實例解說》，87年1月，第96～101頁。

三、甲男與乙女於民國74年中秋節依法結婚，但未約定夫妻財產制。結婚時甲男之原有財產有100萬元，但有20萬元之債務應清償而未清償。乙女亦有嫁妝四十萬元現金及個人佩帶之耳環、項鍊共值20萬元。民國78年春節，甲男為酬謝乙女持家辛勞，贈送現金60萬元。民國82年2月10日乙女因病死亡。甲男此時除償還結婚前之20萬元債務外，其原有財產累積至360萬元，乙女之原有財產亦累積至180萬元。乙女死亡時，其尚有祖父丙、祖母丁。試問：

(一)乙女死亡時留下多少財產？

(二)該乙女財產應如何繼承？【司法官】

破題分析

新法修正有關「修正式分別財產制」，對於剩餘財產分配請求權規定，在國考上十分重要，應加留意。另外，夫妻間之贈與應否算入剩餘財產，亦為本題之爭點之一。

答

(一) 本例中甲乙未約定夫妻財產制，依民法第1005條之規定：「夫妻未以契約訂立夫妻財產制者，除本法另有規定外，以法定財產制，為其夫妻財產制。」合先敘明。

(二) 乙死亡後法定財產制消滅，乙之繼承人不得向甲主張剩餘財產分配請求權：

1. 甲男財產：甲男償還婚前負債20萬元後，其原有財產累積至360萬元，然此20萬元之債務非婚姻關係存續所發生，因此婚後財產之總數應是360萬＋20萬元，共380萬元，再扣除婚前財產100萬元，為280萬元。
2. 乙女財產：乙女婚後財產關係消滅時累積至180萬元，扣除婚前40萬財產部分，為140萬元。
3. 剩餘財產分配請求權之數額：（280萬－140萬）÷2＝70萬，惟按民法第1030條之1第4項規定，剩餘財產分配請求權具有一身專屬性，不得繼承之，因此乙之繼承人不得向甲主張剩餘財產分配。

(三) 乙女財產總值：乙女財產總額為共有20萬元（耳環、項鍊）加上180萬之累積財產，總共200萬元。

(四) 乙女財產應如何繼承：依照民法第1138條繼承順序及第1144條各繼承人所應得之應繼分分配之。

四、甲中年喪妻，有一女乙。甲又收養其侄子丙為養子。乙、丙感情不睦，某日，乙、丙發生爭執，乙竟教唆其男友殺丙未遂，而被處徒刑。甲於民國76年底死亡，其遺產由丙單獨繼承。乙出獄後，於民國87年初發現甲之年齡長於丙十九歲，乃請求丙返還其所繼承之遺產，試問：乙之請求有無理由？丙是否有權拒絕返還？【專技高考律師】

破題分析

本題爭點在於關於收養有無效之事由時，若經法院裁定許可收養，其收養之效力為何。

答 (一) 甲丙間收養之效力：

1. 民法第1073條規定：「收養者之年齡，應長於被收養者二十歲以上。」若違反者，依民法第1079-1條之規定，其收養無效。
2. 我國民法於74年修正後，對於收養行為改採法院認可之制度，以維持公益之目的。惟若法院就無效之收養契約為認可後，該認可之效力為何則有爭議：
   (1) 無效說：認為我國民法上之無效，為絕對、當然、自始無效，任何人均得為主張，不因法院之認可收養而變為有效。
   (2) 有效說：本法修正後，特別加強公權力對於收養行為之監督，從而法院對於收養行為有形式及實質之審查權。既經法院之審查所裁定之認可，較個人之主張具有權威性及信賴性，於該裁定未經法院撤銷或變更前，第三人不得任意主張其無效。
3. 上述二說，後說較有助於收養關係之穩定，且如認第三人得任意主張其收養無效，則法院監督之意義盡失，並且可能出現不同之第三人對於收養關係主張不同之效力，造成當事人身分關係之不安定。故管見以為應採後說。至於其救濟方法，學說上認為應提起撤銷法院認可之訴或確認收養關係無效之訴，於判決認可後，收養方失其效力。

(二) 乙對於丙之主張：

1. 乙之繼承權：乙因民法第1145條第1項第1款之事由喪失繼承權，惟該款之適用乙丙有繼承權為必要。承上所述，於乙提起撤銷法院認可之訴或確認收養關係無效之訴前，丙仍為甲之養子，乙不得主張任何權利。

2. 若乙已提起撤銷法院認可之訴或確認收養關係無效之訴，經法院勝訴判決確定後，甲丙自始不具收養關係，丙非甲之應繼承人，乙對於甲之繼承權自不因民法第1145條第1項第1款之規定而當然喪失。此時，乙得對於丙之主張為：

(1) 繼承回復請求權：民法第1146條規定：「繼承權被侵害者，被害人或其法定代理人得請求回復之。前項回復請求權，自知悉被侵害之時起，二年間不行使而消滅；自繼承開始時起逾十年者亦同。」故乙對於丙繼承資格有爭議，得為繼承回復之請求。惟其已逾十年，若認為繼承回復請求權為形成權，則乙之權利因除斥期間經過而消滅；若認為繼承回復請求權為請求權，則乙之權利已罹於時效，丙得主張時效抗辯。

(2) 所有物返還請求權：繼承回復請求權所重者為真正繼承人與表現繼承人間關係之一次解決，而所有物返還請求權所重者則係真正權利人對於無權占有人權利的行使，兩者間並無衝突。因表見繼承人並不會因其侵奪行為而成為真正權利人，而真正繼承人亦不會因為表見繼承人之否認而喪失其權利，其所改變者僅係個別繼承標的之管領狀態而已。因此真正繼承人遭表見繼承人侵奪其權利時，應認繼承回復請求權與物上回復請求權係處於並存之狀態，而非處於普通法與特別法間之關係，真正繼承人得對表見繼承人擇一行使。故本例之乙仍得對丙基於所有權，主張個別繼承遺產之返還責任。

參考書目：戴東雄，《民法親屬編修正後之法律疑問》，元照出版公司，89年3月，第487～490頁。

五、自我國民法施行以來，第1051條與第1055條有關父母離婚時，對其共同未成年子女之照顧，一直規定「監護」之用語，但自民國85年9月25日修正公布親屬編時，將第1055條之「監護」改為「對於未成年子女權利義務之行使或負擔」之用語。請問：民法第1055條之用語如此修正，是否妥當？其理由何在？【司法官】

破題分析

關於民法第1055條「監護」之用語，過去學說上多有針砭，此次修正時將之作修改。於答題時應先說明舊法用語之缺失，再就新法之意義作解釋。

答 (一) 民法第1055條「監護」之用語不當：

1. 對於父母未能共同生活而對未成年子女行使之權利，原則上為親權，僅在例外之情形下，始有在親權之規範內，以列舉方法設定監護事項之可能。惟舊法之規定，對於監護及親權之關係未能作清楚說明，因此解釋上滋生疑義。

2. 就體系而言，「監護」一語觀之民法第1091條規定：「未成年人無父母，或父母均不能行使、負擔對於其未成年子女之權利、義務時，應置監護人。但未成年人已結婚者，不在此限。」第1097條規定：「除另有規定外，監護人於保護、增進受監護人利益之範圍內，行使、負擔父母對於未成年子女之權利、義務。但由父母暫時委託者，以所委託之職務為限。」其監護之內容，似又與民法第1055條所稱之「監護」不同，於離婚父母「監護」其未成年子女時，是否亦應受上述限制，亦有疑義。故於民法體系上，舊法混淆適用「監護」一語，實有不當。

3. 民法第1055條「監護」之用語滋生爭議：如上所述，關於舊法使用監護一語，造成適用上之疑義，於學說上對所稱「監護」之內容，更是多有爭議。有認為民法第1055條之「監護」係專指身心監護，包括對於未成年子女人身之保護及教養，惟多數見解則認為此之監護係指親權之意，監護權屬誰，親權亦由其行使。

(二) 修正後之民法第1055條第1項規定：「夫妻離婚者，對於未成年子女權利義務之行使或負擔，依協議由一方或雙方共同任之。未為協議或協議不成者，法院得依夫妻之一方、主管機關、社會福利機構或其他利害關係人之請求或依職權酌定之。」其以「對於未成年子女權利義務之行使或負擔」代替過去「監護」之用語，以避免過去「監護」一語於體系上、內容上之爭議，釐清監護權與親權之關係，並且能配合民法第1089條第1項父母之權利一方不能行使時，由他方行使之規定，實屬妥適。惟學者有主張，此次修法避用「親權」用語，似有矯枉過正之憾。

參考書目：1.戴東雄，《民法親屬編修正後之法律疑問》，元照出版公司，89年3月，第332～335頁。

2.陳棋炎、黃宗樂、郭振恭合著，《民法親屬新論》，90年4月，第236～245頁。

六、甲男乙女係合法夫妻，因個性不合，於協議離婚書簽字並請二位友人簽名後，乙女後悔拒不至戶政事務所共同辦理離婚登記，問甲男可否訴請法院判命乙女協同辦理？試申論之。【專技檢覈考律師第二次】

破題分析

爭點只有「離婚登記是否得強制履行」一點，因此應發揮小題大作之功力，反覆加以論述。

答 (一) 民法第1050條規定：「兩願離婚應以書面為之，有兩人以上證人之簽名並應向戶政機關為離婚之登記。」而關於最後登記之部分，是否得據以離婚之書面向法院請求裁判並強制執行，學說上有兩派說法：

1. 肯定說：認為離婚係解消婚姻關係之身分契約，基於一般契約效力理論而言，既然當事人間就離婚已達成合意，並取得兩名證人之簽名，應認契約已經成立，當事人即有履行使其發生效力之義務。因而肯認甲男得向法院訴請乙女完成履行離婚登記之權利。
2. 否定說：通說及實務皆採之。分述如下：
   (1) 法律既規定離婚需辦理登記，當事人於未完成前，離婚契約尚未成立。
   (2) 離婚為身分行為，其意思表示受絕對尊重，除當事人自願辦理外，不得強迫履行。
   (3) 家庭為社會之基礎，而婚姻又屬家庭之始端，公益性重大。故本條規定寓有使當事人慎重其事之意。倘當事人之一方不願完成離婚手續，而竟得強制令其履行時，則違反本條之意旨，使之形同虛設。

(二) 管見以為應以否定說為當。

參考書目：戴炎輝、戴東雄合著，《中國親屬法》，90年5月，第256～257頁。

七、甲夫乙妻離婚協議子女由夫扶養，離婚二年後，甲不扶養，乙見狀出面扶養長大。
(一)甲乙離婚時，甲乙婚姻存續中取得之財產，應如何處理？
(二)乙可否向甲或子女請求扶養費之返還？【專技高考民間公證人】

破題分析

夫妻離婚後財產之分配，本題測驗重點在於「固有財產」之解釋，就不同之夫妻財產制說明即可；另外關於扶養費用之負擔問題，應採取監護與扶養分離說之觀點，離婚後之夫妻，對其子女仍負有扶養義務。

答 (一) 甲乙離婚後，婚姻存續中取得之財產之處理：

1. 夫妻財產制之適用，係為達夫妻共同生活之目的，故夫妻離婚時，除採用分別財產制夫妻之財產原屬個別獨立，離婚後無所謂分割問題外，其財產應為分割，故民法第1058條規定：「夫妻離婚時，除採用分別財產制者外，各自取回其結婚或變更夫妻財產制時之財產。如有剩餘，各依其夫妻財產制之規定分配之。」
2. 惟何謂固有財產，於夫妻財產制之規定中未見，其解釋滋生疑義。對此，於採共同財產制之情形，宜認為夫、妻加入共同財產之財產為此之固有財產，而於採用共同財產制後所增加之共同財產，則依民法第1040條之規定，夫妻各得共同財產之半數，但另有約定者，從其約定。
3. 小結：本例中，若甲乙採用共同財產制，則離婚後對於採用共同財產制後所增加之共同財產，除另有約定者外，各得其半數。若係採用法定財產制，則依民法第1030-1條之規定分配剩餘財產。

(二) 乙應可請求甲返還扶養費：

1. 父母對於未成年子女所負擔之扶養義務，係基於親子關係之本質而生，即事實之血統關係為基礎，與監護權或親權誰屬無關，故父母離婚時，並不影響對其未成年子女之扶養義務。修正增定之民法第1116-2條規定：「父母對於未成年子女之扶養義務，不因結婚經撤銷或離婚而受影響。」即說明此一立場。
2. 因此學說上主張，親權人應與扶養人分別以觀（監護與扶養分離說），其不行使親權之人，亦應負擔扶養費用。實務上最高法院56年台上419號判例認為，所謂監護當然包括扶養在內，似有誤會。且為使未成年子女有獲得較充分之保護教養之機會，離婚後之夫妻對其子女亦應依民法第1089條第1項之規定，共同負「生活保持義務」，若父母不能共同負擔義務時，由有能力者負擔之。
3. 故本例中，甲乙對其子女之扶養義務，應依民法第1089條之規定，共同或由一方負擔之。今甲乙協議由甲負擔，此一協議應屬當事人內部之約定，並無排除父母對於未成年子女負扶養義務之效力，故乙仍負有扶養義務，其對於子女所支出之扶養費，不得向其子女請求返還。惟甲乙協議由甲負擔扶養費，乙支出之扶養費用時，應可認為甲未負擔其本應負擔之債務，甲受有利益，乙得依不當得利之規定請求甲返還其所支出之扶養費。

參考書目：
1.戴炎輝、戴東雄合著，《中國親屬法》，90年5月，第329～331、543～546頁。
2.陳棋炎、黃宗樂、郭振恭合著，《民法親屬新論》，90年4月，第247～249頁。
3.最高法院56年台上419號判例。

八、甲男乙女於80年結婚，未約定夫妻財產制，兩人婚後住在台灣南部某城市，婚後兩年，兩人情感不和但未離婚，乙女離家到台北工作，一年後與丙男同居並生下一子己，由乙丙共同照顧，甲在南部則與丁女同居並生下一女庚，由甲供給丁、庚生活費用。86年甲死亡，留下其婚後所賺取的積極財產1000萬元，及婚後的負債300萬元，甲死時，乙擁有其離家後，工作所得300萬元：
(一)請問甲死亡後其與乙女間的財產關係如何？
(二)甲死亡後誰對其遺產可以主張那些權利？誰可以繼承其財產？【專技高考律師】

破題分析

為標準身分法考題，須對於剩餘財產之分配、婚生子女及認領及遺產酌給請求權有所論述，始為完整。

答 (一) 甲死亡後與乙女間的財產關係如下：

1. 甲乙為合法之夫妻，因未約定夫妻財產制，故適用民法第1005條之規定，以法定財產制為夫妻財產制，並依照親屬編施行法第6-2條規定，91年修正前適用聯合財產制之夫妻，適用修正後財產制之規定。
2. 甲乙間之法定財產關係，因甲之死亡而解消，發生剩餘財產請求權，應依民法第1030-1條規定處理之，即「法定財產制關係消滅時，夫或妻現存之婚後財產，扣除婚姻關係存續中所負債務後，如有剩餘，其雙方剩餘財產之差額應平均分配」。

3. 甲之積極財產扣除負債後尚餘700萬元，與乙之有償取得、現存積極財產300萬元間尚有400萬之差距，故乙得由甲之遺產中取回差額之半數即200萬元。

(二) 甲之遺產權利人如下：

1. 乙女：與甲間存在合法有效之婚姻關係，為當然繼承人。
2. 己子：與甲間雖無真實之血緣關係，但既於甲、乙婚姻關係存續中所受胎及出生，除依第1063條第2項規定提起否認子女之訴並受勝訴之確定判決外，仍應依同條第1項推定為甲之婚生子女，故享有繼承權。附帶一提，前述否認子女之訴除夫妻於子女出生後二年內得提起外，依民事訴訟法第590條第1項，若夫妻一方於上開期間中死亡時，得由繼承權被侵害之人，於剩餘期間中提起。又因己子受婚生之推定，故雖然係受丙男撫育，仍無民法第1065條第1項後段之適用。
3. 庚女：由於丁女與甲男間並無婚姻關係存在，故庚女並不推定為甲之婚生子女。但既為生父（甲）所撫育，應有第1065條第1項後段之適用，視為已有認領之情形存在，而為甲之婚生子女，享有繼承權。
4. 丁女：無婚姻關係存在，故並非繼承人。但因丁女為於甲生前所繼續扶養之人，故仍得依其受扶養程度及其他關係主張民法第1149條之遺產酌給請求權。
5. 結論：依民法第1138條之例，乙女、己子與庚女為甲之繼承人，同時依民法第1144條規定，平分甲之遺產四百萬元。而丁女則因為存在受甲繼續扶養之事實（實質上共同生活關係），則有遺產酌給請求權。

參考書目：陳棋炎、黃宗樂、郭振恭合著，《民法親屬新論》，90年4月，第169～172頁、266頁以下。

九、甲男乙女於民國70年結婚，民國72年間由甲購屋一幢。今甲於民國89年死亡，雙方未有財產制之約定，問乙可否對該屋主張剩餘財產分配請求權？【司法特考四等】

破題分析

夫妻財產制之相關規定於民國91年做了大幅度之修正，而與傳統之規定有極大的不同，故本題必須以新法之規定進行解析。

答 (一) 新法廢除「聯合財產制」，改採以瑞士「所得分配制」為基礎的法定夫妻財產制，同時以夫妻結婚時點為劃分的基準規定：

1. 夫或妻之財產分為婚前財產，即結婚時所有之財產（比如嫁妝），與婚後財產，即夫妻婚姻關係存續中取得之財產，由夫妻雙方各自所有（民法第1017條第1項前段）。
2. 如果夫妻不能證明財產為婚前或婚後財產時，推定為婚後財產；不能證明財產為夫或妻所有之財產，則推定為夫妻共有（比如家中購買家具應保留收據以供證明為誰所有，否則依法先推定為夫妻共有）（民法第1017條第1項後段）。
3. 夫或妻婚前財產，於婚姻關係存續中所生之孳息（利息），視為婚後財產（民法第1017條第2項）。
4. 夫妻以契約訂立夫妻財產制後，於婚姻關係存續中改用法定財產制者，其改用前之財產視為婚前財產（民法第1017條第3項）。
5. 夫或妻的婚前或婚後財產，皆可以各自管理、使用、收益及處分，即各自保有所有權（民法第1018條）。
6. 夫妻就其婚後財產，互有報告之義務（民法第1022條）。
7. 夫妻的債務：夫妻各自對其債務負清償之責。但如果夫妻之一方以自己財產清償他方之債務時，雖於婚姻關係存續中，亦得請求他方償還（民法第1023條）。
8. 自由處分金：夫妻於家庭生活費用外，得協議一定數額之金錢，供夫或妻自由處分（民法第1018-1條）。其理由主要基於婚姻協力，以夫妻間類似合夥關係之精神及家務有價的觀念，參酌瑞士所得分配制，增訂自由處分金的規定。上述規定由夫妻協議，可以口頭約定或書面約定為之，但若為避免爭議自應以書面約定為之較為妥當。但若根本未為協議，依條文文義，似不能依本條向法院起訴主張，至於無法達成協議，要如何處理？法並未明文規定，不過依據立法理由說明，協議不成，可由法院視實務情形酌定，因此自宜肯定夫或妻有向法院起訴請求權利。

(二) 剩餘財產的分配：

1. 法定財產制關係消滅時，夫或妻現存之婚後財產（不包括婚前財產），扣除婚姻關係存續中所負債務及因繼承或其他無償取得之財產與慰撫金後，如有剩餘，其雙方剩餘財產之差額，應平均分配（民法第1030-1條第1項）。又所謂法定財產制關係消滅係指夫妻離婚、一方死亡、或夫妻改用其他財產制皆屬之。
2. 若依前項規定，平均分配顯失公平者，法院得調整或免除其分配額（民法第1030-1條第2項）。
3. 剩餘財產差額之分配請求權，自請求權人知有剩餘財產之差額時起，二年間不行使而消滅。自法定財產制關係消滅時起，逾五年者，亦同（民法第1030-1條第4項）。

綜上述，乙可主張剩餘財產分配請求權。

參考書目：戴炎輝、戴東雄合著，《中國親屬法》，90年5月，第329～331、543～546頁。

十、甲男與乙女結婚後，生下丙。丙三歲時，甲與丁女通姦，乙遂有意訴請法院判決與甲離婚，而甲亦表明願與乙兩願離婚。請問：就甲、乙兩人彼此間之權利義務，及甲、乙二人對丙之權利義務而言，乙訴請判決離婚及甲兩願離婚，有無不同？【公務升等考薦任】

破題分析

離婚的方式及其身分上與財產上之效力。

答 (一) 甲乙間之權利義務關係：

1. 兩願離婚：
   (1) 身分上：夫妻關係消滅，基於夫妻關係而生之同居義務、日常家務代理權、繼承人地位等亦消滅。
   (2) 財產上：夫妻財產分割，依民法第1058條：「夫妻離婚時，除採用分別財產制者外，各自取回其結婚或變更夫妻財產制時之財產。如有剩餘，各依其夫妻財產制之規定分配之。」

2. 判決離婚：

(1) 身分上：夫妻關係消滅，基於夫妻關係而生之同居義務、日常家務代理權、繼承人地位等亦消滅。

(2) 財產上：

A. 夫妻財產分割：依民法第1058條：「夫妻離婚時，除採用分別財產制者外，各自取回其結婚或變更夫妻財產制時之財產。如有剩餘，各依其夫妻財產制之規定分配之。」

B. 損害賠償請求權：依民法第1056條：「夫妻之一方，因判決離婚而受有損害者，得向有過失之他方，請求賠償。前項情形，雖非財產上之損害，受害人亦得請求賠償相當之金額。但以受害人無過失者為限。」

C. 贍養費之給與：依民法第1057條：「夫妻無過失之一方，因判決離婚而陷於生活困難者，他方縱無過失，亦應給與相當之贍養費。」

(二) 甲乙對丙之權利義務關係：關於甲乙對丙之權利義務關係，並不因兩願離婚或判決離婚而有所不同，如下所述：

1. 子女親權之行使：依民法第1055條第1項：「夫妻離婚者，對於未成年子女權利義務之行使或負擔，依協議由一方或雙方共同任之。未為協議或協議不成者，法院得依夫妻之一方、主管機關、社會福利機構或其他利害關係人之請求或依職權酌定之。」

2. 親權人之改定：依民法第1055條第2項至第3項：「前項協議不利於子女者，法院得依主管機關、社會福利機構或其他利害關係人之請求或依職權為子女之利益改定之。行使、負擔權利義務之一方未盡保護教養之義務或對未成年子女有不利之情事者，他方、未成年子女、主管機關、社會福利機構或其他利害關係人得為子女之利益，請求法院改定之。」

3. 會面交往權：依民法第1055條第5項：「法院得依請求或依職權，為未行使或負擔權利義務之一方酌定其與未成年子女會面交往之方式及期間。但其會面交往有妨害子女之利益者，法院得依請求或依職權變更之。」

十一、甲男乙女約定，婚後第一個出生小孩從母（乙）姓，其他子女則從父（甲）姓，有關於夫妻財產制，則未約定。婚後甲、乙育有一女（丙，從母乙姓）及一子（丁，從父甲姓）。乙父婚前贈予乙房屋一棟（價值400萬元）及現金100萬元，作為嫁妝；乙將該屋出租，房租每月2萬元，現金存入銀行，利息每月2000元。甲、乙結婚後，甲繼續外出工作，乙則在家撫育小孩，多年後，另購房屋一棟（價值600萬元），亦登記於乙之名下。

(一)今甲死亡，甲、乙之財產除該二棟房屋及乙嫁妝現金100萬元外，另有乙嫁妝之租金與利息收入，計100萬元。丁向乙主張剩餘財產分配，由丁與乙共同繼承該二屋及200萬元現金，丁是否有理？又乙、丙及丁各應繼承多少？

(二)又乙傷心之餘，乃將所有遺產轉登記於丁之名下，丁旋即死亡，由丁之子戊繼承，後乙陷於無以維生，問如乙向丙請求履行撫養義務，丙可否拒絕？【專技高考律師】

破題分析

關於修法後法定財產制之剩餘財產分配請求權規定，於國考上十分重要，修法後仍應加以重視。本題測驗之重點包括夫妻間之贈與應否算入剩餘財產、婚前財產之孳息之性質以及對於剩餘財產分配請求權具有一身專屬性等等問題，可說是就剩餘財產分配請求權一全面性之考題。

答 (一) 丁之主張是否有理由？乙、丙、丁之應繼分各為多少？

1. 甲乙兩夫妻，結婚時未約定夫妻財產制，故依民法第1005條之規定，應以法定財產制為其夫妻財產制，合先敘明。
2. 今甲死亡，為法定財產制關係消滅之原因之一，依照新修正民法第1030-1條之規定，法定財產制關係消滅時，夫或妻現存之婚後財產，扣除婚姻關係存續中所負債務後，如有剩餘，其雙方剩餘財產之差額，應平均分配，是為「剩餘財產分配請求權」。
3. 本例中，甲死亡時名下無財產，乙之婚後財產則包括：

   (1) 乙之嫁妝雖為婚前財產，但其孳息（房屋租金以及現金利息）部分，依照民法第1017條第2項之規定，視為婚後財產。因此關於此部分之100萬元，屬於乙之婚後財產。

(2) 甲婚後購屋贈與乙，此部分是否應列入分配，而屬於民法第1030-1條第1項但書第1款之「因無償取得之財產」，則有疑義。對此通說認為此夫妻間贈與不同於一般之贈與，亦應一併列入剩餘財產當中，因此該600萬元之房屋亦應列入分配。惟亦有少數說主張不列入，以保障居於弱勢地位之妻。

4. 依民法第1030-1條第3項之規定，除非已經依契約承諾或已起訴，否則剩餘財產分配請求權不得繼承或讓與，具有一身專屬性，故本例之丁不得對乙主張剩餘財產分配請求權。

5. 小結：丁不得主張剩餘財產分配請求權。且丙雖然從母姓，但其於繼承法上之地位與從父姓之丁均相同，故三人之應繼分依照民法第1144條第1款之規定，應各為三分之一。

(二) 丙是否負有扶養義務？

1. 關於子女之姓氏問題，原則上屬於傳統薪火觀念之延續，其無論從父姓或母姓，與父母之血親關係均不因而受到影響（最高法院27年滬上字第117號判例參照）。

2. 依照民法第1114條第1款之規定，直系血親相互間負有扶養義務。因此縱使從母姓，由於其血親關係不受影響，仍負有扶養義務。

3. 本例中，乙不能維持生活，依照民法第1117條之規定，已經符合丙扶養義務之發生要件，不論乙是否有謀生能力，乙得向丙主張扶養義務。另外，雖然戊亦為直系血親卑親屬，亦負有扶養義務，但依民法第1115條第2項之規定，同為直系卑親屬時，以親等近者為先，因此丙應負第一順序之扶養義務。

參考書目：陳棋炎、黃宗樂、郭振恭合著，《民法親屬新論》，90年4月，第169～173、446頁。

十二、A為甲男乙女之非婚生子女。嗣甲與丙女結婚，並認領A，問A之親權行使及義務，由何人行之？親權如有濫用，由何人糾正之？【專技高考民間公證人】

破題分析

本題關於非婚生子女認領後，對於其權利義務之行使負擔問題，以及對於濫用親權之糾正。

答 (一) A之親權行使及義務，應由何人任之？

1. A為甲乙之非婚生子女，依民法第1065條之規定，非婚生子女須經生父認領後，方視為婚生子女，至於非婚生子女與其生母之關係，視為婚生子女，無須認領。

2. 僅甲已經認領A，關於A之親權行使及義務，應由何人任之之問題，依照民法第1069-1條之規定：「非婚生子女經認領者，關於未成年子女權利義務之行使或負擔，準用第1055條、第1055-1條及第1055-2條之規定。」因此：

(1) 準用民法第1055條之規定，原則上由父母協議其權利義務之行使或負擔。

(2) 未為協議或協議不成者，法院得依父母之一方、主管機關、社會福利機構或其他利害關係人之請求或依職權酌定之。

(二) 親權如有濫用，應由何人糾正之？

1. 依民法第1090條之規定，父母濫用其對於子女之權利時，其最近尊親屬或親屬會議，得糾正之；糾正無效時，得請求法院宣告停止其權利之全部或一部。

2. 所謂「最近尊親屬或親屬會議」，有主張係父母本身之最近尊親屬或親屬會議，司法院大法官釋字第171號解釋採取此一見解。惟學說上亦有主張為保護子女之利益並適應社會實際需要，應認為係指子女之最近尊親屬或親屬會議，此一見解，應值重視。

參考書目：陳棋炎、黃宗樂、郭振恭合著，《民法親屬新論》，90年4月，第388～389頁。

十三、十九歲已離婚之甲男，與51歲已離婚之乙女結婚；翌年，生一子丙，並由甲單獨收養乙之28歲女兒丁為養女；丁因公然侮辱乙，經乙表示其不得繼承後，丁收養戊、己為養子。試問：

(一)甲乙間之婚姻，其效力如何？

(二)甲丁間之收養，其效力如何？

(三)甲乙同時遇難死亡，其遺產應由何人繼承？應繼分各多少？【專技檢覈考律師改】

破題分析

本題涉及未成年人離婚後有無行為能力、收養行為之限制以及代位繼承之相關問題。

答 (一) 甲乙間婚姻之效力：

1. 民法110年1月13日修正公布後，以滿18歲為成年，除第12條外，並修正第13條、第980條及刪除第981條與第990條。因此基於上述修正及刪除之規定，原則上已無未成年人結婚之相關規範。
2. 本題中甲男為19歲，與51歲之乙女結婚，並未違反第980條之規定，故兩人之婚姻自屬有效。

(二) 甲丁間收養之效力：

1. 依民法第1073條之規定：「收養者之年齡，應長於被收養者二十歲以上。但夫妻共同收養時，夫妻之一方長於被收養者二十歲以上，而他方僅長於被收養者十六歲以上，亦得收養。夫妻之一方收養他方之子女時，應長於被收養者十六歲以上。」依同法第1079-4條規定，違反上開規定，收養無效。
2. 本例中，甲十九歲、丁二十八歲，兩者年齡差距違反上述民法之規定，因此甲丁間之收養行為無效。

(三) 甲乙同時遇難，其繼承人以及其應繼分之問題：

1. 甲之繼承人及其應繼分：

   (1) 甲乙同時死亡，互不繼承，乙無繼承權。

   (2) 甲丁之收養無效，丁無繼承權。

   (3) 小結：甲之合法繼承人僅有丙一人，由其繼承甲遺產之全部。

2. 乙之繼承人及其應繼分：

   (1) 甲乙同時死亡，互不繼承，甲無繼承權。

   (2) 丁公然侮辱乙，經乙表示其不得繼承，依民法第1145條第1項第5款之規定，丁無繼承權。

   (3) 丁喪失繼承權後收養戊、己，此時有無民法第1140條代位繼承之適用即有問題。採取否定說者認為於繼承人喪失繼承權時，該子女既然尚未出現，自無保護其期待之必要，故本例之戊、己不得主張代位繼承。惟管見以為，上述見解於法無據，且對於繼承人喪失繼承權後出生後收養之子女亦有所不利，故應認為於繼承開始時，有符合民法第1140條之代位繼承人存在，即有本條之適用。

(4) 小結：戊、己得主張代位繼承丁之應繼分，且戊、己之應繼分各為遺產之四分之一，丙為二分之一。

參考書目：1.陳棋炎、黃宗樂、郭振恭合著，《民法親屬新論》，90年4月，第330～333頁。
2.陳棋炎、黃宗樂、郭振恭合著，《民法繼承新論》，86年2月，第61～64頁。

十四、甲男與芳齡十八歲之乙女結婚，婚後不久感情即生裂縫，偶而發生肢體衝突。結婚後一年，在鄉鎮調解委員調解下，甲乙簽署離婚協議書，內容除同意離婚外，雙方並同意所生之子丙，由乙擔任監護人，甲保證離婚後一年內不再婚，否則願意給付乙100萬元，調解委員A與B在協議書上簽名。試問：若甲離婚後未及一年即再婚，乙對甲是否有權利得以主張？【專技檢覈考律師改】

破題分析

本題測驗私人待婚期間之約定與善良風俗之關係，是否違反民法第72條而屬無效。

答 乙可否對甲主張權利：

(一) 民法雖係以私法自治、契約自由為原則，惟基於公益之考量，對於私人間法律行為之作成仍有一定之限制。民法第72條規定：「法律行為，有背於公共秩序或善良風俗者，無效。」

(二) 夫妻間關於離婚之約定，如事涉善良風俗時，依前揭民法第72條規定，應屬無效。本例中，甲、乙雖約定甲保證一年內不再婚，否則願給付乙100萬元。惟婚姻乃男女生活之結合，強調雙方之感情基礎，如以契約限制一方在一定時期不得結婚，實有違善良風俗，且民法亦無再婚期間之限制。因此甲、乙此一約定，應屬違背善良風俗而無效。縱甲、乙離婚後，甲於一年內再婚，乙亦不得主張甲應給付100萬元。

參考書目： 1.王澤鑑，《民法總則》，90年10月，第316～317頁。
2.陳棋炎、黃宗樂、郭振恭合著，《民法親屬新論》，90年4月，第199～208頁。
3.最高法院27年上字第1064號判例。

十五、甲、乙為夫妻，因個性不合協議離婚，但未向戶政機關辦理離婚登記，乙女即遠赴美國，一年後與一美國人結婚，再過一年後生下一子，試問依我國民法之規定：
(一)乙女前後婚姻之效力如何？
(二)乙女後婚姻關係中所生之子，其法律上之父親如何認定？請說明其相關規定。【公務升等考薦任】

破題分析

離婚的成立及生效要件及婚生推定。

答 (一) 關於乙女前後婚姻之效力，此問題之關鍵在於甲乙間協議離婚是否有效，而關於離婚之要件依民法第1050條：「兩願離婚，應以書面為之，有二人以上證人之簽名並應向戶政機關為離婚之登記。」此為形式要件，而另有實質要件（如當事人有離婚之合意、當事人須有離婚能力等），不過本題中之爭議點在於形式要件，故關於實質要件不詳述之。「離婚登記」之性質究為何？有認為係成立要件，亦有認為係生效要件，分述如下：

1. 生效要件說：此說認為離婚登記是生效要件，只生生效與否問題，不影響兩願離婚契約之成立。若採此說則甲乙之婚姻因尚未為離婚登記仍為有效。
2. 成立要件說：此說從文義解釋看來，條文中以「應」字表示，故可知與書面同意、二人以上證人地位相同，三者應同時存在，故離婚登記亦屬離婚成立之不可或缺要件。再依體系解釋，生效要件通常均有「非……不生效力」、「……始生效力」，反之，則非生效要件。

綜上所述，由立法意旨言，離婚之登記乃藉由公權力而使該事實公示，避免利害關係人受到詐害，並表現當事人關於身分行為合意之真義，以採成立要件說為妥，故本題中乙女之前婚姻因該兩願離婚並不成立，故仍為有效，因此，乙女之後婚姻因重婚而無效。

(二) 由於乙女之前婚姻仍為有效，依民法第1063條：「妻之受胎，係在婚姻關係存續中者，推定其所生子女為婚生子女。」故乙女於婚姻存續期間所生之子被推定為婚生子女。因此子女一旦受推定為婚生子女後，其否認權人僅限於夫或妻，而否認之訴之起訴期間，需於知悉子女出生之日起二年內為之。凡此對於婚生推定之否認，均設有嚴格之規定，藉以保障子女利益。然而對於否認婚生推定之嚴格規定，有時將反而造成矛盾之現象，如本案中之情形，乙女遠赴國外一年，乙女顯然無法自甲夫受胎，但依民法第1063條第1項婚生推定之結果，該子女仍推定為夫之婚生子女，此種情形顯與立法意旨相左，故此時應考慮將該類子女排除於婚生推定子女之範圍外。然而，依現行民法第1063條規定，乙女後婚所生之子在未經同條第2項婚生推定之否認前，應被推定為婚生子女，故其法律上之父親為甲，而造成法律上與事實上之父親並不相同之矛盾情況。

(三) 96年民法親屬編修正後，民法第1063條修正為：「妻之受胎，係在婚姻關係存續中者，推定其所生子女為婚生子女。前項推定，夫妻之一方或子女能證明子女非為婚生子女者，得提起否認之訴。前項否認之訴，夫妻之一方自知悉該子女非為婚生子女，或子女自知悉其非為婚生子女之時起二年內為之。但子女於未成年時知悉者，仍得於成年後二年內為之。」鑑於現行各國親屬法立法趨勢，已將「未成年子女最佳利益」作為最高指導原則，又聯合國大會於1989年11月20日修正通過之「兒童權利公約」第7條第1項，亦明定兒童有儘可能知道誰是其父母之權利。復參酌德國於1998年修正之民法第1600條，明文規定子女為否認之訴撤銷權人，爰於本條第2項增列子女亦得提起否認之訴。夫或妻提起否認之訴，應於知悉子女出生之日起一年內為之。因其期間過短，且常有知悉子女出生但不知非為婚生子女之情形，致實務上迭造成期間已屆滿，不能提起否認之訴，而產生生父無法認領之情形，爰將現行條文第2項但書所定「知悉子女『出生』之日起『一年』內」修正放寬為「知悉該子女『非為婚生子女』時起『二年』內為之」，以期取得血統真實與身分安定間之平衡。至於子女提起否認之訴之期間，亦以該子女「知悉其非為婚生子女之日起二年內為之」。惟子女若於未成年時知悉者，為避免該子女因思慮未周或不知如何行使權利，爰明定仍得於成年後二年內提起否認之訴，以保障其權益。

十六、甲夫乙妻於民國（下同）71年結婚，並於93年9月依法兩願離婚。當時，甲、乙婚後所生之子丙為15歲。問：

(一)甲、乙離婚後，對於丙之權利義務之行使或負擔，應如何決定？

(二)甲於73年5月向他人購買土地一筆，並直接登記於乙之名下，迄二人離婚時，亦未改變，該地之所有權屬於甲或乙？【司特四等】

破題分析

第一個子問題單純涉及夫妻離婚後，就未成年子女權利義務之行使負擔方式之決定，須熟悉民法第1055條規定，緊扣「子女之最佳利益」加以說明，並可敘及所謂「會面交往權」，使答題體系更臻完整。第二個子問題則涉及夫妻財產認定方式於民法親屬編之歷次修正所生之疑義，宜將條文修正始末作一簡要說明，架構法律規定背景後再針對題目作答。

答 (一) 夫妻離婚之親權行使：依題意，甲夫乙妻離婚時，其所生之子丙時年十五，依民法第12條規定為未成年人；此際，就該未成年子女權利義務之行使或負擔應依民法第1055條規定，原則上依協議由一方或雙方共同任之，若未為協議或協議不成時，法院得依夫妻之一方、主管機關、社會福利機構或其他利害關係人之請求，或依職權定之；此外，若離婚之雙方所為之協議不利於子女，此時法院得依主管機關、社會福利機構或其他利害關係人之請求，或依職權為子女之利益改定之；當行使、負擔權利義務之一方未盡保護教養之義務，或對未成年子女有不利之情事者，他方、未成年子女、主管機關、社會福利機構或其他利害關係人得為子女之利益，請求法院改定親權人，亦即構成「濫用親權之移轉」。最後，法院尚得依請求或依職權，為未行使或負擔權利義務之一方酌定其與未成年子女會面交往之方式及期間，此即所謂「會面交往權」，又可稱為「探視權」，此項權利乃人身親權之一部，但獨立於親權而存在。

(二) 婚姻關係存續中，夫以妻名義登記之不動產，其歸屬之認定：本題中，甲與乙係於民國71年結婚，甲並於民國73年5月向他人購買土地一筆，登記於其妻乙之名下；依民國74年6月3日修正前之民法第1017條第1項規定：「聯合財產中，妻於結婚時所有之財產，及婚姻關係存續中因繼承或其他無償取得之財產，為其原有財產，保有其所有權。」第2項規定：「聯合財產中，夫之原有財產及不屬於妻之原有財產部分，為夫所有。」於民國74年修法時，將民法第1017條第1項修正為：「聯合財產中，夫或妻於結婚時所有之財產，及婚姻關係存續中取得之財產，為夫或妻之原有財產，各保有其所有權。」即採取所謂「財產分離原則」。

民國85年9月25日增訂親屬編施行法第6-1條，針對聯合財產特設溯及既往之規定：「中華民國74年6月4日以前結婚，並適用聯合財產制之夫妻，於婚姻關係存續中以妻之名義在同日以前取得不動產，而有左列情形之一者，於本法施行法中華民國85年9月6日修正生效一年後，適用中華民國74年民法親屬編修正後之第1017條規定：一、婚姻關係尚存續中且該不動產仍以妻之名義登記者。二、夫妻已離婚而該不動產仍以妻之名義登記者。」依此規定，本題中甲應於民國85年9月27日至86年9月26日之一年期間內，在訴訟外或訴訟上請求變更所有權登記之名義人，若逾此期限不為更名登記，即應適用新法規定，該地之所有權即屬乙所有（民法親屬編施行法第6-1條第2款規定參照）。

十七、甲男乙女於民國80年結婚，未約定夫妻財產制，婚前甲有價值500萬元之房屋一棟，乙則由其父母贈與價值100萬元之股票為嫁妝。乙於81年生子丙，甲於同年將該房屋贈與乙。嗣甲另結識有夫之婦丁，與其同居生子戊，戊之生活費用均由甲供應。甲於92年死亡，遺有價值2000萬元之財產及400萬元之債務，乙所有股票多年來獲配價值200萬元之股息，別無其他財產。試問：

(一)乙得否請求分配剩餘財產？如何分配？

(二)乙、丙、戊對於甲之遺產（包括債務）有何權利義務？【司法官】

破題分析

本題為親屬法91年後之考題，宜注意此類題型，以應付未來幾年之類似題型。特別是關於修法前夫妻財產於新法施行後之界定，亦即關於民法親屬編施行法第6-2條之規定，應加留意。

答 (一) 乙得請求剩餘財產之分配：

1. 民法第1005條之規定：「夫妻未以契約訂立夫妻財產制者，除本法另有規定外，以法定財產制，為其夫妻財產制。」本例中，甲、乙並未約定夫妻財產制，應適用法定財產制之規定，合先敘明。

2. 甲、乙於民國（下同）80年結婚，法定財產制於91年修正，依民法親屬編施行法第6-2條之規定：「中華民國91年民法親屬編修正前適用聯合財產制之夫妻，其特有財產或結婚時之原有財產，於修正施行後視為夫或妻之婚前財產；婚姻關係存續中取得之原有財產，於修正施行後視為夫或妻之婚後財產。」茲就本例中關於甲、乙之財產說明如下：

(1) 甲之財產：

A. 婚前財產：甲婚前所有之原有財產房屋一棟，因已贈與與乙，故甲無婚前財產。

B. 婚後財產：甲死亡時遺有2000萬之財產與400萬之債務，此為甲之婚後財產。

(2) 乙之財產：

A. 婚前財產：乙受贈100萬股票之嫁妝，衡諸一般習慣，應可肯認係乙之父母贈與乙之特有財產（舊法第1013條第3款）。縱使非屬乙之特有財產，亦屬乙婚前之原有財產，依前揭民法親屬編施行法第6-2條之規定，此100萬股票應為乙之婚前財產。

B. 婚後財產：乙所有之股息200萬元，依民法第1017條第2項之規定，係屬於婚姻關係存續中所生之孳息，視為婚後財產。至於乙所受贈之房屋，係屬婚姻關係中取得之財產，應屬婚後財產。惟學說上認為夫妻間之贈與，應毋庸列入剩餘財產之分配，以免與贈與人之原意不符，管見從之。

3. 小結：關於剩餘財產之分配，依民法第1030-1條之規定，本例中甲、乙於法定財產制關係消滅時，其現存之婚後財產，甲為1600萬元，乙為200萬元（不包括受贈之房屋），剩餘財產之差額為1400萬元，乙得向甲之繼承人請求700萬元。

(二) 乙、丙、戊對於遺產之權利義務：

1. 甲之繼承人：

(1) 乙：乙為甲之配偶，有繼承權（民法第1138條參照）。

(2) 丙：丙屬民法第1138條第1款之繼承人，有繼承權。

(3) 戊：甲、丁間無婚姻關係，戊為丁與其夫間之婚生子女，受婚生之推定（民法第1063條第1項參照），故縱使戊之生活費用均由甲供應，仍不認戊得因甲之撫育而取得甲之婚生子女之身分，故戊無繼承權。惟戊既係甲生前繼續扶養之人，應得依民法第1149條之規定，請求酌給遺產。

2. 乙、丙、戊對於遺產之權利義務：

(1) 乙：甲未以遺囑指定應繼分，故應以法定應繼分計算繼承人之應繼分。本例之繼承人僅為乙、丙二人，故依民法第1144條第1款之規定，乙丙之應繼分為二分之一，乙得按此應繼分繼承遺產。另乙因有剩餘財產分配請求權，故乙得對遺產主張700萬元之剩餘財產請求。而關於甲所負之債務200萬元，乙則應與丙負連帶清償責任（民法第1153條第1項參照）。

(2) 丙：丙關於遺產之應繼分亦為二分之一，就甲所負之債務200萬元，亦應與乙負連帶清償責任，均同上所述。惟就乙得請求之剩餘財產，依民法第1153條第2項之規定，則按其應繼分比例負擔之。

(3) 戊：戊非甲之繼承人，不得對遺產主張繼承之權利，亦毋庸負擔甲對外所負之債務。惟同上所述，戊既係甲生前繼續扶養之人，應得依民法第1149條之規定，請求親屬會議依其所受扶養之程度及其他關係，酌給遺產。

參考書目：1.陳棋炎、黃宗樂、郭振恭合著，《民法親屬新論》，90年4月、第171～173頁。
2.陳棋炎、黃宗樂、郭振恭合著，《民法繼承新論》，86年2月，第117～119、131～141頁。

十八、甲男乙女為夫妻，育有四歲兒子丙，因個性不合協議離婚，雙方約定就對丙之權利行使義務負擔由乙妻任之，並特別約定對丙之保護教養費用（扶養費），悉由乙負擔。之後，乙失業無力支付丙之各項費用，要求甲分擔，甲竟藉此擅自將就讀幼稚園之丙帶走藏匿，乙因過於思念丙，精神受到嚴重打擊，痛苦萬分。試問：

(一)乙得否向甲請求交還丙，法律依據為何？

(二)乙得否向甲請求精神上損害賠償，法律依據為何？

(三)甲應否負擔丙之保護教養費用（扶養費）？【專技高考律師】

破題分析

本題主要測驗離婚後關於未成年子女權利義務之行使負擔之問題，包括子女之交還請求權、侵害親權時之損害賠償責任以及父母對於未成年子女所負擔之扶養義務與監護權之關係。

答 (一) 乙得請求甲交還丙：

1. 父母對於未成年子女之權利義務（親權），是否包括子女交還請求權，我國民法雖未如其他國家立法例有明文規定，惟通說認為他人違法掠奪或抑留子女時，實係侵害親權人之保護教養權（民法第1084條第2項參照），親權人為行使親權而盡其義務，自應有請求交還子女之權利。實務上最高法院49年台上字第2250號判決亦認：「依民法第1084條規定，父母對於未成年之子女有保護及教養之權利義務，所謂保護，係指排除危害以防護其子女身體之安全而言，故第三人奪去或抑留在父母監護下之未成年子女時，有保護權之父母得對之訴請交還。」
2. 關於請求交還子女之要件，學說上認為有三：
   (1) 須親權人之保護教養權為第三人所違法妨害。
   (2) 須交還子女之請求為親權之適當行使。
   (3) 須非子女本於其自由意思而居住於第三人之處所。
3. 本例中，乙雖失業無力支付丙之費用，惟甲亦有支付扶養費之義務（詳見後述），甲應不得以此為正當理由抑留丙。甲妨害乙保護教養權之行使，乙應得請求交還子丙。

(二) 乙得向甲請求精神上損害賠償：

1. 民法第184條第1項前段規定：「因故意或過失，不法侵害他人之權利者，負損害賠償責任。」同法第195條第1項規定：「不法侵害他人之身體、健康、名譽、自由、信用、隱私、貞操，或不法侵害其他人格法益而情節重大者，被害人雖非財產上之損害，亦得請求賠償相當之金額。其名譽被侵害者，並得請求回復名譽之適當處分。」此規定於不法侵害他人基於父、母、子、女或配偶關係之身分法益而情節重大者，準用之（民法第195條第3項參照）。
2. 本例中，甲、乙離婚，協議由乙單獨行使負擔對於丙之權利義務，今甲故意藏匿子丙，係妨害乙保護教養權之行使，依前揭民法規定，應可認甲侵害乙基於與丙母子關係之身分法益，其情節重大，乙所受之精神嚴重打擊，得向甲請求精神上損害賠償。

(三) 甲應負擔丙之扶養費：

1. 母對於未成年子女所負擔之扶養義務，係基於親子關係之本質而生，即事實之血統關係為基礎，與監護權或親權誰屬無關，故父母離婚時，並不影響對其未成年子女之扶養義務。修正增訂之民法第1116-2條規定：「父母對於未成年子女之扶養義務，不因結婚經撤銷或離婚而受影響。」即說明此一立場。
2. 學說上因此主張，親權人應與扶養人分別以觀（監護與扶養分離說），其不行使親權之人，亦應負擔扶養費用。實務上最高法院56年台上字第419號判例認為，所謂監護當然包括扶養在內，似有誤會。且為使未成年子女有獲得較充分之保護教養之機會，離婚後之夫妻對其子女亦應依民法第1089條第1項之規定，共同負「生活保持義務」，若父母不能共同負擔義務時，由有能力者負擔之。
3. 本例中，甲、乙對其子女之扶養義務，應依民法第1089條之規定，共同或由一方負擔之。今甲、乙協議由乙負擔，此一協議應屬當事人內部之約定，並無排除父母對於未成年子女負扶養義務之效力，故甲仍負有扶養義務。

參考書目：1.戴炎輝、戴東雄合著，《中國親屬法》，90年5月，第543～546頁。
2.陳棋炎、黃宗樂、郭振恭合著，《民法親屬新論》，90年4月，第247、373～374頁。
3.最高法院56年台上字第419號判例、49年台上字第2250號判決。

十九、甲男與乙女於民國九十三年結婚，未約定夫妻財產制。近幾年來，甲、乙感情不睦，甲為避免乙知悉其財務狀況，於民國九十九年十二月將其婚後購買之古董一件，無償贈與給其友人丙，贈與當時價值為五百萬元。乙於民國一百年四月知悉上述贈與，非常生氣，思考是否與甲離婚，但仍無法確定心意。甲贈與丙之古董目前貶值為三百萬元。試問對於此古董，乙可主張何種權利？

答 (一) 甲乙結婚時未約定夫妻財產制，根據民法第1005條規定，夫妻未以契約訂立夫妻財產制者，除本法另有規定外，以法定財產制，為其夫妻財產制。因此，甲乙之夫妻財產制為法定財產制，合先敘明。

(二) 甲乙婚後購買之古董屬於婚後財產：所謂法定財產制，夫或妻之財產分為婚前財產與婚後財產，由夫妻各自所有。不能證明為婚前或婚後財產者，推定為婚後財產；不能證明為夫或妻所有之財產，推定為夫妻共有，民法第1017條第1項訂有明文。因此甲乙婚後購買之古董屬於婚後財產。

(三) 甲之無償贈與行為已侵害法定財產制：

1. 根據民法第1020-1條第1項之規定，夫或妻於婚姻關係存續中就其婚後財產所為之無償行為，有害及法定財產制關係消滅後他方之剩餘財產分配請求權者，他方得聲請法院撤銷之。但為履行道德上義務所為之相當贈與，不在此限。
2. 甲贈與丙五百萬之古董，且非為履行道德上義務所為之相當贈與，已經有害及法定財產制關係消滅後他方之剩餘財產分配請求權。

(四) 乙不得聲請法院撤銷該無償贈與行為：根據民法第1020-1條第1項規定，乙得聲請法院撤銷該無償贈與行為，惟該撤銷權依民法第1020-2條規定，應於自夫或妻之一方知有撤銷原因時起，六個月間不行使，或自行為時起經過一年而消滅，而本題中既已罹於甲無償贈與其友人丙古董之行為一年之除斥期間，因而乙不得請求撤銷該無償贈與行為。

乙得請求追加500萬視為甲之婚後財產：根據民法第1030-3條第1項規定，甲乙若於104年12月前離婚，則甲於99年12月贈與丙之行為屬法定財產制關係消滅前五年內處分之婚後財產，則視為婚後財產，且依民法第1030-4條第2項規定古董之價值以甲贈與丙之處分行為時之價值500萬元計算之，因此若甲乙於104年12月前離婚，則甲乙間之剩餘財產分配請求權計算時，甲之婚後財產應追加500萬之價值。

二十、丙自幼被甲、乙夫妻共同收養，甲、乙離婚後，乙取得丙之監護權。丙成年，與丁結婚後，欲與甲終止收養關係，但遭丁反對。試問甲、丙得否自行單獨終止收養關係？其終止收養之效力如何？

答 (一) 養父母與養子女之關係，得由雙方合意終止：民法第1080條第1項規定，養父母與養子女之關係，得由雙方合意終止，因此甲乙與丙雙方皆不得自行單獨終止收養關係。此外，甲乙共同收養丙，不因離婚而影響收養之效力，合先敘明。

(二) 甲可單獨與丙合意終止收養關係：惟若甲丙兩人要終止收養關係，是否要經過乙之合意？依據民法第1080條第6項規定，夫妻共同收養子女者，其合意終止收養應共同為之。但有下列情形之一者，得單獨終止：1.夫妻之一方不能為意思表示或生死不明已逾三年。2.夫妻之一方於收養後死亡。3.夫妻離婚。甲乙離婚後，甲自得可以單獨不經乙之同意與丙合意終止收養關係。

(三) 甲與丙終止收養關係並不及於乙：根據民法第1080條第7項規定，夫妻之一方依前項但書規定單獨終止收養者，其效力不及於他方。因此，甲與丙終止收養關係並不及於乙。

二一、甲（25歲）事業有成，結識甫自大學畢業之乙，兩人交往數年後於民國95年舉行盛大婚禮，宴請賓客百桌，然並未向戶政機關登記。婚後甲以其妝奩5,000萬元資助乙設立公司。乙事業亦相當成功，因而購置價值500萬元之名車及8,000萬元之別墅登記於甲名下。然甲於民國97年結識丙發生婚外情，乙於民國100年發現甲丙姦情後，訴請法院判決離婚。試問：於離婚判決確定前，甲乙二人婚姻之效力如何？甲乙二人於訴請離婚之際，銀行存款甲為3,000萬元、乙為5,000萬元，其夫妻間財產應如何分配？

答 (一) 甲乙之婚姻有效：民國96年民法親屬編修正後，結婚改為登記制度，惟甲乙兩人於民國95年結婚，並宴客百桌，但並未向戶政機關登記，是否有效？惟根據舊民法第982條第1項規定：「結婚，應有公開儀式及二人以上之證人。」因此依當時之民法規定，甲乙之結婚有效。惟嗣後要辦理離婚手續時，則先須到戶政事務所辦理結婚登記再辦理離婚登記。

(二) 甲得依民法第1030-1條向乙請求剩餘財產差額之半數1000萬元：

1. 民法第1005條規定，夫妻未以契約訂立夫妻財產制者，除本法另有規定外，以法定財產制，為其夫妻財產制。甲乙結婚時未約定夫妻財產制，則以為法定財產制為夫妻財產制。
2. 又民法第1030-1條第1項本文規定，法定財產制關係消滅時，夫或妻現存之婚後財產，扣除婚姻關係存續所負債務後，如有剩餘，其雙方剩餘財產之差額，應平均分配。因此甲乙於婚姻關係消滅後，其雙方剩餘財產之差額，應平均分配。惟同項但書規定，但下列財產不在此限：一、因繼承或其他無償取得之財產。二、慰撫金。因此甲乙互相贈與之財產不計入剩餘分配之婚後財產。

3. 因此，甲之剩餘分配的婚後財產為3000萬元，乙為5000萬元，依民法第1030-1條第1項規定，甲得向乙請求剩餘財產差額之半數1000萬元。

二二、甲與乙為男女朋友，在未結婚的情形下發生性行為，乙於懷胎十月後分娩產下一子A。試問：生父甲應如何為之，才能讓A子可以認祖歸宗，具備民法上婚生子女的法律地位？

答 (一) 題示甲男乙女未婚，而乙女懷孕產下一子A，其中A屬於民法上之非婚生子女（民法第1061條婚生子女規定之反面解釋）

(二) 要使A具備民法上婚生子女的地位有三：

1. 非婚生子女，其生父與生母結婚者，視為婚生子女（民法第1064條）。是本題中，如甲、乙嗣後結婚，A依上開規定，視為甲、乙之婚生子女。
2. 非婚生子女經生父認領者，視為婚生子女。其經生父撫育者，視為認領（民法第1065條第1項）。本題如甲認領A，或撫育A，準正為婚生子女。
3. 非婚生子女與其生母之關係，視為婚生子女，無須認領（民法第1065條第2項）。本題中A為生母乙之婚生子女，無須認領。

二三、甲男（70歲）與乙女（65歲）為夫妻，二人結婚多年未有己出。甲之妹丙女與丈夫丁男育有二子：戊男與己男。戊今年48歲，與妻子育有二子，分別為A子（24歲，未婚）與B子（16歲，未婚）。甲與乙認為戊為人誠實可靠，對長輩非常敬重且有情義，表示希望收養戊為養子，戊也表示同意。試問：如甲乙與戊之間要成立收養關係，應考量那些法律規定？

答 甲乙與戊之間要成立收養關係，應注意以下法律規定：

(一) 收養之年齡限制：民法第1073第1項規定：「收養者之年齡，應長於被收養者20歲以上。但夫妻共同收養時，夫妻之一方長於被收養者20歲以上，而他方僅長於被收養者16歲以上，亦得收養。」

(二) 不得收養為養子女之親屬：民法第1073-1條規定：「下列親屬不得收養為養子女：一、直系血親。二、直系姻親。但夫妻之一方，收養他方之子女者，不在此限。三、旁系血親在六親等以內及旁系姻親在五親等以內，輩分不相當者。」

(三) 夫妻應為共同收養：夫妻收養子女時，應共同為之。但有下列各款情形之一者，得單獨收養：一、夫妻之一方收養他方之子女。二、夫妻之一方不能為意思表示或生死不明已逾三年（民法第1074條）。

(四) 被收養人配偶之同意：民法第1076條規定：「夫妻之一方被收養時，應得他方之同意。但他方不能為意思表示或生死不明已逾三年者，不在此限。」

(五) 子女被收養應得父母之同意：民法第1076-1條第1項規定：「子女被收養時，應得其父母之同意。但有下列各款情形之一者，不在此限：一、父母之一方或雙方對子女未盡保護教養義務或有其他顯然不利子女之情事而拒絕同意。二、父母之一方或雙方事實上不能為意思表示。」

二四、甲育有一子乙，甲於乙成年後，要求乙每月應給付新臺幣一萬元扶養費，為乙所拒絕，甲遂召開親屬會議，親屬會議中決議乙每月應給付甲新臺幣八千元之扶養費，但仍為乙所拒絕。試問：上述親屬會議決議乙應給付之金額八千元，是否對乙有拘束力？甲可否再向法院起訴，請求乙應給付扶養費？乙是否能主張甲有謀生能力而拒絕給付扶養費？

答 (一) 親屬會議具有拘束力：所謂親屬會議是為保護未成年人、受監護宣告人之權利或處理親屬間之特定事項，而由其一定親屬組成之會議，用以解決親權、監護、繼承等事務。因此甲召開親屬會議決議乙每月應付給甲新臺幣八千元之扶養費，具有拘束力，惟根據民法第1137條規定，有召集權之人，如當事人、法定代理人或其他利害關係人（乙也屬之），對於親屬會議之決議有不服者，得於三個月內向法院聲訴。

(二) 甲不得再向法院提起扶養義務之訴：民法第1120條規定，扶養之方法，由當事人協議定之；不能協議時，由親屬會議定之。但扶養費之給付，當事人不能協議時，由法院定之。甲已經召開親屬會議，不能再向法院提起扶養義務之訴。

(三) 乙無法主張甲有謀生能力而拒絕給付扶養費：民法第1117條規定：「受扶養權利者，以不能維持生活而無謀生能力者為限。前項無謀生能力之限制，於直系血親尊親屬，不適用之。」而甲為乙之直系血親尊親屬，並不適用本條之規定，因此乙無法主張甲有謀生能力而拒絕給付扶養費。

二五、甲男乙女於民國95年結婚，乙女有工作，月入新臺幣（下同）6萬元，名下並有存款400萬元，甲男賦閒在家又揮霍成性，直至102年3月已積欠丙銀行卡債200萬元，但甲男身無分文，丙銀行因而轉向乙女請求，問有無理由？

破題分析

家庭生活費用、連帶責任、法定扶養義務

解題架構

本題就兩方面闡述，一為家庭生活費用由夫妻負連帶責任，並分析卡債是否屬於家庭生活費用所生之家事債務。一為夫妻互負扶養義務，扶養義務之範圍。

答 (一) 丙銀行不得向法院聲請甲乙原適用之法定財產制宣告改用分別財產制：

1. 按夫妻各自對其債務負清償之責。民法（下同）第1023條第1項定有明文。而101年修法前第1011條規定：「債權人對於夫妻一方之財產已為扣押，而未得受清償時，法院因債權人之聲請，得宣告改用分別財產制。」上開第1011條於101年修法時予以刪除，其理由為：「……二、現行法定財產制已改以瑞士所得分配制為基礎，採財產分離之架構，讓夫或妻各保有所有權之權能，並自負擔債務。然本條規定，造成目前司法實務上，債權銀行或資產管理公司為追討夫或妻一方之債務，得利用本條規定訴請法院宣告改用分別財產制，再依民法第二百四十二條代位債務人行使民法第一千零三十條之一之剩餘財產分配請求權，致使與夫妻關係完全無關之第三人，可以債權滿足為由，借國家權力之手，強行介入夫妻間財產制之狀態，除將導致夫妻婚後財產因第三人隨時可能介入而產生不穩定狀況，更與法定財產制係立基夫妻財產獨立之立法精神有悖。三、本條規定與民法第一千零九條相同，均係民國十九年以聯合財產制為法定財產制時所制定，多年來我國夫妻法定財產制已歷經多次修正，本條規定已不合時宜。四、至於夫妻約定共同財產制者，因債權人本可直接對共同財產求償，無再訴請法院另宣告改用分別財產制之必要，故縱刪除本條，亦無損債權人對共同財產制夫妻之求償。……」等語。

2. 本題中甲乙就財產制未予約定，依第1005條規定，兩人間即以法定財產制為其夫妻財產制。依前開第1023條規定，甲之卡債本即應由甲自行清償。故若依題示因甲身無分文時，丙銀行不再得依舊法第1011條向法院聲請甲乙原適用之法定財產制宣告改用分別財產制，而轉向乙求償。

(二) 丙銀行不得依第242條及第1030-1條規定，請求乙給付甲剩餘財產差額，由丙銀行代領之：

1. 按債務人怠於行使其權利時，債權人因保全債權，得以自己之名義，行使其權利。但專屬於債務人本身者，不在此限。第242條定有明文。再按法定財產制關係消滅時，夫或妻現存之婚後財產，扣除婚姻關係存續所負債務後，如有剩餘，其雙方剩餘財產之差額，應平均分配。前開請求權，不得讓與或繼承。但已依契約承諾，或已起訴者，不在此限。第1030-1條第1項前段及第3項亦有明文。

2. 由上可知，債權人為保全債權，固得在債務人怠於行使其權利時以自己名義行使其權利，但就專屬於債務人本身之權利，債權人即不得代為行使。而第1030-1條所規定之夫妻剩餘財產差額分配請求權，顯係專屬於夫或妻乃得行使，為一身專屬權。因此本題中縱甲乙離婚或因協議改用其他夫妻財產制而使法定財產制關係消滅，丙銀行仍不得依第242條及第1030-1條規定，請求乙給付甲剩餘財產差額，由丙銀行代領之。

(三) 綜上所述，丙銀行轉向乙女請求為無理由。

二六、甲男、乙女同居1年後，乙生子A，乙知A與甲並無血緣關係，甲受乙之詐欺，至戶政事務所辦理認領A之登記；3年後，甲自檢驗中發現其與A並無親子血緣關係，不願與A保持親子關係，於法有無方法可得主張？

破題分析

反於真實血統之認領的撤銷。

答 (一) A經甲認領後，A與甲之間發生民法上的父子關係：

A子為甲男、乙女同居中所生，因甲乙沒有合法的婚姻關係，所以A子是甲男的非婚生子女。依民法第1065條第1項規定：「非婚生子女經生父認領者，視為婚生子女，其經生父撫育者，視為認領。」因此，當甲承認A子為其子女，並且向戶政事務所辦理認領登記後，兩人間即發生民法上的父子關係，即A子從非婚生子女，轉變為婚生子女。

(二) 甲可主張民法第1070條但書，撤銷對A子的認領：

1. 民國96年修正前，為了非婚生子女以及符合自然倫常之關係，舊民法第1070條規定有：「生父認領非婚生子女後，不得撤銷其認領。」但是，依民事訴訟法卻認為沒有真實血統之認領可以訴請撤銷（請參照民事訴訟法第589條「撤銷認領之訴」，現已刪除，改由家事事件法整體規範。）而造成實體法與程序法規定的衝突。因此，民國96年修正時，特別增設但書規定，准許有事實足認其非生父時，可撤銷認領；以兼顧血統真實原則及人倫親情之維護。
2. 乙知A與甲並無血緣關係，甲受乙之詐欺，至戶政事務所辦理認領A之登記，甲可依民法第1070條但書規定：「生父認領非婚生子女後，不得撤銷其認領。但有事實足認其非生父者，不在此限。」主張撤銷認領，並依家事事件法提起「撤銷認領之訴」。
3. 而通說亦有認為認領之成立以「真實血統」為要件，因此「反於真實之認領」應為無效，甲得主張因其和A無真實血統，其認領無效而提起確認認領無效之訴。

二七、血親及姻親之種類有幾種？甲夫、乙妻婚後有子女A、B，嗣甲於民國99年10月1日為丙男所收養，經法院裁定認可確定，收養發生效力時，A已成年，B年6歲。試問：乙、A、B與丙有無親屬關係？

破題分析

關於血親與姻親之基本概念，連帶測驗關於收養之概念，需要熟悉之條文為民法第1077條。

答 (一) 血親及姻親

1. 血親：

(1) 自然血親與法定血親：

A. 自然血親：指出自同祖先而具有血統聯絡關係者。

B. 法定血親：指以法律加以擬制而使其具有血統聯絡關係。

(2) 直系血親與旁系血親：

A. 直系血親：按民法（下同）第967條第1項之規定，係指己身所從出或從己身所出之血親。

B. 旁系血親：按第967條第2項之規定，係指非直系血親，而與己身出於同源之血親。

2. 姻親：

(1) 係指因婚姻關係而發生之親屬關係。

(2) 稱姻親者：

A. 血親之配偶。

B. 配偶之血親。

C. 配偶之血親之配偶。

(3) 直系姻親與旁系姻親：

視其媒介姻親之血親為直系或旁系而定。

(二) 本件親屬關係之有無

1. 收養係以發生親子關係為目的之身分契約，須當事人間有收養意思之合致。養子女與養父母及其親屬間之關係，除法律另有規定外，與婚生子女同，第1077條第1項定有明文，故為法定血親。從而甲與丙成立收養關係後，即具有法定血親之關係。

2. 乙與丙：

(1) 按第969條之規定，配偶之血親為姻親。

(2) 從而，甲乙為配偶，故乙丙間乃配偶之血親，而具有姻親關係。

3. A與丙：

(1) 按第1077條第4項之規定，養子女於收養認可時已有直系血親卑親屬者，收養之效力僅及於其未成年且未結婚之直系血親卑親屬。但收養認可前，其已成年或已結婚之直系血親卑親屬表示同意者，不在此限。

(2) 本件A已成年，除非於收養認可前，A乙表示同意，否則甲丙之收養效力不及於A，故A與丙間不具有親屬關係。

4. B與丙：
   (1) 按第1077條第4項本文之規定，養子女於收養認可時已有直系血親卑親屬者，收養之效力僅及於其未成年且未結婚之直系血親卑親屬。
   (2) 本件B為甲之子女，且B為6歲而未成年，依上開規定甲丙收養之效力及於B，故丙B具有直系血親關係。

二八、民法第1030-1條第1項規定，法定財產制關係消滅時，發生夫妻剩餘財產差額分配請求權，如何計算夫妻各自之剩餘財產？甲夫、乙妻相處不睦，甲多次毆打乙成傷，乙訴請判決離婚時，得否於起訴時即合併訴請甲給付剩餘財產，平均分配其差額？

破題分析

法定財產制之計算乃親屬法之重點，就民法第1030-1條詳細分析為得分關鍵。

答 (一) 法定財產制之計算

1. 按民法（下同）第1030-1條第1項規定：「法定財產制關係消滅時，夫或妻現存之婚後財產，扣除婚姻關係存續所負債務後，如有剩餘，其雙方剩餘財產之差額，應平均分配。但下列財產不在此限：一、因繼承或其他無償取得之財產。二、慰撫金。」按剩餘財產分配制度，其規範意旨在於，夫妻於婚姻關係存續中，其財產之增加，係夫妻共同努力、貢獻之結果，故賦予夫妻因協力所得剩餘財產平均分配之權利。
2. 須計算夫妻各自之剩餘財產，算定其差額。
   夫妻雙方均須各自計算剩餘財產，比較其剩餘之多寡，算定其差額，有差額發生時，始發生剩餘財產分配請求權。其計算步驟為：
   (1) 須確定夫或妻現存之婚後財產。
   (2) 須扣除其於婚姻關係存續中所負之債務。
   (3) 須將因繼承或其他無償取得之財產及慰撫金排除於計算標的之外。
3. 夫妻之一方對於婚姻生活無貢獻或協力，或有其他情事，致平均分配有失公平者，法院得調整或免除其分配額。

4. 法院為前項裁判時，應綜合衡酌夫妻婚姻存續期間之家事勞動、子女照顧養育、對家庭付出之整體協力狀況、共同生活及分居時間之久暫、婚後財產取得時間、雙方之經濟能力等因素。
5. 須為剩餘財產較少之一方向剩餘財產較多之他方請求平均分配其差額。

   夫或妻計算剩餘財產後，就其剩餘財產之差額，剩餘財產較少之一方得向剩餘較多之他方，請求平均分配，即請求給付該差額之二分之一。

(二) 乙得於訴請離婚時併請求給付剩餘財產

1. 剩餘財產分配之發生，依第1030-1條之規定須於法定財產制關係消滅，離婚即為其事由之一。
2. 復依家事事件法第41條規定：「數家事訴訟事件，或家事訴訟事件及家事非訟事件請求之基礎事實相牽連者，得向就其中一家事訴訟事件有管轄權之少年及家事法院合併請求，不受民事訴訟法第五十三條及第二百四十八條規定之限制。

   前項情形，得於第一審或第二審言詞辯論終結前為請求之變更、追加或為反請求。

   依前項情形得為請求之變更、追加或反請求者，如另行請求時，法院為統合處理事件認有必要或經當事人合意者，得依聲請或依職權，移由或以裁定移送家事訴訟事件繫屬最先之第一審或第二審法院合併審理，並準用第六條第三項至第五項之規定。

   受移送之法院於移送裁定確定時，已就繫屬之事件為終局裁判者，應就移送之事件自行處理。

   前項終局裁判為第一審法院之裁判，並經合法上訴第二審者，受移送法院應將移送之事件併送第二審法院合併審理。

   法院就第一項至第三項所定得合併請求、變更、追加或反請求之數宗事件合併審理時，除本法別有規定外，適用合併審理前各該事件原應適用法律之規定為審理。」其規範意旨乃在於紛爭解決一次性。
3. 是以，乙於訴請離婚之時，併請求甲給付剩餘財產為有理由。

二九、夫妻收養子女時，應共同為之，但於何種情形，得由夫妻之一方單獨收養子女？又，夫妻之一方被收養時，應得他方之同意，有無例外情形？

破題分析

本題所測驗者為收養之收養實質要件之例外情形，從立法意旨出發即可輕鬆理解。

答 (一) 有配偶者收養子女須與配偶共同為之

1. 按民法（下同）第1074條本文規定，夫妻收養子女時，應共同為之，其立法意旨主要係為保持家庭之和諧。
2. 惟於第1074條但書設有夫妻共同收養之例外規定：
   (1) 夫妻之一方，收養他方之子女，他方與其子女本有親屬關係，無待再為收養，由一方收養即可。
   (2) 夫妻之一方不能為意思表示或生死不明已逾三年，蓋夫妻之一方若不能為意思表示或生死不明已逾三年時，則一方之收養行為並不會造成家庭不和諧之情形，與立法意旨並不牴觸，因此允許之。

(二) 夫妻一方被收養時，應得他方之同意

1. 按第1076條本文之規定，夫妻之一方被收養時，應得他方之同意，此係基於保持家庭之和諧而設。
2. 惟於同條但書規定，他方不能為意思表示或生死不明已逾三年者，不在此限，蓋此時一般而言並無造成婚姻不和諧之可能。

三十、關於婚生子女，我民法有兩種之推定，一為受胎期間之推定，二為婚生子女之推定，其內容為何？甲男、乙女同居後，乙生子丙，甲有何方法與非婚生子女丙發生法律上親子關係？

破題分析

就婚生推定之法條須記憶熟稔，而認領、準正以及收養等制度亦常為考點之所在。

答 (一) 婚生推定

1. 受胎期間之推定：

(1) 原則：按民法（下同）第1062條第1項之規定，從子女出生日回溯第181日起至第302日止，為受胎期間。

(2) 例外：按第1063條第2項之規定，能證明受胎回溯在第302日以前或第181日以內者，以其期間為受胎期間。

2. 婚生子女推定：按第1063條第1項之規定，妻之受胎，係在婚姻關係存續中者，推定其所生子女為婚生子女。此項規定與第1062條相結合，即從子女出生日回溯到第181日起至第302日止，在此期間內任何一日，如父母有合法婚姻關係時，其所生子女推定為婚生子女。

(二) 甲與丙生法律上親子關係之方法

1. 不適用婚生推定：

(1) 婚生子女之推定，前提在於妻之受胎，係在婚姻關係存續中者。

(2) 惟本件甲乙乃同居關係而無婚姻關係，故無婚生推定之適用。

2. 適用準正制度：

(1) 按第1064條之規定，非婚生子女，其生父與生母結婚者，視為婚生子女。

(2) 是以，當甲與乙結婚之時，甲與丙即視為婚生子女。

3. 適用認領制度：

(1) 按第1065條之規定，非婚生子女經生父認領者，視為婚生子女。

(2) 是以，丙為甲之非婚生子女，一經甲之認領，即視為婚生子女。

4. 可否適用收養容有爭執：

(1) 生父對於其未被認領或準正之非婚生子女，是否可以加以收養，學說上見解不一致。

(2) 惟縱採肯定說，若於收養後，該非婚生子女經生父撫育時，依法視為認領，而被視為婚生子女。再依民法規定，認領之效力溯及子女出生時，則生父與其子女於子女出生即已生直系血親關係。如此推來，生父收養非婚生子女之行為，將因違反第1073-1條規定，而產生無效之結果。

(3) 若採否定說，而認為收養行為無效，亦可依無效法律行為之轉換，由無效之收養而轉換為有效之認領，使生法律上之父子女關係。

(4) 至於生父與有夫之婦通姦所生之子女，在法律上並無直系血親關係，生父收養該子女，亦不違背近親收養之限制，自應予以認可。

三一、甲男、乙女為夫妻，分別任職於公務機關，有未成年子女丙、丁二人。某日甲遭戊男殺害，乙、丙和丁可否根據民法第192條第2項之規定，主張甲生前對彼等負有法定扶養義務而請求戊損害賠償？

破題分析

本題主要測驗法定扶養義務之認定。

答 (一) 費用扶養請求權

1. 按民法（下同）第192條第2項之規定，被害人對於第三人負有法定扶養義務者，加害人對於該第三人亦應負損害賠償責任。
2. 從而，是否得以對加害人主張損害賠償責任，端視被害人對第三人是否負有法定扶養義務而定。

(二) 法定扶養義務之認定

1. 甲與乙：
   (1) 按第1116-1條規定，夫妻互負扶養之義務，其負扶養義務之順序與直系血親卑親屬同，其受扶養權利之順序與直系血親尊親屬同。
   (2) 甲與乙為夫妻，依上開條文互負扶養之義務。
2. 甲與丙丁：
   (1) 按第1114條規定：「左列親屬，互負扶養之義務：一、直系血親相互間。二、夫妻之一方與他方之父母同居者，其相互間。三、兄弟姊妹相互間。四、家長家屬相互間。」
   (2) 復按第967條第1項之規定，稱直系血親者，謂己身所從出或從己身所出之血親。甲與丙丁間為直系血親親屬關係，故甲對丙丁負有扶養之義務。

(三) 結論：甲對乙丙丁皆負有法定扶養義務，從而依第192條第2項之規定，得據以向丁主張損害賠償請求權。

三二、甲乙結婚多年，因口角不斷，終致離婚。兩人簽署離婚協議後，乙卻拒絕與甲同赴戶政機關為離婚登記。請問甲可否訴請法院命乙履行登記義務？

破題分析

本題為最高法院決議考題。

答 本題涉及離婚登記可否強制，茲分述如下：

(一) 甲說：兩願離婚，應以書面為之，有二人以上證人之簽名，並應向戶政機關為離婚之登記，為修正民法第1050條所明定，是兩願離婚，雙方當事人應向戶政機關申請為離婚之登記，如一方拒不為申請，他方自得提起離婚戶籍登記（給付）之訴，求命其履行（參見本院75年度台上字第382號判決）。

(二) 乙說：兩願離婚，須具備書面，二人以上證人之簽名及辦理離婚戶籍登記三項要件，始生效力，為修正民法第1050條所特別規定。當事人兩願離婚，祇訂立離婚書面及有二人以上證人之簽名，而因一方拒不向戶政機關為離婚之登記，其離婚契約尚未有效成立，他方自無提起離婚戶籍登記之訴之法律依據（參見本院75年度台上字第894號裁定）。

(三) 結論：最高法院75年度第9次民事庭會議決議採乙說。

三三、甲男、乙女結婚數載，膝下猶虛。嗣甲因風災死亡，乙欲延續甲之香火，乃收養甲之未成年侄兒丙為養子。請問丙是否因此而與甲成立父子關係？

破題分析

測驗收養之要件與性質。

答 (一) 收養之消極要件

1. 按民法（下同）第1072條之規定，收養他人之子女為子女時，其收養者為養父或養母，被收養者為養子或養女。
2. 惟依第1073-1條之規定：「下列親屬不得收養為養子女：一、直系血親。二、直系姻親。但夫妻之一方，收養他方之子女者，不在此限。三、旁系血親在六親等以內及旁系姻親在五親等以內，輩分不相當者。」

3. 本件丙為甲之姪兒，乙與丙乃旁系姻親三親等關係，故無第1073-1條之排除適用。

(二) 收養之性質

1. 乙收養丙是否可使甲與丙成立父子關係，端視收養之性質而定，容有爭執。
2. 按「個別收養說」係指，夫妻共同收養係以夫妻各自為當事人之二個收養行為，夫妻分別與養子女間成立養親子關係，此為目前多數說所採，最高法院85年台上字第298號判例亦同此說。
3. 按民法為維持家庭生活之和諧而要求有配偶者收養時，應與配偶共同為之，但並無意將夫妻之收養視為一體。如在夫妻共同收養後離婚之情形，應解為養父母與養子女之收養關係並不因養父母離婚而受影響，應採各別收養說較為合理。
4. 依個別收養說之見解，乙收養丙，甲不因而與丙產生親子關係。

三四、甲男以捕魚為業，民國93年3月29日與乙女結婚，未為結婚登記。同年8月23日甲出海捕魚，因遭遇颱風而失蹤。乙女驚聞噩耗，終日以淚洗面。乙婚前男友丙見狀，乃經常探訪安慰乙女，兩人舊情終告復燃。94年10月31日乙生下一女丁，丙乃將丁登記於自己之戶籍內並隨丙姓。今年4月1日甲失蹤歸來，堅稱丁係其婚生子女。由於乙未曾對甲為死亡宣告，甲之主張是否有理？乙、丙、丁可為如何主張？

破題分析

題目計結婚年度涉及修法前之適用，未來相關題目須慎防此陷阱。連帶測驗婚生推定與否認之相關爭點。

答 (一) 甲之主張有理由

1. 丁是否為其婚生子女，首須端視乙受胎期間是否於婚姻關係存續中。民國96年修法前，民法（下同）第982條第1項規定，結婚應有公開儀式及二人以上之證人，乃採儀式婚。縱使甲乙未為結婚登記，甲乙之婚姻仍為有效，故乙之受胎係在甲乙婚姻關係存續中。

2. 惟所生爭執者，為客觀上妻之受胎顯非由夫，有無婚生推定之適用，分述如下：
   (1) 甲說：客觀上妻之受胎顯非由夫，其所生子女顯非夫之子女，如仍受婚生之推定，則僅夫或妻得於知悉子女出生之日起一年內，提起否認之訴否定之，並不妥當。
   (2) 乙說：依第1063條第1項規定，妻之受胎係在婚姻關係存續中者，推定其所生子女為婚生子女。由此可知，民法上所稱之「婚生子女」，原則上係由夫受胎所生，亦可能非自夫受胎而生。後者之情形，依同條第2項之規定，若夫妻之一方或子女能證明妻非自夫受胎者，得提起否認之訴。
   (3) 結論：以上兩說各有所據，惟第1063條第1項並未排除受胎顯非由夫之情形，故以乙說為可採，故甲之主張為有理由。

(二) 乙丙丁所得主張之權利

1. 乙、丁得提起否認之訴：按第1063條第2項之規定，夫妻之一方或子女能證明子女非為婚生子女者，得提起否認之訴。
2. 丙不得提起否認之訴：按釋字第587號解釋之意旨：「法律不許親生父對受推定為他人之婚生子女提起否認之訴，係為避免因訴訟而破壞他人婚姻之安定、家庭之和諧及影響子女受教養之權益，與憲法尚無牴觸。至於將來立法是否有限度放寬此類訴訟，則屬立法形成之自由。」

三五、甲男乙女為夫妻，丙為甲之兄，A為丙之子。丁為乙之兄，B為丁之女。甲、乙共同收養A，是否可行？A與B結婚是否可行？

破題分析

本題測驗考點為近親收養限制及近親結婚限制，如熟悉法條，應不難作答。

解題架構

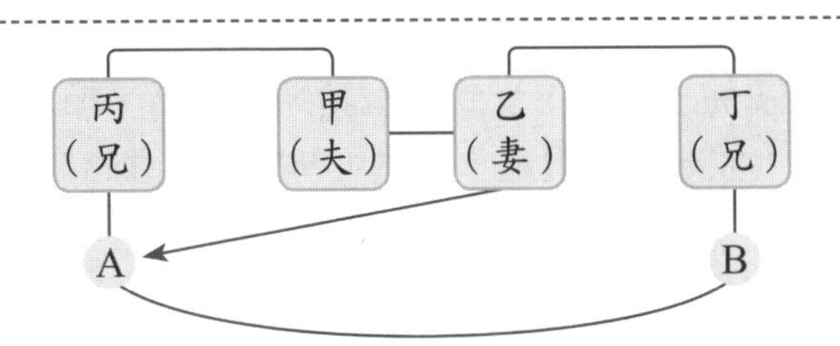

答 (一) 收養子女限制：

緣收養子女為發生身分關係之行為，收養時，應慮及：

1. 收養年齡限制：

基於家庭和諧並兼顧養子女權利考量，民法第1073條規定，收養者之年齡，應長於被收養者二十歲以上。但夫妻共同收養時，夫妻之一方長於被收養者二十歲以上，而他方僅長於被收養者十六歲以上，亦得收養。

2. 近親收養限制：

因倫理觀念，民法第1073-1條規定，近親收養為下列親屬時，不得收養為養子女：

(1) 直系血親。

(2) 直系姻親。但夫妻之一方，收養他方之子女者，不在此限。

(3) 旁系血親在六親等以內及旁系姻親在五親等以內，輩分不相當者。

而違反第1073條、第1073-1條、第1075條、第1076-1條、第1076-2條第1項或第1079條第1項之規定者，依民法第1079-4條規定，應認為亦無效力之可言。本題中，甲乙與A雖為三親等內血親及姻親，惟基於倫理觀念下，甲、乙與A之輩分仍屬相當，並不違反§1073-1條第3款之規定，故甲、乙可以共同收養A。

(二) 近親結婚限制：

民法第983條規定左列親屬，不得結婚：

1. 直系血親及直系姻親。

2. 旁系血親在六親等以內者。但因收養而成立之四親等及六親等旁系血親，輩分相同者，不在此限。

3. 旁系姻親在五親等以內，輩分不相同者。

前項直系姻親結婚之限制，於姻親關係消滅後，亦適用之。

既法律明文禁止，如有違反近親結婚之規定，則依民法第71條規定，違反禁止規定，法律行為無效。

(三) 本題中A為甲的三親等旁系血親，B為乙的三親等旁系血親，則A、B間為血親之配偶之血親，依民法第969條規定可知，A、B既非血親又非姻親關係，自然不受到近親結婚之限制。換言之，A、B如欲結婚，法律上並無限制規定，當然可基於自由意志結婚。

三六、甲男乙女為夫妻，乙與甲結婚前有一子丁。甲、乙婚後未約定夫妻財產制。民國99年3月甲以其婚後營業所得購置A屋一棟，價值新臺幣1千萬元。同年4月，甲將該屋贈與丙女，並辦理所有權移轉登記。同年5月，乙發現甲與丙通姦，乃訴請離婚，當時甲尚有婚後營業所得4百萬元。隔年6月，判決確定時，甲之婚後營業所得已增至6百萬元，A屋價值已增至1千2百萬元。乙則無任何財產。試問：

(一)甲、乙離婚後，乙對甲、丙有何權利得以行使？

(二)若於離婚訴訟繫屬中，乙死亡時，丁可否向甲行使乙之剩餘財產分配請求權？

破題分析

首先，本題解答時應思考法定財產制之剩餘財產分配請求權如何行使，當有第三人於婚姻存續中無償取得婚後財產，仍應計入分配數額，為重要考點之一。次之，另一考點為當年度修法重點，剩餘財產分配請求權性質為一身專屬性，不得轉讓或繼承。

答 (一) 乙得向甲、丙請求之權利

1. 夫妻得於結婚前或結婚後，以契約就本法所定之約定財產制中，選擇其一，為其夫妻財產制。夫妻未以契約訂立夫妻財產制者，除本法另有規定外，以法定財產制，為其夫妻財產制。民法（下同）第1004條、第1005條定有明文。依本題示，甲、乙婚後並未約定夫妻財產制，故可先行確定甲乙間應採法定財產制。
2. 原則上，夫妻離婚時，除採用分別財產制者外，各自取回其結婚或變更夫妻財產制時之財產。如有剩餘，各依其夫妻財產制之規定分配之，民法第1058條規定自明。
3. 現甲乙離婚，法定財產制關係消滅，依法定財產制規定分配之。依民法第1030-1條第1項到第3項規定：「夫或妻現存之婚後財產，扣除婚姻關係存續所負債務後，如有剩餘，其雙方剩餘財產之差額，應平均分配。但下列財產不在此限：

   (1) 因繼承或其他無償取得之財產。

   (2) 慰撫金。

   夫妻之一方對於婚姻生活無貢獻或協力，或有其他情事，致平均分配有失公平者，法院得調整或免除其分配額。

法院為前項裁判時，應綜合衡酌夫妻婚姻存續期間之家事勞動、子女照顧養育、對家庭付出之整體協力狀況、共同生活及分居時間之久暫、婚後財產取得時間、雙方之經濟能力等因素。」

雖上開規定賦予夫或妻於法定財產制關係消滅時，對雙方婚後剩餘財產之差額，有請求平均分配之權，惟如夫或妻之一方於婚姻關係存續中，就其所有之婚後財產為無償行為，致有害及法定財產制消滅後他方之剩餘財產分配請求權時，如無防範之道，婚後剩餘財產差額分配容易落空，夫或妻於婚姻關係存續中就其婚後財產所為之無償行為，有害及法定財產制關係消滅後他方之剩餘財產分配請求權者，他方得聲請法院撤銷之。但為履行道德上義務所為之相當贈與，不在此限（第1020-1條規定參照）。

4. 民國99年3月甲以其婚後營業所得購置A屋一棟，價值新臺幣1千萬元。同年4月，甲將該屋贈與丙女並移轉A屋，乙於民國99年5月訴請離婚，按前述規定，甲之贈與行為已害及當法定財產制關係消滅時乙得主張之剩餘分配數額。乙自得依民法第1020-1條規定主張撤銷權，惟為免漫無時間限制，使既存之權利狀態，長期處於不確定狀態，危及利害關係人權益及交易安全，自夫或妻之一方知有撤銷原因時起，六個月間不行使，或自行為時起經過一年而消滅乙於隔年100年6月判決確定離婚後已超過甲於99年4月贈與丙女A屋時一年，已罹於除斥期間不得主張撤銷甲丙間之贈與契約和移轉登記A屋之物權行為。

5. 再依民法第1030-3條規定，夫或妻為減少他方對於剩餘財產之分配，而於法定財產制關係消滅前五年內處分其婚後財產者，應將該財產追加計算，視為現存之婚後財產。除為履行道德上義務所為之相當贈與，則不在此限，且依民法第1030-4條第2項規定價值之計算已處分時為準。本題中，甲婚後營業所得購置A屋一棟，於贈與丙女之處分時價值新臺幣1千萬元，應計入現存之婚後財產。夫妻現存之婚後財產，其價值計算以法定財產制關係消滅時為準。夫妻因判決而離婚者，則以起訴時為準，準此，乙起訴時，甲有婚後營業所得4百萬元，加上A屋價值1千萬元，甲乙婚後財產總計1400萬元，依法定財產制剩餘財產平均分配計算，乙向甲請求700萬元。

6. 惟當分配權利人於義務人不足清償其應得之分配額時，得就其不足額，對受領之第三人於其所受利益內請求返還，民法第1030-3條第2項規定，乙對於甲不足清償分配額時，得向丙請求所受利益內返還。

(二) 1. 民國101年12月7日修正民法第1030-1條，緣剩餘財產分配請求權制度目的原在保護婚姻中經濟弱勢之一方，使其對婚姻之協力、貢獻，得以彰顯，並於財產制關係消滅時，使弱勢一方具有最低限度之保障。司法院大法官釋字第620號解釋中亦提及，夫妻剩餘財產分配請求權，乃立法者就夫或妻對家務、教養子女、婚姻共同生活貢獻之法律上評價。是以，剩餘財產分配請求權既係因夫妻身分關係而生，所彰顯則為「夫妻對於婚姻共同生活之貢獻」，考量因素除夫妻對婚姻關係中經濟上之給予，更包含情感上之付出，且尚可因夫妻關係之協力程度予以調整或免除，顯見剩餘財產分配請求權與夫妻「本身」密切相關而有屬人性，故其性質上應具一身專屬性，而與一般得任意讓與他人之財產權相異。

2. 依民法第1030-1條第1項規定，法定財產制關係消滅時，夫或妻現存之婚後財產，扣除婚姻關係存續所負債務後，如有剩餘，其雙方剩餘財產之差額，應平均分配。如依立法目的而言，原則上甲乙間之婚後財產屬夫妻對婚姻共同生活之貢獻，具一身專屬性，不得轉讓或繼承。

3. 遺產繼承人，除配偶外，依左列順序定之：

(1) 直系血親卑親屬。 (2) 父母。
(3) 兄弟姊妹。 (4) 祖父母。

而丁雖非甲乙之子女，仍屬乙之直系血親卑親屬。

再者，剩餘財產分配請求權，雖不得讓與或繼承，但已依契約承諾，或已起訴者，則不在此限，民法第1030-1條第3項規定自明。本題中乙死亡前，乙提起離婚訴訟，自不受到剩餘財產請求權不得繼承之限制，假定丁無不得繼承之消極事由，基於繼承人適格性，丁應得向甲行使乙之剩餘財產分配請求權。

三七、甲男與乙女訂立婚約，訂婚時，甲給予乙價值百萬鑽戒乙只。試問：

(一)若甲、乙訂婚後，甲又刊登徵婚啟事，乙知悉後解除婚約，甲可否向乙請求返還該鑽戒？

(二)若甲、乙訂婚後，乙因事故死亡，甲可否向乙之繼承人請求返還該鑽戒？

破題分析

本題旨在測驗婚約解除、無效、撤銷後，贈與物返還之情事，因原因不同而有相異結果，如了解民法第979-1條立法目的，應可辨認本題測驗重點。

答 (一) 重大事由解除婚約

婚約係以結婚為目的而成立之身分契約，乃基於婚約當事人之自由意志，任何人不得以違背當事人意志之方式強迫結婚，民法第975條明文揭示。現甲與乙已成立婚約，甲卻刊登徵婚啟事，顯示甲無意與乙結婚、共同經營婚姻生活之意。觀此客觀行為判斷此事由將妨礙夫妻之共同生活，應與民法第976條第1項第9款所定解除婚約之重大事由相符。再者，按解釋意思表示，應探求當事人之真意，不得拘泥於所用之辭句，民法第98條定有明文。故甲乙間婚約，因甲之刊登行為及乙所為解除之意思表示可知雙方皆有解除婚約之意思表示，當乙傳達解除婚約意思予甲了解後，自發生解除婚約之法律效果。（最高法院19年上字第28號判例意旨參照）

(二) 甲得請求被告返還贈與物

至於甲因訂婚贈與之鑽戒，因婚約無效、解除或撤銷時，當事人之一方，得請求他方返還贈與物，民法第979-1條定有明文。甲、乙間婚約業經乙解除而未履行，揆諸前揭規定，甲得請求被告返還贈與物。附帶一提，對於乙因此所受之財產上、精神上損害，因乙為無過失之一方，得向有過失之他方，請求賠償其因此所受之損害；非財產上之損害，亦得請求賠償相當之金額。（民法第977條）

(三) 甲不得請求被告返還贈與物

婚約當事人間，常有因訂定婚約而贈與財物之情事，若婚約無效、解除或撤銷時，應許當事人請求返還贈與物，民法第979-1條規定自明。至於因當事人之一方死亡而婚約消滅時，非婚約無效、解除、撤銷之原因，當然不得請求返還贈與物。故乙因事故死亡，甲無理由請求返還鑽戒。

三八、甲男乙女為夫妻，分居期間甲、乙訂立離婚書面，由甲之父丙為證人簽名其上。隔日再由甲另找其友人丁簽名於離婚書面上。之後甲到乙之住處，兩人偕同到戶政機關辦理離婚登記。試問其離婚是否有效？

破題分析

本題考點非常明確，離婚生效要件及法定方式，如熟記法條本題應非難解之事。

答 (一) 登記為生效要件

民法第1050條明文規定，兩願離婚，應以書面為之，有二人以上證人之簽名並應向戶政機關為離婚之登記。鑒於兩願離婚規定發生弊端，而有「應向戶籍機關為離婚之登記」規定，使第三人對其身分關係更易於查考，符合社會公益，故兩願離婚除雙方達成離婚合意外，尚需至戶政機關登記後，使生離婚效力。

(二) 惟離婚要式行為應有書面且具二人以上證人簽名，為證明離婚係出於自由意志下作成外，並使當事人於離婚協議前，須尋求其他第三人，藉由他人之勸阻下，達到維持家庭美滿之目的。本題中，甲、乙達成離婚協議時，僅有一位證人即甲之父丙在場，依最高法院42年台上字第1001號判例意旨，兩願離婚書據關於證人之蓋章，依民法第1050條之規定，既未限定須與書據作成同時為之，則證人某某等之名章，縱為離婚書據作成後聲請登記前所加蓋，亦不得執是而指為與法定方式不合。故當甲乙離婚書面作成時，丁未同時在場，似非法所不許，甲乙間偕同到戶政機關辦理離婚登記，離婚仍然有效。

三九、乙女未婚與丙男發生性行為生一子丁，其後又懷胎兩個月。經人介紹與知情的甲男結婚。婚後，甲認領丁，七個月後乙又生下一子戊。不久，甲、乙離婚，乙與丙男結婚。試問：

(一)甲與丁、戊在法律上為何種關係？

(二)丙與丁、戊在法律上為何種關係？

破題分析

本題測驗為親屬常見考點，即婚生子女之認領、準正，對於熟悉考古題者，應可輕易解答。

答 (一) 甲與丁、戊在法律上為何種關係？

1. 民法第1062、1063條規定，從子女出生日回溯第一百八十一日起至第三百零二日止，為受胎期間。能證明受胎回溯在前項第一百八十一日以內或第三百零二日以前者，以其期間為受胎期間。妻之受胎，係在婚姻關係存續中者，推定其所生子女為婚生子女。前述推定，除夫妻之一方或子女能證明子女非為婚生子女者，得提起否認之訴。本題中，戊之受胎期間，乙與甲已存在婚姻關係，依前述規定，戊推定為甲之婚生子女。
2. 對於非婚生子女而言，民法第1065條規定，非婚生子女經生父認領者，視為婚生子女。其經生父撫育者，視為認領。而非婚生子女與其生母之關係，則視為婚生子女，無須認領。因非婚生子女與生母間係從母親自身所出，其血緣關係不容置疑，故民法第1065條第2項規定，非婚生子女與生母關係視為婚生子女，無須認領。
3. 對於丁而言，甲非丁之生父，是否得因甲乙結婚而身分得到準正之效力？實務及通說認為，民法第1065條規定，非婚生子女經「生父」認領，而甲並非丁之生父，且甲係知情情況下，基於自然血緣之聯絡性，應不得適用本條認領規定，而使甲成為丁之生父。惟甲仍得依民法第1074條，夫妻收養子女時，原則上應共同為之。但有收養他方之子女時，得單獨為之。

(二) 丙與丁、戊在法律上為何種關係？

1. 民法第1064條規定，非婚生子女，其生父與生母結婚者，視為婚生子女。為期取得血統真實與身分安定間之平衡，乙、丙結婚，丁視為丙之婚生子女。
2. 至於戊之受胎期間，係甲乙婚姻關係存續中者，推定其戊為甲乙之婚生子女。如前述推定，夫妻之一方或子女能證明子女非為婚生子女者，得提起否認之訴。夫妻之一方自知悉該子女非為婚生子女，或子女自知悉其非為婚生子女之時起二年內為之。但子女於未成年時知悉者，仍得於成年後二年內為之。依題示，甲於婚前即已知悉戊非其子女，仍與乙成立婚姻關係，甲戊間視為具父子關係，至於丙、戊間並不因乙、丙結婚而有任何關係產生。

四十、甲男乙女為夫妻，乙之伯父丙擬收養甲男為養子，經乙女與甲之父母之同意並經公證後，甲、丙訂定書面，向法院聲請認可，試問：法院就甲、丙之收養是否認可？

破題分析

本題旨在測驗近親收養限制，除實質要件須符合收養規定外，形式要件亦須符合，收養始生效力。

答 (一) 實質收養要件：

民法第1073-1條明文規定，近親收養限制：

下列親屬不得收養為養子女：

1. 直系血親。
2. 直系姻親。但夫妻之一方，收養他方之子女者，不在此限。
3. 旁系血親在六親等以內及旁系姻親在五親等以內，輩分不相當者。

本題中，甲丙為三親等旁系姻親，丙為甲之尊親屬，應未符合法令禁止規定。惟因收養係擬制血親，法律關係將發生重大變化，故民法第1076、1076-1條，當夫妻之一方被收養時，應得他方之同意；子女被收養時，應得其父母之同意。依題示，乙及甲乙父母均同意，則實質上收養要件均符合。

(二) 收養形式要件：

民法第1079條規定，收養應以書面為之，並向法院聲請認可，而甲、丙訂定書面，向法院聲請認可。再者，甲之父母對於甲被收養表示同意，而作成書面並經公證。

縱上所述，甲丙間之收養行為應符合法律規定，收養行為有效。

四一、甲男與乙女係夫妻，惟婚後感情不睦，遂協議離婚，雙方並連同證人丙、丁於離婚協議書上簽名，且辦妥離婚登記。嗣乙女以證人丙、丁不知彼等有離婚之真意，而係丙、丁遭甲男施詐而應允簽名為由，主張該協議離婚應屬無效，乃向法院請求確認其與甲男間之婚姻關係存在。若乙女主張之事實，經法院查明屬實，則甲男與乙女間之婚姻關係是否仍存在？又若甲男於上揭離婚登記後，旋即與善意且無過失之戊女結婚，則甲男與戊女結婚之效力如何？

破題分析

本題為協議離婚及重婚之考題，第一小題需了解協議離婚之實質要件及形式要件，第二小題之複雜度及難度皆不高，只需熟知重婚之禁止及民法第988條第3款之規定，注意重婚之雙方是否皆為善意且無過失之要件，即可輕鬆作答。

解題架構

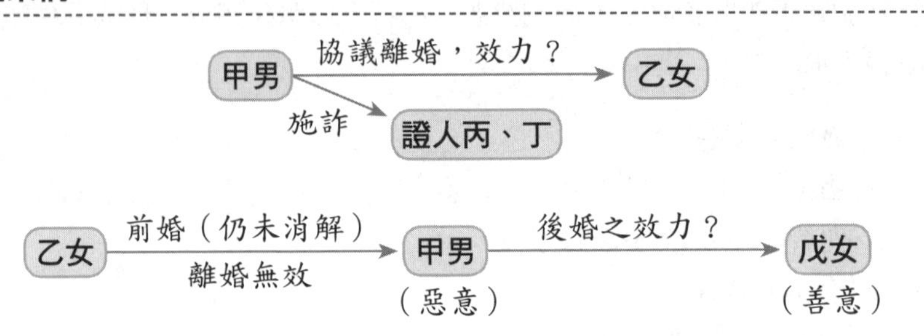

大綱

1. 協議離婚之實質要件及形式要件（民法第1049條、1050條、最高法院68台上字第3792號判例）。
2. 重婚之禁止（民法第985條）。
3. 結婚之無效（民法第988條第3款）。

答 (一) 甲男與乙女之婚姻關係仍存在，離婚應為無效，討論如下：

1. 兩願離婚之實質要件及形式要件：

(1) 兩願離婚之實質要件：

依民法第1049條，夫妻兩願離婚者，得自行離婚，但未成年人，應得法定代理人之同意。故兩願離婚只需當事人有離婚之合意（實質意思說），且當事人有意思能力，即可自行辦理離婚，無須透過法院為之。

(2) 兩願離婚之形式要件：

由民法1050條，兩願離婚，應以書面為之，有二人以上證人之簽名並應向戶政機關為離婚之登記。以離婚證人之條件而言，離婚證人是否須為完全行為能力人尚有爭議，惟依最高法院68台上字第3792號判例見解，證人雖不限於作成離婚證書時或協議離婚時在場，惟必須親見或親聞雙方當事人確有離婚真意之人，始足當之。

2. 本案乙女向法院提出確認婚姻關係存在之訴，主張證人丙丁不知彼等有離婚之真意且係甲男施詐而應允簽名，而法院查明屬實，故甲男與乙女兩願離婚不合乎形式要件，此離婚應屬無效，故甲男乙女之婚姻關係自始存在。

(二) 甲男與戊女之婚姻（後婚）無效，討論如下：

1. 重婚之禁止與婚姻無效：

(1) 依民法第985條，有配偶者，不得重婚。一人不得同時與二人以上結婚。另依民法第988條第3款，結婚有下列情形者，無效：違反第985條規定。但重婚之雙方當事人因善意且無過失信賴一方前婚姻消滅之兩願離婚登記或離婚確定判決而結婚者，不在此限。

(2) 依民法第988條第3款，於雙方當事人皆為善意且無過失信賴一方前婚姻消滅之兩願離婚登記或離婚確定判決而結婚者才適用，故若於其中一方並非善意且無過失者，則無此款之適用，此婚姻仍屬無效。

2. 因甲乙之婚姻關係仍有效存在，且甲男於重婚行為非善意且無過失，故甲戊之婚姻依988條第3款之規定而無效。

(1) 本案因甲男施詐使上開前婚姻之證人丙丁應允於離婚證書上簽名，經法院查明後確認甲男與乙女之前婚姻自始存在並未解消，因此，甲男戊女之後婚姻構成重婚。

(2) 另，戊女雖屬善意且無過失之相對人，惟甲男於此重婚行為並非善意且無過失，無民法第988條第3款之適用，故因甲乙之婚姻關係仍有效存在，甲戊之婚姻則依988條第3款之規定而無效。

四二、甲乙係夫妻，婚後因個性不合，經常吵架，致感情破裂。甲乃以雙方無法繼續維持婚姻為由向法院起訴，請求與乙離婚。經法院審理結果，認造成婚姻破裂之責任，甲有百分七十之過失，乙亦有百分三十之過失，則法院是否應准許甲請求？若甲有百分五十之過失，乙亦有百分五十之過失，則其結果是否相同？

破題分析

本題為裁判離婚之法定事由及一般概括事由之相關考題（破綻理論），主要考點為一般概括事由之雙方有責程度，與可否提出離婚請求之問題，此點必須掌握憲法法庭112年憲判字第4號之理由書內容始能完整回答。

解題架構

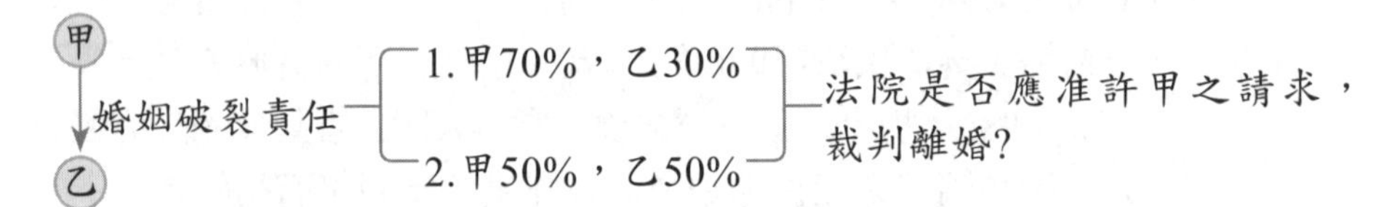

大綱

1. 裁判離婚理由（民法第1052條）。
2. 夫妻雙方就離婚事由之有責程度（最高法院95年度第5次民事庭會議）。

答 (一) 裁判離婚之事由及就其事由之有責程度得否提出離婚請求之規定：

1. 裁判離婚之事由：

(1) 民法第1052條第1項定有裁判離婚之事由，但另依民法第1052條第2項規定，有前項裁判離婚事由以外之重要事由，難以維持婚姻者，夫妻之一方得請求離婚。但其事由應由夫妻之一方負責者，僅他方得請求離婚。

(2) 依民法第1052條第2項本文，裁判離婚有第1項以外事由而難以維持婚姻者，夫妻之一方得請求離婚，故此概括離婚事由須法院個案判斷。另依此項但書，法院是否准許其夫或妻一方離婚之請求，則視請求之一方對此離婚事由之有責程度而定。

2. 請求之一方就其事由之有責程度得否提出離婚請求之規定：
依最高法院95年度第5次民事庭會議決議，婚姻如有難以維持之重大事由，於夫妻雙方就該事由均須負責時，應比較衡量雙方之有責程度，僅責任較輕之一方得向責任較重之他方請求離婚，如雙方之有責程度相同，則雙方均得請求離婚，始符民法第1052條第2項規定之立法本旨。

3. 然112年憲判字第4號理由認為民法第1052條第2項前段規定有難以維持婚姻之重大事由應由配偶一方負責者，排除唯一應負責一方請求裁判離婚之權利。至難以維持婚姻之重大事由，雙方均應負責者，不論其責任之輕重，本不在本條規定之適用範疇，因此雙方均為有責時雙方皆可請求裁判離婚而不受限制，「雙方皆有責」本不在民法第1052條第2項但書之文義範圍內，自不受此但書限制。

(二) 依據上開規定，無論甲乙間之過失比例為七十比三十，五十比五十皆屬「雙方皆有責」之情形，法院皆應准許甲之裁判離婚請求：

1. 本案甲乙所提出之離婚事由合於民法第1052條第2項概括離婚事由之規定：依題意，本案甲乙雙方因個性不合，經常吵架，致感情破裂，乃以雙方無法繼續維持婚姻為由向法院起訴，其所提事由應認合乎民法1052條第2項概括離婚事由之規定。
2. 且甲乙雙方不論過失比例為多少皆為雙方都有過失之「雙方皆有責」之情形，不受民法第1052條第2項但書規定之限制，法院皆應准許甲之裁判離婚請求。

（※應注意：112年憲判字第4號理由中提到：系爭規定之規範內涵，係在民法第1052條第1項規定列舉具體裁判離婚原因外，及第2項前段規定有難以維持婚姻之重大事由為抽象裁判離婚原因之前提下，明定難以維持婚姻之重大事由應由配偶一方負責者，排除唯一應負責一方請求裁判離婚。至難以維持婚姻之重大事由，雙方均應負責者，不論其責任之輕重，本不在系爭規定適用範疇。

因此雙方均為有責時雙方皆可請求裁判離婚而不受限制，「雙方皆有責」本不在民法第1052條第2項但書之文義範圍內，自不受此但書限制。

四三、甲男與乙女於民國90年間結婚，二人婚後育有一子A，並共同收養B女。97年間，甲與丙女發生婚外情並產下C女。甲因擔心乙女知情，並未就C女辦理認領登記，但持續提供C女之生活費。101年7月間之某日，甲因車禍死亡，留有遺產新臺幣300萬元。請問：

(一)何人得繼承甲之遺產？

(二)各繼承人得繼承之遺產數額為何？

破題分析

任意認領之、最高法院23年院字第1125號解釋、民法第1138、1144條。

解題架構

第一小題應先點出通說認為任意認領為不要式行為，從而判斷C女經擬制為婚生子女，屬於本案繼承人；第二小題則從民法第1138條及第1144條規定計算其應繼分及繼承之數額。

答 (一) 本題繼承人為乙ABC，分析如下：

1. 乙的部分：乙為甲之配偶，依民法（下稱：本法）第1138條規定，為合法繼承人。
2. A的部分：A為甲乙婚姻關係存續中所生之子女，為本法第1138條第1款直系血親卑親屬，為合法繼承人。
3. B的部分：B為甲乙共同收養之養女，依本法第1077條第1項規定，養子女與養父母及其親屬間之關係，除法律另有規定外，與婚生子女同，從而B亦為本法第1138條第1款直系血親卑親屬，為合法繼承人。
4. C的部分：依本法第1065條第1項規定，非婚生子女經生父認領者，視為婚生子女，其經生父撫育者，視為認領；亦及非婚生子女經生父撫育視為婚生子女，又所謂撫育，並不限於教養，亦不問生父曾否與生母同居（23年院字第1125號解釋參照）。依題意，甲與丙女發生婚外情並產下C女，雖未辦理認領登記，但持續提供C女之生活費，是以甲有撫育C女之事實，又撫育者為非婚生子女C之生父，應視為認領，而發生父女關係，從而為本法第1138條第1款直系血親卑親屬，為合法繼承人。

(二) 各繼承人各得繼承75萬，分析如下：

1. 繼承人自繼承開始時，除本法另有規定外，承受被繼承人財產上之一切權利、義務；又配偶有相互繼承遺產之權，與第一千一百三十八條所定第一順序之繼承人同為繼承時，其應繼分與他繼承人平均，為本法第1148條第1項、第1144條第1款定有明文。
2. 依題意，繼承人乙為配偶，ABC為直系血親卑親屬，四人之應繼分各為四分之一。又101年7月間之某日，甲因車禍死亡，留有遺產新臺幣300萬元，故乙ABC各繼承75萬。

相關實務見解

44年台上字第1167號判例：非婚生子女經生父認領者，視為婚生子女，其經生父撫育者，視為認領，為民法第一千零六十五條第一項所明定。至撫育費用亦並非不得豫付，倘依據卷附被上訴人之親筆信函，足以認定被上訴人早已有豫付上訴人出生後撫育費用之事，則依上說明，自非不可視為認領。

參考書目：戴炎輝、戴東雄、戴瑀如，親屬法，頁323-324。

四四、試說明下列之親屬，係何親屬及親等？

(一)外祖母相同之表兄弟姊妹間

(二)外祖父母與你（妳）間

(三)伯父與侄子間

(四)兩姊妹之配偶間（連襟）

(五)你（妳）與你（妳）的嫂嫂之父（母）間

破題分析

血親與姻親之親系及親等。

解題架構

血親親等之定義及計算依民法第967、968條規定；姻親親等之定義及計算依民法第969、970條規定。

答 民法上之親屬可分為血親、姻親、配偶。又所謂血親，係指有血統聯絡之人，戶為血親，依民法（下稱：本法）第967條規定，已身所從出或從已身所出者為直系血親；非直系血親而與已身出於同源者為旁系血親。至於所謂姻親，係指因婚姻媒介所發生之親屬關係，依本法第969條規定，有血親之配偶、配偶之血親、配偶之血親之配偶三種。據此，各小題中之親屬關係及親等，分析如下：

(一) 外祖母相同之表兄弟姊妹間：外祖母相同之表兄弟姊妹間，係本法第967條第2項規定，已身出於同源者之旁系血親，又關於血親之親等計算，依本法第968條規定，從已身數至同源之直系血親，再由同源之直系血親，數至與之計算親等之血親，以其總世數為親等之數。故表兄弟姊妹間應為旁系血親四親等。

(二) 外祖父母與你（妳）間：外祖父母與你（妳）間，係本法第967條第1項規定已身所從出或從己身所出者，為直系血親。又直系血親親等之計算，依本法第968條規定，從己身上下數，以一世為一親等。故外祖父母與你（妳）間，為直系血親二親等。

(三) 伯父與侄子間：伯父與侄子間，係本法第967條第2項規定，己身出於同源者之旁系血親，又關於血親之親等計算，依本法第968條規定，從己身數至同源之直系血親，再由同源之直系血親，數至與之計算親等之血親，以其總世數為親等之數。故伯父與侄子間，為旁系血親三親等。

(四) 兩姊妹之配偶間（連襟）：兩姊妹之配偶間，為配偶之血親之配偶，係本法第969條規定，因婚姻媒介而發生親屬關係者，為姻親關係。又姻親親等之計算，依本法第970條規定，配偶之血親之配偶，從其與配偶之親等。故兩姊妹之配偶間，為旁系姻親二親等。

(五) 你（妳）與你（妳）的嫂嫂之父（母）間：你（妳）與你（妳）的嫂嫂之父（母）間，為血親之配偶之血親，依本法第969條規定，因婚姻媒介而發生姻親關係者，僅限於血親之配偶、配偶之血親、配偶之血親之配偶三種，由於我國民法關於血親之範圍，並無一定親等之限制，因此，為避免姻親範圍過大，乃將血親之配偶之血親排除於姻親範圍之外。故你（妳）與你（妳）的嫂嫂之父（母）間無親屬關係。

相關實務見解

28年上字第2400號判例：父所娶之後妻為父之配偶，而非己身所從出之血親，故在舊律雖稱為繼母，而在民法上則為直系姻親而非直系血親。

參考書目：林秀雄，親屬法講第三版，頁31-33。

四五、甲、乙結婚數年，未曾有任何關於夫妻財產制的約定。夫妻倆於102年年初協議離婚。在離婚時，甲有婚前財產房屋一間，目前市價900萬元；婚後財產總值600萬元。乙擁有的財產總值400萬元，而無法證明其中有任何部分為婚前財產，但包括乙不久前因遭受第三人丙侵權，丙給付乙40萬元作為非財產損害的賠償。試問：在甲、乙協議離婚後，誰可向誰請求多少的剩餘財產分配？

破題分析

法定財產制、剩餘財產分配請求權。

解題架構

甲乙適用法定財產制，另請求剩餘財產分配時，關於現存財產之計算，應注意不列入計算標的之範圍。

答 (一) 夫妻未以契約訂立夫妻財產制，除本法另有規定外，以法定財產制為其夫妻財產制；又法定財產制關於夫或妻之財產，分為婚前財產與婚後財產，由夫妻各自所有。於法定財產制關係消滅時，夫或妻現存之婚後債務，扣除婚姻關係存續所負債務後，如有剩餘，其雙方剩餘財產之差額，應平均分配。為民法（下稱：本法）第1005、1017、1030-1條定有明文。

(二) 依題意，甲乙於102年離婚，其中甲有婚前財產房屋一棟，價值900萬。婚後財產總值600萬元。至於乙的部分，乙擁有的財產總值400萬元，而無法證明其中有任何部分為婚前財產，依本法第1017第1項不能證明為婚前或婚後財產者，推定為婚後財產。故400萬的部分推定為婚後財產，乙妻得以反證證明推翻非婚後財產，始不列入現存之婚後財產之計算。

(三) 另乙不久前因遭受第三人丙侵權，丙給付乙40萬元作為非財產損害的賠償。此部分屬於本法第195條規定之慰撫金。依本法第1030-1條第1項第2款規定，不屬於剩餘財產分配計算之標的。

(四) 本案雙方現存之婚後財產各為，甲夫600萬，乙妻360萬（400萬－40萬），雙方剩餘財產之差額為240萬，故乙得向甲請求120萬剩餘財產分配數額。

相關實務見解

釋字第620號解釋：夫妻於上開民法第一千零三十條之一增訂前結婚，並適用聯合財產制，其聯合財產關係因配偶一方死亡而消滅者，如該聯合財產關係消滅之事實，發生於七十四年六月三日增訂民法第一千零三十條之一於同年月五日生效之後時，則適用消滅時有效之增訂民法第一千零三十條之一規定之結果，除因繼承或其他無償取得者外，凡夫妻於婚姻關係存續中取得，而於聯合財產關係消滅時現存之原有財產，並不區分此類財產取得於七十四年六月四日之前或同年月五日之後，均屬剩餘財產差額分配請求權之計算範圍。

參考書目：林秀雄，親屬法講義第三版，頁136-138。

四六、試說明基於如何的信賴要件而重婚，該重婚有效，致使前婚姻消滅？

破題分析

釋字第362及第552號解釋。

解題架構

首先就大法官第362號解釋闡述重婚有效之例外情形；再就大法官第552號解釋，說明對釋字第362號解釋之補充，最後說明民國96年親屬編修正民法第988條，及親屬編施行法第4-1條溯及適用之規定，方屬完整。

答 (一) 重婚有效規定之立法沿革：

1. 司法院大法官第362號解釋：83年8月29日公布之釋字第362號解釋認為，民法第九百八十八條第二款關於重婚無效之規定，乃所以維持一夫一妻婚姻制度之社會秩序，就一般情形而言，與憲法尚無牴觸。惟如前婚姻關係已因確定判決而消滅，第三人本於善意且無過失，信賴該判決而與前婚姻之一方相婚者，雖該判決嗣後又經變更，致後婚姻成為重婚，究與一般重婚之情形有異，依信賴保護原則，該後婚姻之效力，仍應予以維持。
2. 司法院大法官第552號解釋：民法第988條第2款關於重婚無效之規定，未兼顧類此之特殊情況，與憲法保障人民結婚自由權利之意旨未盡相符，應予檢討修正。其所稱類此之特殊情況，並包括協議離婚所導致之重婚在內。惟婚姻涉及身分關係之變更，攸關公共利益，後婚姻之當事人就前婚姻關係消滅之信賴應有較為嚴格之要求，僅重婚相對人之善意且無過失，尚不足以維持後婚姻之效力，須重婚之雙方當事人均為善意且無過失時，後婚姻之效力始能維持，就此本院釋字第362號解釋相關部分，應予補充。
3. 96年5月4日修正增訂民法第988條第3款規定，違反第985條規定，婚姻無效。但重婚之雙方當事人因善意且無過失信賴一方前婚姻消滅之兩願離婚登記或離婚確定判決而結婚者，不在此限。其增訂理由為因應上述二號解釋而修正，且鑒於國家機關之行為而重婚有效乃屬特例，自不宜擴大其範圍，故將本條款重婚有效之情形限縮於信賴兩願離婚登記或離婚確定判決之兩種情形，避免重婚有效之例外情形無限擴大，違反一夫一妻制度。

(二) 重婚有效之信賴要件如下：

1. 依前所述，重婚之雙方當事人因善意且無過失，且信賴一方前婚姻消滅之兩願離婚登記或離婚確定判決。為本條款之適用，涉及法規變更，原則上關於親屬之事件，在民法親屬編修正前發生者，除本施行法有特別規定外，亦不適用修正後之規定（民法親屬編施行法第1條參照），惟關於修正之民法第988條第3款規定，於民法修正前重婚者，仍有適用（民法親屬編施行法第4-1條參照）。

2. 學者認為，依此規定，溯及適用於民法修正前釋字第362號解釋公布之日後之重婚，亦即民法親屬編修正前之重婚，意即民法修正施行前重婚之雙方當事人善意且無過失，信賴一方前婚姻消滅之兩願離婚登記或離婚確定判決而結婚者，始能有效。至於釋字第552號解釋認為，本號解釋公布之日前僅重婚相對人善意且無過失，而重婚人非同屬善意且無過失者，此種重婚在本件解釋後仍為有效之見解已因施行法第4-1第2項之增訂而被否定。

相關實務見解

29年上字第737號判例：上訴人甲與被上訴人間，縱令如原判之所認定確有合法成立之婚約，但僅訂有婚約而未結婚者，不得謂為配偶，上訴人甲既未與被上訴人結婚，則其與上訴人乙結婚，自非違反民法第九百八十五條之規定，原判決竟依被上訴人之請求，將上訴人間之結婚撤銷，於法殊有未合。

參考書目：李玲玲，論婚姻之自由與重婚-試評司法院大法官會議釋字第362號解釋，東吳法律學報，10卷1期，頁13。

四七、子女之稱姓，於婚生子女、非婚生子女與養子女有無不同？甲男、乙女未婚同居，乙生子A，甲於A出生後一年至戶政事務所辦理認領A之登記，於認領登記後，A應由何人對其為權利義務之行使或負擔？

破題分析

子女之稱姓、親權。

解題架構

關於子女之稱姓，民國96年修正時為保護子女之利益有明文化，解題時注意民法第1059條、第1059-1條、第1078條規定，並說明姓氏取得及姓氏變更。

答 (一) 婚生子女之稱姓：

1. 姓氏之取得：

(1) 民國96年修正時，立法者認為，姓氏雖屬姓名權而為人格權之一部分，並具有社會人格之可辨識性，與身分安定及交易安全有關外，因姓氏尚具有家族制度之表徵，故亦涉及國情考量及父母之選擇權，乃將民法（下稱：本法）第1059條第1項修正為，父母於子女出生登記前，應以書面約定子女從父姓或母姓。

(2) 又鑒於無明文規定約定不成或未約定之情形如何處理，99年於同條項為增定後段：未約定或約定不成者，於戶政事務所抽籤決定之。

2. 姓氏之變更：出生登記後，子女之姓氏即告確定，惟嗣後得因父母書面約定（本法第1059條第2項）、子女於成年後自行決定（本法第1059條第3項）、法院裁判（本法第1059條第5項）而變更子女之姓氏。前二項之變更，以一次為限。

(二) 非婚生子女之稱姓：

1. 姓氏之取得：非婚生子女未經生父認領前，與其生父並無父、子女之身分關係，而與其生母之關係，則依本法第1065條第2項之規定，視為婚生子女，因此本法第1059-1條第1項前段規定，非婚生子女從母姓。

2. 姓氏之變更：非婚生子女於出生登記後，經生父認領時，視為婚生子女，則未成年前，得由生父與生母以書面約定變更為父姓（本法第1059-1後段準用第1059條第2項）；子女已成年者，得自行變更為父姓或母姓（本法第1059-1條第1項後段準用第1059條第3項）；亦得由法院裁判變更子女之姓氏為父姓或母姓（本法第1059-1條第2項）。

(三) 養子女之稱姓：

1. 姓氏之取得：夫妻共同收養子女時，於收養登記前，應以書面約定養子女從養父姓、養母姓或維持原來之姓（本法第1078條第2項）。可知養子女被收養後，就應從養父姓、養母姓或維持原來知性，應由養父母以書面約定，養子女無決定權。

2. 姓氏之變更：本法第1078條第3項準用第1059條第2項至第5項規定，亦即養子女經收養登記後，於未成年前，得由養父母以書面約定，變更為養父姓或養母姓；養子女已成年後，得自行決定變更為養父姓或養母姓，但不得變更為原來之姓至於有民法第1059條第5項各款情形之一時，法院亦得依養父母之一方或養子女之請求，為養子女之利益，宣告變更養子女之姓氏為養父姓或養母姓。

(四) 非婚生子女經認領後得行親權之人，分析如下：非婚生子女，未經其生父認領前，以其生母為親權人。經其生父認領後，依本法第1069-1條規定，關於未成年子女權利義務之行使或負擔，準用本法第1055條、第1055-1條及第1055-2條規定。亦即得依父母之協議定生父或母為單獨親權人，亦得依協議由父母共同任親權人，於不能協議或未為協議時，亦得請求法院酌定親權人。

相關實務見解

27年滬上字第117號判例：子女因父為贅夫從母姓時，父之直系血親尊親屬仍不失為己身所從出之血親，父之旁系血親仍不失為與己身出於同源之血親，是該子女與其父之血親間之血親關係，並不因從母姓而受影響。

33年上字第1180號判例

(一)收養關係因收養他人之子女而發生，凡收養他人之子為子女者，雖用義男或寄子之名稱，亦為民法所稱之養子，被上訴人係由某甲夫婦收養為子，業經原判決合法認定，茲上訴人以某甲墓碑上載有義男字樣，甲妻某氏在另案所具呈文，載有過寄此子以來因書藉各費曾耗產業字樣，遂謂被上訴人不過為某甲夫婦之乾兒，而非養子，即難認為正當。

(二)養子從收養者之姓為收養關係成立後之效果，並非收養關係成立之要件，收養關係存續中，養子在實際上冠以本姓，其收養關係在法律上亦非當然因而終止。

參考書目：林秀雄，親屬法講義第三版，頁311-319。

四八、甲乙二人結婚多年，感情不佳，兩人進入離婚訴訟。因為小孩（5歲）患有罕見疾病，因此甲母在未得乙父的同意下，以為小孩求得更佳的醫療為由，擅自將小孩帶出國，是否會影響法院對小孩監護權的判決？乙父應如何主張？

破題分析

子女交還請求權、親權之行使。

解題架構

本題首先涉及夫妻離婚時，關於未成年子女親權之問題，此處須注意103年1月29日已修正第1055-1條；其次親權人之保護教養權受侵害時，應得主張交還子女並請求精神上之損害賠償。

答 (一) 甲乙離婚後，如何定未成年子女之親權人，分析如下：

1. 父母離婚後，關於對未成年子女權利義務之行使、負擔，依照民法（下稱：本法）第1055條第1項規定，依協議由一方或雙方共同任之。未為協議或協議不成者，法院得依夫妻之一方、主管機關、社會福利機構或其他利害關係人之請求或依職權酌定之。
2. 又法院為未成年子女親權之裁定時，依本法第1055-1條規定，應依子女之最佳利益，審酌一切情狀，尤應注意下列事項：(1)子女之年齡、性別、人數及健康情形。(2)子女之意願及人格發展之需要。(3)父母之年齡、職業、品行、健康情形、經濟能力及生活狀況。(4)父母保護教養子女之意願及態度。(5)父母子女間或未成年子女與其他共同生活之人間之感情狀況。(6)父母之一方是否有妨礙他方對未成年子女權利義務行使負擔之行為。(7)各族群之傳統習俗、文化及價值觀。
3. 又關於子女最佳利益之審酌，法院除得參考社工人員之訪視報告或家事調查官之調查報告外，並得依囑託警察機關、稅捐機關、金融機構、學校及其他有關機關、團體或具有相關專業知識之適當人士就特定事項調查之結果認定之。
4. 依題意，甲母在未得乙父的同意下，以為小孩求得更佳的醫療為由，擅自將小孩帶出國，有妨礙他方對未成年子女權利義務行使負擔之行為，法院審酌何人適任該未成年子女之親權人，得為考量因素。

(二) 法院尚未裁定由夫妻之一方單獨行使親權前，原則上仍由甲母乙父共同行使或負擔之，親權人乙父得主張之權利，分析如下：

1. 親權是否包括子女交還請求權，民法未有明文，通說認為他人違法掠奪或抑留子女時，實係侵害親權人之保護教養義務，自應有交還子女之權利。最高法院49年台上字第2250號判例認為，依民法第1084條規定，父母對於未成年之子女有保護及教養之權利義務，所謂保護，係指排除危害以防護其子女身體之安全而言，故第三人奪去或抑留在父母監護下之未成年子女時，有保護權之父母得對之訴請交還。

2. 依題意，甲母擅自將未成年子女帶出國，使親權人乙父之保護教養權受違法侵害，且乙父為交還子女之請求為親權之適當行使，未成年子女非出於自由意思而居住於國外，故甲妨害乙保護教養權之行使，乙應得請求交還未成年子女。

相關實務見解

62年台上字第1398號判例：夫妻之一方，對於未成年子女之監護權，不因離婚而喪失，依民法第一千零五十一條及第一千零五十五條規定，由一方監護者，不過他方之監護權一時的停止而已，任監護之一方死亡時，該未成年之子女當然由他方監護，倘任監護之一方，先他方而死亡，而以遺囑委託第三人行使監護職務者，則與民法第一千零九十三條：「後死之父或母，得以遺囑指定監護人」之規定不合，不生效力。

參考書目：林秀雄，親屬法講義第三版，頁322。

四九、已依法結婚之18歲甲男與17歲乙女，於婚後1年二人即因個性不合要求離婚，然雙方之法定代理人均不同意。甲乙認為未成年人已結婚者有行為能力，乃自行向戶政事務所申請離婚登記，戶政事務所因一時不察竟受理登記。離婚後19歲之甲因認識年長2歲之丙女而與丙再婚，並依法完成結婚登記。試問：甲、丙之結婚是否有效？

破題分析

兩願離婚、重婚之效力。

解題架構

本題之重點在於未成年人未經其法定代理人之同意，於辦理離婚之登記時，戶籍人員未察而受理登記，其兩願離婚之效力如何，有力見解認為離婚無效；又無效離婚後之甲再婚則形成重婚，適用民法第985、988條之規定。

答 甲、丙結婚效力，分析如下：

(一) 未成年人未經其法定代理人之同意，於辦理離婚之登記時，戶籍人員未察而受理登記，其兩願離婚之效力：

1. 有效說：兩願離婚記採登記要件主義，則未得法定代理人同意，戶政機關固應拒絕受理，然一旦誤為受理而為登記，移解為離婚仍發生效力。（日本舊法§809、811）
2. 無效說：
   (1) 最高法院27上字第1064號判例認為，未成年之夫或妻與他方兩願離婚，應得法定代理人同意，民法就違反此規定之兩願離婚，既未設有類於同法第990條之規定，即不能不因其要件之未備而認為無效。
   (2) 民法規定違反民法第981條規定時得撤銷，其主要目的在維持未成年人之有效婚姻，若離婚得類推適用同法第990條之規定時，其離婚為有效，則婚姻關係因此而消滅。又婚姻之撤銷不溯及既往，民法第998條定有明文，惟若將離婚撤之效力類推適用民法第998條不發生溯及既往之效果時，則會產生嚴重之問題。
3. 撤銷說：依總則編第71條，違反強制規定之法律行為非一律無效，故未成年人未得法定代理人同意之兩願離婚，宜準用婚姻撤銷之規定（民法990條），解釋為僅得撤銷而已，準此以解，夫妻本人無撤銷權。僅法定代理人得撤銷之，且須自知悉兩願離婚時起六個月內或自兩願離婚為戶籍登記時起一年內行使之。
4. 小結：民法第1049條但書之立法目的，係在藉法定代理人同意權之行使，以保護未成年人之利益，並維持有效之婚姻關係，若採撤銷說，則離婚未撤銷之前應屬有效，其婚姻關係消滅，如此解釋已違背本條但書之立法意旨，就形式論言，民法既無如同同法第990條設有得撤銷之規定，因此依民法第71條規定，其離婚應屬無效，故甲、乙之婚姻仍有效。

(二) 甲、丙之後婚是否有效，應視夫妻雙方是否同屬善意且無過失，信賴甲前婚姻消滅之兩願離婚登記：
1. 有配偶者，不得重婚，又違反此規定，重婚之後婚姻依民法第988條第3款無效，但重婚之雙方當事人因善意且無過失信賴一方前婚姻消滅之兩願離婚登記或離婚確定判決而結婚者，究與一般之重婚情形有異，依信賴保護原則，該後婚姻之效力仍應與以維持，從而民法第988條第3款但書承認後婚姻之效力。
2. 題示，甲乙要求離婚，然未得雙方之法定代理人同意，其兩願離婚之效力如前述，係屬無效，婚姻關係仍有效存在，甲嗣後又與丙結婚，形成重婚，後婚姻之效力如何，應視甲、丙是否同屬善意且無過失，信賴甲前婚姻消滅之兩願離婚登記，若屬肯定，則依民法第988-1條第1項規定，前婚姻自後婚姻成立之日起視為消滅，後婚姻確定有效成立。反之，如甲、丙一方或雙方非善意且無過失信賴兩願離婚登記，則後婚姻之效力不適用依民法第988條第3款但書規定，而回歸適用該條款規定，係屬重婚而無效。

相關實務見解

最高法院民事判例29年上字第1606號：兩願離婚，固為不許代理之法律行為，惟夫或妻自行決定離婚之意思，而以他人為其意思之表示機關，則與以他人為代理人使之決定法律行為之效果意思者不同，自非法所不許。本件據原審認定之事實，上訴人提議與被上訴人離婚，託由某甲徵得被上訴人之同意，被上訴人於訂立離婚書面時未親自到場，惟事前已將自己名章交與某甲，使其在離婚文約上蓋章，如果此項認定係屬合法，且某甲已將被上訴人名章蓋於離婚文約，則被上訴人不過以某甲為其意思之表示機關，並非以之為代理人，使之決定離婚之意思，上訴理由就此指摘原判決為違法，顯非正當。

參考書目：林秀雄，親屬法講義，頁171-173。

五十、甲夫乙妻收養丙夫丁妻之子A，A於10歲時，甲、乙因車禍同時死亡，此時應由何人擔任A之法定代理人？若A之法定代理人及其親屬均無力照顧A，A應如何主張其權利？

破題分析

監護人、死後終止收養。

解題架構

第一小題因父母均死亡無法行使親權，有設監護人之必要，應依民法第1091條規定定其監護人；第二小題，A得依民法第1080-1條第1項終止收養關係，回復與本生父母間之權利義務關係，請求本生父母扶養。

答 (一) 父母死亡而無遺囑指定監護人，應置法定監護人為未成年子女之法定代理人：

1. 未成年人無父母，或父母均不能行使、負擔對於其未成年子女之權利、義務時，應置監護人；又最後行使、負擔對於未成年子女之權利、義務之父或母，得以遺囑指定監護人；又父母均不能行使、負擔對於未成年子女之權利義務或父母死亡而無遺囑指定監護人，依下列順序定其監護人：

(1) 與未成年人同居之祖父母。

(2) 與未成年人同居之兄姊。

(3) 不與未成年人同居之祖父母，為民法（下稱：本法）第1091條、第1093條、第1094條第1項定有明文。

2. 依題意，甲夫乙妻收養A，A於10歲時，甲、乙因車禍同時死亡，從而致A無行使親權之人，又甲、乙同時死亡，未以遺囑指定監護人，一本法第1094條第1項之規定，第一順位之法定監護人為與未成年人同居之祖父母，第二順位之法定監護人為與未成年人同居之兄姊，第三順位之法定監護人為不與未成年人同居之祖父母。

(二) A得終止收養關係，回復與本生父母間之權利義務關係，請求本生父母扶養：

1. 養父母死亡後，養子女得聲請法院許可終止收養；又養子女為滿七歲以上之未成年人者，其終止收養之聲請，應得收養終止後為其法定代理人之人之同意；又養子女及收養效力所及之直系血親卑親屬，自收養關係終止時起，回復其本姓，並回復其與本生父母及其親屬間之權利義務，為本法第1080-1第1項及第3項、第1083條定有明文。

2. 今A之養父母均死亡，養子女A得聲請法院許可終止收養關係，回復與生父母及其親屬間之權利義務，又依本法第1084條第2項，父母對於未成年之子女，有保護及教養之權利義務，且依本法第1115條第2款之系血親尊親屬為扶養義務人，A得請求本生父母丙、丁支付扶養費。惟死後終止收養關係，應得收養終止後為其法定代理人之人之同意，即A須本生父母丙、丁之同意。

相關實務見解

最高法院民事判例33年上字第5318號：上訴人係甲之子，而其法定代理人則係甲之妻，上訴人及其法定代理人，與乙所有祖母與孫及姑與媳之關係，係因甲為乙之養子而發生，甲與乙之養母養子關係既經判決終止，則上訴人及其法定代理人與乙之親屬關係，亦自然隨之消滅。

參考書目：林秀雄，親屬法講義，頁303-304、308-309。

【相關法規】

壹、民法親屬編及施行法重要條文必讀精選

民法親屬編重要條文

第976條　婚約當事人之一方，有下列情形之一者，他方得解除婚約：

一、婚約訂定後，再與他人訂定婚約或結婚。
二、故違結婚期約。
三、生死不明已滿一年。
四、有重大不治之病。
五、婚約訂定後與他人合意性交。
六、婚約訂定後受徒刑之宣告。
七、有其他重大事由。

依前項規定解除婚約者，如事實上不能向他方為解除之意思表示時，無須為意思表示，自得為解除時起，不受婚約之拘束。

第982條　結婚應以**書面**為之，有**二人以上證人**之簽名，並應由雙方當事人向戶政機關為結婚之**登記**。

第988條　結婚有下列情形之一者，無效：

一、不具備第982條之方式。
二、違反第983條規定。
三、違反第985條規定。但重婚之雙方當事人因**善意且無過失**信賴一方前婚姻消滅之**兩願離婚登記或離婚確定判決**而結婚者，不在此限。

第988-1條　前條第3款但書之情形，前婚姻自**後婚姻成立之日**起視為消滅。

前婚姻視為消滅之效力，除法律另有規定外，準用離婚之效力。但剩餘財產已為分配或協議者，仍依原分配或協議定之，不得另行主張。

依第1項規定前婚姻視為消滅者，其剩餘財產差額之分配請求權，自請求權人知有剩餘財產之差額時起，**二年**間不行使而消滅。自撤銷兩願離婚登記或廢棄離婚判決確定時起，逾**五年者**，亦同。

前婚姻依第1項規定視為消滅者，無過失之前婚配偶得向他方請求賠償。

前項情形，雖非財產上之損害，前婚配偶亦得請求賠償相當之金額。

前項請求權，不得讓與或繼承。但已依契約承諾或已起訴者，不在此限。

第1009條 （刪除）

原條文 夫妻之一方受破產宣告時，其夫妻財產制，當然成為分別財產制。

第1011條 （刪除）

原條文 債權人對於夫妻一方之財產已為扣押，而未得受清償時，法院因債權人之聲請，得宣告改用分別財產制。

第1030-1條 法定財產制關係消滅時，夫或妻現**存之婚後財產**，**扣除**婚姻關係存續所負**債務**後，如有剩餘，其雙方**剩餘財產之差額**，應平均分配。但下列財產不在此限：

一、因**繼承**或其他**無償取得**之財產。

二、**慰撫金**。

夫妻之一方對於婚姻生活無貢獻或協力，或有其他情事，致平均分配有失公平者，法院得調整或免除其分配額。

法院為前項裁判時，**應綜合衡酌**夫妻婚姻存續期間之家事勞動、子女照顧養育、對家庭付出之整體協力狀況、共同生活及分居時間之久暫、婚後財產取得時間、雙方之經濟能力等因素。

第一項請求權，不得讓與或繼承。但已依契約承諾，或已起訴者，不在此限。

第一項剩餘財產差額之分配請求權，自請求權人知有剩餘財產之差額時起，**二年**間不行使而消滅。自法定財產制關係消滅時起，逾**五年**者，亦同。

第1052條 夫妻之一方，有下列情形之一者，他方得向法院請求離婚：

一、重婚。

二、與配偶以外之人合意性交。

三、夫妻之一方對他方為不堪同居之虐待。

四、夫妻之一方對他方之直系親屬為虐待，或夫妻一方之直系親屬對他方為虐待，致不堪為共同生活。

五、夫妻之一方以惡意遺棄他方在繼續狀態中。

六、夫妻之一方意圖殺害他方。

七、有不治之惡疾。

八、有重大不治之精神病。

九、生死不明已逾三年。

十、因故意犯罪，經判處有期徒刑逾六個月確定。

有前項以外之**重大事由**，**難以維持婚姻**者，夫妻之一方得請求離婚。但其事由應由夫妻之一方負責者，僅他方得請求離婚。

第1052-1條 離婚經法院調解或法院**和解**成立者，婚姻關係**消滅**。法院應依職權通知該管戶政機關。

第1055-1條 法院為前條裁判時，應依**子女之最佳利益**，審酌一切情狀，尤應注意下列事項：

一、子女之年齡、性別、人數及健康情形。
二、子女之意願及人格發展之需要。
三、父母之年齡、職業、品行、健康情形、經濟能力及生活狀況。
四、父母保護教養子女之意願及態度。
五、父母子女間或未成年子女與其他共同生活之人間之感情狀況。
六、父母之一方是否有妨礙他方對未成年子女權利義務行使負擔之行為。
七、各族群之傳統習俗、文化及價值觀。

前項子女最佳利益之審酌，法院除得參考社工人員之訪視報告或家事調查官之調查報告外，並得依囑託警察機關、稅捐機關、金融機構、學校及其他有關機關、團體或具有相關專業知識之適當人士就特定事項調查之結果認定之。

第1059條 父母於子女出生登記前，應以**書面**約定子女從父姓或母姓。未約定或約定不成者，於戶政事務所抽籤決定之。

子女經出生登記後，於未成年前，得由父母以書面約定變更為父姓或母姓。

子女**已成年**者，得變更為父姓或母姓。

前二項之變更，各以**一次**為限。

有下列各款情形之一，法院得依父母之一方或子女之請求，為子女之利益，宣告變更子女之姓氏為父姓或母姓：

一、父母離婚者。
二、父母之一方或雙方死亡者。
三、父母之一方或雙方生死不明滿三年者。
四、父母之一方顯有未盡保護或教養義務之情事者。

第1059-1條 非婚生子女從母姓。經生父認領者，適用前條第2項至第4項之規定。

非婚生子女經生父認領，而有下列各款情形之一，法院得依父母之一方或子女之請求，為子女之利益，宣告變更子女之姓氏為父姓或母姓：

一、父母之一方或雙方死亡者。
二、父母之一方或雙方生死不明滿三年者。
三、子女之姓氏與任權利義務行使或負擔之父或母不一致者。
四、父母之一方顯有未盡保護或教養義務之情事者。

第1062條 從子女出生日回溯第**181日起至第302日**止，為受胎期間。

能證明受胎回溯在前項第181日以內或第302日以前者，以其期間為受胎期間。

第1063條 妻之受胎，係在婚姻關係存續中者，**推定**其所生子女為婚生子女。

前項推定，夫妻之一方或子女能證明子女非為婚生子女者，得提起**否認之訴**。

前項否認之訴，夫妻之一方自知悉該子女非為婚生子女，或子女自知悉其非為婚生子女之時起**二年內**為之。但子女於未成年時知悉者，仍得於成年後**二年內**為之。

第1067條 有事實足認其為非婚生子女之生父者，非婚生子女或其生母或其他法定代理人，得向生父提起認領之訴。

前項認領之訴，於生父死亡後，得向生父之繼承人為之。生父無繼承人者，得向社會福利主管機關為之。

第1068條 （刪除）

第1070條 生父認領非婚生子女後，不得撤銷其認領。但有事實足認其非生父者，不在此限。

第1073條 收養者之年齡，應長於被收養者**二十歲**以上。但夫妻共同收養時，夫妻之一方長於被收養者二十歲以上，而他方僅長於被收養者**十六歲**以上，亦得收養。

夫妻之一方收養**他方之子女**時，應長於被收養者十六歲以上。

第1073-1條 下列親屬不得收養為養子女：

一、直系血親。

二、直系姻親。但夫妻之一方，收養他方之子女者，不在此限。

三、旁系血親在**六親等以內**及旁系姻親在**五親等以內**，輩分不相當者。

第1074條 夫妻收養子女時，應共同為之。但有下列各款情形之一者，得單獨收養：

一、夫妻之一方收養他方之子女。

二、夫妻之一方不能為意思表示或生死不明已逾三年。

第1075條 除夫妻共同收養外，一人不得同時為二人之養子女。

第1076條 夫妻之一方被收養時，應得他方之同意。但他方不能為意思表示或生死不明已逾三年者，不在此限。

第1076-1條 子女被收養時，應得其父母之同意。但有下列各款情形之一者，不在此限：

一、父母之一方或雙方對子女未盡保護教養義務或有其他顯然不利子女之情事而拒絕同意。

二、父母之一方或雙方事實上不能為意思表示。

前項同意應作成**書面並經公證**。但已向法院聲請收養認可者，得以言詞向法院表示並記明筆錄代之。

第1項之同意，不得附條件或期限。

第1076-2條 被收養者**未滿七歲**時，應由其**法定代理人**代為並**代受**意思表示。

滿七歲以上之未成年人被收養時，應得其法定代理人之**同意**。

被收養者之父母已依前2項規定以法定代理人之身分代為並代受意思表示或為同意時，得免依前條規定為同意。

第1077條 養子女與養父母及其親屬間之關係，除法律另有規定外，與婚生子女同。

養子女與本生父母及其親屬間之權利義務，於收養關係存續中停止之。但夫妻之一方收養他方之子女時，他方與其子女之權利義務，不因收養而受影響。

收養者收養子女後，與養子女之本生父或母結婚時，養子女回復與本生父或母及其親屬間之權利義務。但第三人已取得之權利，不受影響。

養子女於收養認可時**已有直系血親卑親屬者**，收養之效力**僅及於其未成年之直系血親卑親屬**。但收養認可前，其已成年之直系血親卑親屬表示同意者，不在此限。

前項同意，準用第1076-1條第2項及第3項之規定。

第1078條 養子女從收養者之姓或維持原來之姓。

夫妻共同收養子女時，於收養登記前，應以書面約定養子女從養父姓、養母姓或維持原來之姓。

第1059條第2項至第5項之規定，於收養之情形準用之。

第1079條 收養應以**書面為**之，並向**法院聲請認可**。

收養有無效、得撤銷之原因或違反其他法律規定者，法院應不予認可。

第1079-1條 法院為未成年人被收養之認可時，應依養子女最佳利益為之。

第1079-2條 被收養者為成年人而有下列各款情形之一者，法院應不予收養之認可：

一、意圖以收養免除法定義務。

二、依其情形，足認收養於其本生父母不利。

三、有其他重大事由，足認違反收養目的。

第1079-3條 收養自法院認可裁定確定時，**溯及**於**收養契約成立**時發生效力。但第三人已取得之權利，不受影響。

第1079-4條 收養子女，違反第1073條、第1073-1條、第1075條、第1076-1條、第1076-2條第1項或第1079條第1項之規定者，無效。

第1079-5條 收養子女，違反第1074條之規定者，收養者之配偶得請求法院撤銷之。但自**知悉其事實之日**起，**已逾六個月**，或自法院**認可之日**起已**逾一年**者，不得請求撤銷。

收養子女，違反第1076條或第1076-2條第2項之規定者，被收養者之配偶或法定代理人得請求法院撤銷之。但自知悉其事實之日起，**已逾六個月**，或自法院認可之日起已**逾一年者**，不得請求撤銷。

依前2項之規定，經法院判決撤銷收養者，準用第1082條及第1083條之規定。

第1080條 養父母與養子女之關係，得由雙方**合意終止**之。

前項終止，應以**書面**為之。養子女為未成年人者，並應向法院聲請認可。

法院依前項規定為認可時，應依養子女最佳利益為之。

養子女為未成年人者，終止收養自**法院認可裁定確定時**發生效力。

養子女未滿七歲者，其終止收養關係之意思表示，由收養終止後為其法定代理人之人為之。

養子女為滿七歲以上之未成年人者，其終止收養關係，應得收養終止後為其法定代理人之人之同意。

夫妻共同收養子女者，其合意終止收養應共同為之。但有下列情形之一者，得單獨終止：

一、夫妻之一方不能為意思表示或生死不明已逾三年。

二、夫妻之一方於收養後死亡。

三、夫妻離婚。

夫妻之一方依前項但書規定單獨終止收養者，其效力不及於他方。

第1080-1條 養父母死亡後，養子女得聲請法院許可終止收養。

養子女**未滿七歲**者，由**收養終止後為其法定代理人**之人向法院聲請許可。

養子女為**滿七歲**以上之未成年人者，其終止收養之聲請，應得**收養終止後為其法定代理人之人**之同意。

法院認終止收養顯失公平者，得不許可之。

第1080-2條 終止收養，違反第1080條第2項、第5項或第1080-1條第2項規定者，無效。

第1080-3條 終止收養，**違反第1080條第7項**之規定者，終止收養者之配偶得請求法院撤銷之。但自知悉其事實之日起，已逾**六個月**，或自法院認可之日起已**逾一年**者，不得請求撤銷。

終止收養，**違反第1080條第6項或第1080-1條第3項**之規定者，終止收養後被收養者之法定代理人得請求法院撤銷之。但自知悉其事實之日起，已逾**六個月**，或自法院許可之日起已**逾一年**者，不得請求撤銷。

第1081條 養父母、養子女之一方，有下列各款情形之一者，法院得依他方、主管機關或利害關係人之請求，宣告終止其收養關係：

一、對於他方為虐待或重大侮辱。

二、遺棄他方。

三、因故意犯罪，受**二年有期徒刑**以上之刑之裁判確定而未受緩刑宣告。

四、有其他重大事由難以維持收養關係。

養子女為未成年人者，法院宣告終止收養關係時，應依養子女最佳利益為之。

第1082條 因收養關係終止而**生活陷於困難者**，得請求他方給與相當之金額。但其請求顯失公平者，得減輕或免除之。

第1083條 養子女及收養效力所及之直系血親卑親屬，自收養關係終止時起，回復其本姓，並回復其與本生父母及其親屬間之權利義務。但第三人已取得之權利，不受影響。

第1083-1條 法院依第1059條第5項、第1059-1條第2項、第1078條第3項、第1079-1條、第1080條第3項或第1081條第2項規定為裁判時，準用第1055-1條之規定。

第1086條 父母為其未成年子女之法定代理人。

父母之行為與未成年子女之利益相反，依法不得代理時，法院得依父母、未成年子女、主管機關、社會福利機構或其他利害關係人之聲請或依職權，為子女選任**特別代理人**。

第1089-1條 父母不繼續共同生活達**六個月以上**時，關於未成年子女權利義務之行使或負擔，準用第1055條、第1055-1條及第1055-2條之規定。但父母有不能同居之正當理由或法律另有規定者，不在此限。

第1090條 父母之一方濫用其對於子女之權利時，法院得依他方、未成年子女、主管機關、社會福利機構或其他利害關係人之請求或依職權，為子女之利益，宣告停止其權利之全部或一部。

第1092條 父母對其未成年之子女，得因特定事項，於一定期限內，以書面委託他人行使監護之職務。

第1093條 最後行使、負擔對於未成年子女之權利、義務之父或母，得以遺囑指定監護人。

前項遺囑指定之監護人，應於知悉其為監護人後十五日內，將姓名、住所報告法院；其遺囑未指定會同開具財產清冊之人者，並應申請當地直轄市、縣（市）政府指派人員會同開具財產清冊。

於前項期限內，監護人未向法院報告者，視為拒絕就職。

第1094條 父母**均不能行使、負擔**對於未成年子女之權利義務或父母死亡而**無遺囑指定監護人**，或遺囑指定之監護人**拒絕就職**時，依下列順序定其監護人：

一、與**未成年人同居之祖父母**。
二、與**未成年人同居之兄姊**。
三、**不與未成年人同居之祖父母**。

前項監護人，應於知悉其為監護人後十五日內，將姓名、住所報告法院，並應申請當地直轄市、縣（市）政府指派人員會同開具財產清冊。

未能依第1項之順序定其監護人時，法院得依未成年子女、四親等內之親屬、檢察官、主管機關或其他利害關係人之聲請，為未成年子女之最佳利益，就其**三親等旁系血親尊**親屬、主管機關、社會福利機構或其他適當之人選定為監護人，並得指定監護之方法。

法院依前項選定監護人或依第1106條及第1106-1條另行選定或改定監護人時，應同時指定會同開具財產清冊之人。

未成年人無第1項之監護人，於法院依第3項為其選定確定前，由當地社會福利主管機關為其監護人。

第1094-1條 法院選定或改定監護人時，應依受監護人之最佳利益，審酌一切情狀，尤應注意下列事項：

一、受監護人之年齡、性別、意願、健康情形及人格發展需要。
二、監護人之年齡、職業、品行、意願、態度、健康情形、經濟能力、生活狀況及有無犯罪前科紀錄。
三、監護人與受監護人間或受監護人與其他共同生活之人間之情感及利害關係。
四、法人為監護人時，其事業之種類與內容，法人及其代表人與受監護人之利害關係。

第1095條 監護人有正當理由，經法院許可者，得辭任其職務。

第1096條 有下列情形之一者，不得為監護人：

一、未成年。
二、受監護或輔助宣告尚未撤銷。
三、受破產宣告尚未復權。
四、失蹤。

第1097條 除另有規定外，監護人於保護、增進受監護人利益之範圍內，行使、負擔父母對於未成年子女之權利、義務。但由父母**暫時委託**者，以所委託之職務為限。

監護人有數人，對於受監護人重大事項權利之行使意思不一致時，得聲請法院依受監護人之最佳利益，酌定由其中一監護人行使之。

法院為前項裁判前，應聽取受監護人、主管機關或社會福利機構之意見。

第1098條 監護人於**監護權限內**，為受監護人之**法定代理人**。

監護人之行為與受監護人之利益相反或依法不得代理時，法院得因監護人、受監護人、主管機關、社會福利機構或其他利害關係人之聲請或依職權，為受監護人選任**特別代理人**。

第1099條　監護開始時，監護人對於受監護人之財產，應依規定會同遺囑指定、當地直轄市、縣（市）政府指派或法院指定之人，於二個月內開具財產清冊，並陳報法院。

前項期間，法院得依監護人之聲請，於必要時延長之。

第1099-1條　於前條之財產清冊開具完成並陳報法院前，監護人對於受監護人之財產，僅得為**管理上必要之行為**。

第1100條　監護人應以**善良管理人之注意**，執行監護職務。

第1101條　監護人對於受監護人之財產，非為受監護人之利益，不得使用、代為或同意處分。

監護人為下列行為，非經法院許可，不生效力：

一、代理受監護人**購置或處分不動產**。

二、代理受監護人，就供其居住之建築物或其基地**出租**、供他人使用或**終止租賃**。

監護人**不得以**受監護人之財產為**投資**。但購買公債、國庫券、中央銀行儲蓄券、金融債券、可轉讓定期存單、金融機構承兌匯票或保證商業本票，不在此限。

第1103條　受監護人之財產，由監護人管理。執行監護職務之必要費用，由受監護人之財產負擔。

法院於必要時，得命監護人提出監護事務之報告、財產清冊或結算書，檢查監護事務或受監護人之財產狀況。

第1103-1條　（刪除）

第1104條　監護人得請求報酬，其數額由法院按其勞力及受監護人之資力酌定之。

第1105條　（刪除）

第1106條　監護人有下列情形之一，且受監護人無第1094條第1項之監護人者，法院得依受監護人、第1094條第3項聲請權人之聲請或依職權，另行選定適當之監護人：

一、死亡。

二、經法院許可辭任。

三、有第1096條各款情形之一。

法院另行選定監護人確定前，由當地社會福利主管機關為其監護人。

第1106-1條　有事實足認監護人不符受監護人之最佳利益，或有顯不適任之情事者，法院得依前條第1項聲請權人之聲請，改定適當之監護人，不受第1094條第1項規定之限制。

法院於改定監護人確定前，得先行宣告停止原監護人之監護權，並由當地社會福利主管機關為其監護人。

第1107條　監護人變更時，原監護人應即將受監護人之財產移交於新監護人。

受監護之原因消滅時，原監護人應即將受監護人之財產交還於受監護人；如受監護人死亡時，交還於其繼承人。

前2項情形，原監護人應於監護關係終止時起二個月內，為受監護人財產之結算，作成結算書，送交新監護人、受監護人或其繼承人。

新監護人、受監護人或其繼承人對於前項結算書未為承認前，原監護人不得免其責任。

第1108條 監護人死亡時，前條移交及結算，由其繼承人為之；其無繼承人或繼承人有無不明者，由新監護人逕行辦理結算，連同依第1099條規定開具之財產清冊陳報法院。

第1109條 監護人於執行監護職務時，**因故意或過失**，致生損害於受監護人者，應負賠償之責。

前項賠償請求權，自監護關係消滅之日起，**五年間**不行使而消滅；如有新監護人者，其期間自新監護人就職之日起算。

第1109-1條 法院於選定監護人、許可監護人辭任及另行選定或改定監護人時，應依職權囑託該管戶政機關登記。

第1109-2條 未成年人依第14條受監護之宣告者，適用本章第二節成年人監護之規定。

第1110條 受監護宣告之人應置監護人。

第1111條 法院為監護之宣告時，應依職權就**配偶**、**四親等內之親屬**、**最近一年有同居事實之其他親屬**、**主管機關**、**社會福利機構或其他適當之人選定**一人或數人為監護人，並同時指定會同開具財產清冊之人。

法院為前項選定及指定前，得命主管機關或社會福利機構進行訪視，提出調查報告及建議。監護之聲請人或利害關係人亦得提出相關資料或證據，供法院斟酌。

第1111-1條 法院選定監護人時，應依**受監護宣告之人之最佳利益**，優先考量受監護宣告之人之意見，審酌一切情狀，並注意下列事項：

一、受監護宣告之人之身心狀態與生活及財產狀況。

二、受監護宣告之人與其配偶、子女或其他共同生活之人間之情感狀況。

三、監護人之職業、經歷、意見及其與受監護宣告之人之利害關係。

四、法人為監護人時，其事業之種類與內容，法人及其代表人與受監護宣告之人之利害關係。

第1111-2條 照護受監護宣告之人之法人或機構及其代表人、負責人，或與該法人或機構有僱傭、委任或其他類似關係之人，不得為該受監護宣告之人之監護人。但為該受監護宣告之人之配偶、四親等內之血親或二親等內之姻親者，不在此限。

第1112條　監護人於執行有關受監護人之生活、護養療治及財產管理之職務時，應尊重受監護人之意思，並考量其身心狀態與生活狀況。

第1112-1條　法院選定數人為監護人時，得依職權指定其共同或分別執行職務之範圍。

法院得因監護人、受監護人、第14條第1項聲請權人之聲請，撤銷或變更前項之指定。

第1112-2條　法院為監護之宣告、撤銷監護之宣告、選定監護人、許可監護人辭任及另行選定或改定監護人時，應依職權囑託該管戶政機關登記。

第1113條　成年人之監護，除本節有規定者外，準用關於未成年人監護之規定。

第1113-1條　受輔助宣告之人，應置輔助人。

輔助人及有關輔助之職務，準用第1095條、第1096條、第1098條第2項、第1100條、第1102條、第1103條第2項、第1104條、第1106條、第1106-1條、第1109條、第1110條至第1111-2條、第1112-1條及第1112-2條之規定。

第1113-2條　稱意定監護者，謂本人與受任人約定，於本人受監護宣告時，受任人允為擔任監護人之契約。

前項受任人得為一人或數人；其為數人者，除約定為分別執行職務外，應共同執行職務。

第1113-3條　意定監護契約之訂立或變更，應由公證人作成公證書始為成立。公證人作成公證書後七日內，以書面通知本人住所地之法院。

前項公證，應有本人及受任人在場，向公證人表明其合意，始得為之。

意定監護契約於本人受監護宣告時，發生效力。

第1113-4條　法院為監護之宣告時，受監護宣告之人已訂有意定監護契約者，應以意定監護契約所定之受任人為監護人，同時指定會同開具財產清冊之人。其意定監護契約已載明會同開具財產清冊之人者，法院應依契約所定者指定之，但意定監護契約未載明會同開具財產清冊之人或所載明之人顯不利本人利益者，法院得依職權指定之。

法院為前項監護之宣告時，有事實足認意定監護受任人不利於本人或有顯不適任之情事者，法院得依職權就第1111條第1項所列之人選定為監護人。

第1113-5條 法院為監護之宣告前，意定監護契約之本人或受任人得隨時撤回之。

意定監護契約之撤回，應以書面先向他方為之，並由公證人作成公證書後，始生撤回之效力。公證人作成公證書後七日內，以書面通知本人住所地之法院。契約經一部撤回者，視為全部撤回。

法院為監護之宣告後，本人有正當理由者，得聲請法院許可終止意定監護契約。受任人有正當理由者，得聲請法院許可辭任其職務。

法院依前項許可終止意定監護契約時，應依職權就第1111條第1項所列之人選定為監護人。

第1113-6條 法院為監護之宣告後，監護人共同執行職務時，監護人全體有第1106條第1項或第1106-1條第1項之情形者，法院得依第14條第1項所定聲請權人之聲請或依職權，就第1111條第1項所列之人另行選定或改定為監護人。

法院為監護之宣告後，意定監護契約約定監護人數人分別執行職務時，執行同一職務之監護人全體有第1106條第1項或第1106-1條第1項之情形者，法院得依前項規定另行選定或改定全體監護人。但執行其他職務之監護人無不適任之情形者，法院應優先選定或改定其為監護人。

法院為監護之宣告後，前二項所定執行職務之監護人中之一人或數人有第1106條第1項之情形者，由其他監護人執行職務。

法院為監護之宣告後，第1項及第2項所定執行職務之監護人中之一人或數人有第1106-1條第1項之情形者，法院得依第14條第1項所定聲請權人之聲請或依職權解任之，由其他監護人執行職務。

第1113-7條 意定監護契約已約定報酬或約定不給付報酬者，從其約定；未約定者，監護人得請求法院按其勞力及受監護人之資力酌定之。

第1113-8條 前後意定監護契約有相牴觸者，視為本人撤回前意定監護契約。

第1113-9條 意定監護契約約定受任人執行監護職務不受第 1101 條第 2 項、第 3 項規定限制者，從其約定。

第1113-10條 意定監護，除本節有規定者外，準用關於成年人監護之規定。

第1118-1條 受扶養權利者有下列情形之一，由負扶養義務者負擔扶養義務**顯失公平**，負扶養義務者得請求法院**減輕**其扶養義務：

一、對負扶養義務者、其配偶或直系血親故意為虐待、重大侮辱或其他身體、精神上之不法侵害行為。

二、對負扶養義務者無正當理由未盡扶養義務。

受扶養權利者對負扶養義務者有前項各款行為之一，且**情節重大**者，法院得**免除**其扶養義務。

前二項規定，受扶養權利者為**負扶養義務者之未成年直系血親卑親屬**者，不適用之。

第1120條 扶養之方法，由當事人協議定之；不能協議時，由親屬會議定之。但扶養費之給付，當事人不能協議時，由法院定之。

第1132條 依法應經親屬會議處理之事項，而有下列情形之一者，得由有召集權人或利害關係人聲請法院處理之：

一、無前條規定之親屬或親屬不足法定人數。

二、親屬會議不能或難以召開。

三、親屬會議經召開而不為或不能決議。

民法親屬編施行法

第1條 關於親屬之事件，在民法親屬編**施行前**發生者，除本施行法有特別規定外，**不適用民法親屬編之**規定；其在**修正前**發生者，除本施行法有特別規定外，亦**不適用修正後之**規定。

第2條 民法親屬編施行前，依民法親屬編之規定消滅時效業已完成，或其**時效期間尚有殘餘不足一年者**，得於施行之日起**一年內**行使請求權。但自其時效完成後，至民法親屬編施行時，已逾民法親屬編所定時效期間**二分之一**者，不在此限。

前項規定，於依民法親屬編修正後規定之消滅時效業已完成，或其時效期間尚有殘餘不足一年者，準用之。

第3條 前條之規定，於民法親屬編修正前或修正後所定無時效性質之法定期間準用之。但其法定期間不滿一年者，如在施行時或修正時尚未屆滿，其期間自施行或修正之日起算。

第4條 民法親屬編關於婚約之規定，除第973條外，於民法親屬編施行前所訂之婚約亦適用之。

修正之民法第977條第2項及第3項之規定，於民法親屬編修正前所訂之婚約並適用之。

第4-1條 中華民國九十六年五月四日修正之民法第982條之規定，自**公布後一年**施行。

修正之**民法第988之規定**，於**民法修正前重婚者**，仍有適用。

第4-2條 中華民國一百零九年十二月二十五日修正之民法第973條、第980條、第981條、第990條、第

1049條、第1077條、第1091條、第1127條及第1128條，自一百十二年一月一日施行。

中華民國一百零九年十二月二十五日修正之民法第990條、第1077條、第1091條、第1127條及第1128條施行前結婚，修正施行後未滿十八歲者，於滿十八歲前仍適用修正施行前之規定。

第5條 民法第987條所規定之再婚期間，雖其婚姻關係在民法親屬編施行前消滅者，亦自婚姻關係消滅時起算。

第6條 民法親屬編施行前已結婚者，除得適用民法第1004條之規定外，並得以民法親屬編所定之法定財產制為其約定財產制。

修正之民法第1010條之規定，於民法親屬編施行後修正前已結婚者，亦適用之。其第5款所定之期間，在修正前已屆滿者，其期間為屆滿，未屆滿者，以修正前已經過之期間與修正後之期間合併計算。

第6-1條 中華民國**七十四年六月四日以前**結婚，並**適用聯合財產制**之夫妻，於婚姻關係存續中以妻之名義在同日以前取得不動產，而有下列情形之一者，於本施行法中華民國**八十五年九月六日修正生效一年**後，適用中華民國七十四年民法親屬編修正後之第1017條規定：

一、婚姻關係尚存續中且該不動產仍以妻之名義登記者。

二、夫妻已離婚而該不動產仍以妻之名義登記者。

第6-2條 中華民國**九十一年民法親屬編修正前適用聯合財產制**之夫妻，其特有財產或結婚時之**原有財產**，於修正施行後視為夫或妻之**婚前財產**；婚姻關係存續中取得之**原有財產**，於修正施行後視為夫或妻之**婚後財產**。

第6-3條 本法中華民國一〇一年十二月七日修正施行前，經債權人向法院聲請宣告債務人改用分別財產制或已代位債務人起訴請求分配剩餘財產而尚未確定之事件，適用修正後之規定。

第7條 民法親屬編施行前所發生之事實，而依民法親屬編之規定得為離婚之原因者，得請求離婚。但已逾民法第1053條或第1054條所定之期間者，不在此限。

第8條 民法親屬編關於婚生子女之推定及否認，於施行前受胎之子女亦適用之。

民法親屬編修正前結婚，並有修正之民法第1059條第1項但書之約定而從母姓者，得於修正後一年內，聲請改姓母姓。但子女已成年或已結婚者，不在此限。

修正之民法第1063條第2項之規定，於民法親屬編修正前受胎或出生之子女亦適用之。

第8-1條 夫妻已逾中華民國九十六年五月四日修正前之民法第1063條第2項規定所定期間，而不得提起否認之訴者，得於**修正施行後二年內**提起之。

第9條 民法親屬編施行前所立之嗣子女，與其所後父母之關係，與婚生子女同。

第10條 非婚生子女在民法親屬編施行前出生者，自施行之日起適用民法親屬編關於非婚生子女之規定。

非婚生子女在民法親屬編修正前出生者，修正之民法第1067條之規定，亦適用之。

第11條 收養關係雖在民法親屬編施行前發生者，自施行之日起有民法親屬編所定之效力。

第12條 民法親屬編施行前所發生之事實，依民法親屬編之規定得為終止收養關係之原因者，得請求宣告終止收養關係。

民法親屬編施行後修正前所發生之事實，依修正之民法第1080條第5項之規定得為終止收養關係之原因者，得聲請許可終止收養關係。

第13條 父母子女間之權利義務，自民法親屬編施行之日起，依民法親屬編之規定。其有修正者，適用修正後之規定。

第14條 民法親屬編施行前所設置之監護人，其權利義務自施行之日起，適用民法親屬編之規定。其有修正者，適用修正後之規定。

第14-1條 本法於民國八十九年一月十四日修正前已依民法第1094條任監護人者，於修正公布後，仍適用修正後同條第2項至第4項之規定。

第14-2條 中華民國九十七年五月二日修正之民法親屬編第四章條文施行前所設置之監護人，於修正施行後，適用修正後之規定。

第14-3條 中華民國九十七年五月二日修正之民法親屬編第四章之規定，自公布後一年六個月施行。

第15條 本施行法自民法親屬編施行之日施行。

民法親屬編修正條文及本施行法修正條文，除另定施行日期，及中華民國九十八年十二月十五日修正之民法第1131條及第1133條自九十八年十一月二十三日施行者外，自公布日施行。

貳、家事事件法重要條文

修正日期112.6.21

一、婚姻非訟事件

第98條 夫妻同居、指定夫妻住所、請求報告夫妻財產狀況、<u>**給付家庭生活費用**</u>、<u>**扶養費**</u>、<u>**贍養費**</u>或宣告改用分別財產制事件之管轄，準用第52條及第53條之規定。

▶ **立法理由** 本法第3條所定戊類事件第1款至第5款所規定之夫妻同居、指定夫妻住所、請求報告夫妻財產狀況、給付家庭生活費用、贍養費等事件，以及夫妻間之扶養費及宣告改用分別財產制事件，或屬婚姻之普通效力，或雖發生於婚姻關係消滅後，惟與婚姻亦具密不可分之關係，均為與婚姻訴訟事件有關之非訟事件。乃本法既已擴大家事訴訟事件與家事非訟事件合併審判的可能範圍，是上開事件除應儘可能合併於同一程序審理外，對於管轄之規定亦應準用本法第52條、第53條有關婚姻訴訟事件管轄之規範，以求立法前後一致。此外，本條所定之扶養費事件僅限於夫妻間之扶養，至於未成年子女或其他親屬間之扶養則不屬之，自屬當然。

第99條 請求家庭生活費用、扶養費或贍養費，應於準備書狀或於筆錄載明下列各款事項：

一、請求之金額、期間及給付方法。

二、關係人之收入所得、財產現況及其他個人經濟能力之相關資料，並添具所用書證影本。

聲請人就前項數項費用之請求，得合併聲明給付之總額或最低額；其聲明有不明瞭或不完足者，法院應曉諭其敘明或補充之。

聲請人為前項最低額之聲明者，應於程序終結前補充其聲明。其未補充者，法院應告以得為補充。

▶ **立法理由**

一、本法第75條第1項第5款雖已要求聲請人就家事非訟事件，於聲請時即應表明聲請之意旨及其原因事實，惟為達成審理集中化之目標，避免程序之進行發生延滯，尚應課予關係人協力促進程序之義務，爰參照民事訴訟法第266條第1項之規定，明定聲請人於聲請狀或準備書狀應為更具體之記載，俾利相對人能迅速提供資料，法院亦可順利進行審理程序。惟聲請人所負上開義務，並非聲請之要件，是其縱於聲請時就上開主張有不明瞭或不完足之處，法院亦得於審理期日予以闡明，如經聲請人以言詞陳明時，則由書記官據之記載於筆錄。又第2款所稱之關係人，係指夫妻雙方，併予敘明。

二、審判實務對於金錢債權之爭執事件，本於處分權主義之要求，固課予聲請人需具體表明其請求金額之責任，以方便法院明確審理之目標，並利於相對人妥適行使防禦權。惟於前條所列事件，多由法院依其認定事實結果而為裁量，聲請人請求之際，難期待其得預測法官將來裁判之項目費用金額，故設本條明定聲請人於提出前一項之請求時，雖仍應表明請求之項目費用金額，但除其得採取單獨或分別列明各項費用金額，並表明係屬分別請求之方式外，亦得合併其中數項費用而表明為總額或最低金額之方式。聲請人如表明係為總額之請求者，法院於裁判時即應斟酌關係人陳述意旨及調查證據之結果，於理由內釐清聲請人得主張之費用項目及其金額，並就各項費用之金額不受聲請人聲明之拘束而為斟酌，以利一次解決關係人間有關數項費用之紛爭。惟法院如認為聲請人請求之項目費用或金額有不明瞭或不完足之處，自應予闡明令其敘明或補充之。

三、另為保障聲請人之權利，就其所主張之最低金額請求，如法院依其審理所得心證及裁量權行使之結果，認為聲請人所得請求之金額逾該最低額時，應於程序終結前告以得為補充，並使相對人得表示意見，以保護其防禦權。惟聲請人倘未據此補充時，法院當然僅能依其聲明之最低額裁判。

第100條　法院命給付家庭生活費、扶養費或贍養費之負擔或分擔，得審酌一切情況，定其給付之方法，**不受聲請人聲明之拘束**。

前項給付，法院得依聲請或依職權，命為一次給付、分期給付或給付定期金，必要時並得命提出擔保。

法院命分期給付者，得酌定遲誤一期履行時，其後之期間視為亦已到期之範圍或條件。

法院命給付定期金者，得酌定逾期不履行時，喪失期限利益之範圍或條件，並得酌定加給之金額。但其金額不得逾定期金每期金額之**二分之一**。

▶ 立法理由

一、本法所定扶養費等費用請求事件，既已緩和處分權主義，明定法院得於聲請人請求之總額內，依職權斟酌費用項目數額，基於同一事理，有關給付方法之聲明，法院亦得依職權取捨、決定，不受關係人聲明以及主張拘束，爰為第1項之規定。

二、有關扶養費等費用請求事件，多為權利人生活所需，且涉及關係人或家庭成員間相處之實際情形，故對於此類費用之給付方法，自宜尊重關係人之意願。惟法院亦得斟酌權利人請求之費用性質、關係人之財產狀況、生活需要程度等類相關資料，依職權命義務人一次給付、分期給付或以定期金給付，必要時並得命提出擔保，爰為第2項規定。

三、權利人請求之費用額如已到期，義務人固以一次全部清償為原則，然法院如認於裁判時尚無必要命義務人全部清償，自可彈性裁定採取分期給付方式。惟為避免權利人因分期給付，導致必須分別、逐次聲請強制執行，蒙受勞力、時間、費用等程序上不利益，損及實體利益，法院得於審酌前揭因素及義務人履行可能性後，於裁判時併予宣示義務人一期不履行時，其後債務視為到期之範圍或條件。例如，義務人如一期不履行時，當期以後之一、二期，甚至全部債務均視為到期之範圍，或可酌令義務人提出相當擔保等條件，以督促義務人履行債務，並兼顧關係人或家庭成員生活之需，爰為第3項規定。又法院得定分期給付者，限於原本應一次清償或已屆清償期之債務而言，若屬定期金給付之債權，自不得命分期給付，併此敘明。

四、另如法院認為權利人與義務人間因具一定之身分關係，須於此等關係存續中命義務人履行債務，並以給付定期金之方法為之，因其履行期限何時屆至未必恆屬確定，自不宜於義務人一期未能履行時，即令其後未必確定存在之債務亦發生視為到期之效果。惟權利人此類請求既屬賴以維生之必要費用，為使義務人切實履行債務，法院自得於裁判時衡量雙方之經濟能力與實際需要，酌定義務人如有逾期不履行，所喪失期限利益之範圍或條件。如有必要，亦得對義務人預定課予加給金額之間接強制方式，藉以督促義務人確實履行，爰為第4項規定。

第101條　本案程序進行中，聲請人與相對人就第98條之事件或夫妻間其他得處分之事項**成立和解**者，於作成和解筆錄時，發生與**本案確定裁判同一之效力**。

聲請人與相對人就程序標的以外得處分之事項成立前項和解者，非經為請求之變更、追加或反請求，不得為之。

就前二項以外之事項經聲請人與相對人合意者，法院應斟酌其內容為適當之裁判。

第1項及第2項之和解有無效或得撤銷之原因者，聲請人或相對人得請求依原程序繼續審理，並準用民事訴訟法第380條第3項之規定。

因第1項或第2項和解受法律上不利影響之第三人，得請求依原程序撤銷或變更和解對其不利部分，並準用民事訴訟法第五編之一第三人撤銷訴訟程序之規定。

立法理由

一、為貫徹圓融處理，統合解決聲請人與相對人間紛爭，謀求家庭成員全體利益之目的，對於夫妻間發生本法第98條或其他得處分之事項等爭執事件，應尊重聲請人及相對人就程序標的和解之意願，以消弭紛爭，並終結程序。又因依前揭規定成立和解，須製作和解筆錄，爰明定於和解筆錄作成時，發生與本案確定裁判相同之效力。

二、為儘可能藉由一次程序統合解決涉及聲請人及相對人間所生之爭執，以明確發生效力之客觀範圍，並保障程序權，聲請人與相對人得以變更、追加或提起反請求等方式，就原程序標的以外，且屬可處分之事項於程序中成立和解。

三、聲請人與相對人爭執之程序標的如屬不得任意處分之事項，而雙方於本案程序中對於上開爭執之解決已達成合意者，法院於本案裁判行使裁量權時，為兼顧聲請人與相對人追求實體與程序利益，於無害公益之範圍內，應儘量尊重雙方之意願，為適當之裁判，爰設第3項之規定。

四、和解係基於聲請人及相對人之意願以解決雙方之紛爭，並終結程序，惟第1項及第2項之和解如具有無效或得撤銷之原因，前述終結程序之機能即因此動搖，故為保障參與主體之權益，爰設第4項之規定，並準用撤銷訴訟上和解之請求期間、應踐行之程式等類相關事項之規定，以資適用。

五、因聲請人及相對人成立第1項或第2項之和解，致第三人固有利益或法律地位受法律上不利影響時，為保障其利益及程序權，爰增設第5項規定。

第102條　就第99條所定各項費用命為給付之確定裁判或成立之和解，如其內容尚未實現，因**情事變更**，依原裁判或和解內容顯失公平者，法院得依聲請人或相對人聲請變更原確定裁判或和解之內容。

法院為前項裁判前，應使關係人有陳述意見之機會。

立法理由

一、法院對於聲請人及相對人間就本法第98條之爭執事件所為裁判已確定或和解成立後，如所命或同意為給付之內容尚未實現，遇情事變更，而依原裁判或和解內容已失其公平性及妥當性，為保障聲請人及相對人實體及程序權益，爰設本條第1項，明定聲請人及相對人此時得自行衡量利害，決定是否聲請法院撤銷或變更原確定裁判或和解之內容。又此類事件既係聲請人及相對人就得處分之事項所生爭執，本於處分權主義，須因聲請人或相對人提出聲請法院始得斟酌裁判，自屬第83條第3項法院得依職權撤銷變更非訟事件確定裁定之特別規定，附此說明。

二、為保護關係人之程序權，避免不當侵害其權益，於第2項並規定，法院就第1項請求為裁判前，應使關係人有陳述意見之機會。

第103條 第99條所定事件程序，關係人就請求所依據之法律關係有爭執者，法院應曉諭其得合併請求裁判。

關係人為前項合併請求時，除關係人合意適用家事非訟程序外，法院應裁定**改用家事訴訟程序**，由原法官繼續審理。

前項裁定，不得聲明不服。

立法理由

一、關於請求家庭生活費用、扶養費或贍養費事件，如關係人就該請求所依據之前提法律關係是否存在有爭執時，法院應曉諭關係人得就該前提法律關係合併請求裁判，以便統合處理紛爭，貫徹本法第1條及第41條之立法意旨。

二、關係人依前項規定就請求所依據之法律關係合併請求裁判時，除關係人合意適用家事非訟程序繼續審理外，法院應以裁定改用家事訴訟程序，並為避免法官更易，造成程序延滯，爰明定程序轉換後仍應由原法官繼續審理。又原法官就上開事件合併審理時，亦應適用本法第41條及第42條第1項之規定，自不待言。

三、為保障程序安定，爰明定對於法院轉換程序之裁定，不得聲明不服。

二、親子非訟事件

第104條 下列親子非訟事件，**專屬子女住所或居所地法院管轄**；無住所或居所者，得由法院認為適當之所在地法院管轄：

一、關於未成年子女扶養請求、其他權利義務之行使或負擔之酌定、改定、變更或重大事項權利行使酌定事件。
二、關於變更子女姓氏事件。
三、關於停止親權事件。
四、關於未成年子女選任特別代理人事件。
五、關於交付子女事件。
六、關於其他親子非訟事件。

未成年子女有數人，其住所或居所不在一法院管轄區域內者，各該住所或居所地之法院俱有管轄權。

第1項事件有理由時，程序費用由未成年子女之父母或父母之一方負擔。

立法理由

一、關於親子非訟事件，多發生在子女身分關係生活之中心即住居所地，為便利未成年人使用法院及調查證據之便捷，以追求實體及程序利益，宜以其住所或居所地法院專屬管轄，惟於未成年人為棄嬰或類此情形，致其無住居所時，法院得視個案具體事實判斷決定未成年人所在地法院為管轄法院，並於裁定理由內表明，爰為第1項之規定。另為明確親子非訟事件之範圍，除於第1項第1款至第5款列舉實體法已經明定涉及子女身分事項之事件，並為免掛一漏萬，及考量將來可能新增之其他親子非訟事件亦應由少年及家事法院處理，故設第6款之規定，以求周延。又第1款係指單純請求扶養或給付扶養費事件（例如：父母協議離婚，而未約定就未成年子女之扶養費如何負擔，對於父或母請求給付扶養費），及父母因離婚、婚姻無效、撤銷婚姻、確認婚姻成立或不成立及停止親權所生關於未成年子女權利義務之行使或負擔之酌定、改定、變更，重大事項權利行使酌定等爭執事件；而第4款之選任特別代理人事件係專指民法第1086條之情形。
二、未成年子女有數人，而其住所或居所不在一法院管轄區域內時，聲請人向何人之住所或居所地之法院提出聲請，有自由選擇之權，爰為第2項之規定。惟準用非訟事件法第3條但書之規定，受理聲請事件之法院得依聲請或職權以裁定將事件移送於認為適當之其他管轄法院，附此說明。
三、關於第1項所定親子非訟事件有理由時，於第3項明定其程序費用之負擔。至如第1項事件為不合法或無理由時，則由聲請人負擔程序費用，自不待言。

第105條 婚姻或親子訴訟事件與其基礎事實相牽連之親子非訟事件，已分別繫屬於法院者，除別有規定外，法院應將親子非訟事件移送於**婚姻或親子訴訟事件繫屬中之第一審或第二審法院**合併裁判。

前項移送之裁定不得聲明不服。受移送之法院應即就該事件處理，**不得更為移送**。

▶ **立法理由**

一、婚姻或親子訴訟事件與其基礎事實相牽連之親子非訟事件如已分別繫屬於不同法院，基於此類事件有統合處理之必要，並避免裁判歧異，除別有規定外，上開事件應合併由婚姻或親子訴訟事件繫屬之第一審或第二審法院處理，並由受理親子非訟事件之法院依職權裁定移送，爰規定如第1項。

二、為使管轄權之有無得予迅速確定，除關係人不得對於移送裁定聲明不服外，受移送之法院亦應受該裁定羈束，不得以其無管轄權為由將該事件再移送於他法院，爰為第2項規定。

第106條 法院為審酌**子女之最佳利益**，得徵詢**主管機關**或**社會福利機構**之意見、請其進行訪視或調查，並提出報告及建議。

法院斟酌前項調查報告為裁判前，應使關係人有陳述意見之機會。但其內容涉及隱私或有不適當之情形者，不在此限。

法院認為必要時，得通知主管機關或社會福利機構相關人員於期日到場陳述意見。

前項情形，法院得採取適當及必要措施，保護主管機關或社會福利機構相關人員之隱私及安全。

▶ **立法理由**

一、法院審理親子非訟事件時，應以子女之最佳利益為最高指導原則，而兒童及少年主管機關及福利機構，對未成年人之保護有專業之知識及經驗，法院如於程序中徵詢上開機關或機構之意見或囑託進行訪視或調查，並提出報告或建議供法院參考，當可收事半功倍之效，爰規定如第1項。

二、為確保關係人之聽審請求權，法院斟酌前項報告或建議，應使關係人有陳述意見之機會，爰為第2項之規定。惟如內容涉及隱私或其他不適當之情形，自不宜使關係人得知其內容，爰設但書之規定。

三、兒童及少年主管機關或福利機構相關人員調查所見聞事實之報告或建議，係供法院處理親子非訟事件參酌之重要資料，法院認有必要時，自得命其等於期日到場陳述意見，爰規定如第3項。

四、主管機關或社會福利機構相關人員到庭陳述意見，往往面對訟爭性高之關係人，為確保隱私以及安全，應使法院得採取必要適當之措施以保障其隱私及安全，爰設第4項之規定。

第107條　法院酌定、改定或變更父母對於未成年子女權利義務之行使或負擔時，得命**交付子女**、容忍自行帶回子女、未行使或負擔權利義務之一方與未成年子女**會面交往之方式**及期間、**給付扶養費**、交付身分證明文件或其他財物，或命為相當之處分，並得訂定必要事項。

前項命給付扶養費之方法，準用第99條至第103條規定。

▶ 立法理由

一、基於親子非訟事件之職權性及合目的性，法院於酌定、改定或變更父母對於未成年子女權利義務之行使或負擔時，得斟酌子女之實際需要及父母之負擔能力等，而併為多樣性之裁定；並明定法院得為其他相當之處分及訂定必要事項，爰規定如第1項。

二、上開裁定如係就未成年子女之扶養費酌定給付方法，其性質即與夫妻間之費用請求方法相仿，爰於第2項規定準用第99條至第103條之規定，以期周全保護未成年子女之權益。

第109條　就有關未成年子女權利義務之行使或負擔事件，未成年子女雖非當事人，法院為未成年子女之最佳利益，於必要時，亦得依父母、未成年子女、主管機關、社會福利機構或其他利害關係人之聲請或依職權為未成年子女選任**程序監理人**。

▶ 立法理由　法院於審理涉及未成年子女權利義務之行使或負擔等事件中，除確保未成年子女之最佳利益、保障表意權及聽審請求權之外，為免除未成年子女對於父母之忠誠困擾，確保子女最佳利益之詮釋能融入子女觀點，妥善安排子女之照護及探視等事項，避免不當干擾，自有特別規定為未成年子女選任程序監理人之必要，爰為本條之規定。

第110條　第107條所定事件及其他親子非訟事件程序進行中，父母就該事件得協議之事項達成合意，而其合意符合子女最佳利益時，法院應將合意內容記載於和解筆錄。

前項情形，準用第101條、第102條及第108條之規定。

▶ 立法理由

一、為貫徹圓融處理、統合解決父母間有關親子非訟事件之紛爭，謀求未成年子女之最佳利益，對於父母間所生本法第107條所定事件以及其他親子非訟事件之爭執，如依民法及其他相關法律規定，父母對於子女權利義務得協議之事項，經父母達成合意，且其合意內容有利於未成年子女者，法院應尊重父母間之合意內容，據之記載於和解筆錄，爰規定如第1項。

二、本條第1項立法主旨在於父母於親子非訟事件程序進行中，就得為處分之事項，藉由成立合意以取代法院之裁判，其性質與和解相若，故其合意之程序及效力、情事變更原則之適用，以及未成年子女意願表達權，宜準用第101條、第102條及第108條之規定，爰規定如第2項。

第111條 法院為未成年子女選任特別代理人時，應**斟酌得即時調查之一切證據**。

法院為前項選任之裁定前，應徵詢被選任人之意見。

前項選任之裁定，得記載特別代理人處理事項之種類及權限範圍。

選任特別代理人之裁定，於裁定送達或當庭告知被選任人時發生效力。

法院為保護未成年子女之最佳利益，於必要時，得依父母、未成年子女、主管機關、社會福利機構或其他利害關係人之聲請或依職權，改定特別代理人。

▶立法理由

一、法院依民法第1086條第2項為未成年子女選任特別代理人，應依職權探知事實。復為迅速選任特別代理人，確保未成年子女權益，法院調查證據之心證程度僅達釋明即可，毋庸達證明之程度，爰為第1項規定。

二、為使被選任之特別代理人於就任前，確認承擔該職務之意願，並使受選任人知悉其責任與義務，自應於裁定前徵詢被選任人之意見，爰為第2項規定。

三、特別代理人之個別權限具有多樣性，為免特別代理人因權限未明，導致所代為之法律行為產生是否有代理權限之爭議，允宜由法院視具體個案，酌量未成年子女利益之保護，於裁定中明文記載特別代理人所得處理事項之種類及權限範圍，爰為第3項規定。

四、特別代理人之選任，有其急迫性，自應特別規定從裁定送達或告知被選任人時即發生效力，爰為第4項之規定。

五、法院選任特別代理人之裁定，因情事變更或其他為保護未成年子女最佳利益，原選任之特別代理人已不適任時，應得由民法第1086條第

2項所定之聲請權人聲請或由法院依職權改任之，爰為第5項規定。

第113條 本章之規定，於父母**不繼續共同生活達六個月以上**時，關於未成年子女權利義務之行使負擔事件，準用之。

▶ **立法理由** 民法第1089-1條既規定父母未離婚又不繼續共同生活六個月以上之未成年子女權利義務行使負擔，準用民法第1055條、第1055-1條及第1055-2條等規定，則為維護此類未成年子女之最佳利益，自應列入本章適用範圍之內，爰設本條之規定。

第114條 認可收養子女事件，**專屬收養人或被收養人住所地之法院**管轄；收養人在中華民國無住所者，由被收養人住所地之法院管轄。認可終止收養事件、許可終止收養事件及宣告終止收養事件，**專屬養子女住所地之法院**管轄。

▶ **立法理由**

一、關於認可收養事件，多在收養人或被收養人身分關係之中心即住所地發生，為維護公益及調查證據之便捷，便利其使用法院及平衡追求實體與程序利益，參酌本法第61條、第104條、非訟事件法第133條以及日本家事審判規則第63條之意旨，爰以競合管轄之方式，定其專屬管轄法院；惟於外國人或華僑收養我國兒童之情形，因收養人在我國多無住所，為保護被收養者之權益，復設本條第1項後段之規定，以資兼顧。又被收養人之住所如依民法第21條規定需以其法定代理人之住所定之，則民法第1094條第5項之規定自併得為其依據，附此說明。

二、為保護養子女之利益，爰參照非訟事件法第136條之規定，於第2項規定有關認可終止收養事件（如民法第1080條第2項所定事件）、許可終止收養事件（如民法第1080-1條第1項所定事件）以及宣告終止收養事件（如民法第1081條所定事件），由其住所地法院專屬管轄之。又民法第1081條之事件現行民事訴訟法第583條雖規定為訴訟事件，惟其本質上既有賴法官職權裁量而有迅速、妥適判斷之必要，爰予非訟化處理，附此說明。

第116條 法院認可未成年人被收養前，得准收養人與未成年人**共同生活一定期間**，供法院決定之參考；共同生活期間，對於未成年人權利義務之行使負擔，由**收養人**為之。

▶ **立法理由** 法院在認可收養未成年子女前，讓收養者與被收養之未成年人共同生活一段時間，有利於法院為認可收養與否決定時之參考，兒童及少年福利與權益保障法第17條第2項第2款已定有明文，因收養制度攸關親屬及身分關係，自應明定其程序。又前開准許共同生活期間，未成年人實際由收養人而非其本生父母或監護人保護教養，爰訂定本條規定。

第117條 認可收養之裁定，於其對聲請人及第115條第2項所定之人**確定時**發生效力。

認可收養之裁定正本，應記載該**裁定於確定**時發生效力之意旨。

認可、許可或宣告終止收養之裁定，準用前二項之規定。

▶ **立法理由**

一、為確保法之安定性以及穩定當事人之收養關係，自應明確規定收養認可裁定發生效力之時點，藉此亦可使民法第1079-3條所規定溯及發生效力之時點明確，爰制定本條第1項。惟該裁定應送達予何人，本法第81條第1項已明文規定，上開關係人自得依本法第92條提起抗告。至於對於裁定應受送達人之送達，可準用民事訴訟法有關公示送達等類規定。

二、為提示當事人及其他關係人瞭解裁定發生效力之時點，以便重新調整身分關係，爰設第2項之規定。

三、認可、許可或宣告終止收養之裁定，對於當事人身分關係之影響與認可收養裁定同，爰規定準用前二項。

第118條 被收養人之父母為未成年人而未結婚者，法院為認可收養之裁定前，應使該**未成年人**及其**法定代理人**有**陳述意見**之機會。但有礙難情形者，不在此限。

▶ **立法理由** 認可收養裁定生效後，子女於收養關係存續中，與父母間之權利義務均停止，於關係人間之影響重大，所以在該裁定程序法院除應依本法第77條保障利害關係人之程序參與權外，如被收養人之父母尚未成年且未結婚者，尤須保障出養人及其法定代理人之聽審請求權。惟未成年人出養其非婚生子女之原因不一，為免對其造成傷害並兼顧事件進行之便利，併設但書之例外規定，以資因應。

第119條 第106條及第108條之規定，於收養事件準用之。

▶ **立法理由** 收養非訟事件既於未成年子女之權益影響重大，法院於裁定前除應徵詢對於未成年人之保護有專業知識及經驗之主管機關或社會福利機構之意見或囑託進行訪視或調查，並提出報告以供法院參考外，並應保障未成年子女之意願表達及陳述意見權。爰設本條規定，以資適用。

第120條　下列未成年人監護事件，**專屬未成年人住所地或居所地法院管轄**；無住所或居所者，得由法院認為適當之所在地法院管轄：

一、關於選定、另行選定或改定未成年人監護人事件。

二、關於監護人報告或陳報事件。

三、關於監護人辭任事件。

四、關於酌定監護人行使權利事件。

五、關於酌定監護人報酬事件。

六、關於為受監護人選任特別代理人事件。

七、關於許可監護人行為事件。

八、關於交付子女事件。

九、關於監護所生損害賠償事件。

十、關於其他未成年人監護事件。

第104條第2項、第3項及第105條之規定，於前項事件準用之。

立法理由

一、關於未成年人監護事件，多發生在未成年人身分關係生活之中心即住居所地，為便利未成年人使用法院及調查證據，以追求實體與程序利益，自應由其住所或居所地法院專屬管轄。至於未成年人為棄嬰或類此情形，致其無住居所時，法院得視具體事實判斷未成年人所在地法院為管轄法院，並於裁定理由中表明，爰為第1項之規定。又為明確規定未成年人監護事件範圍，於第1款至第9款列明民法第1091條以下所規定之未成年人監護事件。另為因應可能新增其他未成年人監護事件類型，爰設第10款之規定。本條第1項第6款所規定為受監護人選任特別代理人事件，係指民法第1098條第2項所定事件，與民法第1086條第2項所定為未成年子女選定特別代理人事件不同。關於損害賠償事件在性質上雖有訟爭性，但為迅速保護因監護所生損害賠償的權利人之必要及便利法官行使職權裁量，以斟酌雙方的公平等等，特設本條第1項第8款規定。

二、未成年人有數人時，關於定管轄、合併裁判、移送管轄及程序費用之負擔等事項，均與親子非訟事件程序類同，有準用第104條第2項、第3項以及第105條規定之必要，爰為第2項之規定。

第121條　關於監護所生之損害賠償事件，其程序標的之金額或價額逾得上訴第三審利益額者，聲請人與相對人得於第一審程序終結前，**合意**向法院**陳明**改用**家事訴訟程序**，由原法官繼續審理。

前項損害賠償事件，案情繁雜者，聲請人或相對人得於第一審程序終結前，**聲請法院裁定**改用家事訴訟程序，由原法官繼續審理。

前項裁定，**不得聲明不服**。

立法理由

一、因監護所生損害賠償事件，雖經非訟化，然因不改其訴訟之性質，法院應依個別事件之特性，交錯適用訴訟法理而為審理。惟為尊重保障當事人平衡追求實體利益與程序利益之機會，於程序標的金額或價額已逾得上訴第三審之利益時，應允許當事人得合意轉換訴訟程序，改用家事訴訟程序審理。又經當事人合意改用家事訴訟程序，法院既無裁量之權，毋庸裁定准駁，自應由當事人向法院陳明，以利程序之轉換。

二、若案情繁雜，不適合依非訟程序審理時，應允許法院得依聲請人或相對人一方之聲請，審酌案情繁雜程度，兼顧當事人程序利益與實體利益之平衡保障，裁定改用家事訴訟程序審理。且為保障程序安定，法院轉換程序之裁定，自不得聲明不服。

三、又為免法官更易，延宕程序之進行，爰參照民事訴訟法第427條第5項規定，程序轉換後，仍由原法官繼續審理。

第122條 法院選定之監護人，有下列情形之一者，得聲請法院許可其辭任：

一、滿七十歲。

二、因身心障礙或疾病不能執行監護。

三、住所或居所與法院或受監護人所在地隔離，不便執行監護。

四、其他重大事由。

法院為前項許可時，應**另行選任監護人**。

第106條及第108條之規定，於監護人辭任事件準用之。

立法理由

一、法院選定之監護人，如有正當理由而不能繼續擔任監護人時，應許其向法院聲請許可辭任，爰於第1項明定許可監護人辭任之事由，以應實際需要。

二、法院為許可監護人辭任之裁定時，應即為受監護人另行選任監護人，以使其能繼續受監護，爰設第2項規定。

三、為確保受監護人之權益，法院為准否監護人辭任之裁定前，除得於裁定前徵詢主管機關或社會福利機構之意見外，並得囑託進行訪視、調查，更應保障受監護人之意願表達權，故有準用第106條及第108條規定之必要，爰設第3項規定。

第123條 **第106條至第108條及第111條第1項、第2項**之規定，於法院為未成年人選定、另行選定或改定監護人事件準用之。

▶ **立法理由**　監護事件於未成年人之權益影響重大，法院除得於裁定前徵詢主管機關或社會福利機構之意見外，並得囑託進行訪視、調查；更應保障未成年子女之意願表達及陳述意見權。並應允許法院視具體個案而為多樣性之裁定，或為其他相當之處分、訂定必要之事項。另外選定監護人應先徵詢被選定人之意見，法院並得於裁定載明監護人處理事項之種類及權限範圍，爰設本條準用規定，以資適用。

三、親屬間扶養事件

第125條　下列扶養事件，除本法別有規定外，**專屬受扶養權利人住所地或居所地法院**管轄：

一、關於扶養請求事件。

二、關於請求減輕或免除扶養義務事件。

三、關於因情事變更請求變更扶養之程度及方法事件。

四、關於其他扶養事件。

第104條第2項、第3項及第105條之規定，於前項事件準用之。

▶ **立法理由**

一、關於親屬間扶養事件（夫妻間扶養請求及未成年子女對父母之扶養請求事件除外），多發生在受扶養權利人生活之中心即住居所地，為便利受扶養權利人使用法院及調查證據之便捷，以追求實體及程序利益，宜由其住所或居所地法院專屬管轄，爰為第1項規定。另為明確親屬間扶養事件之範圍，除於第1項第1款至第3款列舉實體法已經明定涉及親屬間扶養之事件，為免掛一漏萬，及考量將來可能新增之其他扶養事件亦應由少年及家事法院處理，故設第4款規定，以求周延。又第1款之扶養請求事件係包括請求扶養事件及請求給付扶養費事件；第2款係指依民法第1118-1條規定請求法院減輕或免除扶養義務事件；第3款係指依民法第1121條規定因情事變更請求變更扶養之程度及方法事件。

二、關於受扶養權利人有數人，而其住所或居所不在同一法院管轄區域內，如何定其管轄法院及程序費用之負擔等事項，有準用第104條第2項、第3項以及第105條規定之必要，爰於第2項明定之。

第126條　**第99條至第103條及第107條第1項**之規定，於扶養事件準用之。

▶ **立法理由**　本法第99條至第103條及第107條第1項之規定，於本章所定扶養事件亦得準用，爰予明定。

四、監護宣告事件

第164條 下列監護宣告事件，專屬應受監護宣告之人或受監護宣告之人住所地或居所地法院管轄；無住所或居所者，得由法院認為適當之所在地法院管轄：

一、關於聲請監護宣告事件。
二、關於指定、撤銷或變更監護人執行職務範圍事件。
三、關於另行選定或改定監護人事件。
四、關於監護人報告或陳報事件。
五、關於監護人辭任事件。
六、關於酌定監護人行使權利事件。
七、關於酌定監護人報酬事件。
八、關於為受監護宣告之人選任特別代理人事件。
九、關於許可監護人行為事件。
十、關於監護所生損害賠償事件。
十一、關於聲請撤銷監護宣告事件。
十二、關於變更輔助宣告為監護宣告事件。
十三、關於許可終止意定監護契約事件。
十四、關於解任意定監護人事件。
十五、關於其他監護宣告事件。

前項事件有理由時，程序費用由受監護宣告之人負擔。

除前項情形外，其費用由聲請人負擔。

▶ **修正理由**

一、因應民法親屬編第四章「監護」增訂第三節「成年人之意定監護」節名及條文，其中第1113-5條第3項所定受監護宣告之本人有正當理由得聲請法院許可終止意定監護契約，以及第1113-6條第4項所定法院得依聲請或依職權解任意定監護人之事件，非屬原本條所定之監護宣告事件類型，爰配合於第1項增訂第13款及第14款，原第13款改列第15款，以資適用。
二、第2項及第3項未修正。

第165條 於聲請監護宣告事件、撤銷監護宣告事件、另行選定或改定監護人事件、許可終止意定監護契約事件及解任意定監護人事件，應受監護宣告之人及受監護宣告之人有程序能力。如其無意思能力者，法院應依職權為其選任程序監理人。但有事實足認無選任之必要者，不在此限。

▶ **修正理由** 參照民法第1113條準用同法第1106條、第1106-1條規定，受監護宣告之人得聲請法院另行選定或改定監護人。又依民法第1113-5條第3項之修正規定，法院為監護之宣告後，受監護宣告之本人有正當理由得聲請法院許可終止意定監護契約。復依民法第1113-6

條第4項之修正規定，法院為監護之宣告後，執行職務之監護人中之一人或數人有第1106-1條第1項之情形者，得依聲請或依職權解任意定監護人之事件。顯見於是類事件亦應賦予受監護宣告之人程序能力，以保障其程序主體權及聽審請求權，爰配合修正本條規定。

第168條 監護宣告之裁定，應同時選定監護人及指定會同開具財產清冊之人，並附理由。

法院為前項之選定及指定前，應徵詢被選定人及被指定人之意見。

第1項裁定，應送達於聲請人、受監護宣告之人、法院選定之監護人及法院指定會同開具財產清冊之人；受監護宣告之人另有程序監理人或法定代理人者，並應送達之。

▶ 立法理由

一、關於監護宣告之裁定應附理由及應受裁定送達之人，現行民事訴訟法第604條已有明文，於適用上尚無不妥之處，爰分別規定於本條第1項及第3項，並酌予補充，以利適用。

二、為確認第1項被選定人或被指定人擔任該職務之意願，並使被選定人或被指定人知悉其責任與義務，應於裁定前徵詢其意見。爰設第2項規定。

第169條 監護宣告之裁定，於**裁定送達**或**當庭告知**法院選定之監護人時發生效力。

前項裁定生效後，法院應以相當之方法，將該裁定要旨公告之。

▶ 立法理由 關於監護宣告裁定之生效及公告，現行民事訴訟法第605條已有明文，於適用上尚無不妥之處，爰予明定。

第170條 監護宣告裁定經廢棄確定前，監護人所為之行為，不失其效力。

監護宣告裁定經廢棄確定前，受監護宣告之人所為之行為，不得本於宣告監護之裁定而主張無效。

監護宣告裁定經廢棄確定後，應由第一審法院公告其要旨。

▶ 立法理由

一、監護宣告之裁定發生效力後，對於該裁定尚得提起抗告，為使其效力之時間上界線明確，並維護交易安全，須明定於該裁定經抗告法院廢棄確定前，關於監護人及受監護宣告之人所為行為不失其效力，爰規定第1項及第2項。

二、為配合前條第2項之規定，監護宣告裁定經廢棄確定後，應由第一審法院以相當之方法公告其要旨，爰規定第3項。

第172條 撤銷監護宣告之裁定，於其對聲請人、受監護宣告之人及監護人**確定時**發生效力。

第166條至第168條及第170條第3項之規定，於聲請撤銷監護宣告事件準用之。

▶ **立法理由**

一、家事非訟裁定，依本法第82條第1項之規定，原則上於宣示、公告、送達或以其他適當之方法告知於受裁定人時即發生效力。惟為保護受監護宣告人之權益，及維護法之安定性，關於撤銷監護宣告之裁定，宜於該裁定對聲請人、受監護宣告之人及監護人確定時，始發生效力，爰規定第1項。

二、第166條關於提出診斷書之規定、第167條關於訊問應受監護宣告之人及鑑定人之規定、第168條關於裁定應附理由及送達之規定，及第170條第3項關於第一審法院應公告確定裁定要旨之規定，於聲請撤銷監護宣告事件亦有準用之必要，爰規定第2項。

第173條 法院對於撤銷監護宣告之聲請，認受監護宣告之人受監護原因消滅，而仍有輔助之必要者，得依聲請或依職權以裁定變更為輔助之宣告。

前項裁定，準用前條之規定。

▶ **立法理由**

一、依民法第14條第4項規定，受監護之原因消滅，而仍有輔助之必要者，法院得依同法第15-1條第1項之規定，變更為輔助宣告。現行民事訴訟法第624-5條第1項乃規定法院對於撤銷監護宣告之聲請，認受監護宣告之人受監護原因消滅，而仍有輔助之必要者，得依聲請或依職權以裁定變更為輔助之宣告，而此項規定於適用上並無不妥之處，爰於第1項明定之。

二、前條第1項關於撤銷監護宣告裁定效力發生時點之規定，及第2項準用第166條關於提出診斷書之規定、第168條關於裁定應附理由及送達之規定，及第170條第3項關於第一審法院應公告確定裁定要旨之規定，就前項裁定亦得準用之，爰規定第2項。

第174條 法院對於監護宣告之聲請，認為**未達**應受監護宣告之程度，而**有輔助宣告之原因**者，得依聲請或依職權以裁定為輔助之宣告。

法院為前項裁定前，應使聲請人及受輔助宣告之人有陳述意見之機會。

第1項裁定，於監護宣告裁定生效時，失其效力。

▶ **立法理由**

一、民法第14條第3項規定，法院對於監護宣告之聲請，認未達同條第1項之程度者，得依同法第15-1條第1項規定，為輔助宣告，且參諸同法第14條第3項之立法理由，法院得依職權為輔助宣告之裁定。現行民事訴訟法乃規定法院對於監護宣告之聲請，認為未達民法第14條第1項之程度，而有輔助宣告之原因者，得依聲請或依職權以裁定為輔助之宣告，此項規定於適用上尚無不妥之處，爰規定第1項。

二、關於是否為輔助宣告，法院為裁定前應使聲請人及應受輔助宣告之人有陳述意見之機會，以保障其程序權，爰於第2項明定之。

三、對於第一審法院依本條第1項之規定所為裁定提起抗告，如抗告法院認受輔助宣告之人已達民法第14條第1項之程度者，自應將第一審法院所為輔助宣告之裁定變更為監護宣告之裁定。又為保護受輔助宣告之人之權益，並維護交易安全，及保護信賴利益，第一審法院所為輔助宣告之裁定，宜於抗告法院所為監護宣告裁定生效時，始失其效力，爰規定第3項。

第175條　受輔助宣告之人，法院認有受監護宣告之必要者，得依聲請以裁定變更為監護宣告。

前項裁定，準用第172條之規定。

▶ 立法理由

一、受輔助宣告之人，因精神障礙或其他心智缺陷致不能為意思表示或受意思表示或不能辨別其意思表示之效果，而有受監護宣告之必要者，依民法第15-1條第3項規定，法院得依同法第14條第1項規定，變更為監護之宣告。為便利其相關程序之進行有所依循，爰設第1項規定，法院得依聲請以裁定將輔助宣告變更為監護宣告。若有聲請權之人均未提出聲請，因程序尚未開始，法院無須依職權逕將輔助宣告變更為監護宣告。

二、前項裁定之性質與法院依第173條第1項規定所為裁定之性質相似，而該條第2項規定準用第172條之規定，於前項裁定亦得準用之，爰規定第2項。

第176條　第106條至第108條之規定，於聲請監護宣告事件、撤銷監護宣告事件、就監護宣告聲請為輔助宣告事件及另行選定或改定監護人事件準用之。

第122條之規定，於監護人辭任事件準用之。

第112條之規定，於酌定監護人報酬事件準用之。

第111條及第112條之規定，於法院為受監護宣告之人選任特別代理人事件準用之。

第121條之規定，於監護所生損害賠償事件準用之。

立法理由

一、關於聲請監護宣告事件、撤銷監護宣告事件、就監護宣告聲請為輔助宣告事件及另行選定或改定監護人事件，宜準用第106條關於徵詢主管機關或社會福利機構之規定，及第107條關於交付子女、給付扶養費或為相當處分之規定。又上開事件對於應受監護宣告、受監護宣告人或應受輔助宣告之人之權益影響重大，法院除應依第77條之規定保障其聽審請求權外，於裁定前更應依其年齡、理解及辨識能力等不同狀況，於法庭內、外，親自聽取其意見，或藉其他適當之方式，曉諭裁判結果對其可能發生之影響，藉以充分保障其意願表達權，亦有準用第108條規定之必要，爰規定第1項準用第106條至第108條之規定。

二、關於監護人辭任事件，宜準用第122條之規定，以保障受監護宣告之人之權益，爰規定第2項。

三、酌定監護人報酬事件與酌定未成年子女之特別代理人報酬事件之性質相似，爰規定第3項，就酌定監護人報酬事件準用第112條之規定。

四、第111條關於為未成年子女選任特別代理人之規定，及第112條關於酌定未成年子女特別代理人報酬之規定，於法院為受監護宣告之人選任特別代理人事件，亦得準用之，爰規定第4項。

五、關於因監護所生損害賠償事件，雖經非訟化，然因不改其訴訟事件之本質，法院除適用相應之非訟法理外，應依個別事件之特性，交錯適用訴訟法理而為審理。惟為尊重、保障當事人平衡追求實體利益與程序利益之機會，於一定條件下，宜賦與當事人有改用訴訟程序審理之機會，爰規定準用第121條關於未成年人監護所生損害賠償事件之程序轉換規定。

五、輔助宣告事件

第177條 下列輔助宣告事件，**專屬應受輔助宣告之人或受輔助宣告之人之住所地或居所地法院**管轄；無住所或居所者，得由法院認為適當之所在地法院管轄：

一、關於聲請輔助宣告事件。

二、關於另行選定或改定輔助人事件。

三、關於輔助人辭任事件。

四、關於酌定輔助人行使權利事件。

五、關於酌定輔助人報酬事件。

六、關於為受輔助宣告之人選任特別代理人事件。

七、關於指定、撤銷或變更輔助人執行職務範圍事件。
八、關於聲請許可事件。
九、關於輔助所生損害賠償事件。
十、關於聲請撤銷輔助宣告事件。
十一、關於聲請變更監護宣告為輔助宣告事件。
十二、關於其他輔助宣告事件。

第164條第2項、第3項之規定，於前項事件準用之。

立法理由

一、關於輔助宣告事件，多發生在應受輔助宣告之人或受輔助宣告之人生活中心即住居所地，為便利應受輔助宣告之人或受輔助宣告之人使用法院及調查證據之便捷，以追求實體及程序利益，宜以其住所或居所地法院專屬管轄。惟如應受輔助宣告之人或受輔助宣告之人無住所或居所時，法院得視個案具體事實判斷決定其所在地法院為管轄法院，並於裁定理由內表明。另為明確輔助宣告事件之範圍，除於第1款至第11款列舉實體法已經明定涉及輔助宣告事項之事件，並為免掛一漏萬，及考量將來可能新增之其他輔助宣告事件亦應由少年及家事法院處理，故設第12款之規定，以求周延。

二、關於第1項所定輔助宣告事件之程序費用負擔，於第2項明定準用第164條第2項及第3項之規定，以利適用。

第178條 輔助宣告之裁定，於**裁定送達**或**當庭告知**受輔助宣告之人時發生效力。

第106條、第108條、第166條至第168條、第169條第2項及第170條之規定，於聲請輔助宣告事件準用之。

立法理由

一、為保護受輔助宣告之人之利益，明定輔助宣告之裁定，於裁定送達或當庭告知受輔助宣告之人時即發生效力。如當庭告知與送達之時間不一致時，以先生效者為準，爰規定第1項。

二、第106條關於徵詢主管機關或社會福利機構之規定、第108條關於聽取當事人意見之規定、第166條關於提出診斷書之規定、第167條關於訊問應受監護宣告人及鑑定人之規定、第168條關於裁定應附理由及送達之規定、第169條第2項關於公告裁定要旨之規定及第170條關於廢棄監護宣告之效力之規定，於聲請輔助宣告事件亦有準用之必要，爰於第2項明定之。

參、重要判解實務整理

案號	要旨	相關法規
最高法院29年上字第1193號判例	民法第972條所稱婚約，應由男女當事人自行訂定，並非專指男女當事人已成年而言，未成年人訂定婚約依民法第974條之規定，雖應得法定代理人之同意，然此不過規定未成年人自行訂定婚約，以得法定代理人之同意為要件，非認法定代理人有為未成年人訂定婚約之權。	民法第972條
最高法院32年上字第1098號判例	依民法第973條之規定，男未滿十七歲女未滿十五歲者不得訂定婚約，訂定婚約違反此規定者自屬無效。	民法第973條
最高法院27年上字第695號判例	婚約不得請求強迫履行，民法第975條定有明文，故婚約當事人之一方違反婚約，雖無民法第976條之理由，他方亦僅得依民法第978條之規定，請求賠償因此所受之損害，不得提起履行婚約之訴。	民法第974條
最高法院33年上字第2863號判例	民法第989條但書，所謂已達第980條所定年齡之當事人，包括雙方而言，必雙方當事人於起訴時俱達結婚年齡，其撤銷請求權始行消滅，若一方於起訴時已達結婚年齡，他方未達結婚年齡者，仍得請求撤銷其結婚。	民法第989條
最高法院29年上字第1561號判例	結婚違反民法第980條之規定者，在當事人已達該條所定年齡或已懷胎前，關於當事人或其法定代理人撤銷權之行使，並無期間之限制。	民法第989條
最高法院70年台上字第880號判例	身心健康為一般人選擇配偶之重要條件，倘配偶之一方患有精神病，時癒時發，必然影響婚姻生活，故在一般社會觀念上，應認有告知他方之義務，如果被上訴人將此項婚姻成立前已存在之痼疾隱瞞，致上訴人誤信被上訴人精神正常，而與之結婚，即難謂上訴人非因被詐欺而為結婚。	民法第997條

案號	要旨	相關法規
最高法院49年台上字第990號判例	夫妻之一方於同居之訴判決確定或在訴訟上和解成立後，仍不履行同居義務，在此繼續狀態存在中，而又無不能同居之正當理由者，即與民法第1052條第5款所定之離婚要件相當，所謂夫婦互負同居之義務，乃指永久同居而言，要非妻偶爾一、二日或十數日住居夫之住所，即屬已盡同居之義務。	民法第1000條
最高法院29年上字第1904號判例	無代理權人以代理人之名義所為之法律行為，不許代理者，不因本人之承認而生效力。兩願離婚為不許代理之法律行為，其由無代理權人為之者，本人縱為承認，亦不因之而生效力。	民法第1049條
最高法院29年上字第1606號判例	兩願離婚，固為不許代理之法律行為，惟夫或妻自行決定離婚之意思，而以他人為其意思之表示機關，則與以他人為代理人使之決定法律行為之效果意思者不同，自非法所不許。本件據原審認定之事實，上訴人提議與被上訴人離婚，託由某甲徵得被上訴人之同意，被上訴人於訂立離婚書面時未親自到場，惟事前已將自己名章交與某甲，使其在離婚文約上蓋章，如果此項認定係屬合法，且某甲已將被上訴人名章蓋於離婚文約，則被上訴人不過以某甲為其意思之表示機關，並非以之為代理人，使之決定離婚之意思，上訴理由就此指摘原判決為違法，顯非正當。	民法第1049條
最高法院69年度第10次民事庭會議決議(二)	提案：院長交議：協議離婚事件，先由配偶之一方持「協議離婚書」，分別向證人二人請求簽名證明，再自行簽名，徵得其配偶同意離婚並簽名者，是否發生協議離婚之效力？ 決議：按證人在兩願離婚之證書上簽名，固無須於該證書作成時同時為之（本院四十二年台上字第1001號判例）。惟既稱證人，自須對於離婚之協議在場聞見，或知悉當事人間有離婚之協議，始足當之。如配偶之一方持協議離婚書向證人請求簽名時，他方尚未表示同意離	民法第1049條

案號	要旨	相關法規
	婚，證人自不知他方之意思，即不能證明雙方已有離婚之協議。是證人縱已簽名，仍不能謂已備法定要件而生離婚之效力。	
最高法院49年台上字第1251號判例	夫妻之一方以惡意遺棄他方者，不僅須有違背同居義務之客觀事實，並須有拒絕同居之主觀情事，始為相當，被上訴人僅因犯殺人未遂罪逃亡在外，尚無其他情形可認具有拒絕同居之主觀要件，縱令未盡家屬扶養義務，亦與有資力而無正當理由不為支付生活費用者有別，揆諸民法第1052條第5款之規定，尚難謂合。	民法第1052條
最高法院44年台上字第26號判例	妻受夫之直系尊親屬之虐待，致不堪為共同生活者，依民法第1052條第4款規定，固得向法院請求離婚，惟所受虐待，必須客觀的已達於不堪繼續為共同生活之程度，始屬相當。	民法第1052條
最高法院33年上字第4279號判例	民法第1052條第4款所稱之直系尊親屬，不以血親為限，繼母為直系姻親尊親屬亦包含在內。	民法第1052號
最高法院95年度第5次民事庭會議	夫妻雙方對難以維持婚姻之重大事由均須負責時，得否依民法第1052條第2項之規定，請求離婚？ 決議：婚姻如有難以維持之重大事由，於夫妻雙方就該事由均須負責時，應比較衡量雙方之有責程度，僅責任較輕之一方得向責任較重之他方請求離婚，如雙方之有責程度相同，則雙方均得請求離婚，始符民法第1052條第2項規定之立法本旨。	民法第1052條
最高法院83年度第4次民事庭會議	結婚後因車禍受傷致不能人道者，尚難認係民法第1052條第1項第7款所定不治之惡疾。惟如不能人道已形成難以維持婚姻之重大事由者，得依同條第2項之規定訴請離婚。	民法第1052條
最高法院33年上字第4886號判例	民法第1053條及第1054條所定之期間，為離婚請求權之除斥期間，與消滅時效性質不同，關於消滅時效中斷及不完成之規定，無可準用。	民法第1053條

案號	要旨	相關法規
最高法院62年台上字第1398號判例	夫妻之一方，對於未成年子女之監護權，不因離婚而喪失，依民法第1051條及第1055條規定，由一方監護者，不過他方監護權一時的停止而已，任監護之一方死亡時，該未成年之子女當然由他方監護，倘任監護之一方，先他方而死亡，而以遺囑委託第三人行使監護職務者，則與民法第1093條：「後死之父或母，得以遺囑指定監護人」之規定不合，不生效力。 相關法條：民法第1051條（刪除）、第1055條、第1084條、第1093條。 決定：本則判例保留，並加註：民法第1051條已刪除，第1093條第1項修正為「最後行使、負擔對於未成年子女之權利、義務之父或母，得以遺囑指定監護人。」	民法第1055條
最高法院28年上字第487號判例	民法第1057條之規定，限於夫妻無過失之一方，因判決離婚而陷於生活困難者，始得適用，夫妻兩願離婚者，無適用同條之規定，請求他方給付贍養費之餘地。	民法第1057條
最高法院63年台上字第1942號判例	民法第1058條所定夫妻離婚時「各取回其固有財產」，在夫妻聯合財產制係指夫取回夫之財產，及妻取回妻之原有財產而言。	民法第1058條
最高法院83年度第6次民事庭會議	提案：甲男與乙女結婚二年後協議離婚，惟未辦理結婚及離婚登記。乙女旋於協議離婚後三個月內與丙男結婚，而於二年後在美國生一女丁。嗣乙女偕丁女返國，並將丁女登記為乙女與丙男之婚生女，惟乙女與丙男之婚姻關係，於二個月後，經丙男以乙女重婚為由，訴請法院判決確認為無效確定。問是否仍應依民法第1063條第1項規定推定丁女為甲男與乙女之婚生女？ 決議：甲男與乙女雖已協議離婚，但未辦理離婚登記，其離婚尚未發生效力，丁女既為甲男與乙女婚姻關係存續中受胎所生，且甲男與乙女均未提起否認子女之訴，是縱甲男在乙女受	民法第1063條

案號	要旨	相關法規
最高法院83年度第6次民事庭會議	胎期間，並無與乙女同居之事實，依民法第1063條及本院七十五年台上字第2071號判例旨趣，丁女應受推定為甲男與乙女之婚生女，在夫妻之一方依同條第2項規定提起否認之訴，得有勝訴之確定判決前，無論何人皆不得為反對之主張。	民法第1063條
最高法院86年台上字第1908號判例	因認領而發生婚生子女之效力，須被認領人與認領人間具有真實之血緣關係，否則其認領為無效，此時利害關係人均得提起認領無效之訴。又由第三人提起認領無效之訴者，如認領當事人之一方死亡時，僅以其他一方為被告即為已足。編著：本則判例於民國95年10月3日經最高法院95年度第14次民事庭會議決定判例增列適用法條，並於95年11月3日由最高法院依據最高法院判例選編及變更實施要點第9點規定以台資字第0950000922號公告之。 決定：本則判例增列於民法第1065條。 編註：本則判例於民國89年11月21日經最高法院89年度第14次民事庭會議決議通過，並於89年12月21日由最高法院依據最高法院判例選編及變更實施要點第9點規定以（89）台資字第00747號公告之。	民法第1065條
最高法院28年上字第18號判例	父母對於未成年之子女雖有保護及教養之權利，同時亦有此項義務，此在民法第1084條規定甚明，其權利義務既有不可分離之關係，即不得拋棄其權利。	民法第1084號
最高法院53年台上字第1456號判例	父母向他人購買不動產，而約定逕行移轉登記為其未成年子女名義，不過為父母與他人間為未成年子女利益之契約（民法第269條第1項之契約），在父母與未成年子女之間，既無贈與不動產之法律行為，自難謂該不動產係由於父母之贈與，故父母事後就該不動產取得代價，復以未成年子女名義為第三人提供擔保而設定抵押權者，不得藉口非為子女利益而處分應屬無效，而訴請塗銷登記。	民法第1088條

案號	要旨	相關法規
最高法院53年度第1次民、刑庭總會會議決議(二)	提案：父母以其未成年子女之名義承擔債務，及以其未成年子女之財產提供擔保，其行為是否對未成年子女生效？ 決議：父母以其未成年子女之名義承擔債務及以其未成年子女之財產提供擔保，若非為子女利益而以子女之名義承擔他人債務，及為他人提供擔保，依照民法第1088條（舊法）及限定繼承之立法意旨暨公平誠實之原則，除其子女於成年後，自願承認外，不能對其子女生效。但子女之財產如係由父母以其子女之名義購置，則應推定父母係提出財產為子女作長期經營，故父母以子女之名義置業後，復在該價額限額度內，以子女名義承擔債務，提供擔保，不能概謂為無效。	民法第1088條
最高法院62年台上字第415號判例	所謂父母之一方不能行使對於未成年子女之權利，兼指法律上不能（例如受停止親權之宣告）及事實上之不能（例如在監受長期徒刑之執行、精神錯亂、重病、生死不明等）而言。至於行使有困難（例如自己上班工作無暇管教，子女尚幼須僱請傭人照顧等），則非所謂不能行使。	民法第1089條
最高法院56年台上字第795號判例	民法第1084條，乃規定父母對於未成年子女之保護及教養義務，與同法第1114條第1款所定，直系血親相互間之扶養義務者不同，後者凡不能維持生活而無謀生能力時，皆有受扶養之權利，並不以未成年為限。又所謂謀生能力並不專指無工作能力者而言，雖有工作能力而不能期待其工作，或因社會經濟情形失業，雖已盡相當之能事，仍不能覓得職業者，亦非無受扶養之權利，故成年之在學學生，未必即喪失其受扶養之權利。	民法第1114條
最高法院21年上字第2093號判例	與夫之父母同居甚或夫之父母為家長時，夫之父母固負扶養之義務，惟民法第1115條所定，履行扶養義務之順序，直系血親尊親屬在家長	民法第1115條

案號	要旨	相關法規
最高法院21年上字第2093號判例	及夫之父母之先，苟自己之父母或其他履行扶養義務之順序在先之人，有充分之資力足以扶養，不得逕向夫之父母請求履行扶養義務，即使順序在先之人資力不甚充分，亦僅得請求夫之父母就不足部分履行扶養義務。	民法第1115條
最高法院79年台上字第2629號判例	74年6月3日修正公布之民法第1116-1條規定：「夫妻互負扶養之義務，其負扶養義務之順序與直系血親卑親屬同，其受扶養權利之順序與直系血親尊親屬同」。夫妻互受扶養權利之順序，既與直系血親尊親屬同，自不以無謀生能力為必要。本院四十三年台上字第787號判例係就民法修正前所為之詮釋，自民法增訂第1116-1條規定後，即不再援用。	民法 第1116-1條
臺灣高等法院暨所屬法院99年法律座談會民事類提案第7號	法律問題：民法第1052-1條規定離婚經法院調解或法院和解成立者，婚姻關係消滅。法院應依職權通知該管戶政機關。非訟代理人或訴訟代理人可否代理當事人成立離婚調解或離婚和解？ 討論意見： 甲說：肯定說。 (一)法無明文規定排除訴訟代理人或非訟代理人代理當事人成立離婚和解或離婚調解。因民事訴訟法第70條規定，訴訟代理人就其受委任之事件有為一切訴訟行為之權。但捨棄、認諾、撤回、和解、提起反訴、上訴或再審之訴及選任代理人，非受特別委任不得為之。非訟事件法第12條規定，民事訴訟法有關訴訟代理人及輔佐人之規定，於非訟事件之非訟代理人及輔佐人準用之。且民事訴訟法第574條第1項規定，關於認諾效力之規定，於婚姻事件不適用。同條第2項規定，關於訴訟上自認及不爭執事實之效力規定，在離婚之訴，於離婚之原因、事實，不適用之。因此，就人事訴訟程序中之婚姻事件，特別設有排除認諾效力之規定，但並無排除和解效力之規定，只要訴訟代理人或非訟代理人受特別委任時，即可代理當事人為離婚和解或離婚調解。	民法 第1052-1條

案號	要旨	相關法規
臺灣高等法院暨所屬法院99年法律座談會民事類提案第7號	(二)法務部(73)法律字第5712號函法規諮詢意見，本件經轉准司法院秘書長73年5月19日(73)秘台廳(一)字第00345號函略以：「二、查楊○火因遭車禍，腦部受傷，記憶喪失，經臺灣臺北地方法院板橋分院以72年度禁字第010號裁定宣告楊○火為禁治產人，裁定內載明由其妻陳○樺為監護人，負責養護及治療楊○火之身體在案。嗣陳○樺以其無謀生養護及治療楊○火身體之能力，並以楊○火已無法治癒，難與共同生活，向原法院聲請調解，准予離婚。由該法院72年度家調字第337號聲請離婚調解案卷內資料查得，楊○火之生母楊朱○姑及胞兄楊○欽、胞姊楊○治、楊○珠與胞弟楊○傑曾於72年10月30日組成親屬會議，議決由生母楊朱○姑為禁治產人楊○火之監護人，並由其委任楊○火之胞姊楊○治代理出庭並授與特別代理權，徵之民法第1131條及第1052條暨民事訴訟法第69條、第79條及第571條之規定，臺灣臺北地方法院板橋分院所制作之調解筆錄，並無違法之處」。因此，受監護宣告之人之監護人為法定代理人，法定代理人委任他人為非訟代理人進行離婚調解並授與特別代理權，由非訟代理人代理進行離婚調解並為調解離婚成立並無不法。 (三)法務部（73）法律字第4408號函法規諮詢意見，本件經轉准司法院秘書長73年4月21日（73）秘台廳(一)字第00271號函略以：「二、本案業經本院所屬臺灣高等法院73年4月18日以（73）劍文簡字第04880號函略稱：『本件臺灣臺北地方法院為和解時，當事人許○源既立具民事委任書委任其子許○議為訴訟代理人，授與特別代理權，並由其子將委任書提出於臺灣臺北地方法院附卷，依民事訴訟法第69條、第70條第1項但書所定自應認為已有合法之委任，該和解尚難謂當然無效。』	民法 第1052-1條

案號	要旨	相關法規
臺灣高等法院暨所屬法院99年法律座談會民事類提案第7號	三、查協同辦理離婚戶籍登記，係一般給付之訴，並非不得代理之行為，臺灣高等法院前述意見，尚無不合。」因此，前述民事訴訟法舊法時期就離婚之訴可由受有特別委任之訴訟代理人代理為離婚和解，惟該和解為協同辦理離婚戶籍登記之一般給付之訴，現行法雖規定離婚經法院調解或法院和解成立者，婚姻關係消滅，具有與形成之訴相同性質，但修法後並無明文排除不得代理。 (四)民法第1052-1條之立法理由為賦予法院調解離婚或法院和解離婚成立者一定之法律效果；並避免因當事人未至戶政機關作離婚登記而影響其本人及相關者之權益。因此，由立法理由得知舊法和解或調解離婚後，仍需當事人雙方親自到戶政機關辦理離婚登記，目的可能是予當事人再思考離婚之必要，仍有勸和不勸離之傳統思維，現行法則是避免當事人未至戶政機關作離婚登記而影響其本人及相關者之權益，已經改為尊重當事人在法院所作決定之效力，就當事人委任並受特別委任之訴訟代理人在法院所為調解或和解離婚效力，也應予尊重。 乙說：否定說。 (一)身分行為原則不得代理，除非法有明文得代理之情形。身分關係及身分行為，民法第103至110條，原則上不能適用。因身分行為須自行，不許親權人代理。但有時因特別情事，亦有許其代理者。惟其代理非意定代理，而為法定代理。故其代理權之發生、消滅及其範圍，悉依親屬編或其他法律規定而定。在身分行為許其代理者如次：關於婚姻事件，由禁治產人之法定代理人或由親屬會議所指定之人代為訴訟（民事訴訟法第571條）。（戴炎輝、戴東熊合著，《中國親屬法》，民國85年2月修訂版第6版，頁8-9）。因此，非訟代理人或訴訟代理人代理當事人成立離婚調解或離婚和	民法 第1052-1條

案號	要旨	相關法規
臺灣高等法院暨所屬法院99年法律座談會民事類提案第7號	解身分行為原則不得代理，除非法有明文得代理之情形，而現行法並無明文規定非訟代理人或訴訟代理人得代理當事人成立離婚調解或離婚和解。 (二)民法第1052-1條規定並未使離婚之調解或和解發生「與確定判決同一效力」，立法者係透過本條規定離婚經法院調解或法院和解成立者，其婚姻關係僅生實體法上婚姻關係消滅之效力（林青松編著，《民法（身分法）》，民國98年10月3版，頁149）。因此，民事訴訟上之訴訟代理人為訴訟行為之代理，並非實體法上法律行為代理，即使受有特別委任，仍不得代理當事人為成立調解離婚或和解離婚。 丙說：折衷說，當事人於委任書或向法院陳明，經法院記明筆錄，明確示離婚意思並委任訴訟代理人在法院調解離婚或和解離婚程序中代為表示離婚意思，應可成立離婚調解或離婚和解。 (一)當事人明確表示離婚意思，訴訟代理人只是將當事人之離婚意思代為在法院表示，使兩造在法院成立離婚調解或離婚和解意思一致，訴訟代理人只是當事人之使者或手足之延伸，對當事人離婚和解或調解成立，並無自己意思存在。司法院（78）秘台廳(一)字第01189號函法令釋示，又關於收養人及被收養人均不能回國辦理收養手續，可否委託駐外使館代辦一節，按收養為身分行為，除被收養人未滿7歲，可由其法定代理人代為意思表示並代受意思表示外，應由收養人及被收養人自行決定收養之意思（最高法院29年上字第1606號判例參照）。故如委任他人代理聲請法院認可收養子女者，須依非訟事件法第7條、民事訴訟法第68至第75條等規定為之，並應於委任書內指明收養人及被收養人之姓名、年籍等，以表明其自行決定收養之意旨。惟法院如依職權調查事	民法 第1052-1條

案號	要旨	相關法規
臺灣高等法院暨所屬法院99年法律座談會民事類提案第7號	實及必要之證據，通知本人到場應訊時，本人仍必須到場。因此，當事人於委任書明確表示離婚意思並委任訴訟代理人在法院代為調解離婚或和解離婚，兩造在法院合意離婚調解或離婚和解即為合法。 (二)當事人一方為收容人在監或在押時，當事人合意離婚並未能一同至戶政機關辦理離婚登記，離婚協議書由監所機關證明係受刑人親簽並捺印指紋後，並由受刑人出具在監委託證明書後，只需由另一方持該離婚協議書及在監委託證明書至戶政機關辦理離婚登記即發生協議離婚效力（內政部97年3月10日以台內戶字第0970025810號函復臺灣臺中地方法院。民法第1050條規定，兩願離婚，應以書面為之，有二人以上證人之簽名並應向戶政機關為離婚之登記。戶籍法第36條規定，離婚登記，以雙方當事人為申請人。但經判決離婚確定或其離婚已生效者，得以當事人之一方為申請人。矯正機關收容人戶籍管理作業規定第7點規定，收容人申請戶籍事項，應填具申請書，並檢附相關文件，經矯正機關函送戶政事務所或委託他人辦理。收容人委託他人辦理時，委託書應經矯正機關證明。臺灣臺中地方法院家事法庭編著，2008家事調解（商談）實務操作手冊，頁5-32）。因此，當事人提出委任書或向法院陳明經法院記明筆錄，明確表示離婚意思並委任訴訟代理人在法院調解離婚或和解離婚程序中代為表示離婚意思，應可成立離婚調解或離婚和解。 初步研討結果：採乙說。 審查意見：兩願離婚為不許代理之法律行為，原則上不得由非訟代理人或訴訟代理人代理當事人成立離婚調解或離婚和解，惟夫妻自行決定離婚之意思而以代理人為其意思之表示機關，自非不可成立離婚調解或離婚和解。	民法 第1052-1條

案號	要旨	相關法規
臺灣高等法院暨所屬法院100年法律座談會民事類提案第8號	法律問題： 甲（父）乙（母）於民國90年間離婚，約定或經判決兩造所生未成年子女丙之權利義務由甲（父）行使負擔。之後乙雖與甲、丙居住在同一縣市，但很少到甲處與未成年子女丙會面交往，且甚少與未成年子女丙聯繫，丙和乙間關係淡薄，未建立依附關係。多年後，於100年間甲因故死亡，與甲、丙同住的甲母丁（即未成年子女丙之祖母）要求乙將丙之監護權改由丁行使，乙不同意並主張伊是丙之生母，於甲死亡後，乙的親權當然回復。之後丁即對乙提起改定未成年子女監護權之請求，經訪視結果以丁較適合擔任未成年子女之監護人。 問題(一)：本件未成年子女之母並無民法第1094條規定之不能行使負擔對未成年子女之權利義務情形，則丁之請求有無理由？ 問題(二)：丁可否未訴請停止乙之親權而直接依民法第1106-1條規定，直接請求改定監護權給丁？或直接依兒童及少年福利法第48條規定，未對乙訴請停止親權即直接改定監護權給丁？ 討論意見： 問題(一)：甲說：乙長期未親自照顧未成年子女，且訪視結果乃為丁較適合擔任未成年子女之監護人，為未成年子女之最佳利益，故丁之請求為有理由。 乙說：甲乙離婚時，未成年子女之權利義務約定（或判決）由甲行使負擔，乙之親權僅暫時的停止，於甲死亡時，乙當然回復完全的親權而為未成年子女之法定監護人，在未停止乙對未成年子女之親權時，即無另由第三人為未成年子女監護人之理由。 問題(二)：甲說：況依民法第1106-1條規定已明文說明不受第1094條之限制，且立法理由亦明示係參酌兒童及少年福利法第48條規定始增訂之。故可依民法第1106條之1或兒少法第48條規定，直接改定監護權給丁。	民法 第1090條 第1094條 第1106-1條

案號	要旨	相關法規
臺灣高等法院暨所屬法院100年法律座談會民事類提案第8號	乙說：如可直接援引民法第1106-1條規定或兒少法第48條規定，即由祖母對無不能行使親權之母親聲請改定監護權，則民法第1090條規定即成贅文。 初步研討結果： 問題(一)、(二)均採乙說。 審查意見： 問題(一)：採乙說。 問題(二)：採乙說。 研討結果：照審查意見通過。	民法 第1090條 第1094條 第1106-1條
臺灣高等法院暨所屬法院100年法律座談會民事類提案第7號	法律問題：甲夫乙妻於民國90年4月結婚，雙方未以契約訂立夫妻財產制，婚後夫妻感情不睦： 問題(一)：乙妻以甲夫在外與其他女子性交為由，於98年6月15日向本院提起請求判決離婚之訴；甲夫於前開婚姻訴訟進行中之99年4月1日，以乙妻對甲夫之直系血親尊親屬為不堪同居之虐待為由，反訴請求判決離婚，合併請求夫妻剩餘財產分配，則有關兩造於婚後以乙妻名義購置之A房地，其財產之價值計算以何時為準？ 問題(二)：設若法院審理結果，本訴為無理由判決駁回；反訴有理由，判決兩造離婚，則其婚後財產價值之計算基準有無不同？ 問題(三)：又若乙妻於甲夫提起前開反訴後法院宣示判決前，撤回離婚本訴，則其婚後財產價值之計算基準有無不同？ 問題(四)：又如前開設題，甲夫提起反訴時未合併請求夫妻剩餘財產分配，法院審理結果，本訴無理由判決駁回乙妻之離婚本訴；而反訴有理由，判決准兩造離婚，因乙妻遲誤上訴期間而告確定，甲夫於前開訴訟判決確定後再另起訴請求剩餘財產分配，其財產價值之計算，究以前訴訟乙妻起訴時為準或以甲夫提起反訴時為準？乙說：應以甲夫於99年4月1日反訴請求判決離婚，合併請求夫妻剩餘財產分配時為	民法 第1030-4條

案號	要旨	相關法規
臺灣高等法院暨所屬法院100年法律座談會民事類提案第7號	準。按民法第1030條之4第1項但書「以起訴時為準」，應包含反訴請求判決離婚之情形在內（最高法院97年度台上字第88號判決要旨所載「應以提起離婚訴訟時為準」，即係指反訴離婚時），且於反訴合併請求剩餘財產分配時，始有計算財產價值的問題，故本訴起訴時既未合併請求剩餘財產分配，自應以反訴請求判決離婚，合併請求剩餘財產分配時，作為計算婚後財產價值之時點。 討論意見： 問題(一)：甲說：應以乙妻於98年6月15日向本院提起請求判決離婚之訴時為準。按夫妻現存之婚後財產，其價值計算以法定財產制關係消滅時為準。但夫妻因判決而離婚者，以起訴時為準，民法第1030條之4第1項定有明文。蓋夫妻一旦提起離婚之訴，其婚姻基礎既已動搖，自難期待一方對於他方財產之增加再事協力、貢獻，是夫妻因判決而離婚，其婚後財產範圍及其價值計算基準，以提起離婚之訴時為準（最高法院98年度台上字第768號判決參照）。又反訴係利用本訴之訴訟程序所提起，其提起之時間並不確定，若以提起反訴離婚合併請求剩餘財產分配時為計算財產價值之基準，除欠缺程序之安定性外，亦將可能使反訴原告利用反訴程序操控婚後財產價值之計算時點。 問題(二)：甲說：仍應以乙妻提起離婚本訴時為計算婚後財產之基準。亦即夫妻婚後財產價值之計算基準，不應依法院審理之結果而有所不同，否則於訴訟進行中法院在本訴或反訴勝敗未形成心證前，將無法就婚後財產進行鑑價（或必須就本訴起訴及反訴提起時之價值分別鑑價），其財產價值之計算基準，一再隨法院審理結果之不同而變更，顯有違訴訟程序之安定性。	民法 第1030-4條

案號	要旨	相關法規
臺灣高等法院暨所屬法院100年法律座談會民事類提案第7號	乙說：仍應以甲夫提起離婚反訴，合併請求分配剩餘財產時為計算婚後財產之基準。按民法第1030-4條第1項但書係規定：夫妻「因判決而離婚者」，以起訴時為準，即應以該起訴經法院判決准許離婚時，始有其適用。本件乙妻之本訴經法院審理後既認為無理由而判決駁回，其起訴自不應作為婚後財產價值計算之基準，而反訴經法院判決准許離婚，其婚後財產價值之計算，自應以反訴離婚提起時為基準。 問題(三)：甲說：仍應以乙妻提起離婚本訴時為計算婚後財產之基準。亦即夫妻婚後財產價值之計算基準，均應以離婚本訴起訴時準，縱本訴於訴訟程序進行中撤回，應以反訴提起時為計算基準，則法院必須就反訴提起時之婚後財產價值再另行鑑價，不惟與訴訟經濟原則有違，亦不符程序安定之原則。 乙說：應以甲夫提起離婚反訴，合併請求分配剩餘財產時為計算婚後財產之基準。按民法第1030-4條第1項但書「以起訴時為準」，係以訴訟合法繫屬於法院為前提，苟離婚本訴於起訴後已經撤回而訴訟繫屬消滅，自無再將已不存在之起訴時點，作為計算婚後財產價值基準之理。本件乙妻所提起之離婚本訴，其後既經乙妻撤回而致本訴之訴訟繫屬消滅，則其反訴所進行之訴訟程序，自無以本訴起訴時作為計算婚後財產價值基準之餘地。 問題(四)：甲說：仍應以乙妻提起離婚本訴時為計算婚後財產之基準。亦即夫妻婚後財產價值之計算基準，均應以離婚本訴起訴時為準，不論本訴其後是否撤回，亦不論本訴經法院審理後是否無理由而被駁回，只要法院於同一訴訟程序判決准許兩造離婚，有關婚後財產價值之計算基準，即應以離婚本訴起訴時為準。至最高法院97年度台上字第88號判決要旨，所載「本件剩餘財產分配關於兩造婚後財產價值之計算，應以被上訴人提起離婚反訴即92年9月4日準為兩造所不爭」等語，係引用臺灣高等法	民法 第1030-4條

案號	要旨	相關法規
臺灣高等法院暨所屬法院100年法律座談會民事類提案第7號	院96年度重家上字第9號之判決內容，並非最高法院判決本身所持之法律見解。 乙說：應以甲夫前訴訟提起離婚反訴時，作為後訴訟請求分配剩餘財產時計算婚後財產價值之基準。蓋乙妻提起離婚本訴及甲夫所提離婚反訴之前訴訟，經法院審理後，既認定本訴離婚無理由予以駁回；反訴離婚有理由，判決准許離婚確定，則後訴訟請求分配夫妻剩餘財產，其婚後財產價值之計算，自應以前訴訟甲夫所提反訴離婚時為計算之基準。最高法院97年度台上字第88號判決要旨：「夫妻現存之婚後財產，其價值計算以法定財產制關係消滅時為準。但夫妻因判決而離婚者，以起訴時為準，民法第1030條之4定有明文。本件剩餘財產，其婚後財產價值之計算，自應以前訴訟甲夫所提反訴離婚時為計算之基準。」最高法院97年度台上字第88號判決要旨：「夫妻現存之婚後財產，其價值計算以法定財產制關係消滅時為準。但夫妻因判決而離婚者，以起訴時為準，民法第1030條之4定有明文。本件剩餘財剩餘財產分配之請求，其婚後財產範圍及其價值之計算，以及於婚姻關係存續中所負債務，均應以提起離婚訴訟時為準。」即採此見解。 初步研討結果： 問題(一)：多數採甲說。 問題(二)：多數採甲說。 問題(三)：多數採甲說。 問題(四)：多數採甲說。 審查意見： 問題(一)：應視本訴或反訴何者為有理由，而以該有理由之訴起訴時為準。 問題(二)：採乙說。 問題(三)：採乙說。 問題(四)：採乙說。 研討結果： 問題(一)：照審查意見通過。惟理由補充「若	民法 第1030-4條

案號	要旨	相關法規
臺灣高等法院暨所屬法院100年法律座談會民事類提案第7號	本訴或反訴皆有理由，則以本訴起訴時為準（本訴一定先起訴）。」 問題(二)：照審查意見通過。 問題(三)：照審查意見通過。 問題(四)：照審查意見通過。	民法 第1030-4條
臺灣高等法院暨所屬法院100年法律座談會民事類提案第10號	法律問題：甲有子乙丙，甲對乙丙有故意為虐待、重大侮辱或其他身體、精神上之不法侵害行為；或者，對乙丙有無正當理由未盡扶養義務，且情節重大，在甲未對乙丙提起請求給付扶養費之訴時，扶養義務人可否依民法第1118-1條第2項之規定提起訴訟，請求法院判決減輕或免除扶養之義務？ 討論意見： 甲說： (一)受扶養權利者有下列情形之一，由負扶養義務者負擔扶養義務顯失公平，負扶養義務者得請求法院減輕其扶養義務：一對負扶養義務者、其配偶或直系血親故意為虐待、重大侮辱或其他身體、精神上之不法侵害行為；二對負扶養義務者無正當理由未盡扶養義務。受扶養權利者對負扶養義務者有前項各款行為之一，且情節重大者，法院得免除其扶養義務。民法第1118-1條第1項、第2項定有明文。 (二)審酌民法第1118-1條的立法目的，在於使受扶養權利者與負扶養義務者間，若符合該條中任一款規定時，即得請求法院減免扶養義務，復又參照該條文文義解釋：「負扶養義務者得『請求』法院減輕其扶養義務」，是民法第1118-1條可作為請求權基礎。 乙說： (一)按直系血親相互間，互負扶養之義務，民法第1114條第1款定有明文，是直系血親互相間，受扶養權利之一方，自得向負扶養義務之他方請求扶養。次按「因負擔扶養義務而不能維持自己生活者，免除其義務。但受扶養權利者為直系血親尊親屬或配偶時，減輕其義務。」，	民法 第1114條第1款 第1118條 第1118-1條

案號	要旨	相關法規
臺灣高等法院暨所屬法院100年法律座談會民事類提案第10號	民法第1118條亦有明文，又民法於99年1月27日經公布增訂第1118-1條：「按受扶養權利者下列情形之一，由負扶養義務者負擔扶養義務顯失公平，負扶養義務者得請求法院減輕其扶養義務：一對負扶養義務者、其配偶或直系血親故意為虐待、重大侮辱或其他身體、精神上之不法侵害行為。二對負扶養義務者無正當理由未盡扶養義務。受扶養權利者對負扶養義務者有前項各款行為之一，且情節重大者，法院得免除其扶養義務。」並於同年月29日施行；而增訂該條文之立法理由係：民法扶養義務乃發生於有扶養必要及有扶養能力之一定親屬之間，父母對子女之扶養請求權與未成年子女對父母之扶養請求權各自獨立（最高法院92年度第5次民事庭會議決議參照），父母請求子女扶養，非以其曾扶養子女為前提。然在以個人主義、自己責任為原則之近代民法中，徵諸社會實例，受扶養權利者對於負扶養義務者本人、配偶或直系血親曾故意為虐待、重大侮辱或其他家庭暴力防治法第2條第1款所定身體、精神上之不法侵害行為，或對於負扶養義務者無正當理由未盡扶養義務之情形，例如實務上對於負扶養義務者施加毆打，或無正當理由惡意不予扶養者，即以身體或精神上之痛苦加諸於負扶養義務者而言均屬適例（最高法院74年台上字第1870號判例參照），此際仍由渠等負完全扶養義務，有違事理之衡平，爰增列第1項，此種情形宜賦予法院衡酌扶養本質，兼顧受扶養權利者及負扶養義務者之權益，依個案彈性調整減輕扶養義務。至受扶養權利者對負扶養義務者有第1項各款行為之一，且情節重大者，例如故意致扶養義務者於死而未遂或重傷、強制性交或猥褻、妨害幼童發育等，法律仍令其負扶養義務，顯強人所難，爰增列第2項，明定法院得完全免除其扶養義務。又按民法第1118-1條之增訂係參酌德國民法第1611條	民法 第1114條第1款 第1118條 第1118-1條

案號	要旨	相關法規
臺灣高等法院暨所屬法院100年法律座談會民事類提案第10號	第1項規定及法國民法第207條規定，即有於一定情形下，限制或免除扶養義務之規定。 (二)綜上規定交互以參，民法第1118條及新增第1118-1條乃係扶養義務者主張減輕或免除其對扶養權利者所應負扶養義務之抗辯事由，並非請求權基礎，亦即直系血親互相間，受扶養權利之一方，訴請負扶養義務之他方扶養時，受扶養義務之他方有民法第1118條之事由，抑或受扶養權利之一方有民法第1118-1條第1項各款之事由而情節重大者，負扶養義務之他方方得向法院請求減輕或免除其扶養之義務，無以於受扶養權利之一方未訴請負扶養義務之他方請求扶養，即由負扶養義務之他方先向法院主張此等抗辯事由，而請求減輕或免除其扶養義務。又參酌德國民法第1611條亦非直接減免扶養義務，而是有規範層次的不同，原則規定扶養義務人給付合理公平之扶養費，在顯失公平時再完全免除扶養義務。由此可知，甲未對乙丙提起請求給付扶養費之訴時，乙丙不可依民法第1118-1條第2項向法院請求免除其扶養義務。 (三)因認為民法第1118-1條為抗辯事由，無以於受扶養權利之一方未訴請負扶養義務之他方請求扶養，即由負扶養義務之他方先向法院主張此等抗辯事由，而請求減輕或免除其扶養義務。然現行實務上認為在此種情況下，仍可由負扶養義務之他方向法院提起確認扶養義務不存在之訴，有臺灣板橋地方法院99年度家訴字第275號判決參照。 初步研討結果：採甲說。	民法 第1114條第1款 第1118條 第1118-1條
臺灣高等法院暨所屬法院100年法律座談會民事類提案第9號	法律問題：甲父有A、B二子均已成年，B子因重度精神障礙，致不能為意思表示，經A向本院對B聲請為監護宣告，並選定A為B之監護人，嗣甲父因病過世，遺有房屋及土地各一筆由A、B共同繼承，A為辦理遺產分割登記，以其行為與受監護人之利益相反依法不得代理為由，先向本院聲請選定B之特別代理人，經本	民法 第1098條 第1101條

案號	要旨	相關法規
臺灣高等法院暨所屬法院100年法律座談會民事類提案第9號	院裁定選定C於辦理被繼承人甲遺產繼承分割時為B之特別代理人確定，則A為辦理遺產分割登記，聲請法院許可代為處分（分割遺產）受監護人B之不動產，法院應否准許？ 討論意見： 甲說：肯定說。 按監護人於監護權限內，為受監護人之法定代理人；監護人代理受監護人處分不動產之行為，非經法院許可，不生效力，民法第1098條第1項、第1101條第2項第1款分別定有明文。本件A既仍為B之監護人，自仍可聲請法院許可代為處分（遺產分割）受監護人B之不動產。至A因其與B同為繼承人而為遺產分割，其行為與受監護人之利益相反或依法不得代理，則於遺產分割行為時，由特別代理人C代理B為遺產分割之處分行為即可。 乙說：否定說。 應由特別代理人C為聲請人，以B為相對人，聲請法院許可代為處分（分割遺產）B繼承之不動產。按監護人於監護權限內，為受監護人之法定代理人。監護人之行為與受監護人之利益相反或依法不得代理時，法院得因監護人、受監護人、主管機關、社會福利機構或其他利害關係人之聲請或依職權，為受監護人選任特別代理人，為民法第1098條所明定。本件本院既已選定C於辦理被繼承人甲遺產繼承分割時為B之特別代理人，則就此範圍內C即取代A成為B之法定代理人，自應由C聲請法院許可代為處分（分割遺產）B之不動產。本件B不得為聲請人，其聲請應予駁回。 丙說：折衷說。 A及C均可為聲請人。若由特別代理人C為聲請人，而以B為相對人，聲請法院許可代為處分（分割遺產）B之不動產，因C於該遺產分割範圍內已取代A成為B之法定代理人，固可提起本件聲請；但若A以B為相對人，併列C為B	民法 第1098條 第1101條

案號	要旨	相關法規
臺灣高等法院暨所屬法院100年法律座談會民事類提案第9號	之特別代理人，而聲請法院許可由特別代理人C代為處分（遺產分割）B之不動產，既無利益衝突或依法不得代理之問題，法院自亦可准許A之聲請，但主文應諭知准許C代為處分B之不動產之意旨。 初步研討結果： 多數採丙說。 審查意見：A可逕行辦理遺產分割登記，無再聲請法院選定特別代理人之必要，故本案欠缺權利保護之要件，應予駁回其聲請。 研討結果： (一)提案機關同意法律問題倒數第3行第11字「A」修正為「A、C」。 (二)審查意見前段「A可逕行……之必要」修正為「A、C可逕行辦理遺產分割登記，無再聲請法院許可代為處分之必要」。 (三)照修正後之審查意見通過。	民法 第1098條 第1101條
臺灣高等法院暨所屬法院99年法律座談會民事類提案第9號	法律問題：甲男與乙女原為夫妻，於民國90年間辦理離婚登記，嗣於97年12月間，甲男因意外而心神喪失，經甲男之父A、甲男之兄B向法院聲請對甲為禁治產宣告，法院於98年5月間宣告甲為禁治產人確定，甲男之父A本於修法前之民法第1111條第1項第2款規定，向戶政機關為禁治產及監護人之登記。惟於98年6月間，乙對甲起訴請求確認婚姻關係存在（以無離婚真意以及證人非真正為由），A乃以甲之監護人身分參與第一審法院之訴訟程序，並否認原告之主張。第一審法院並未為甲選任特別代理人，而由A以甲之監護人身分擔任法定代理人，經第一審法院於98年11月10日判決確認甲乙間之婚姻關係存在，A以甲之監護人身分於98年11月25日為甲提起上訴。問： 問題(一)：A於98年11月23日新法實施後（按：民法親屬編施行法第14-2條規定：「中	民法親屬編施行法 第14-2條 民法第1111條

案號	要旨	相關法規
臺灣高等法院暨所屬法院99年法律座談會民事類提案第9號	華民國97年5月2日修正之民法親屬編第4章之規定，自公布後1年6個月施行。」上開法律，經總統令於97年5月23日公布，因此自98年11月23日施行。）是否仍具有甲之監護人身分？ 討論意見： 問題(一)： 甲說：否定說。 民法親屬編施行法第14-2條規定：「中華民國97年5月2日修正之民法親屬編第4章條文施行前所設置之監護人，於修正施行後，適用修正後之規定。」關於受監護宣告之人，其監護人之產生方式，修正後第1111條第1項規定既須由法院選定監護人，則在98年11月23日以後，監護人之產生即須適用修正後之規定，由法院選任，而不再適用修法前法定監護人之規定。準此，98年11月23日以後，A即不再具有甲之監護人身分。 乙說：肯定說。 民法親屬編施行法第14-2條規定：「中華民國97年5月2日修正之民法親屬編第4章條文施行前所設置之監護人，於修正施行後，適用修正後之規定。」對於修正施行前所設置之法定監護人，並不影響其監護人之身分，條文所述「於修正施行後，適用修正後之規定。」係指該監護人應依新修正之規定，應與會同開具財產清冊之人開具財產清冊並陳報法院，有關監護人之權利義務、撤退、改定及終止等事項，均適用修正後之規定。倘若依甲說須由法院重新選任監護人，則將使所有受禁治產宣告之人陷於無監護人狀態，對於受禁治產宣告之人更為不利，要非立法本意。準此，98年11月23日以後，A仍具有甲之監護人身分。 審查意見： 問題(一)、(二)均採乙說。	民法親屬編施行法 第14-2條 民法第1111條

案號	要旨	相關法規
101年民議字第6號提案	法律問題： 第二審法院以判決宣告改用分別財產制事件，當事人不服該第二審判決，於家事事件法施行前提起上訴。本院於家事事件法施行後，就該事件究應依上訴程序處理？或依再抗告程序處理？ 有甲、乙二說： 甲說：仍依上訴程序處理。 一、家事事件法（下稱新法）第197條第2項規定：「本法施行前已繫屬尚未終結之家事事件（包含家事訴訟事件及家事非訟事件），依其進行程度，由繫屬之法院依本法所定程序終結之，已依法定程序進行之行為，效力不受影響」。依此規定，在新法施行前，事件已繫屬於法院者，如尚未終結，縱令新法已將原屬家事訴訟事件改列家事非訟事件，或已將原家事非訟事件改列家事訴訟事件，無論在第一審或第二審程序，依民事訴訟法施行法第2條所定程序從新之原則，繫屬中之法院均應依其程序進行之程度，改依新法所定程序繼續進行。但依原程序已進行之行為，仍繼續有效。 二、新法第198條第2項規定：「本法施行前法院已終結之家事事件（包含家事訴訟事件及家事非訟事件），其異議、上訴、抗告、再審之管轄，依原程序所適用之法律定之」。本條項規定適用之範圍，以新法施行前法院已就家事事件為本案裁判者為限，此後如對之聲明不服，無論在第一審或第二審程序，均應依原程序所適用之法律續行程序，而無新法規定之適用，此與同法第197條第2項所定新法施行前已繫屬於法院尚未終結之家事事件，如何續行程序大不相同。試舉二例以明之： (1)家事事件於新法施行前，第一審原應適用非訟事件程序，經法院依舊法所定程序為終結程序之本案裁定後，新法始將該事件改列家事訴訟事件，當事人對於該裁定提起抗告，仍應依舊法所定抗告程序繼續進行。	家事事件法 第3條 第94條 第197條 第198條 （101.01.11） 家事事件法施行細則 第10條

案號	要旨	相關法規
101年民議字第6號提案	(2)家事事件於新法施行前，第二審原應適用訴訟程序，經法院依舊法所定程序，為終結程序之本案判決後，新法始將該事件改列家事非訟事件，當事人對於該判決聲明不服，仍應依舊法所定上訴程序繼續進行。本件法律問題案例，與之情形相當，解為應依上訴程序處理。 三、關於法院之管轄，有土地管轄與事務管轄之分：在土地管轄，定法院之管轄，以起訴時為準，不因訴訟繫屬後事實及法律狀態之變更而受影響（民訴第27條、第31-1條）。在事務管轄，應依事務之性質定法院之管轄，如民事事件應由民事法院管轄、家事事件應由家事法院管轄。至新法第198條所定「其異議、上訴、抗告及再審之管轄」，究為土地管轄？抑或事務管轄？顧名思義應屬事務管轄之性質，且同條項之立法理由說明謂「本法施行前已終結之家事事件，為免當事人之訴訟權受影響，其救濟程序之事務管轄，仍應以起訴或聲請時所定應適用之法律定之」等語可以印證，並貫徹民事訴訟法施行法第4-1條及第8條之立法精神，本件法律問題應採甲說。 乙說： 改依再抗告程序處理按宣告改用分別財產制事件，原屬訴訟事件，第二審法院以判決宣告改用分別財產制，當事人不服該第二審判決提起上訴後，因家事事件法（下稱本法）自民國101年6月1日開始施行，該事件依本法第3條第5項第6款規定為戊類家事非訟事件，依本法第198條第2項、本法施行細則第15條規定，固應由本院管轄，惟依本法第197條第2項、本法施行細則第10條規定，該等於本法施行前之訴訟事件，依法為非訟事件者，自本法施行後，應依本法所定之家事非訟程序處理，自應由本院依本法第94條第2項規定，改依非訟程序之再抗告程序處理。	家事事件法 第3條 第94條 第197條 第198條 （101.01.11） 家事事件法施行細則 第10條

案號	要旨	相關法規
101年民議字第6號提案	決議： 採乙說： 改依非訟程序之再抗告程序處理當事人於民國101年6月1日家事事件法施行前，對於第二審法院宣告改用分別財產制之判決，提起第三審上訴，因家事事件法第3條第5項第6款已將此類事件規定為家事非訟事件，本院對該法施行後已繫屬而未終結之家事事件，依同法第197條第3項規定，自有管轄權，其處理程序，依同條第2項及同法施行細則第10條規定，應依同法所定家事非訟程序終結之，並適用第94條第2項規定，改依非訟程序之再抗告程序處理。	家事事件法 第3條 第94條 第197條 第198條 （101.01.11） 家事事件法施行細則 第10條
臺灣高等法院暨所屬法院103年法律座談會民事類提案第40號	法律問題： 兒童及少年福利與權益保障法（下稱兒少法）第71條第1項：「父母或監護人對兒童及少年疏於保護、照顧情節嚴重，或有第49條、第56條第1項各款行為，或未禁止兒童及少年施用毒品、非法施用管制藥品者，兒童及少年或其最近尊親屬、直轄市、縣（市）主管機關、兒童及少年福利機構或其他利害關係人，得請求法院宣告停止其親權或監護權之全部或一部，或得另行聲請選定或改定監護人；對於養父母，並得請求法院宣告終止其收養關係。」 試問： 問題(一)：何人得依本條規定主張其為「最近尊親屬」而請求法院停止父母或監護人之親權？ 問題(二)：何人得依本條規定主張其為「利害關係人」而請求法院停止父母或監護人之親權？ 決議： 問題(一)：兒童及少年福利與權益保障法第71條第1項係規定「兒童及少年或『其』最近尊親屬」，可知「最近尊親屬」係指「兒童及少年」之最近尊親屬，而非「兒童及少年之父母	民法 第1094條 第1106-1條 第1113條 第1114條 第1115條 第1116條 第1123條 第1138條 憲法第156條 少年福利法 第1條

案號	要旨	相關法規
臺灣高等法院暨所屬法院103年法律座談會民事類提案第40號	或監護人」之最近尊親屬，自不以該最近尊親屬須輩分高於「兒童及少年之父母或監護人」始可。 問題(二)：採乙說：係指事實上或法律上之利害關係人，即包含同居之家屬。考量關於保障兒童及少年福利與權益之各該法律，均明文揭示立法目的係以兒童及少年之身心健全發展考量，追求兒童及少年之最佳利益，且為保護兒童及少年免於受侵害或其身心發展遭妨礙，無論國家或國民，應認渠等均有保護兒童及少年之義務，是以解釋兒少法第71條第1項之「利害關係人」，應參照各法律間體系關係（如民法第1114、1123條），避免在相同情形就利害關係人之規定做不同解釋，並依具體個案予以判斷是否為兒童或少年之利害關係人，以保障兒童及少年之權益。再者，有事實足認監護人不符受監護人之最佳利益，或有顯不適任之情事者，法院得依受監護人、民法第1094條第3項聲請權人即四親等內之親屬、檢察官、主管機關或其他利害關係人之聲請，改定適當之監護人，民法第1106條之1第1項定有明文。上開條文規定所謂之「利害關係人」，應係指與相對人在法律上或事實上產生利害關係者而言。前揭情形與兒少法第71條第1項所列情形，均指有不符未成年人之最佳利益或監護人有顯不適任之情事，是為避免未成年人或受監護人身心發展遭受妨礙或侵害，並兼顧法安定性與法律解釋的一致性，該二條文所稱之「利害關係人」應為相同解釋，以保障未成年人或受監護人之最佳利益（臺灣花蓮地方法院102年度監宣字第51號民事裁定參照）。故兒少法第71條第1項之「利害關係人」規定，解釋上應參照前揭規定，應認不限於法律上利害關係人之必要。	民法 第1094條 第1106-1條 第1113條 第1114條 第1115條 第1116條 第1123條 第1138條 憲法第156條 少年福利法 第1條

案號	要旨	相關法規
臺灣高等法院暨所屬法院108年法律座談會民事類提案第8號	法律問題： 問題(一)：乙、丙、丁為甲之子女，依民法第1114條、第1115條規定，甲為受扶養權利人，乙、丙、丁為對甲負有扶養義務之人，因甲不能以自己財產維持生活而有受扶養之必要，然丙、丁未曾聞問或給付任何費用扶養甲，甚且失去行蹤，均由乙獨力扶養照顧並支出扶養費用，乙、丙、丁間未曾協議定期給付扶養費用作為甲之扶養方法，乙得否逕依民法第179條不當得利之法律關係，請求丙、丁返還其代墊之扶養費用？ 問題(二)：乙、丙、丁為甲之子女，依民法第1114條、第1115條規定，甲為受扶養權利人，乙、丙、丁為對甲負有扶養義務之人，因甲不能以自己財產維持生活而有受扶養之必要，然乙、丙、丁未曾聞問或給付任何費用扶養甲，甚且失去行蹤，均由與甲同住之乙之子戊獨力扶養照顧並支出扶養費用，乙、丙、丁間未曾協議定期給付扶養費用作為甲之扶養方法，戊得否逕依民法第179條不當得利之法律關係，請求乙、丙、丁返還其代墊之扶養費用？ 決議： 問題(一)、(二)：均採乙說，理由如下： (一)民法第1120條前段規定「扶養之方法，由當事人協議定之；不能協議時，由親屬會議定之。」係為解決受扶養權利人與扶養義務人間不能就扶養之方法達成協議所為之規定，其協議之規範對象不包含扶養義務人彼此間就扶養義務履行所生之爭議（臺灣高等法院暨所屬法院107年法律座談會民事類提案第4號參照）。問題(一)、(二)既非關於受扶養權利人與扶養義務人間關於扶養方法之爭議，自均無民法第1120條規定之適用。	家事事件審理細則 第147條 第148條 民法 第179條 第181條 第1114條 第1115條 第1116條 第1120條 第1132條 第1137條 非訟事件法 第140-1條 家事事件法 第100條 第126條

案號	要旨	相關法規
臺灣高等法院暨所屬法院108年法律座談會民事類提案第8號	(二)問題(一)：甲不能維持生活，乙、丙、丁為甲之子女，依民法第1114條、第1115條、第1116條規定，對於甲均負有扶養義務，丙、丁既未履行其扶養義務，而由乙獨力扶養甲，則乙所支出扶養費用，本應由乙、丙、丁三人負擔，丙、丁因乙之支出而受有免於支出其所應負擔扶養費之利益，致乙受損害，乙自得依不當得利之法律關係，請求丙、丁二人返還其代墊之扶養費用。 (三)問題(二)：甲不能維持生活，乙、丙、丁為甲之子女，依民法第1114條、第1115條、第1116條規定，對於甲均負有扶養義務，戊依民法第1115條第1項第1款、第2項規定，對甲所負扶養義務之順序在乙、丙、丁之後，乙、丙、丁既未履行對甲之扶養義務，而由戊扶養甲，則戊所支出扶養費用，本係乙、丙、丁三人所應負擔，其三人因戊之支出而受有免於支出其所應負擔扶養費用之利益，致戊受損害，戊自得依不當得利之法律關係，請求乙、丙、丁三人返還其代墊之扶養費用。	家事事件審理細則 第147條 第148條 民法 第179條 第181條 第1114條 第1115條 第1116條 第1120條 第1132條 第1137條 非訟事件法 第140-1條 家事事件法 第100條 第126條

肆、大法官解釋必讀精選

釋字號碼	大法官解釋爭點	重要解釋文及重要理由書精選
12	某甲收養某丙，同時以女妻之，有否民法第983條之限制？	某甲收養某丙，同時以女妻之，此種將女抱男習慣，其相互間原無生理上之血統關係，自不受民法第983條之限制。
18	婚後歸寧不返家同居，是否合於民法第1052條第5款惡意遺棄他方之規定？	夫妻之一方於同居之訴判決確定後仍不履行同居義務，在此狀態繼續存在中而又無不能同居之正當理由者，裁判上固得認為合於民法第1052條第5款情形。至來文所稱某乙與某甲結婚後歸寧不返，迭經某甲託人邀其回家同居，某乙仍置若罔聞。此項情形，尚難遽指為上項條款所謂以惡意遺棄他方之規定。
28	收養期間，本生父母得否為出養子女之利益提起獨立告訴？	養子女與本生父母及其兄弟姊妹原屬民法第967條所定之直系血親與旁系血親。其與養父母之關係，縱因民法第1077條所定，除法律另有規定外，與婚生子女同，而成為擬制血親，惟其與本生父母方面之天然血親仍屬存在。同法第1083條所稱養子女自收養關係終止時起，回復其與本生父母之關係。所謂回復者，係指回復其相互間之權利義務，其固有之天然血親自無待於回復。當養父母與養子女利害相反涉及訴訟時，依民事訴訟法第582條規定，其本生父母得代為訴訟行為，可見雖在收養期間，本生父母對於養子女之利益，仍得依法加以保護。就本件而論，刑事訴訟法第214條後段所稱被害人之血親得獨立告訴，尤無排斥其天然血親之理由。本院院字第2747號及院解字第3004號解釋，僅就養父母方面之親屬關係立論，初未涉及其與本生父母方面之法律關係，應予補充解釋。

釋字號碼	大法官解釋爭點	重要解釋文及重要理由書精選
32	收養同時，以女妻之，究為招贅抑為收養？被收養為子女後，與養父母之婚生子女結婚者，應否先行終止收養關係？	本院釋字第12號解釋所謂將女抱男之習慣，係指於收養同時以女妻之，而其間又無血統關係者而言。此項習慣實屬招贅行為，並非民法上之所謂收養，至被收養為子女後而另行與養父母之婚生子女結婚者，自應先行終止收養關係。
34	母之養女與本身之養子得否結為夫妻？	母之養女與本身之養子係輩分不相同之擬制血親，依民法第983條第1項第2款之規定，不得結婚，本院釋字第12號解釋與此情形有異，自不能援用。
57	拋棄繼承是否發生代位繼承問題？	民法第1140條所謂代位繼承，係以繼承人於繼承開始前死亡或喪失繼承權者為限。來文所稱某甲之養女乙拋棄繼承，並不發生代位繼承問題。惟該養女乙及其出嫁之女如合法拋棄其繼承權時，其子既為民法第1138條第1款之同一順序繼承人，依同法第1176條第1項前段規定，自得繼承某甲之遺產。
58	養子女與養父母已具終止收養關係之實質要件，而未能踐行形式要件時，得否聲請法院為終止收養之裁定？	查民法第1080條終止收養關係須雙方同意，並應以書面為之者，原係以昭鄭重。如養女既經養親主持與其婚生子正式結婚，則收養關係人之雙方同意變更身分已具同條第1項終止收養關係之實質要件。縱其養親未踐行同條第2項之形式要件，旋即死亡，以致踐行該項程式陷於不能，則該養女之一方自得依同法第1081條第6款聲請法院為終止收養關係之裁定，以資救濟。
70	養子女之婚生子女、養子女之養子女，以及婚生子女之養子女是否有代位繼承權？	養子女與養父母之關係為擬制血親，本院釋字第28號解釋已予說明。關於繼承人在繼承開始前死亡時之繼承問題，與釋字第57號解釋繼承人拋棄繼承之情形有別。來文所稱養子女之婚生子女、養子女之養子女，以及婚生子女之養子女，均得代位繼承。至民法第1077條所謂法律另有規定者，係指法律對於擬制血親定有例外之情形而言，例如同法第1142條第2項之規定是。

釋字號碼	大法官解釋爭點	重要解釋文及重要理由書精選
87	收養子女違反年齡之限制規定者，其法律效果如何？	收養子女違反民法第1073條收養者之年齡應長於被收養者20歲以上之規定者，僅得請求法院撤銷之，並非當然無效。本院院解字第3120號第5項就此部分所為之解釋，應予維持。
91	養子女於終止收養關係前，得否與養父母之婚生子結婚？	養親死亡後，養子女之一方無從終止收養關係，不得與養父母之婚生子女結婚。但養親收養子女時本有使其與婚生子女結婚之真意者，不在此限。
147	夫納妾，妻是否即有正當理由不履行同居義務？	夫納妾，違反夫妻互負之貞操義務，在是項行為終止以前，妻主張不履行同居義務，即有民法第1001條但書之正當理由；至所謂正當理由，不以與同法第1052條所定之離婚原因一致為必要。本院院字第770號解釋中所謂妻請求別居，即係指此項情事而言，非謂提起別居之訴，應予補充解釋。
171	父母濫用對子女權利，其最近尊親屬得糾正，「其」係指何人？	民法第1090條：「父母濫用其對於子女之權利時，其最近尊親屬或親屬會議，得糾正之。糾正無效時，得請求法院宣告停止其權利之全部或一部」之規定，所稱其最近尊親屬之「其」字，係指父母本身而言，本院院字第1398號解釋，應予維持。
242	於國家遭遇重大變故，夫妻隔離相聚無期之情況下之重婚關係，得否聲請撤銷？	中華民國74年6月3日修正公布前之民法親屬編，其第985條規定：「有配偶者，不得重婚」；第992條規定：「結婚違反第985條之規定者，利害關係人得向法院請求撤銷之。但在前婚姻關係消滅後，不得請求撤銷」，乃維持一夫一妻婚姻制度之社會秩序所必要，與憲法並無牴觸。惟國家遭遇重大變故，在夫妻隔離，相聚無期之情況下所發生之重婚事件，與一般重婚事件究有不同，對於此種有長期實際共同生活事實之後婚姻關係，仍得適用上開第993條之規定予以撤銷，嚴重影響其家庭生活及人倫關係，反足妨害社會秩序，就此而言，自與憲法第22條保障人民自由及權利之規定有所牴觸。

釋字號碼	大法官解釋爭點	重要解釋文及重要理由書精選
330	遺產及贈與稅法施行細則有關被繼承人受死亡宣告者，其遺產申報之六個月期間自判決宣告之日起算之規定，是否合憲？	遺產及贈與稅法第23條第1項前段規定，被繼承人死亡遺有財產者，納稅義務人應於被繼承人死亡之日起六個月內，向戶籍所在地主管稽徵機關辦理遺產稅申報。其受死亡之宣告者，在判決宣告死亡前，納稅義務人無從申報，故同法施行細則第21條就被繼承人為受死亡之宣告者，規定其遺產稅申報期間應自判決宣告之日起算，符合立法目的及宣告死亡者遺產稅申報事件之本質，與憲法第19條意旨，並無牴觸。
362	民法重婚無效之規定，是否違憲？	民法第988條第2款關於重婚無效之規定，乃所以維持一夫一妻婚姻制度之社會秩序，就一般情形而言，與憲法尚無牴觸。惟如前婚姻關係已因確定判決而消滅，第三人本於善意且無過失，信賴該判決而與前婚姻之一方相婚者，雖該判決嗣後又經變更，致後婚姻成為重婚，究與一般重婚之情形有異，依信賴保護原則，該後婚姻之效力，仍應予以維持。首開規定未兼顧類此之特殊情況，與憲法保障人民結婚自由權利之意旨未盡相符，應予檢討修正。在修正前，上開規定對於前述因信賴確定判決而締結之婚姻部分，應停止適用。如因而致前後婚姻關係同時存在，則重婚者之他方，自得依法請求離婚，併予指明。
365	民法關於父母親權行使意思不一致時，父權優先之規定，是否違憲？	民法第1089條，關於父母對於未成年子女權利之行使意思不一致時，由父行使之規定部分，與憲法第7條人民無分男女在法律上一律平等，及憲法增修條文第9條第5項消除性別歧視之意旨不符，應予檢討修正，並應自本解釋公布之日起，至遲於屆滿二年時，失其效力。

釋字號碼	大法官解釋爭點	重要解釋文及重要理由書精選
375	農業發展條例施行細則關於農地繼承人僅一人時，不予免稅之規定，是否合憲？	農業發展條例第91條前段規定：「家庭農場之農業用地，其由能自耕之繼承人一人繼承或承受，而繼續經營農業生產者，免徵遺產稅或贈與稅」，其目的在於有二人以上之繼承人共同繼承農業用地時，鼓勵其協議由繼承人一人繼承或承受，庶免農地分割過細，妨害農業發展。如繼承人僅有一人時，既無因繼承而分割或移轉為共有之虞，自無以免稅鼓勵之必要。同條例施行細則第21條前段規定：「本條例第31條所稱由繼承人一人繼承或承受，指民法第1138條規定之共同繼承人有二人以上時，協議由繼承人一人繼承或承受」，與上開意旨相符，並未逾越法律授權範圍，且為增進公共利益所必要，與憲法尚無牴觸。
410	親屬編施行法未配合聯合財產所有權歸屬之修正設特別規定，致夫方繼續享有修正前之權利，是否違憲？	民法親屬編施行法第1條規定「關於親屬之事件，在民法親屬編施行前發生者，除本施行法有特別規定外，不適用民法親屬編之規定。其在修正前發生者，除本施行法有特別規定外，亦不適用修正後之規定」，旨在尊重民法親屬編施行前或修正前原已存在之法律秩序，以維護法安定之要求，同時對於原已發生之法律秩序認不應仍繼續維持或須變更者，則於該施行法設特別規定，以資調和，與憲法並無牴觸。惟查關於夫妻聯合財產制之規定，民國74年6月3日修正前民法第1017條第1項規定：「聯合財產中，妻於結婚時所有之財產，及婚姻關係存續中因繼承或其他無償取得之財產，為妻之原有財產，保有其所有權」，同條第2項規定：「聯合財產中，夫之原有財產及不屬於妻之原有財產部分，為夫所有」，第3項規定：「由妻之原有財產所生之孳息，其所有權歸屬於夫」，及最高法院55年度台抗字第161號判例謂「妻於婚姻關係存續中始行取得之財產，如不能證明其為特有或原有財產，依民法第1016條及第1017條第2項之規定，即屬

釋字號碼	大法官解釋爭點	重要解釋文及重要理由書精選
410	親屬編施行法未配合聯合財產所有權歸屬之修正設特別規定，致夫方繼續享有修正前之權利，是否違憲？	聯合財產，其所有權應屬於夫」，基於憲法第7條男女平等原則之考量，民法第1017條已於74年6月3日予以修正，上開最高法院判例亦因適用修正後之民法，而不再援用。 由於民法親屬編施行法對於民法第1017條夫妻聯合財產所有權歸屬之修正，未設特別規定，致使在修正前已發生現尚存在之聯合財產，仍適用修正前之規定，由夫繼續享有權利，未能貫徹憲法保障男女平等之意旨。對於民法親屬編修正前已發生現尚存在之聯合財產中，不屬於夫之原有財產及妻之原有財產部分，應如何處理，俾符男女平等原則，有關機關應儘速於民法親屬編施行法之相關規定檢討修正。至遺產及贈與稅法第16條第11款被繼承人配偶及子女之原有財產或特有財產，經辦理登記或確有證明者，不計入遺產總額之規定，所稱「被繼承人之配偶」並不分夫或妻，均有其適用，與憲法第7條所保障男女平等之原則，亦無牴觸。
415	所得稅法施行細則關於扶養親屬免稅額以「同一戶籍」為唯一認定標準之規定，是否違憲？	所得稅法有關個人綜合所得稅「免稅額」之規定，其目的在以稅捐之優惠使納稅義務人對特定親屬或家屬盡其法定扶養義務。同法第17條第1項第1款第4目規定：「納稅義務人其他親屬或家屬，合於民法第1114條第4款及第1123條第3項之規定，未滿二十歲或滿六十歲以上無謀生能力，確係受納稅義務人扶養者」，得於申報所得稅時按受扶養之人數減除免稅額，固須以納稅義務人與受扶養人同居一家為要件，惟家者，以永久共同生活之目的而同居為要件，納稅義務人與受扶養人是否為家長家屬，應取決於其有無共同生活之客觀事實，而不應以是否登記同一戶籍為唯一認定標準。所得稅法施行細則第21-2條規定：「本法第17條第1項第1款第4目關於減除扶養親屬免稅額之規定，其為納稅義務人之其他親屬或

釋字號碼	大法官解釋爭點	重要解釋文及重要理由書精選
415	所得稅法施行細則關於扶養親屬免稅額以「同一戶籍」為唯一認定標準之規定，是否違憲？	家屬者，應以與納稅義務人或其配偶同一戶籍，且確係受納稅義務人扶養者為限」，其應以與納稅義務人或其配偶「同一戶籍」為要件，限縮母法之適用，有違憲法第19條租稅法律主義，其與上開解釋意旨不符部分應不予援用。
437	繼承權被侵害，須於繼承開始時即有侵害繼承事實存在之判例，是否合憲？	繼承因被繼承人死亡而開始。繼承人自繼承開始時，除民法另有規定及專屬於被繼承人本身之權利義務外，承受被繼承人財產上之一切權利義務，無待繼承人為繼承之意思表示。繼承權是否被侵害，應以繼承人繼承原因發生後，有無被他人否認其繼承資格並排除其對繼承財產之占有、管理或處分為斷。凡無繼承權而於繼承開始時或繼承開始後僭稱為真正繼承人或真正繼承人否認其他共同繼承人之繼承權，並排除其占有、管理或處分者，均屬繼承權之侵害，被害人或其法定代理人得依民法第1046條規定請求回復之，初不限於繼承開始時自命為繼承人而行使遺產上權利者，始為繼承權之侵害。最高法院53年台上字第592號判例之本旨，係認自命為繼承人而行使遺產上權利之人，必須於被繼承人死亡時即已有侵害繼承地位事實之存在，方得謂為繼承權被侵害態樣之一；若於被繼承人死亡時，其繼承人間對於彼此為繼承人之身分並無爭議，迨事後始發生侵害遺產之事實，則其侵害者，為繼承人已取得之權利，而非侵害繼承權，自無民法第1146條繼承回復請求權之適用。在此範圍內，該判例並未增加法律所無之限制，與憲法尚無牴觸。
452	民法關於夫妻住所以單方意思決定之規定，是否違憲？	民法第1002條規定，妻以夫之住所為住所，贅夫以妻之住所為住所。但約定夫以妻之住所為住所，或妻以贅夫之住所為住所者，從其約定。本條但書規定，雖賦予夫妻雙方約定住所之機會，惟如夫或贅夫之妻拒絕為約定或雙方協議不成時，即須以其一方設定之住所為住所。上開法律未能兼顧他方選擇住所及具體個案之特殊情況，

釋字號碼	大法官解釋爭點	重要解釋文及重要理由書精選
452	民法關於夫妻住所以單方意思決定之規定，是否違憲？	與憲法上平等及比例原則尚有未符，應自本解釋公布之日起，至遲於屆滿一年時失其效力。又夫妻住所之設定與夫妻應履行同居之義務尚有不同，住所乃決定各項法律效力之中心地，非民法所定履行同居義務之唯一處所。夫妻縱未設定住所，仍應以永久共同生活為目的，而互負履行同居之義務，要屬當然。
502	民法關於收養者應長於被收養者二十歲以上之規定，是否合憲？	民法第1073條關於收養者之年齡應長於被收養者二十歲以上，及第1079-1條關於違反第1073條者無效之規定，符合我國倫常觀念，為維持社會秩序、增進公共利益所必要，與憲法保障人民自由權利之意旨並無牴觸。收養者與被收養者之年齡合理差距，固屬立法裁量事項，惟基於家庭和諧並兼顧養子女權利之考量，上開規定於夫妻共同收養或夫妻之一方收養他方子女時，宜有彈性之設，以符合社會生活之實際需要，有關機關應予檢討修正。
552	釋字第362號解釋所稱「類此之特殊狀況」，是否包括協議離婚所致之重婚？重婚之後婚姻於何條件下始為有效？	本院釋字第362號解釋謂：「民法第988條第2款關於重婚無效之規定，乃所以維持一夫一妻婚姻制度之社會秩序，就一般情形而言，與憲法尚無牴觸。惟如前婚姻關係已因確定判決而消滅，第三人本於善意且無過失，信賴該判決而與前婚姻之一方相婚者，雖該判決嗣後又經變更，致後婚姻成為重婚，究與一般重婚之情形有異，依信賴保護原則，該後婚姻之效力，仍應予以維持。首開規定未兼顧類此之特殊情況，與憲法保障人民結婚自由權利之意旨未盡相符，應予檢討修正。」其所稱類此之特殊情況，並包括協議離婚所導致之重婚在內。惟婚姻涉及身分關係之變更，攸關公共利益，後婚姻之當事人就前婚姻關係消滅之信賴應有較為嚴格之要求，僅重婚相對人之善意且無過失，尚不足以維持後婚姻之效力，須重婚之雙方當事人均為善意且無過失時，後婚姻之效力始能維持，就此本院釋字第362號

釋字號碼	大法官解釋爭點	重要解釋文及重要理由書精選
552	釋字第362號解釋所稱「類此之特殊狀況」，是否包括協議離婚所致之重婚？重婚之後婚姻於何條件下始為有效？	解釋相關部分，應予補充。如因而致前後婚姻關係同時存在時，為維護一夫一妻之婚姻制度，究應解消前婚姻或後婚姻、婚姻被解消之當事人及其子女應如何保護，屬立法政策考量之問題，應由立法機關衡酌信賴保護原則、身分關係之本質、夫妻共同生活之圓滿及子女利益之維護等因素，就民法第988條第2款等相關規定儘速檢討修正。在修正前，對於符合前開解釋意旨而締結之後婚姻效力仍予維持，民法第988條第2款之規定關此部分應停止適用。在本件解釋公布之日前，僅重婚相對人善意且無過失，而重婚人非同屬善意且無過失者，此種重婚在本件解釋後仍為有效。如因而致前後婚姻關係同時存在，則重婚之他方，自得依法向法院請求離婚，併此指明。
587	民法第1063條及相關判例，限制子女提起否認生父之訴，並不許親生父對受推定為他人之婚生子女提否認之訴，是否違憲？	子女獲知其血統來源，確定其真實父子身分關係，攸關子女之人格權，應受憲法保障。民法第1063條規定：「妻之受胎，係在婚姻關係存續中者，推定其所生子女為婚生子女。前項推定，如夫妻之一方能證明妻非自夫受胎者，得提起否認之訴。但應於知悉子女出生之日起，一年內為之。」係為兼顧身分安定及子女利益而設，惟其得提起否認之訴者僅限於夫妻之一方，子女本身則無獨立提起否認之訴之資格，且未顧及子女得獨立提起該否認之訴時應有之合理期間及起算日，是上開規定使子女之訴訟權受到不當限制，而不足以維護其人格權益，在此範圍內與憲法保障人格權及訴訟權之意旨不符。最高法院23年上字第3473號及同院75年台上字第2071號判例與此意旨不符之部分，應不再援用。有關機關並應適時就得提起否認生父之訴之主體、起訴除斥期間之長短及其起算日等相關規定檢討改進，以符前開憲法意旨。確定終局裁判所適用之法規或判例，經本院依人民聲請解釋認為與憲法意旨不符時，其受不利確定終局裁判者，得以該解釋為基

釋字號碼	大法官解釋爭點	重要解釋文及重要理由書精選
587	民法第1063條及相關判例，限制子女提起否認生父之訴，並不許親生父對受推定為他人之婚生子女提否認之訴，是否違憲？	礎，依法定程序請求救濟，業經本院釋字第177號、第185號解釋闡釋在案。本件聲請人如不能以再審之訴救濟者，應許其於本解釋公布之日起一年內，以法律推定之生父為被告，提起否認生父之訴。其訴訟程序，準用民事訴訟法關於親子關係事件程序中否認子女之訴部分之相關規定，至由法定代理人代為起訴者，應為子女之利益為之。法律不許親生父對受推定為他人之婚生子女提起否認之訴，係為避免因訴訟而破壞他人婚姻之安定、家庭之和諧及影響子女受教養之權益，與憲法尚無牴觸。至於將來立法是否有限度放寬此類訴訟，則屬立法形成之自由。
620	除因繼承或其他無償取得者外，凡夫妻於婚姻關係存續中取得，而於聯合財產關係消滅時現存之原有財產，並不區分此類財產取得於74年6月4日之前或同年月5日之後，均屬剩餘財產差額分配請求權之計算範圍	中華民國74年6月3日增訂公布之民法第1030-1條（以下簡稱增訂民法第1030-1條）第1項規定：「聯合財產關係消滅時，夫或妻於婚姻關係存續中所取得而現存之原有財產，扣除婚姻關係存續中所負債務後，如有剩餘，其雙方剩餘財產之差額，應平均分配。但因繼承或其他無償取得之財產，不在此限」。該項明定聯合財產關係消滅時，夫或妻之剩餘財產差額分配請求權，乃立法者就夫或妻對家務、教養子女及婚姻共同生活貢獻所為之法律上評價。因此夫妻於婚姻關係存續中共同協力所形成之聯合財產中，除因繼承或其他無償取得者外，於配偶一方死亡而聯合財產關係消滅時，其尚存之原有財產，即不能認全係死亡一方之遺產，而皆屬遺產稅課徵之範圍。 夫妻於上開民法第1030-1條增訂前結婚，並適用聯合財產制，其聯合財產關係因配偶一方死亡而消滅者，如該聯合財產關係消滅之事實，發生於74年6月3日增訂民法第1030-1條於同年月5日生效之後時，則適用消滅時有效之增訂民法第1030-1條規定之結果，除因繼承或其他無償取得者外，凡夫妻於婚姻關係存續中取得，而於聯合財產關係消滅時現存之原有財產，並不區分此類財產取得於74年6月4日之前或同年月5日之後，

釋字號碼	大法官解釋爭點	重要解釋文及重要理由書精選
620		均屬剩餘財產差額分配請求權之計算範圍。生存配偶依法行使剩餘財產差額分配請求權者，依遺產及贈與稅法之立法目的，以及實質課稅原則，該被請求之部分即非屬遺產稅之課徵範圍，故得自遺產總額中扣除，免徵遺產稅。
647	遺贈法第20條限配偶間贈與免稅違平等原則？	遺產及贈與稅法第20條第1項第6款規定，配偶相互贈與之財產不計入贈與總額，乃係對有法律上婚姻關係之配偶間相互贈與，免徵贈與稅之規定。至因欠缺婚姻之法定要件，而未成立法律上婚姻關係之異性伴侶未能享有相同之待遇，係因首揭規定為維護法律上婚姻關係之考量，目的正當，手段並有助於婚姻制度之維護，自難認與憲法第7條之平等原則有違。
696	所得稅法規定夫妻非薪資所得合併計算申報稅額，違憲？	中華民國七十八年十二月三十日修正公布之所得稅法第15條第1項規定：「納稅義務人之配偶，及合於第17條規定得申報減除扶養親屬免稅額之受扶養親屬，有前條各類所得者，應由納稅義務人合併報繳。」（該項規定於九十二年六月二十五日修正，惟就夫妻所得應由納稅義務人合併報繳部分並無不同。）其中有關夫妻非薪資所得強制合併計算，較之單獨計算稅額，增加其稅負部分，違反憲法第7條平等原則，應自本解釋公布之日起至遲於屆滿二年時失其效力。
	財政部76年函關於分居夫妻依個人所得總額占夫妻所得總額之比率計算其分擔應納稅額，違憲？	財政部七十六年三月四日台財稅第七五一九四六三號函：「夫妻分居，如已於綜合所得稅結算申報書內載明配偶姓名、身分證統一編號，並註明已分居，分別向其戶籍所在地稽徵機關辦理結算申報，其歸戶合併後全部應繳納稅額，如經申請分別開單者，准按個人所得總額占夫妻所得總額比率計算，減除其已扣繳及自繳稅款後，分別發單補徵。」其中關於分居之夫妻如何分擔其全部應繳納稅額之計算方式規定，與租稅公平有違，應不予援用。

釋字號碼	大法官解釋爭點	重要解釋文及重要理由書精選
712	已有子女或養子女之臺灣地區人民欲收養其配偶之大陸地區子女，法院應不予認可之規定，違憲？	臺灣地區與大陸地區人民關係條例第六十五條第一款規定：「臺灣地區人民收養大陸地區人民為養子女，……有下列情形之一者，法院亦應不予認可：一、已有子女或養子女者。」其中有關臺灣地區人民收養其配偶之大陸地區子女，法院亦應不予認可部分，與憲法第二十二條保障收養自由之意旨及第二十三條比例原則不符，應自本解釋公布之日起失其效力。
748	民法親屬編婚姻章，未使相同性別二人，得為經營共同生活之目的，成立具有親密性及排他性之永久結合關係，是否違反憲法第22條保障婚姻自由及第7條保障平等權之意旨？	民法第4編親屬第2章婚姻規定，未使相同性別二人，得為經營共同生活之目的，成立具有親密性及排他性之永久結合關係，於此範圍內，與憲法第22條保障人民婚姻自由及第7條保障人民平等權之意旨有違。有關機關應於本解釋公布之日起2年內，依本解釋意旨完成相關法律之修正或制定。至於以何種形式達成婚姻自由之平等保護，屬立法形成之範圍。逾期未完成相關法律之修正或制定者，相同性別二人為成立上開永久結合關係，得依上開婚姻章規定，持二人以上證人簽名之書面，向戶政機關辦理結婚登記。
112年憲判字第4號	限制唯一有責配偶請求裁判離婚案	民法第1052條第2項規定，有同條第1項規定以外之重大事由，難以維持婚姻者，夫妻之一方得請求離婚；但其事由應由夫妻之一方負責者，僅他方得請求離婚。其中但書規定限制有責配偶請求裁判離婚，原則上與憲法第22條保障婚姻自由之意旨尚屬無違。惟其規定不分難以維持婚姻之重大事由發生後，是否已逾相當期間，或該事由是否已持續相當期間，一律不許唯一有責之配偶一方請求裁判離婚，完全剝奪其離婚之機會，而可能導致個案顯然過苛之情事，於此範圍內，與憲法保障婚姻自由之意旨不符。相關機關應自本判決宣示之日起2年內，依本判決意旨妥適修正之。逾期未完成修法，法院就此等個案，應依本判決意旨裁判之。

Part 02

繼承編

各章重要性分析

民法繼承編	條文起迄	重要程度	重要考點提醒
第一章 遺產繼承人	1138至 1146	★★★	繼承人之順序以及繼承回復請求權要熟記
第二章 遺產之繼承	1147至 1185	★★★ ★★	限定繼承與拋棄繼承為本章重點，此外應注意最新之修法內容
第三章 遺囑	1186至 1225	★★	遺囑能力與遺囑之方式與效力應熟記，並應注意103年之修法

【焦點速記】

焦點1 遺產繼承人

頻出度A　依據出題頻率分為：A頻率高 B頻率中 C頻率低

- **(一)繼承權意義**
- **(二)繼承要件**
  - 1.同時存在之原則。
  - 2.須有繼承能力。
  - 3.須位居於繼承順序者。
  - 4.須不喪失繼承權者。
- **(三)法定繼承人**
  - 繼承順序：（民§1138）。
    - (1)直系血親卑親屬。
    - (2)父母。
    - (3)兄弟姊妹及配偶（當然繼承人，無順序差別）。
    - (4)祖父母。

焦點2 代位繼承

頻出度A　依據出題頻率分為：A頻率高 B頻率中 C頻率低

- **(一)意義：** 代位繼承，謂被繼承人之直系血親卑親屬有於繼承開始前死亡，或喪失繼承權時，由其直系血親卑親屬代位繼承其應繼分。（民§1140）
- **(二)要件**
  - 1.被代位人，須於繼承開始前死亡，或喪失繼承權。
  - 2.被代位繼承人，須為被繼承人之直系血親卑親屬。
  - 3.代位繼承人，須係被代位繼承人及被繼承人之直系血親卑親屬。
- **(三)效力：** 代位繼承人，直接繼承被繼承人。

焦點3　繼承人之應繼分

頻出度A ｜ 依據出題頻率分為：A頻率高 B頻率中 C頻率低

(一) **意義**：應繼分者，各繼承人對於遺產上之一切權利義務之比率。（民§1144）

(二) **法定應繼分**：配偶之應繼分：（民§1144）

1.與第1138條所定第一順序之繼承人同為繼承時，其應繼分與他繼承人平均。

2.與第1138條所定第二順序或第三順序之繼承人同為繼承時，其應繼分為遺產二分之一。

3.與第1138條所定第四順序之繼承人同為繼承時，其應繼分為遺產三分之二。

4.無第1138條所定第一順序至第四順序之繼承人時，其應繼分為遺產全部。

(三) **指定應繼分**：民法第1187條規定，遺囑人於不違反關於特留分規定之範圍內，得以遺囑自由處分遺產。

又依民法第1223條規定，繼承人之特留分，依左列各款之規定：

1.直系血親卑親屬之特留分，為其應繼分二分之一。

2.父母之特留分，為其應繼分二分之一。

3.配偶之特留分，為其應繼分二分之一。

4.兄弟姊妹之特留分，為其應繼分三分之一。

5.祖父母之特留分，為其應繼分三分之一。

焦點4　繼承回復請求權

頻出度B ｜ 依據出題頻率分為：A頻率高 B頻率中 C頻率低

(一) **意義**：繼承回復請求權者，即繼承權被侵害時，被害人或其法定代理人得請求回復之權利。（民§1146）

(二) **行使**

1.當事人

(1)請求權人：被害人或其法定代理人。

(2)相對人：即表見繼承人。

2.方法：於裁判上行之。

(三) **消滅**：自知悉起二年或自繼承開始逾十年不行使而消滅。

(四) **效力**

1.表見繼承人與真正繼承人間之效力。

2.表見繼承人與第三人間之效力。

3.真正繼承人與第三人間之法律關係。

焦點5 繼承權之喪失

頻出度C ｜依據出題頻率分為：A頻率高 B頻率中 C頻率低

(一) 原因

1.絕對的喪失：故意致被繼承人或繼承人於死，或雖未死，因而受刑之宣告者。（民§1145I①）

2.相對的喪失：有詐欺、脅迫、偽造、變造等情事，不經被繼承人宥恕者。（民§1145I②③④）

3.表示失權：對於被繼承人有重大虐待或侮辱之情事，經被繼承人表示其不得繼承。（民§1145I⑤）

(二) 效力

1.絕對當然失權事由：不問被繼承人是否宥恕表示，當然喪失繼承權。

2.相對當然失權事由：如經被繼承人宥恕者，其繼承權不喪失。

3.表示失權事由：須經被繼承人表示其不得繼承。

焦點6 遺產之繼承

頻出度A ｜依據出題頻率分為：A頻率高 B頻率中 C頻率低

(一) 繼承之開始

1.原因：被繼承人死亡。（民§1147）

2.時期：自然死亡為生理死亡之時；死亡宣告，以判決內所確定之時。

(二) 繼承之標的

1.原則：被繼承人之財產上之一切權利義務。（民§1148）

2.例外

(1)法律另有規定者。

(2)權利義務專屬於被繼承人本身者。

3.有限繼承：繼承人對於被繼承人之債務，以因繼承所得遺產為限，負清償責任。

4.被繼承人生前贈與繼承人財產應予歸扣：繼承人在繼承開始前二年內，從被繼承人受有財產之贈與者，該財產視為其所得遺產。（民§1148-1）

(三)繼承程序

1.費用負擔。

2.繼承人開具遺產清冊陳報法院。

3.債權人聲請開具遺產清冊。

4.公示催告程序。

5.未屆清償期之債權。

6.違反清算程序時繼承人之賠償責任。

7.繼承人未依清算程序之效果。

8.繼承人法定繼承利益之喪失。

(四) 遺產受酌給權

1.意義：遺產受酌給權謂被繼承人生前繼續扶養之人，應由親屬會議依其所受扶養之程度及其他關係，酌給遺產（民§1149）。

2.立法目的：為生存人生活之保障。

3.要件：

(1)須係被繼承人生前繼續扶養之人。

(2)須不能維持生活而無謀生能力。

(3)須被繼承人未為相當之遺贈。

(4)須由親屬會議酌給。

(五) 共同繼承

1.遺產取得

2.公同共有遺產管理

3.繼承人連帶責任

(1)對外關係：連帶負責。

(2)對內關係：比例負擔。

4.共同繼承人連帶債務責任免除

(六) 遺產分割

1.意義：遺產分割者，遺產共同繼承人以消滅遺產之公同共有關係為目的之行為。

2.分割遺產限制

(1)遺囑禁止分割者。

(2)契約禁止分割者。

(3)須保留胎兒應繼分。

3.分割方法

(1)遺囑分割。

(2)協議分割。

(3)裁判分割。

4.分割之計算

(1)扣還。

(2)歸扣。

焦點7　繼承之種類

頻出度A　依據出題頻率分為：A頻率高　B頻率中　C頻率低

(一) 繼承拋棄（民§1174）

1.意義：繼承之拋棄，係就被繼承人全部遺產，為拋棄繼承權之表示，不得專就被繼承人之某一特定債權為繼承之拋棄。亦即有繼承資格者，不欲為繼承主體。

2.性質：拋棄繼承權為無相對人之單獨行為。

- 3.要件：
  - (1)繼承人應於知悉其得繼承之時起三個月內為之。
  - (2)須於繼承開始後為之。
  - (3)以書面向法院為之。
  - (4)需具有繼承權之繼承人。
- 4.效力：
  - (1)繼承之拋棄，溯及於繼承開始時發生效力。
  - (2)拋棄繼承後，應以書面通知因其拋棄而應為繼承之人。
  - (3)拋棄繼承權者，就其所管理之遺產，於其他繼承人或遺產管理人開始管理前，應與處理自己事務為同一之注意。

(二) 無人承認之繼承（民§1177）
- 1.意義：無人承認之繼承，即繼承人有無不明之繼承。
- 2.繼承人之搜索：六個月以上之期限，公告繼承人。
- 3.遺產管理人：
  - (1)選任。
  - (2)資格。
  - (3)職務。
- 4.剩餘財產之處理：無繼承人承認繼承時，其遺產於清償債權並交付遺贈物後，如有賸餘，歸屬國庫。

焦點8　遺囑

頻出度A　依據出題頻率分為：A頻率高 B頻率中 C頻率低

(一) 遺囑之意義：遺囑者，乃以死後發生效力為目的，表示遺囑人本人自己之意思所為之要式單獨行為。（民§1186）

(二) 遺囑之性質
- 1.遺囑為要式行為。
- 2.遺囑為單獨行為。
- 3.遺囑有專屬性。
- 4.遺囑於遺囑人死後始發生法律效力之法律行為。

(三) 遺囑要件
- 1.有遺囑能力人。
- 2.時期。
- 3.遺囑自由原則。
- 4.遺囑不得違反公序良俗。

(四) 方式
- 1.普通方式
  - (1)自書遺囑：遺囑人親筆自書之遺囑。（民§1190）

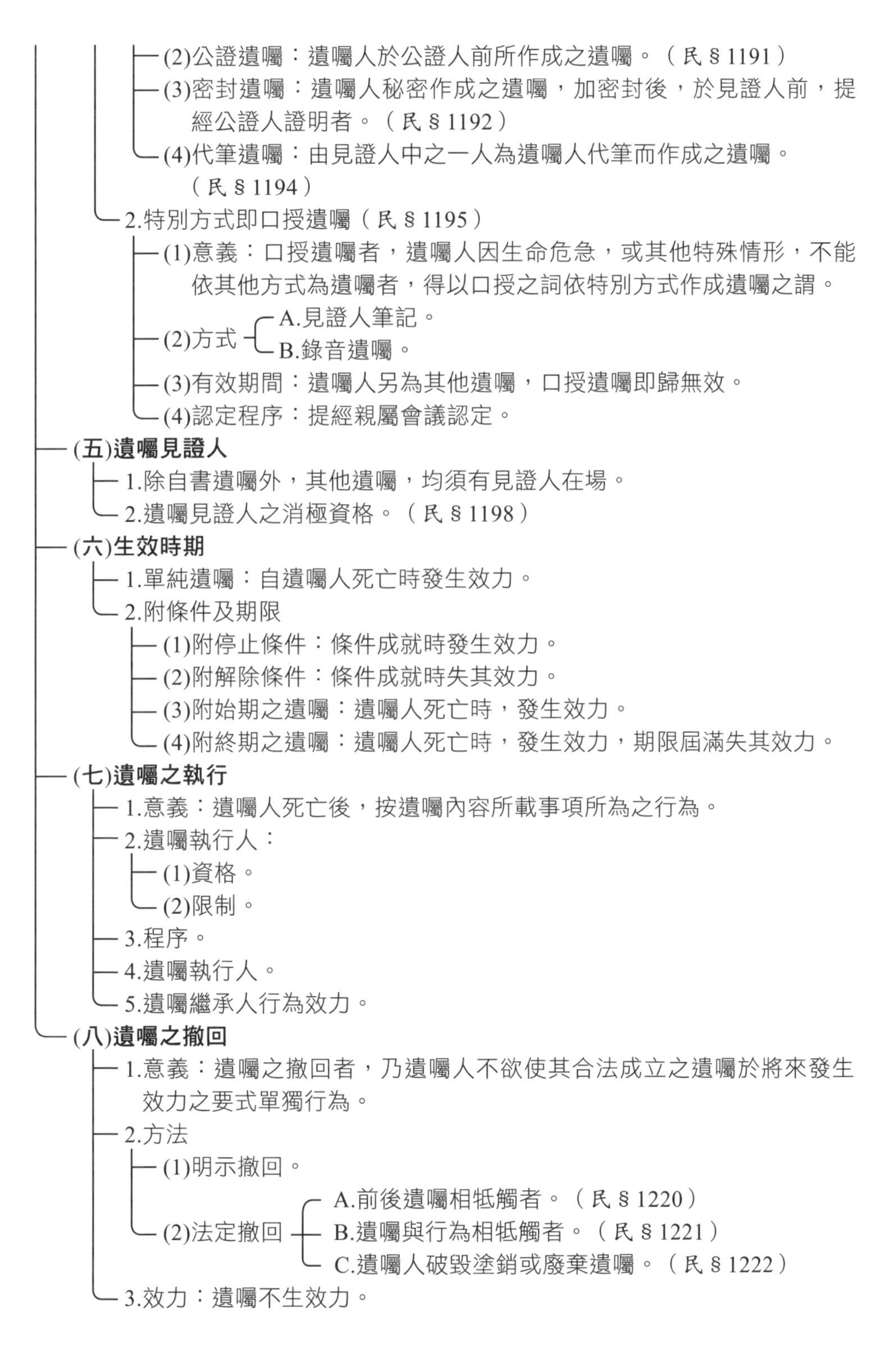

(2)公證遺囑：遺囑人於公證人前所作成之遺囑。（民§1191）
(3)密封遺囑：遺囑人秘密作成之遺囑，加密封後，於見證人前，提經公證人證明者。（民§1192）
(4)代筆遺囑：由見證人中之一人為遺囑人代筆而作成之遺囑。（民§1194）
2.特別方式即口授遺囑（民§1195）
(1)意義：口授遺囑者，遺囑人因生命危急，或其他特殊情形，不能依其他方式為遺囑者，得以口授之詞依特別方式作成遺囑之謂。
(2)方式
A.見證人筆記。
B.錄音遺囑。
(3)有效期間：遺囑人另為其他遺囑，口授遺囑即歸無效。
(4)認定程序：提經親屬會議認定。

(五)遺囑見證人

1.除自書遺囑外，其他遺囑，均須有見證人在場。
2.遺囑見證人之消極資格。（民§1198）

(六)生效時期

1.單純遺囑：自遺囑人死亡時發生效力。
2.附條件及期限
(1)附停止條件：條件成就時發生效力。
(2)附解除條件：條件成就時失其效力。
(3)附始期之遺囑：遺囑人死亡時，發生效力。
(4)附終期之遺囑：遺囑人死亡時，發生效力，期限屆滿失其效力。

(七)遺囑之執行

1.意義：遺囑人死亡後，按遺囑內容所載事項所為之行為。
2.遺囑執行人：
(1)資格。
(2)限制。
3.程序。
4.遺囑執行人。
5.遺囑繼承人行為效力。

(八)遺囑之撤回

1.意義：遺囑之撤回者，乃遺囑人不欲使其合法成立之遺囑於將來發生效力之要式單獨行為。
2.方法
(1)明示撤回。
(2)法定撤回
A.前後遺囑相牴觸者。（民§1220）
B.遺囑與行為相牴觸者。（民§1221）
C.遺囑人破毀塗銷或廢棄遺囑。（民§1222）
3.效力：遺囑不生效力。

遺囑方式

自書遺囑	應自書遺囑全文，記明年、月、日，並親自簽名；如有增減、塗改，應註明增減、塗改之處所及字數，另行簽名。
公證遺囑	應指定二人以上之見證人，在公證人前口述遺囑意旨，由公證人筆記、宣讀、講解，經遺囑人認可後，記明年、月、日，由公證人、見證人及遺囑人同行簽名：遺囑人不能簽名者，由公證人將其事由記明，使按指印代之。前項所定公證人之職務，在無公證人之地，得由法院書記官行之，僑民在中華民國領事駐在地為遺囑時，得由領事行之。
密封遺囑	應於遺囑上簽名後，將其密封，於封縫處簽名，指定二人以上之見證人，向公證人提出，陳述其為自己之遺囑，如非本人自寫，並陳述繕寫人之姓名、住所，由公證人於封面記明該遺囑提出之年、月、日及遺囑人所為之陳述，與遺囑人及見證人同行簽名。前條第2項之規定，於前項情形準用之。
代筆遺囑	由遺囑人指定三人以上之見證人，由遺囑人口述遺囑意旨，使見證人中之一人筆記、宣讀、講解，經遺囑人認可後，記明年、月、日及代筆人之姓名，由見證人全體及遺囑人同行簽名，遺囑人不能簽名者，應按指印代之。
口授遺囑	人因生命危急或其他特殊情形，不能依其他方式為遺囑者，得依下列方式之一為口授遺囑： 一、由遺囑人指定二人以上之見證人，並口授遺囑意旨，由見證人中之一人，將該遺囑意旨，據實作成筆記，並記明年、月、日，與其他見證人同行簽名。 二、由遺囑人指定二人以上之見證人，並口授遺囑意旨、遺囑人姓名及年、月、日，由見證人全體口述遺囑之為真正及見證人姓名，全部予以錄音，將錄音帶當場密封，並記明年、月、日，由見證人全體在封縫處同行簽名。

焦點9　遺贈

頻出度B　依據出題頻率分為：A頻率高　B頻率中　C頻率低

- **(一) 意義**：遺贈者，乃遺囑人以對於他人無償給與財產之行為。
- **(二) 遺贈生效要件**
  - 1.遺囑人之遺囑有效成立。
  - 2.受遺贈人於遺囑發生效力前尚生存者。
  - 3.遺囑人應以遺產作為遺贈。
  - 4.受遺贈人未喪失受遺贈權。
  - 5.受遺贈人需不違反特留分規定。
- **(三) 標的範圍**
  - 1.一定財產遺贈之範圍
    - (1)原則：不遺於遺產之部分，無效。
    - (2)例外：民法之特別規定。
  - 2.遺贈物之瑕疵：遺贈義務人以交付該物為已足。
  - 3.從物、從權利、孳息：亦為遺贈之一部分。
  - 4.遺贈物上代位性。
- **(四) 返還**：用益權之遺贈，受遺贈人負返還之義務。
- **(五) 附負擔之遺贈**：謂遺贈人之為遺贈，附有附款，使受遺贈人負擔一定給付義務者。
- **(六) 遺贈之承認與拋棄**
  - 1.承認
    - (1)遺囑自遺囑人死亡時發生效力。
    - (2)催告：期限屆滿，尚無表示者，視為承認遺贈。
  - 2.拋棄
    - (1)受遺贈人在遺囑人死亡後，得拋棄遺贈。
    - (2)效力：遺贈之拋棄，溯及遺囑人死亡時發生效力。

焦點10 特留分

頻出度B 依據出題頻率分為：A頻率高 B頻率中 C頻率低

(一) **意義**：特留分者，即被繼承人以遺囑無償處分遺產時，應為其法定繼承人，特留一部之財產為應繼財產，而不能全部處分之謂。

(二) **目的**：
- 1.維持家庭基本要求。
- 2.符合扶養近親規定。
- 3.公共利益之保護。

(三) **數額**（民§1223）

繼承人之特留分，依左列各款之規定：
- 1.直系血親卑親屬之特留分，為其應繼分二分之一。
- 2.父母之特留分，為其應繼分二分之一。
- 3.配偶之特留分，為其應繼分二分之一。
- 4.兄弟姊妹之特留分，為其應繼分三分之一。
- 5.祖父母之特留分，為其應繼分三分之一。

(四) **計算方式及分配順序**：
- 1.被繼承人現有所有財產之價額。
- 2.加入特種贈與之價額。
- 3.計算結果得分配財產，應優先分配給法定繼承人。
- 4.剩餘遺產分配於受遺產酌給人及受遺贈人。

(五) **扣減**（民§1225）
- 1.意義：特留分權利人，因被繼承人所為之遺贈，致其應得之數不足者，得按其應得不足之數扣減之，即所謂扣減權。
- 2.行使方式：
  - (1)扣減權人：為特留分權利人及其繼承人。
  - (2)時期：於繼承開始後為之。
  - (3)限度：須於保全特留分之必要限度內為之。
  - (4)方法：向相對人表示。
  - (5)標的：限於遺贈。

【重點整理】

研讀重點

繼承人自被繼承人死亡時，除民法另有規定及專屬被繼承人本身權利義務外，承受被繼承人財產上一切權利義務，無待繼承人為繼承意思表示。惟誰是法律上適格繼承人？身為繼承人能夠分得多少繼承財產？當繼承權受到侵害時，如何主張繼承回復請求權，為本章規定重點，通常以「誰是繼承人？」「繼承多少財產？」等實例題方式提問，條文規定並不難理解，但需知悉如何運用到題目上才是考試重點。

壹、遺產繼承人

一、繼承權意義

關於我國繼承權意義，學說上認為有以下不同意義（戴東雄）：

(一) 繼承開始前繼承期待權：

繼承開始前繼承權具有期待色彩，如民法第1140、1145條規定，係繼承人得期待獲得法律上賦予之保障。

(二) 繼承開始後既得繼承權：

此項權利自被繼承人死亡時起算，自因繼承人血緣關係而當然取得，毋庸為任何表示或請求。

前述繼承權不論係發生在繼承前或後，皆**屬繼承人之一身專屬權，不得為處分之標的**。緣因繼承權特殊之性質，無法以財產法方式直接適用請求，而另有如民法第1146、1225條等類似財產法上的請求權。

二、繼承要件

(一) 符合同時存在原則：

被繼承人財產上一切權利義務，於繼承開始時移轉於繼承人，**繼承人應於繼承開始時尚生存始具繼承人資格**。

Q、甲男乙女為夫妻，有一子丙。丙已成年，未婚無子。甲之母丁尚生存。若甲、丙發生墜機同時死亡，則關於甲、丙之遺產繼承，由何人繼承？

答 (一)遺產適格繼承人：

依第1138條規定，遺產繼承人，除配偶外，依下列順序定之：

(1)直系血親卑親屬。　(2)父母。

(3)兄弟姊妹。　(4)祖父母。

(二)甲之繼承人：

配偶乙妻為當然繼承人，與第一順位繼承人，即直系血親卑親屬丙應具繼承權，然依題示可知，丙雖為繼承人，但學說通說認為，依民法第11條規定，二人以上同時遇難，不能證明其死亡之先後時，推定其為同時死亡。應嚴格認定同時存在原則，推定同時死亡之人間，不具備同時存在原則，不生繼承問題。據此，當第一順序無繼承人時，遞延由次一順位繼承人即丁取得繼承權。

(二) 需有繼承能力

依民法第6條規定，人之權利能力，始於出生，終於死亡。有權利能力之自然人，即具有繼承能力。然請注意，**法人雖同樣具權利能力，惟不似自然人具人倫性，繼承係基於身分關係為基礎之法律，法人非具備此種特性，自不得為繼承人**。

(三) 需位居繼承順位

依民法第1138條規定，遺產繼承人，除配偶外，依左列順序定之：

1. 直系血親卑親屬。　2. 父母。
3. 兄弟姊妹。　4. 祖父母。

繼承人需屬順位在先者始得繼承。

(四) 未喪失繼承權資格

民法第1145條規定，有左列各款情事之一者，喪失其繼承權：

1. 故意致被繼承人或應繼承人於死或雖未致死因而受刑之宣告者。
2. 以詐欺或脅迫使被繼承人為關於繼承之遺囑，或使其撤回或變更之者。

3. 以詐欺或脅迫妨害被繼承人為關於繼承之遺囑，或妨害其撤回或變更之者。
4. 偽造、變造、隱匿或湮滅被繼承人關於繼承之遺囑者。
5. 對於被繼承人有重大之虐待或侮辱情事，經被繼承人表示其不得繼承者。

前項第二款至第四款之規定，如經被繼承人宥恕者，其繼承權不喪失。

三、法定繼承人

繼承順序：

民法第1138條規定，遺產繼承人，除配偶外，依左列順序定之：

1. 直系血親卑親屬。
2. 父母。
3. 兄弟姊妹。
4. 祖父母。

被繼承人死亡時，依上述法定繼承順序決定繼承人。

例如：甲因病死亡，留有遺產900萬元，配偶乙尚生存，育有二子，父母亦健在，請問何人有權繼承？

依繼承先後順序判斷，配偶具當然繼承權，再按，法定順位繼承人為直系血親卑親屬，故甲之二子同樣具繼承權，故甲的900萬元遺產依法應由乙、甲二子繼承。

觀念解說

當同一順位繼承人有數人時，以血緣最接近者為優先繼承者（民法第1139條）。故當被繼承人有子、孫輩繼承人時，以子輩為繼承人。

四、學說、實務上爭議問題

(一) 父母再婚是否影響對兒女財產之繼承權？

父死亡而母再婚者，與母死亡而父再婚者無異，子女之死亡依民法第1138條第2款規定，母對子女之遺產繼承權，並不因其已經再婚而受影響。（32上1067）

(二) 非婚生子女是否有繼承權？

按遺產繼承人，除配偶外，依左列順序定之：一直系血親卑親屬。二父母。三兄弟姊妹。四祖父母。非婚生子女經生父認領者，視為婚生子女。

其經生父撫育者，視為認領，民法第1138條、第1065條第1項定有明文。被繼承人於非婚生子女出生後，即常去探望並給予非婚生子女家人生活費以供照顧。綜上事證，非婚生子女確實與被繼承人有真實血緣關係存在，為被繼承人之直系血親卑親屬。（101重家上字第5號）**既依撫養事實判定為直系血親卑親屬，當然具法定繼承資格**。

貳、代位繼承

一、意義

依民法第1140條規定，第1138條所定第一順序之繼承人，有於繼承開始前死亡或喪失繼承權者，由其直系血親卑親屬代位繼承其應繼分。

二、立法理由

代位繼承制度乃因對於繼承權的期待，基於繼承人之尊重及公平原理，認為被繼承人之孫輩直系血親卑親屬有權繼承被代位人生存時應獲得之應繼分，以維持各房分之公平，不因被代位人死亡或喪失繼承權而遭其他房分之繼承人取代。

三、代位繼承人性質

(一) 本位繼承說：

又稱固有權說，謂代位繼承人乃依民法第1140條規定取得法律規定故法律規定**固有繼承權**，並非承受被代位繼承人之權力而來。

(二) 代位權說：

代位繼承係代位繼承人代替被代位繼承人之地位而來。

以上學說區別實益，如發生被繼承人及被代位繼承人同時死亡時，將影響孫字輩繼承人之權益，容後詳述。

四、要件

(一) 被代位人須於繼承開始前死亡或喪失繼承權

死亡包括自然死亡及民法第9條之宣告死亡。

二 觀念解說

同時存在原則：
被繼承人財產上一切權利義務，於繼承開始時移轉於繼承人，繼承人應於繼承開始時尚生存始具繼承人資格。

例如：甲父乙子遇上空難同時死亡，乙子丙是否得代位繼承？
解析：

1. **學界通說認為繼承人須以被繼承人死亡時實際尚生存為限**，依民法第11條規定，二人以上同時遇難，不能證明其死亡之先後時，推定其為同時死亡。故甲乙不能證明死亡先後，推定為同時死亡，既不符合同時存在原則，甲乙間則不生繼承問題。
2. 實務、本位繼承說見解：**代位繼承係以自己固有之繼承權直接繼承祖之遺產，並非繼承父或母之權利**，孫對於祖之遺產，有無代位繼承之資格，自應以祖之繼承開始為標準，而決定之，故對父或母之遺產拋棄繼承，不能即謂對祖之遺產拋棄代位繼承。（87台上1556決）
3. **代位權說：此說認為代位繼承係代位繼承人代替被代位繼承人之地位而來**，如採此說見解，則甲乙間不生繼承問題，丙不生繼承代位問題。

綜上所述，為維護房分繼承公平性，並保障卑親屬之繼承權益，建議採本位繼承說，丙仍得依民法第1140條代位繼承甲之遺產。

(二) 被代位繼承人須為被繼承人之直系血親卑親屬

民法第1140條規定之直系血親卑親屬謂第1138條所定第一順位繼承人。

(三) 代位繼承人須為被代位繼承人及被繼承人之直系血親卑親屬

此謂第1138條所定第一順位繼承人－直系血親卑親屬，包括自然血親及擬制血親。

(四) 代位繼承應繼分：

依民法第1140條規定，代位繼承人依法律規定取得被代位繼承人固有繼承權，不得擴張或縮減，故如有數個代位繼承人應均分被代位繼承人之應繼分。

參考下列圖示較為容易理解：

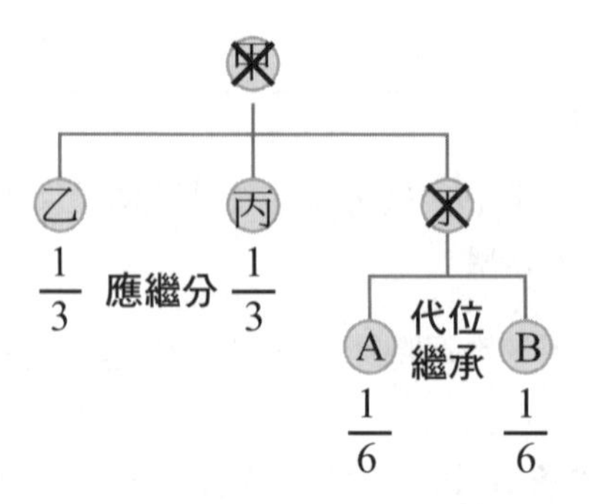

(五) 實務見解：

1. 拋棄繼承是否發生代位繼承問題？

   釋字第57號：民法第1140條所謂代位繼承，係以繼承人於繼承開始前死亡或喪失繼承權者為限。來文所稱某甲之養女乙拋棄繼承，並不發生代位繼承問題。惟該養女乙及其出嫁之女如合法拋棄其繼承權時，其子既為民法第1138條第1款之同一順序繼承人，依同法第1176條第1項前段規定，自得繼承某甲之遺產。

2. 養子女之婚生子女、養子女之養子女，以及婚生子女之養子女是否有代位繼承權？

   釋字第70號：養子女與養父母之關係為擬制血親，本院釋字第28號解釋已予說明。關於繼承人在繼承開始前死亡時之繼承問題，與釋字第57號解釋繼承人拋棄繼承之情形有別。來文所稱養子女之婚生子女、養子女之養子女、以及婚生子女之養子女，均得代位繼承。至民法第1077條所謂法律另有規定者，係指法律對於擬制血親定有例外之情形而言，例如同法第1142條第2項之規定是。

3. 同時死亡是否得代位繼承？

   87台上1556判決：代位繼承係以自己固有之繼承權直接繼承祖之遺產，並非繼承父或母之權利，孫對於祖之遺產，有無代位繼承之資格，自應以祖之繼承開始為標準，而決定之，故對父或母之遺產拋棄繼承，不能即謂對祖之遺產拋棄代位繼承。

參、繼承人之應繼分

一、應繼分分為法定應繼分及指定應繼分

分述如下：

(一) 法定應繼分：

1. 原則：

民法第1144條規定，配偶有相互繼承遺產之權，其應繼分，依左列各款定之：

(1) 與第1138條所定第一順序之繼承人同為繼承時，其應繼分與他繼承人平均。

(2) 與第1138條所定第二順序或第三順序之繼承人同為繼承時，其應繼分為遺產二分之一。

(3) 與第1138條所定第四順序之繼承人同為繼承時，其應繼分為遺產三分之二。

(4) 無第1138條所定第一順序至第四順序之繼承人時，其應繼分為遺產全部。

有關繼承份額特別列為以下表格方便各位記憶：

繼承順位	當然繼承人	應繼分	繼承人	應繼分
1	配偶	平均繼承	直系血親卑親屬	平均繼承
2		1/2	父母	全部1/2
3		1/2	兄弟姊妹	全部1/2
4		2/3	祖父母	全部1/3

例如：甲因病死亡，留有遺產900萬元，配偶乙尚生存，育有二子，父母亦健在，請問繼承人如何繼承甲的遺產？

依繼承先後順序判斷，配偶具當然繼承權，再按，法定順位繼承人為直系血親卑親屬，故甲之二子同樣具繼承權，故甲的900萬元遺產依法應由乙、甲二子繼承，繼承份額為平均繼承（900/3=300），故乙及甲二子分別獲得300萬元遺產。

2. 例外：

同時有數繼承人，其中一繼承人不符合「同時存在原則」，則適用「代位繼承」由代位繼承人取得被代位繼承人固有繼承權，詳參「代位繼承」章節。

觀念解說

應繼分：所謂應繼分，乃共同繼承時，各繼承人對於共同財產上之一切權利義務所得繼承之比率，換言之，應繼分及繼承遺產之成數，不僅繼承權利，尚有負擔的義務。

3. 學說、實務爭議問題：

(1) 再婚或改嫁是否影響遺產繼承效力？

30上字2014號判例：**配偶有互相繼承遺產之權，被上訴人於其妻死亡時即已繼承財產，其後雖與人再婚，而其遺產之繼承不因此受影響。**

29上字702號判例：被上訴人係甲之妻，甲死亡後……，依民法第1144條規定，被上訴人於甲死亡後已經改嫁，其遺產繼承權不因此而受到影響。

由上述兩個判例可知，只要被繼承人死亡時，繼承人為被繼承人配偶之身分，即得依法律規定取得應有之繼承權。

(2) 無權處分與繼承問題？

甲乙為父子，甲父擁有A地，當出現以下情形時，繼承法律關係為何？

A. 甲死亡時，乙尚生存：

依「同時存在原則」乙尚生存，且為第1138條第一順位繼承人，又無第1145條失權事宜，由乙繼承甲之遺產A地。

B. 甲死亡前，乙將A地出售「知情」丙，並完成移轉登記：

民法第118條規定，無權利人就權利標的物為處分後，取得其權利者，其處分自始有效。但原權利人或第三人已取得之利益，不因此而受影響。據此，乙原雖無權利人，但因繼承取得處分A地之權利，則處分A地之行為溯及自始有效。

C. 乙將A地出售丙，並完成移轉登記，隨後死亡，由甲繼承乙之遺產，是否影響A地買賣有效性？

a. 實務見解：無權利人就權利標的物為處分後，因繼承或其他原因取得其權利者，其處分為有效，民法第118條第2項定有明文。**無權利人就權利標的物為處分後，權利人繼承無權利人者，其處分是否有效，雖無明文規定，然在繼承人就被繼承人之債務負無限責任時，實具有同一之法律理由，自應由此類推解釋，認其處分為有效。**（29上字1405判例）

b. 學說見解：

本例中，甲為單獨繼承人，乙無權處分A地，依民法第118條規定，因甲之意思表示而有不同結論。

(a)甲同意乙無權處分A地：乙之無權處分行為，經甲同意而自始有效。

(b)甲不同意乙無權處分A地：繼承人基於繼承資格繼受被繼承人一切權利義務，然繼承除享受權利外，同時需負擔債務、義務，對於被繼承人之無權處分，繼承人如拒絕承認該行為，對於第三人之損害賠償，仍由繼承人負擔，則繼承人固有繼承權不啻因繼承而被剝奪拒絕無權處分之權利，再者，依民法第801條、土地法第43條規定，無權處分之相對人如為善意，為保護其信賴利益，例外使無權處分有效；反之，無權處分之相對人如為惡意，非法律保護信賴利益範圍，有權處分人作出拒絕承認意思表示時，該無權處分自始無效。本題中，甲不同意乙無權處分A地，假設丙為善意，則甲身為乙之繼承人，應賠償丙因信賴利益所受之損害。倘若賠償金額過鉅，甲得依限定繼承或拋棄繼承方式保障其權益。

觀念解說

林秀雄教授認為29上字1405判例內容不妥，理由整理如下：

1.未區別單獨抑或共同繼承，一概而論似有未妥。

2.判例中有謂，繼承人就被繼承人債務負無限責任時，無權處分有效；繼承人為限定繼承時，無權處分效力未定。對此林教授認為如此解釋並無法律依據，判決理由容有疑義。

對前述判例分類方式，於98年將繼承方式修正為以「限定繼承」原則後，雖已非爭論重點，然對於新舊法修正之轉變仍可能成為考點，須注意。

(3) 無權代理行為與繼承爭點：

甲乙為父子，乙無權代理甲向丙購買骨董花瓶一個，當出現以下情形時，繼承法律關係為何？

A. 買賣契約成立後，甲死亡：

a. **地位移轉說：此說認為代理人地位因本人死亡而消滅，無權代理關係則因繼承直接移轉權利至繼承人**，換言之，乙因繼承取得承認權，但不得因從無權代理轉換為有權代理而拒絕前次作成之意思表示。

b. **林秀雄教授：被繼承人之權利義務均由繼承人繼受，無論繼承人拒絕或承認前次無權代理行為，依民法第170條規定，乙承認無權代理行為，則買賣行為自始有效**；反之，乙拒絕承認無權代理行為，則買賣行為自始無效，對於丙而言，得依民法第110條，向乙請求損害賠償責任。

B. 買賣契約成立後，乙死亡：

a. **國內通說：於本人繼承無權代理人時，本人之權利先遭侵害，僅因繼承機會而使原本法律賦予的承認權喪失**，因非法律價值所規範的，故此，本人基於固有資格，行使承認或拒絕之權利。

b. **林秀雄教授**：林教授更進一步指出，本人的承認權，故**不論是依繼承而來或本人之地位，與無權代理人死亡與否而受影響，本人(甲)本來就享有固有之決定權**。惟一不同的是，如有共同繼承人，當甲拒絕承認乙作成之無權代理行為，對於善意第三人之信賴利益保護，由共同繼承人連帶負賠償責任。

(二) 指定應繼分：

1. 意義：我國採**「遺產自由原則」，被繼承人得依自己的自由意志處分遺產，惟為保障特定繼承人利益，基於公益目的而有特留分規定**。

2. 特留分規定：

民法第1187條規定，遺囑人於不違反關於特留分規定之範圍內，得以遺囑自由處分遺產。又依民法第1223條規定，繼承人之特留分，依下列各款之規定：

(1) 直系血親卑親屬之特留分，為其應繼分二分之一。

(2) 父母之特留分，為其應繼分二分之一。

(3) 配偶之特留分，為其應繼分二分之一。

(4) 兄弟姊妹之特留分，為其應繼分三分之一。

(5) 祖父母之特留分，為其應繼分三分之一。

3. 效力：

應得特留分之人，如因被繼承人所為之遺贈，致其應得之數不足者，得按其不足之數由遺贈財產扣減之。受遺贈人有數人時，應按其所得遺贈價額比例扣減。（民法第1225條）

詳細爭點容後詳述。

肆、繼承回復請求權

一、意義

繼承回復請求權者，即繼承權被侵害時，被害人或其法定代理人得請求回復之權利。（民法第1146條）

二、行使繼承回復請求權對象

(一) 當事人

1. 請求權人：真正繼承人，即被害人或其法定代理人。
2. 相對人：以真正繼承人自居而非法定繼承人者，即表見繼承人。

(二) 方法：提起裁判請求返還。

三、時效

自知悉起二年或自繼承開始逾十年不行使而消滅。

四、效力

(一) 表見繼承人與真正繼承人間之效力：

真正繼承人行使繼承回復請求權後，表見繼承人應返還繼承之遺產，如無法返還時，得依不當得利或侵權行為主張損害賠償。

Q、甲有二子乙丙，乙曾偽造甲的遺囑而喪失繼承權，丙不知此事，於甲死後乙丙共同繼承甲的遺產並分割完畢，丙於分割後始知乙有喪失繼承權之情事，丙於知情後三年始請求乙將所分得遺產返還，問丙請求是否合法？

答 (一) 乙依民法第1146條主張罹於時效合法

依民法第1146條第2項規定，繼承權被侵害者自知悉被侵害之時起，二年間不行使而消滅；自繼承開始時起逾十年者亦同。若乙依此主張拒絕返還已繼承之財產，於法有據。

(二) 丙是否得主張民法第767條物上請求權

1. 肯定說：林秀雄教授認為民法第767及1146條間乃請求權競合關係，故當繼承回復請求權罹於時效致生抗辯權，丙仍得主張第767條物上請求權，以維自身權益。
2. 否定說：戴東雄教授則認為民法第1146條係第767條之特別規定，當繼承回復請求權罹於時效，乙便因此取得抗辯權，不得再援用普通的物上請求權規定。

(二) 表見繼承人與第三人間之效力：

當第三人係善意而為法律行為時，依民法第118條規定，相對人即表見繼承人雖無權處分標的物，為保護第三人信賴利益，法律行為仍為有效。惟表見繼承人應賠償真正繼承人之受損利益。

然如第三人為惡意，則非法律所保護之範圍，屬無權占有，真正繼承人得向第三人請求返還應繼承之財產。

(三) 真正繼承人與第三人間之法律關係：

依民法第801、948條，對於善意第三人因信賴表見繼承人所為之法律行為，不因表見繼承人地位變更而有所變動，目的為保障社會交易安全。

五、實務見解

(一) 繼承權被侵害，須於繼承開始時即有侵害繼承事實存在之判例，是否合憲？

釋字第437號：繼承因被繼承人死亡而開始。繼承人自繼承開始時，除民法另有規定及專屬於被繼承人本身之權利義務外，承受被繼承人財產上之一切權利義務，無待繼承人為繼承之意思表示。繼承權是否被侵害，應以繼承人繼承原因發生後，有無被他人否認其繼承資格並排除其對繼承財產之占有、管理或處分為斷。凡無繼承權而於繼承開始時或繼承開始後僭稱為真正繼承人或真正繼承人否認其他共同繼承人之繼承權，並排除其占有、管理或處分者，均屬繼承權之侵害，被害人或其法定代理人得依民法第1146條規定請求回復之，初不限於繼承開始時自命為繼承人而行使遺產上權利者，始為繼承權之侵害。最高法院53年台上字第592號判例之本旨，係認自命為繼承人而行遺產上權利之人，必須於被繼承人死亡時即已有侵害繼承地位事實之存在，方得謂為繼承權被侵害態樣之一；若於被繼承人死亡時，其繼承人間對於彼此為繼承人之身分並無爭議，迨事後始發生侵害遺產之事實，則其侵害者，為繼承人已取得之權利，而非侵害繼承權，自無民法第1146條繼承回復請求權之適用。在此範圍內，該判例並未增加法律所無之限制，與憲法尚無牴觸。

(二) **民法第1146條第2項時效完成效果：40年台上字第730號**：繼承回復請求權，原係包括請求確認繼承人資格，及回復繼承標的之一切權利，此項請求權如因時效完成而消滅，其原有繼承權即已全部喪失，自應由表見繼承人取得其繼承權。

(三)**53年台上字第1928號**：繼承回復請求權，係指正當繼承人，請求確認其繼承資格，及回復繼承標的之權利而言。此項請求權，應以與其繼承爭執資格之表見繼承人為對象，向之訴請回復，始有民法第1146條第2項時效之適用。

(四)**53年台上字第592號**：財產權因繼承而取得者，係基於法律之規定，繼承一經開始，被繼承人財產上之一切權利義務，即為繼承人所承受，而毋須為繼承之意思表示，故自命為繼承人而行使遺產上權利之人，必須於繼承開始時，即已有此事實之存在，方得謂之繼承權被侵害，若於繼承開始後，始發生此事實，則其侵害者，為繼承人已取得之權利，而非侵害繼承權，自無民法第1146條之適用。

(五) **繼承回復請求權時效起算時點**

92年台上第1127號判決：民法第1146條第2項所謂之自繼承開始後十年，當非自繼承原因發生時起算，而係自侵害繼承權之行為發生時，亦即於繼承開始時或繼承開始後，僭稱為真正繼承人之人或真正繼承人否認其他共同繼承人之繼承權，並排除其占有、管理或處分時起算（司法院院解字第3845號解釋參看），否則即產生繼承人繼承原因發生經過十年後所發生之侵害繼承權行為，不論被害人是否知悉繼承原因發生，均不得請求回復之不當結果，當非法律保護真正繼承人之本旨，此就侵權行為即民法第197條第1項後段：「自有侵權行為時起之規定」，相互參比，更屬明確。

(六) 最高法院96年度第1次民事庭會議

1. 討論事項：九十五年民議字第八號提案民八庭提案：收養如有無效之原因，收養之一方（養父母）已死亡者，有法律上利害關係之第三人得否僅以生存之一方（養子女）為被告，提起確認收養無效或收養關係不存在之訴？
2. 決議：按收養無效之訴，由第三人起訴者，應以養父母及養子女為共同被告，若養父母已死亡者，僅以養子女為被告，其當事人適格即有欠缺，此觀民事訴訟法第五百八十八條準用第五百六十九條第二項規定及本院五十年台上字第一三四一號判例意旨自明。又收養之當事人既未於生前主張其收養無效，為維持法秩序之安定及避免舉證之困難，於其一方死亡後，自不容任由第三人提起該訴訟。

(七) 釋字第771號解釋

1. 解釋爭點：
   (1) 最高法院40年台上字第730號民事判例及司法院37年院解字第3997號解釋認繼承回復請求權於時效完成後，真正繼承人喪失其原有繼承權，並由表見繼承人取得其繼承權，是否違憲？
   (2) 司法院院字及院解字解釋，如涉及審判上之法律見解，法官於審判案件時，是否受其拘束？
2. 解釋文：繼承回復請求權與個別物上請求權係屬真正繼承人分別獨立而併存之權利。繼承回復請求權於時效完成後，真正繼承人不因此喪失其已合法取得之繼承權；其繼承財產如受侵害，真正繼承人仍得依民法相關規定排除侵害並請求返還。然為兼顧法安定性，真正繼承人依民法第767條規定行使物上請求權時，仍應有民法第125條等有關時效規定之適用。於此範圍內，本院釋字第107號及第164號解釋，應予補充。

   最高法院40年台上字第730號民事判例：「繼承回復請求權，……如因時效完成而消滅，其原有繼承權即已全部喪失，自應由表見繼承人取得其繼承權。」有關真正繼承人之「原有繼承權即已全部喪失，自應由表見繼承人取得其繼承權」部分，及本院37年院解字第3997號解釋：「自命為繼承人之人於民法第1146條第2項之消滅時效完成後行使其抗辯權者，其與繼承權被侵害人之關係即與正當繼承人無異，被繼承人財產上之權利，應認為繼承開始時已為該自命為繼承人之人所承受。……」關於被繼承人財產上之權利由自命為繼承人之人承受部分，均與憲法第15條保障人民財產權之意旨有違，於此範圍內，應自本解釋公布之日起，不再援用。

本院院字及院解字解釋，係本院依當時法令，以最高司法機關地位，就相關法令之統一解釋，所發布之命令，並非由大法官依憲法所作成。於現行憲政體制下，法官於審判案件時，固可予以引用，但仍得依據法律，表示適當之不同見解，並不受其拘束。本院釋字第108號及第174號解釋，於此範圍內，應予變更。

參考書目

林秀雄，月旦法學雜誌第4期

戴東雄，繼承法實例解說(一)，96年

伍、繼承權之喪失

繼承人雖有繼承能力，符合既成第一順位資格，惟繼承人尚需無民法第1145條規定之消極要件，始符合繼承人資格，學說上將民法第1145條規定分為以下類別：

一、原因

(一) 絕對當然失權事由：

故意致被繼承人或應繼承人於死或雖未致死因而受刑之宣告者。（民法第1145條第1項第1款）

本失權事由需繼承人有致被繼承人或應繼承人於死之故意，並受刑之宣告確定始有本條項規定之失權效果。

(二) 相對當然失權事由：（民法第1145條第1項第2～4款）

1. 以詐欺或脅迫使被繼承人為關於繼承之遺囑，或使其撤回或變更之者。
 林秀雄教授認為此事由應具備以下要件：
 (1) **被繼承人之遺囑須以合法為前提**。
 (2) **關於繼承，須與繼承財產、繼承主體相關聯事項始屬之**。
2. 以詐欺或脅迫妨害被繼承人為關於繼承之遺囑，或妨害其撤回或變更之者。
3. 偽造、變造、隱匿或湮滅被繼承人關於繼承之遺囑者。
 林秀雄教授認為若偽造、變造後之遺囑，符合被繼承人之內心真意，尚不生失權效果，緣立法寓意本就在保障被繼承人內心真意，如不違反即無課以失權之效果。

(三) 表示失權事由：（民法第1145條第1項第5款）

對於被繼承人有重大之虐待或侮辱情事，經被繼承人表示其不得繼承者。

二、效力

(一) 絕對當然失權事由：

故意致被繼承人或應繼承人於死或雖未致死因而受刑之宣告者。有此一事由發生無須被繼承人表示，亦不問被繼承人是否宥恕表示，當然喪失繼承權。

觀念解說

第1145條I①是否須受刑之宣告後方適用本條？

一、林秀雄教授、學界通說採肯定說：
 按條文文義解釋，不論致死或未致死，皆受刑之宣告後始產生失權效力。

二、戴東雄教授採否定說：
 此說認為繼承人如有故意致被繼承人於死之情事，乃惡性重大之舉，應不待法院確定判決即產生失權效力，法院程序結束前，繼承人仍得依法繼承被繼承人遺產，待法院程序進行完畢，恐產生重新分配遺產之程序，無疑徒增法律程序之複雜性，故為制裁繼承人起見，應使繼承人不待刑之宣告前即生失權效力。

(二) 相對當然失權事由：

依第1145條第2項規定，第二款至第四款之規定（即相對當然失權事由），如經被繼承人宥恕者，其繼承權不喪失。宥恕雖未規定以何種方式為之，惟仍須依客觀情事推知或可得而知被繼承人有宥恕之意思表示始得免責。

(三) 表示失權事由：

對於被繼承人有重大之虐待或侮辱情事，非立即喪失繼承權，尚須經被繼承人表示其不得繼承者，始喪失繼承之權利。

三、學說、實務爭議問題

(一) 甲、乙為夫妻，婚後感情不睦，乙教唆子丙傷害甲，丙竟失手致甲死亡，是否影響丙之繼承權？

1. 學說見解：林秀雄教授認為此類非故意行為，結果仍致被繼承人於死，雖並非第1145條規定文義範圍內，惟有無檢討必要，不無疑義。
2. 通說、實務見解：**第1145條第1款規定，僅限於「殺害故意」，如為「傷害故意」則非本條規範範圍**，加害人丙原則上仍具繼承權，惟如被繼承人表示不得繼承，則丙喪失繼承權，又謂表示失權。

(二) 甲、乙為夫妻，有已成年子女A、B，某日，A因細故竟持刀將甲殺死，A對甲、乙、B是否喪失繼承權？

A殺害甲之行為，對甲、乙、B皆發生絕對失權效果，原因如下：

1. 對甲而言：依第1145條第1項第1款，故意致被繼承人或應繼承人於死或雖未致死因而受刑之宣告者，喪失繼承權。
2. 對乙而言：當乙為被繼承人時，甲為乙配偶，甲、A、B同時為乙之同一順位繼承人，即屬第1145條第1項第1款「同一順位應繼承人」。
3. 對B而言：當B為被繼承人時，B無直系血親卑親屬，依民法第1138條規定甲、乙為繼承人，A殺害甲，對B財產而言，乃屬殺害「前順序」遺產繼承人，依第1145條規定喪失繼承權。

(三) 對被繼承人以不作為方式虐待或侮辱是否違反第1145條第5款？

最高法院74年台上字第1870號判例：

按對於被繼承人有重大之虐待或侮辱之情事，經被繼承人表示其不得繼承者，喪失其繼承權。為**民法第1145條第5款**所明定。是依**上開規定主張繼**

承權喪失者，必繼承人對被繼承人有重大虐待或侮辱情事，並經被繼承人表示其不得繼承人，始足當之。所謂對於被繼承人有重大之虐待情事，係指以身體上或精神上之痛苦加諸於被繼承人而言，凡對於被繼承人施加毆打，或對之負有扶養義務而惡意不予扶養者，固均屬之，即**被繼承人終年臥病在床，繼承人無不能探視之正當理由，而至被繼承人死亡為止，始終不予探視者**，衡諸我國重視孝道固有倫理，足致被繼承人感受精神上莫大痛苦之情節，亦**應認有重大虐待之行為**。

參考書目

林秀雄，月旦法學雜誌第38期
林秀雄，月旦法學雜誌第34期
戴東雄，繼承法實例解說(一)，96年
陳棋炎、黃宗樂、郭振恭 著，91年

研讀重點

本章節條文較多，涵蓋範圍相對繼承其他章節較為廣泛，其中首要注意的重點為「限定繼承」，於97、98年父債是否子還議題在社會上引起廣泛討論，除準備考試外，時事新聞也往往成為出題熱門考題，萬萬不可忽略時事焦點考題。

此外，民法第1173條關於「歸扣」一直是各大國家考試的常客，各學說對歸扣有不同立論見解，也造成百家爭鳴的情況，故對於歸扣方面的考題，應特別注意。

其他記憶性考題相較於前述兩者雖不難理解，但往往因出現機率不高，一旦出現變成為冷門考題，仍需留意，否則此類考題往往造成上榜或落榜的關鍵分數。

陸、繼承效力及分割

一、繼承之開始

(一) **原因**：繼承，因被繼承人死亡而開始。（民法第1147條）

民法第6條即規定人之權利能力，始於出生，終於死亡。既然人之權利能力於死亡時歸於消滅，再依民法第1147條該權利能力移轉至適格繼承人。

(二) **時期**：自然死亡為生理死亡之時；死亡宣告，以判決內所確定之時。

如被繼承人係宣告死亡者，依民法第8、9條規定，失蹤人失蹤滿七年後，法院得因利害關係人或檢察官之聲請，為死亡之宣告。

失蹤人為八十歲以上者，得於失蹤滿三年後，為死亡之宣告。
失蹤人為遭遇特別災難者，得於特別災難終了滿一年後，為死亡之宣告。
受死亡宣告者，以判決內所確定死亡之時，推定其為死亡。據此，繼承時點延至判決確定死亡之時。

觀念解說

住所地主義：
乃失蹤人離去最後住所或居所，而陷於生死不明狀態達民法第8條規定期間，由利害關係人或檢察官向法院聲請死亡宣告，使懸而未決的法律關係趨於確定，法院宣告確定，對失蹤人向來之住所為中心之法律關係推定歸於消滅，除提除反證推翻之。家事事件法第154條規定，聲請宣告死亡事件由專屬失蹤人住所地法院管轄自明。

(三) 實務、學說見解：

1. 繼承人於繼承事實發生後所領取之股利，究係屬繼承人之所得或遺產？
釋字第608號：

(1) 多數說：屬繼承人所得
遺產稅之課徵，其遺產價值之計算，以被繼承人死亡時之時價為準，遺產及贈與稅法第10條第1項前段定有明文；依中華民國84年1月27日修正公布之所得稅法第4條第17款前段規定，因繼承而取得之財產，免納所得稅；86年12月30日修正公布之所得稅法第14條第1項第1類規定，公司股東所獲分配之股利總額屬於個人之營利所得，應合併計入個人之綜合所得總額，課徵綜合所得稅。財政部67年10月5日台財稅字第36761號函：「繼承人於繼承事實發生後所領取之股利，係屬繼承人之所得，應課徵繼承人之綜合所得稅，而不視為被繼承人之遺產」，係主管機關基於法定職權，為釐清繼承人於繼承事實發生後所領取之股利，究屬遺產稅或綜合所得稅之課徵範圍而為之釋示，符合前述遺產及贈與稅法、所得稅法規定之意旨，不生重複課稅問題，與憲法第19條之租稅法律主義及第15條保障人民財產權之規定，均無牴觸。

(2) 少數補充見解：違反法律優位原則
聲請人主張其為重複課稅（2,240,869元已包括在42,083,529元之內），申請退還已納綜合所得稅，而財政部高雄市國稅局援引財政部67年10月5日台財稅第36761號函：「繼承人於繼承事實發生後所領取之股利，係屬繼承人之所得，應課徵繼承人之綜合所得稅，而不視為被繼承人之遺產。」為理由，稱並未重複課稅，而否准退稅。聲請人不服，循序提起訴願、行政訴訟，遞遭駁回而告確定，遂聲請本件解釋，主張該函釋示，與所得稅法第4條第17款規定「因繼承而取得之財產免納所得稅」相違背，有違反法律優越原則與法律保留原則，並侵害人民憲法第15條所保障之財產權。

2. 如受死亡宣告之被繼承人竟未死亡，惟遺產均由繼承人繼承，如何主張其原有權利？

此考點因家事事件法於民國101年6月1日起施行，應特別注意適用法條為家事事件法，已非民事訴訟法第640條。

關於撤銷或變更宣告死亡裁定之裁定，依家事事件法第163條規定，不問對於何人均有效力。但裁定確定前之善意行為，不受影響。故繼承人繼承被繼承人遺產係出於善意，則不影響其繼承效力，惟因宣告死亡取得財產者，因死亡宣告裁定失其權利，繼承人僅於現受利益之限度內，負歸還財產之責。

二、繼承之標的

(一) **原則**：繼承人自繼承開始時，除本法另有規定外，承受被繼承人財產上之一切權利、義務。（民法第1148條）換言之，繼承人於被繼承人死亡時，當然承受被繼承人財產上之一切權利義務，並無待於繼承人之主張。

(二) **例外**：

繼承的例外往往是本條考點，然法條只有廣泛規定，所以本條實務上見解應特別注意。

1. 法律另有規定者。
2. 權利義務專屬於被繼承人本身者。

繼承人自繼承開始時，除本法另有規定外，承受被繼承人財產上之一切權利、義務。但權利、義務專屬於被繼承人本身者，不在此限。（民法第1148條第1項）繼承開始時繼承財產即移轉於繼承人，但專屬被繼承人之權利義務，如贍養費、扶養費乃係對夫妻、子女間之專屬請求權，不得讓與、變更、繼承。此外，行政罰鍰、贈與稅、所得稅等則依實務見解而有不同認定標準。

觀念解說

1. **罰鍰處分具執行力後義務人死亡，得強制執行？**

釋字第621號：

行政執行法第15條規定：「義務人死亡遺有財產者，行政執行處得逕對其遺產強制執行」，係就負有公法上金錢給付義務之人死亡後，行政執行處應如何強制執行，所為之特別規定。罰鍰乃公法上金錢給付義務之一種，罰鍰之處分作成而具執行力後，義務人死亡並遺有財產者，依上開行政執行法第15條規定意旨，該基於罰鍰處分所發生之公法上金錢給付義務，得為強制執行，其執行標的限於義務人之遺產。

行政罰鍰係人民違反行政法上義務，經行政機關課予給付一定金錢之行政處分。行政罰鍰之科處，係對受處分人之違規行為加以處罰，若處分作成前，違規行為人死亡者，受處分之主體已不存在，喪失其負擔罰鍰義務之能力，且對已死亡者再作懲罰性處分，已無實質意義，自不應再行科處。本院院字第1924號解釋「匿報契價之責任，既屬於死亡之甲，除甲之繼承人仍應照章補稅外，自不應再行處罰罰鍰處分後，義務人未繳納前死亡者，其罰鍰繳納義務具有一身專屬性，至是否得對遺產執行，於法律有特別規定者，從其規定。蓋國家以公權力對於人民違反行政法規範義務者科處罰鍰，其處罰事由必然與公共事務有關。而處罰事由之公共事務性，使罰鍰本質上不再僅限於報應或矯正違規人民個人之行為，而同時兼具制裁違規行為對國家機能、行政效益及社會大眾所造成不利益之結果，以建立法治秩序與促進公共利益。行為人受行政罰鍰之處分後，於執行前死亡者，究應優先考量罰鍰報應或矯正違規人民個人行為之本質，而認罰鍰之警惕作用已喪失，故不應執行；或應優先考量罰鍰制裁違規行為外部結果之本質，而認罰鍰用以建立法治秩序與促進公共利益之作用，不因義務人死亡而喪失，故應繼續執行，立法者就以上二種考量，有其形成之空間。

2. **贈與稅事後補正，由繼承人繼受是否合法？**

釋字第622號：

憲法第19條規定所揭示之租稅法律主義，係指人民應依法律所定之納稅主體、稅目、稅率、納稅方法及納稅期間等項而負納稅之義務，迭經本院解釋在案。中華民國六十二年二月六日公布施行之遺產及贈與稅法第15條第1項規定，被繼承人死亡前三年內贈與具有該項規定身分者之財產，應視為被繼承人之遺產而併入其遺產總額課徵遺產稅，並未規定以繼承人為納稅義務人，對其課徵贈與稅。最高行政法院九十二年九月十八日庭長法官聯席會議決議關於被繼承人死亡前所為贈與，如至繼承發生日止，稽徵機關尚未發單課徵贈與稅者，應以繼承人為納稅義務人，發單課徵贈與稅部分，逾越上開遺產及贈與稅法第15條之規定，增加繼承人法律上所未規定之租稅義務，與憲法第19條及第15條規定之意旨不符，自本解釋公布之日起，應不予援用。

62年2月6日公布施行之遺產及贈與稅法第15條第1項規定：

「被繼承人死亡前三年（八十八年七月十五日修正為二年）內贈與下列個人之財產，應於被繼承人死亡時，視為被繼承人之遺產，併入其遺產總額，依本法規定徵稅：一、被繼承人之配偶。二、被繼承人依民法第1138條及第1140條規定之各順序繼承人。三、前款各順序繼承人之配偶。」將符合該項規定之贈與財產視為被繼承人之遺產，併計入遺產總額。究其立法意旨，係在防止被繼承人生前分析財產，規避遺產稅之課徵，故以法律規定被繼承人於死亡前一定期間內贈與特定身分者之財產，於被繼承人死亡時，應視為遺產，課徵遺產稅。該條並未規定被繼承人死亡前所為贈與，尚未經稽徵機關發單課徵贈與稅者，須以繼承人為納稅義務人，使其負繳納贈與稅之義務。

被繼承人死亡前三年內贈與特定人財產，稅捐稽徵機關於其生前尚未發單課徵贈與稅者，被繼承人死亡後，其贈與稅應如何課徵繳納之問題，最高行政法院九十二年九月十八日庭長法官聯席會議決議略謂：「被繼承人於死亡前三年內為贈與，於贈與時即負有繳納贈與稅之義務，贈與稅捐債務成立。被繼承人死亡時，稅捐稽徵機關縱尚未對其核發課稅處分，亦不影響該稅捐債務之效力。此公法上之財產債務，不具一身專屬性，依民法第1148條規定，由其繼承人繼承，稅捐稽徵機關於被繼承人死亡後，自應以其繼承人為納稅義務人，於核課期間內，核課其繼承之贈與稅。至遺產及贈與稅法第15條及第11條第2項僅規定上開贈與財產應併入計算遺產稅及如何扣抵贈與稅，並未免除繼承人繼承被繼承人之贈與稅債務，財政部八十一年六月三十日台財稅第八一一六六九三九三號函釋關於：『被繼承人死亡前三年內之贈與應併課遺產稅者，如該項贈與至繼承發生日止，稽徵機關尚未發單課徵時，應先以繼承人為納稅義務人開徵贈與稅，再依遺產及贈與稅法第15條及第11條第2項規定辦理』部分，與前開規定尚無牴觸。」此決議關於被繼承人死亡前所為贈與，如至繼承發生日止，稽徵機關尚未發單課徵贈與稅者，應以繼承人為納稅義務人，發單課徵贈與稅之部分，逾越遺產及贈與稅法第15條之規定，增加繼承人法律上所未規定之租稅義務，與憲法第19條及第15條規定之意旨不符，故自本解釋公布之日起，應不予援用。

(三) 有限繼承：

1. 民法第1148條第2項，繼承人對於被繼承人之債務，以因繼承所得遺產為限，負清償責任，即繼承人對於繼承債務僅以所得遺產為限負清償責任。

Q、繼承人不知限定繼承，仍以自有財產償還被繼承人債務，得否事後向債權人主張償還？

答 民法第1148條第2項規定，繼承人如仍以其固有財產清償繼承債務時，該債權人於其債權範圍內受清償，並非無法律上之原因，無不當得利可言，繼承人不得再向債權人請求返還。併予敘明。

2. 修法理由：

98年前繼承編係以概括繼承為原則，並另設限定繼承及拋棄繼承制度。97年1月2日修正公布之第1153條第2項復增訂法定限定責任之規定，惟僅適用於繼承人為無行為能力人或限制行為能力人之情形，故繼承人如為完全行為能力人，若不清楚被繼承人生前之債權債務情形，或不欲繼承時，必須於知悉得繼承之時起三個月內向法院辦理限定繼承或拋棄繼承，否則將概括承受被繼承人之財產上一切權利、義務。鑑於社會上時有繼承人因不知法律而未於法定期間內辦理限定繼承或拋棄繼承，以致背負繼承債務，影響其生計，為解決此種不合理之現象，爰修正第二項規定，明定繼承人原則上依第一項規定承受被繼承人財產上之一切權利、義務，惟對於被繼承人之債務，僅須以因繼承所得遺產為限，負清償責任，以避免繼承人因概括承受被繼承人之生前債務而桎梏終生。

原條文第二項有關繼承人對於繼承開始後，始發生代負履行責任之保證契約債務僅負有限責任之規定，已為本次修正條文第二項繼承人均僅負有限責任之規定所涵括，故予以刪除。

最高法院民事判例77年台抗字第143號

限定繼承之繼承人，就被繼承人之債務，唯負以遺產為限度之物的有限責任。

故就被繼承人之債務為執行時，限定繼承人僅就遺產之執行居於債務人之地位，如債權人就限定繼承人之固有財產聲請強制執行，應認限定繼承人為強制執行法第15條之第三人，得提起第三人異議之訴，請求撤銷強制執行程序。

3. 民法第1148-1條規定：「繼承人在繼承開始前二年內，從被繼承人受有財產之贈與者，該財產視為其所得遺產。

前項財產如已移轉或滅失，其價額，依贈與時之價值計算。」

98年6月10日之修正理由為：「

一、本條新增。

二、本次修正之第1148條第2項已明定繼承人對於被繼承人之債務，僅以所得遺產為限，負清償責任。**為避免被繼承人於生前將遺產贈與繼承人，以減少繼承開始時之繼承人所得遺產，致影響被繼承人債權人之權益，宜明定該等財產視同所得遺產**。惟若被繼承人生前所有贈與繼承人之財產均視為所得遺產，恐亦與民眾情感相違，且對繼承人亦有失公允。故為兼顧繼承人與債權人之權益，爰參考現行遺產及贈與稅法第15條規定，明定繼承人於繼承開始前二年內，從被繼承人受有財產之贈與者，該財產始視為其所得遺產，爰增訂第1項規定。

三、依第1項視為所得遺產之財產，如已移轉或滅失，則如何計算遺產價額，宜予明定，爰參考第1173條第3項規定，增訂第2項，明定依贈與時之價值計算。

四、本條視為所得遺產之規定，係為避免被繼承人於生前將遺產贈與繼承人，以減少繼承開始時之繼承人所得遺產，致影響被繼承人之債權人權益而設，並不影響繼承人間應繼財產之計算。**因此，本條第一項財產除屬於第1173條所定特種贈與應予歸扣外，並不計入第1173條應繼遺產，併予敘明。**」

三、繼承程序

(一) 費用負擔：（民§1150）

關於遺產管理、分割及執行遺囑之費用，由遺產中支付之。但因繼承人過失而支付者，不在此限。

(二) 繼承人開具遺產清冊陳報法院（民§1156）

1. 繼承人於知悉其得繼承之時起三個月內開具遺產清冊陳報法院。
2. 法院因繼承人之聲請，認為必要時，得延展之。
3. 繼承人有數人時，其中一人已依第一項開具遺產清冊陳報法院者，其他繼承人視為已陳報。

繼承人對於被繼承人之債務，雖僅須以所得遺產負清償責任，惟為釐清被繼承人之債權債務關係，宜使繼承人於享有限定責任權利之同時，負有清算義務，免失事理之平，爰維持繼承人應開具遺產清冊陳報法院，並進行

第1157條以下程序之規定。如此，一方面可避免被繼承人生前法律關係因其死亡而陷入不明及不安定之狀態；另一方面繼承人亦可透過一次程序之進行，釐清確定所繼承之法律關係，以免繼承人因未進行清算程序，反致各債權人逐一分別求償，不勝其擾。

觀念解說

遺產清冊：係指記載非專屬被繼承人一切之權利、義務，即繼承人得繼承之範圍。

(三) 債權人聲請開具遺產清冊：（民§1156-1）

1. 債權人得向法院聲請命繼承人於三個月內提出遺產清冊。
2. 法院於知悉債權人以訴訟程序或非訟程序向繼承人請求清償繼承債務時，得依職權命繼承人於三個月內提出遺產清冊。

緣繼承人可能因不知繼承債權人之存在而認為無依民法第1156條第1項所定期間開具遺產清冊陳報法院之必要，故制度上宜使債權人有權向法院聲請命繼承人開具遺產清冊，一方面可使原不知債權存在之繼承人知悉，另一方面亦可使債權人及繼承人尚有藉由陳報法院進行清算程序之機會，另一方面，為使繼承法律關係儘速確定而設。

(四) 公示催告程序：（民§1157）

1. 公告期限：

   繼承人依民法第1156、1156-1條規定陳報法院時，法院應依公示催告程序公告，命被繼承人之債權人於一定期限內報明其債權。期限，不得在三個月以下。

2. 公告效果：

   繼承人在公告一定期限內，不得對於被繼承人之任何債權人償還債務。**目的為確保繼承人之債務人能公平獲得受償機會而設**，故如先表示擁有債權者優先受償，對於後來之債權人有失公允，尚非符合債權之公平性。

(五) 未屆清償期之債權：（民§1159）

1. 在第1157條所定之一定期限屆滿後，繼承人對於在該一定期限內報明之債權及繼承人所已知之債權，均應按其數額，比例計算，以遺產分別償還。但不得害及有優先權人之利益。

2. 繼承人對於繼承開始時未屆清償期之債權，亦應依第一項規定予以清償。前項未屆清償期之債權，於繼承開始時，視為已到期。其無利息者，其債權額應扣除自第1157條所定之一定期限屆滿時起至到期時止之法定利息。
3. 立法理由：
被繼承人債權人之債權如於被繼承人死亡時（即繼承開始時）尚未屆清償期，是否依第1159條第1項規定清償，未有明文。惟如未規範繼承人於繼承開始時為期前清償，則遺產清算程序勢將遲延，對於繼承債權人、受遺贈人及繼承人均造成不便，故**參考日本民法第930條第1項規定及破產法第100條規定，明定繼承人對於未屆清償期之債權亦應依第1項規定清償，且該等債權於繼承開始時即視為已到期，以利清算，爰增訂第1159條第2項及第3項前段規定。**
又未屆清償期之債權附有利息者，應合計其原本及至清償時止之利息，以為債權額，尚無疑義；惟未附利息者，則不應使繼承人喪失期限利益，故其債權額應扣除自第1157條所定之一定期限屆滿時起至到期時止之法定利息，始為公允，並利於繼承人於第1157條所定一定期限屆滿後，依第1項規定進行清算，爰參考破產法第101條規定，增訂第3項後段規定。
至於附條件之債權或存續期間不確定之債權，其權利是否生效或其存續期間處於不確定之狀態，情況各別，宜就個案情形予以認定，不宜概予規範，以免掛一漏萬，併此敘明。

(六) 違反清算程序時繼承人之賠償責任：（民§1156-1）

1. 繼承人義務：
民法第1161條明文規定，繼承人違反第1158條至第1160條之規定，致被繼承人之債權人受有損害者，應負賠償之責。受有損害之人，對於不當受領之債權人或受遺贈人，得請求返還其不當受領之數額。繼承人對於不當受領之債權人或受遺贈人，不得請求返還其不當受領之數額。
2. 立法目的：
繼承人未依第1159條及第1160條規定為清償，致債權人有受領逾比例數額之情形時，該債權人於其債權範圍內受領，並非無法律上之原因，自無不當得利可言，故民法第1161條第3項，明定繼承人對於不當受領之債權人或受遺贈人，不得請求返還其逾比例受領之數額，以期明確。

(七) **繼承人未依清算程序之效果**：（民§1162-1）

1. 繼承人未依第1156條、第1156-1條開具遺產清冊陳報法院者，對於被繼承人債權人之全部債權，仍應按其數額，比例計算，以遺產分別償還。但不得害及有優先權人之利益。
2. 繼承人，非依前項規定償還債務後，不得對受遺贈人交付遺贈。
   繼承人對於繼承開始時未屆清償期之債權，亦應依第1項規定予以清償。
   未屆清償期之債權，於繼承開始時，視為已到期。其無利息者，其債權額應扣除自清償時起至到期時止之法定利息。
3. 立法目的：
   (1) 98年修法已於第1148條第2項明定繼承人對於被繼承人之債務僅以所得遺產為限負清償責任，另於第1156條及第1156-1條設有三種進入清算程序之方式，以期儘速確定繼承債權債務關係之義務。惟**如繼承人不依第1156條或第1156-1條規定向法院陳報進行清算程序，則其自為債務之清償，即必須依第1162-1條規定為之，以維護債權人之權益**。如繼承人不依上開規定向法院陳報並進行清算程序，又違反第1162-1條規定，致債權人原得受清償部分未能受償額（例如：未應按比例受償之差額或有優先權人未能受償之部分），即應就該未能受償之部分負清償之責，始為公允，故**明定債權人得向繼承人就該未受償部分行使權利，爰增訂民法第1162-2條第1項規定**。
   (2) 第1項債權人未能受清償之部分乃係因繼承人之行為所致，繼承人自應對於該債權人未能受償部分負清償之責，已如前述。至於繼承人之債權人未按比例或應受償未受償部分之清償責任，即不應以所得遺產為限，以期繼承人與債權人間權益之衡平，爰增訂第2項規定。又此時繼承人僅係就應受償而未能受償部分負清償之責且不以所得遺產為限，該繼承人對於其他非屬本條第1項及第2項之繼承債務，仍僅以所得遺產為限負清償之責，併予敘明。
   (3) 繼承人如為無行為能力人或限制行為能力人，依本次修正前第1153條第2項規定，原無須辦理任何程序，對於被繼承人之債務，即僅以所得遺產為限負清償責任。本次修正因已明定所有繼承人對繼承債務負限定責任，故配合刪除第1153條第2項，惟原保護無行為能力或限制行為能力人之立法原則並未改變，故於第2項但書規定，如繼承人為無行為能力人或限制行為能力人，有致債權人未能依比例受償之情形，仍僅以所得遺產為限負清償責任。

(4) 繼承人因違反第1162-1條規定，致被繼承人之債權人受有損害者，自應負賠償之責。

(5) 又繼承人違反第1162-1條規定，致被繼承人之債權人受有損害，該等債權人固得依第3項規定向繼承人請求損害賠償，惟繼承人若資力不足或全無資力時，對受損害之債權人即無實際上之效果，故參考第1161條第2項規定，增訂第4項，明定第3項之債權人對於不當受領之債權人或受遺贈人，得請求返還其不當受領之數額。

(6) 繼承人未依第1162-1條規定為清償，致債權人有受領逾比例數額之情形時，該債權人於其債權範圍內受領，並非無法律上之原因，自無不當得利可言，故增訂第4項，明定繼承人對於不當受領之債權人或受遺贈人，不得請求返還其逾比例受領之數額，以期明確。

4. 違反民法第1162-1條效果：（民§1162-2）

(1) 繼承人違反第1162-1條規定者，被繼承人之債權人得就應受清償而未受償之部分，對該繼承人行使權利。

違反第1162-1條規定，將導致債權人原得受清償部分未能受償額（例如：未應按比例受償之差額或有優先權人未能受償之部分），即應就該未能受償之部分負清償之責，始為公允，故明定債權人得向繼承人就該未受償部分行使權利。

(2) 繼承人對於前項債權人應受清償而未受償部分之清償責任，不以所得遺產為限。但繼承人為無行為能力人或限制行為能力人，不在此限。

如債權人未能受清償之部分乃係因繼承人之行為所致，繼承人自應對於該債權人未能受償部分負清償之責，已如前述。至於繼承人之債權人未按比例或應受償未受償部分之清償責任，即不應以所得遺產為限，以期繼承人與債權人間權益之衡平。

如繼承人為無行為能力人或限制行為能力人，有致債權人未能依比例受償之情形，仍僅以所得遺產為限負清償責任。以維保護無行為能力或限制行為能力人之立法原則。

(3) 繼承人違反第1162-1條規定，致被繼承人之債權人受有損害者，亦應負賠償之責。

(4) 前項受有損害之人，對於不當受領之債權人或受遺贈人，得請求返還其不當受領之數額。

因繼承人違反第1162-1條規定，致被繼承人之債權人受有損害，該等債權人固得依第3項規定向繼承人請求損害賠償，惟繼承人若資力不足或全無資力時，對受損害之債權人即無實際上之效果，故為期衡平，債權人對於不當受領之債權人或受遺贈人，得請求返還其不當受領之數額。

(5) 繼承人對於不當受領之債權人或受遺贈人，不得請求返還其不當受領之數額。

繼承人如未依第1162-1條規定為清償，致債權人有受領逾比例數額之情形時，該債權人於其債權範圍內受領，並非無法律上之原因，自無不當得利可言， 故明定繼承人對於不當受領之債權人或受遺贈人，不得請求返還其逾比例受領之數額，以期明確。

(八) **繼承人法定繼承利益之喪失：**（民§1163）

1. 意義：**98年修法已於第1148條第2項明定繼承人對於被繼承人之債務僅以所得遺產為限負清償責任，繼承人卻有隱匿遺產情節重大、在遺產清冊為虛偽之記載情節重大或意圖詐害被繼承人之債權人之權利而為遺產之處分等情事之一**，自應維持原條文，明定該繼承人不得主張限定責任利益，爰參考法國民法第792條及德國民法第二千零五條之規定，修正第1項規定，明定繼承人如有上述情事之一者，對於被繼承人之債務應概括承受，**不得主張第1148條第2項所定有限責任之利益，以遏止繼承人此等惡性行為，並兼顧被繼承人債權人之權益**。

2. 繼承人中有下列各款情事之一者，不得主張第1148條第2項所定之利益：

   (1) 隱匿遺產情節重大。

   (2) 在遺產清冊為虛偽之記載情節重大。

   (3) 意圖詐害被繼承人之債權人之權利而為遺產之處分。

3. 繼承人如未於第1156條所定期間開具遺產清冊陳報法院，並不當然喪失限定繼承之利益。嗣法院依第1156-1條規定，因債權人聲請或依職權命繼承人陳報時，繼承人仍應有開具遺產清冊陳報法院之機會。惟如繼承人仍不遵命開具遺產清冊，繼承人即必須依第1162-1條規定清償債務，若繼承人復未依第1162-1條規定清償時，則須依第1162-2條規定，負清償及損害賠償責任。

4. 繼承人中如有一人有本條各款情事之一之行為，自應由該繼承人負責，其他繼承人之限定責任不因而受影響。又繼承人如為無行為能力人或限制行為能力人而由其法定代理人開具遺產清冊，如其法定代理人在遺產清冊為虛偽記載之情事，致債權人受有損害，而該無行為能力或限制行為能力人之繼承人不知情，該繼承人自不適用本條規定，而應由該法定代理人負損害賠償責任，其理至明。

四、遺產受酌給權（民§1149）

(一) **意義**：遺產受酌給權謂被繼承人生前繼續扶養之人，應由親屬會議依其所受扶養之程度及其他關係，酌給遺產，依民法第1149條規定。

(二) **立法目的**：我國往昔遺產酌給制度，係基於受扶養人與被繼承人之情誼而設，而**現行民法第1149條規定，不問是否為法定扶養人，只要經親屬會議決議即酌給一定遺產，非死後扶養性質**。由此觀之，僅為生存人生活之保障，憐憫之意。

(三) **要件**

1. 須係被繼承人生前繼續扶養之人
   基於對生存人生活之憐憫，不問受扶養人為法定扶養權利人與否，只要曾受被繼承人繼續扶養即有此權利。
2. 須不能維持生活而無謀生能力
   民法第1117條規定之法定扶養權利人尚以不能維持生活而無謀生能力者為限。同理，遺產受酌給權人亦應符合此要件。
3. 須被繼承人未為相當之遺贈
   遺產受酌給權目的為保障生存人之生活，如被繼承人以為相當之遺贈，應可推斷受扶養人受有一定生活之照護。
4. 須由親屬會議酌給
   親屬會議為受領遺產之利害關係人，當由受影響之人決定是否酌給其權利。

Q、遺產酌給請求權消滅時效問題？

答 (一)適用民法第1146條規定辦理

28年院字第1888號：父在民法繼承編施行法第2條所定日期前死亡者。其女依舊法所有得受酌給財產之權利。與民法第1149條所定酌給遺產之情形同。如因其權利被侵害為回復之請求。自應依民法第1146條及民法繼承編施行法第4條之規定辦理。

(二)類推適用民法第1146條規定

陳棋炎教授認為遺產酌給請求權非特殊繼承權，又無物權性質，就遺產酌給請求權內容觀之，應屬債權性質，既為債權，原則上應適用民法第125條普通請求權消滅時效，惟遺產酌給請求權與繼承關係有密切關係，應類推適用短期時效規定（民法第1146條第2項）。

(三)適用民法第125條規定

林秀雄教授則認為繼承篇並未明文規定遺產酌給請求權消滅時效，應回歸適用民法總則15年消滅時效規定，始為妥當。

Q、遺產受給順序？

答 遺產需分配債務、遺贈、酌給遺產時，債權人有優先受償權利，次者，因遺產酌給為扶養義務之延長，對生存人生活生保障之效益，利益衡量下，應優先於無償贈與。本觀念須特別注意，將適用在遺產分配實例題中。

(四) 實務見解

1. 親屬會議之決議未允洽時，法院有權斟酌情形逕予核定48台上1532被繼承人生前繼續扶養之人，基於民法第1149條之規定，依同法第1129條，召集親屬會議所為酌給遺產之決議，原應依其所受扶養之程度及其他關係而定，若親屬會議之決議未允洽時，法院因有召集權人之聲訴，自可斟酌情形逕予核定，所謂決議之不允洽，通常固指「給而過少」或「根本不給」之情形而言，但為貫徹保護被扶養者之利益，及防杜親屬會議會員之不盡職責起見，對於親屬會議已開而未為給否之任何決議時，亦應視為與決議不給之情形同，而賦有召集權人以聲訴不服之機會。

2. 被繼承人已贈與受扶養之人

   26年渝上字第59號：被繼承人已以遺囑，依其生前繼續扶養之人所受扶養之程度及其他關係，遺贈相當財產者，毋庸再由親屬會議酌給遺產。

3. 親屬會議先行程序

   23年上字第2053號：民法第1149條規定，被繼承人生前繼續扶養之人，應由親屬會議依其所受扶養之程度及其他關係酌給遺產，是被繼承人生前繼續扶養之人，如欲受遺產之酌給，應依民法第1129條之規定，召集親屬會議請求決議，對於親屬會議之決議有不服時，始得依民法第1137條之規定向法院聲訴，不得逕行請求法院以裁判酌給。

五、共同繼承

(一) **遺產取得**：繼承人有數人時，在分割遺產前，各繼承人對於遺產全部為公同共有。（民§1151）既為公同共有，除得全體公同共有人之同意外，無由其中一人或數人單獨處分之權。

觀念解說

公同共有：

1. 公同共有人之權利義務，依其公同關係所由成立之法律、法律行為或習慣定之。
2. 公同共有物之處分及其他之權利行使，除法律另有規定外，應得公同共有人全體之同意。

(二) **公同共有遺產管理**：公同共有之遺產，得由繼承人中互推一人管理之。（民§1152）

(三) **繼承人連帶責任**：（民§1153）

1. 對外關係：連帶負責

   繼承人對於被繼承人之債務，以因繼承所得遺產為限，負連帶責任。

   緣第1148條第2項已明定繼承人對於被繼承人之債務，僅因繼承所得遺產，負清償責任，則第1153條第1項繼承人對外連帶責任之範圍，即應配合修正限於因繼承所得遺產之限度內負擔連帶責任。

2. 對內關係：比例負擔

   繼承人相互間對於被繼承人之債務，除法律另有規定或另有約定外，按其應繼分比例負擔之。

(四) **共同繼承人連帶債務責任免除**：

1. 民法第1153條規定：鑑於社會上時有繼承人因不知法律而未於法定期間內辦理限定繼承或拋棄繼承，以致背負繼承債務，影響其生計，為解決此種不合理之現象，爰明定繼承人原則上承受被繼承人財產上之一切權利、義務，惟對於被繼承人之債務，僅須以因繼承所得遺產為限，負清償責任，以避免繼承人因概括承受被繼承人之生前債務而桎梏終生，故共同繼承人以有限遺產負擔被繼承人債務責任。

2. 遺產分割後，其未清償之被繼承人之債務，移歸一定之人承受，或劃歸各繼承人分擔，如經債權人同意者，各繼承人免除連帶責任。惟繼承人之連帶責任，自遺產分割時起，如債權清償期在遺產分割後者，自清償期屆滿時起，經過五年而免除。（民§1171）

(五) 實務見解：

1. 公同共有之遺產轉換為價金債權，仍為公同共有

74年台上字第748號：繼承人共同出賣公同共有之遺產，其所取得之價金債權，仍為公同共有，並非連帶債權。公同共有人受領公同共有債權之清償，應共同為之，除得全體公同共有人之同意外，無由其中一人或數人單獨受領之權。

2. 混同與繼承關係

51年台上字第2370號：債權人繼承債務人財產，適用民法第344條因混同而消滅其債之關係時，雖尚有其他共同繼承人，依民法第1153條發生連帶債務之關係，而就民法第274條，連帶債務中之一人因混同而消滅債務者，他債務人亦同免責任之規定觀之，自不影響於因混同而消滅之繼承債務之關係。惟其債權為設有抵押權者，則雖依民法第281條第2項，並參照同法第344條但書之規定，在其得向他債務人求償其各自分擔之部分及自免責時起之利息範圍內承受債權人之權利，可認原抵押權關於此部範圍內，仍有其存在，然其抵押權所及之範圍，自亦僅以此為限，而非仍然存在於原來全部債權之上。

3. 繼承人為連帶債務人

26年渝上字第247號：繼承人對於被繼承人之債務，雖與他繼承人負連帶責任，但連帶債務人中之一人所受之確定判決，除依民法第275條之規定，其判決非基於該債務人之個人關係者，為他債務人之利益亦生效力外，對於他債務人不生效力。故債權人對於繼承人未得有確定判決或其他之執行名義時，不得依其與他繼承人間之確定判決，就該繼承人所有或與他繼承人公同共有之財產為強制執行。

4. 數繼承人繼承被繼承人債權，其債權之行使方式

最高法院104年度第3次民事庭會議(一)

決議：採乙說

公同共有債權人起訴請求債務人履行債務，係公同共有債權之權利行使，非屬回復公同共有債權之請求，尚無民法第八百二十一條規定之準用；而應依同法第八百三十一條準用第八百二十八條第三項規定，除法律另有規定外，須得其他公同共有人全體之同意，或由公同共有人全體為原告，其當事人之適格始無欠缺。

六、遺產分割

(一) 意義：

遺產分割者，遺產共同繼承人以消滅遺產之公同共有關係為目的之行為。故繼承人得隨時請求分割遺產。但法律另有規定或契約另有訂定者，則不在此限。（民法第1164條）

(二) 分割遺產限制：

1. 遺囑禁止分割者：遺囑禁止遺產之分割者，其禁止之效力以十年為限。（民法第1165條第2項）
   遺囑禁止遺產分割之期間過長，有礙於經濟之發展，而個人資財，尤貴為適當之營運，方能發揮其價值。在今日工業社會，其期間不宜過長，故以十年為限，俾於經濟發展與未成年繼承人利益保護之間能得其平衡。
2. 契約禁止分割者：基於契約自由原則，繼承人得隨時請求分割遺產，亦得以契約訂定禁止分割。（民法第1164條但書）

Q、契約禁止分割是否有時間限制？

答 (一)無限制說：

戴炎輝教授認為民間常有子孫共同擁有祖先祀產之觀念，縱為永久不得分割之協議，既不違反公序良俗，應無不許之理。

(二)適用物權共有說：

胡長清教授認為考量經濟流通與消滅公同共有法律關係，應適用民法第823條第2項之規定，不分割期限以不超過五年為限。

(三)類推適用民法第1165條第2項規定：

多數學者認為基於經濟流通目的下，應類推第1165條第2項十年規定。

3. 須保留胎兒應繼分：

(1) 胎兒為繼承人時，非保留其應繼分，他繼承人不得分割遺產。（民法第1166條）

胎兒以將來非死產者為限，關於其個人利益之保護，視為既已出生。故為保護胎兒繼承權，於保留胎兒應繼分下，始得分割遺產。

(2) 未保留胎兒應繼分效果：

依民法第71條規定，法律行為，違反強制或禁止之規定者，無效。故民法第1166條已明文規定胎兒享有應繼分，未依法保留該應繼分者，該繼承行為應屬無效。依**林秀雄教授見解，胎兒之法定代理人可請求重新分割遺產或依民法第1146條行使繼承回復請求權，以保護胎兒之利益。**

(三) 分割方法：

1. 遺囑分割：（民法第1165條第1項）

被繼承人之遺囑，定有分割遺產之方法，或託他人代定者，從其所定。

2. 協議分割：

(1) 繼承人得隨時請求分割遺產，契約另有訂定從其約定。

(2) 繼承人協議分割遺產，原非要式行為。故就遺產之分割方法，於繼承人間苟已協議成立，縱令有繼承人漏未加蓋印章，於協議之成立，亦不發生影響。（73年台上字第4052號）

3. 裁判分割：

繼承人間如無法達成協議，得向法院聲請以裁判方法進行分割。分割方法依民法第824條以下裁判分割規定。

(四) 分割之計算：

1. 扣還：

(1) 意義：

民法第344條中規定，債權與其債務同歸一人時，債之關係消滅。同理，繼承人中如對於被繼承人負有債務者，於遺產分割時，應按其債務數額，由該繼承人之應繼分內扣還。（民法第1172條）

(2) 扣還方式：

繼承人對被繼承人之債務，屬於被繼承人債權，在遺產範圍內應加入遺產繼承範圍，惟依民法第1154條規定，繼承人對於被繼承人之權利、義務，不因繼承而消滅，繼承人如選擇限定繼承，則於繼承限度內應返還對被繼承人積欠之債務。至於繼承人拋棄繼承，並不影響返還債務之義務，換言之，繼承財產及償還債務係不同性質，不可混為一談。

Q、【實例】甲死亡留有遺產270萬元，膝下有子女乙丙丁，惟丙對甲負有60萬元債務，於遺產分割時，每人得獲得多少遺產？

答 依民法第1138條可知，甲之繼承人為乙丙丁，原則上應平均分得遺產，惟丙對甲負有60萬元債務，基於繼承遺產公平性，丙仍應償還該筆債務，依扣還方式計算，甲真正遺產應有330萬元，乙丙丁應各得110萬元，惟丙負有債務，應自應繼分中扣還，故丙獲得50萬元，乙、丁各獲得110萬元。

2. 歸扣：

(1) 意義：

繼承人中有在繼承開始前因結婚、分居或營業，已從被繼承人受有財產之贈與者，應將該贈與價額加入繼承開始時被繼承人所有之財產中，為應繼遺產。但被繼承人於贈與時有反對之意思表示者，不在此限。贈與價額，應於遺產分割時，由該繼承人之應繼分中扣除。（民法第1173條）

(2) 目的：

歸扣目的為各繼承人間之公平，故對於被繼承人生前給予繼承人結婚、營業、分居之生前贈與，為期繼承公平性應納入歸扣範圍。

Q、拋棄繼承人是否負有歸扣義務？

答 (一)實務見解：

繼承人拋棄繼承者，雖被繼承人未為反對意思表示，蓋拋棄繼承者，已非為繼承人，法律上亦無使其受贈與失去效力之規定。

(二)陳棋炎等三人合著見解：

因不拋棄之繼承人仍應有其特留分權，故特留分一旦被侵害，應准不拋棄繼承人得向拋棄繼承人行使特留分之扣減權，否則特留分形同具文。

(三) 歸扣與應繼分關係：

<table>
<tr><td rowspan="4">贈與額</td><td><</td><td rowspan="4">應繼分</td><td>繼承人就不足應繼分部分仍主張足額受償</td></tr>
<tr><td>=</td><td>繼承人不得再受分配</td></tr>
<tr><td rowspan="2">></td><td>實務、通說：繼承人不必再返還逾應繼分之份額</td></tr>
<tr><td>林秀雄教授：基於繼承公平性原則，繼承人應返還逾應繼分之部分</td></tr>
</table>

(四) 舉例言之：

甲已喪偶，有子女乙、丙、丁三人。乙有一子戊。甲因乙之營業給與60萬元。乙先於甲死亡。甲死亡時，留有遺產180萬元，則遺產分割時，原則上，戊可分得：

甲之繼承人應為戊、丙、丁。

同一順序繼承人就遺產平均分配，應各得80萬元，惟乙於生前已先得60萬元營業基金，應自遺產中扣除(80-60萬元)，又因代位繼承，由戊代位繼承20萬元。

(五) 實務見解：

1. 協議分割

54年台上字第2664號：民法第1164條所指之分割，非不得由各繼承人依協議方法為之，苟各繼承人已依協議為分割，除又同意重分外，殊不許任何共有人再行主張分割。

2. 繼承人在未為繼承登記以前訴請分割遺產，能否准許？

最高法院68年度第13次民事庭庭推總會議決議

有甲乙兩說：

(1) 甲說：

按分割共有物既對於物之權利有所變動，即屬處分行為之一種，凡因繼承於登記前已取得不動產物權者，其取得雖受法律之保護，不以其未經繼承登記而否認其權利，但繼承人如欲分割其因繼承而取得公同共有之遺產，因屬於處分行為，依民法第759條規定，自非先經繼承登記，不得為之。

(2) 乙說：

按各共有人得隨時請求分割共有物，為共有關係之廢止，共有人請求法院為共有物分割方法之決定，不受當事人主張之拘束，由法院之判決將物分歸於取得人。一般分割之效力，我民法採權利移轉主義（遺產分割則採權利宣示主義），判決分割在各共有人間因生權利互為移轉之效力，但此係由於形成判決直接發生法律上之效果，而創設單獨所有權，非因共有人處分之行為而生物權之變動，故毋須先辦繼承登記，即得請求分割共有物。

決議：

按分割共有物既對於物之權利有所變動，即屬處分行為之一種，凡因繼承於登記前已取得不動產物權者，其取得雖受法律之保護，不以其未經繼承登記而否認其權利，但繼承人如欲分割其因繼承而取得公同共有之遺產，因屬於處分行為，依民法第759條規定，自非先經繼承登記，不得為之。（同甲說）

3. 債務主體變動不影響連帶責任

38年台上字第174**號**：系爭房屋既為被上訴人之父生前向上訴人承租，則在其父死亡開始繼承後，因租賃關係消滅所負返還之義務，自係民法第1153條第1項所謂被繼承人之債務，被上訴人對之本應負連帶責任，縱使如被上訴人所稱，其父所有遺產業經繼承人全體協議分割，此項房屋已移歸其他繼承人承受云云，而依同法第1171條第1項之規定，被上訴人如不能就此證明，曾經上訴人之同意，仍難免除連帶責任。

4. 贈與非歸扣範圍

27年上字第3271**號**：被繼承人在繼承開始前，因繼承人之結婚、分居或營業，而為財產之贈與，通常無使受贈人特受利益之意思，不過因遇此等事由，就其日後終應繼承之財產預行撥給而已，故除被繼承人於贈與時有反對之意思表示外，應將該贈與價額加入繼承開始時，被繼承人所有之財產中，為應繼財產，若因其他事由，贈與財產於繼承人，則應認其有使受贈人特受利益之意思，不能與因結婚、分居或營業而為贈與者相提並論，民法第1173條第1項列舉贈與之事由，係限定其適用之範圍，並非例示之規定，於因其他事由所為之贈與，自屬不能適用。

5. 特種贈與額大於應繼分處理

90年台上字第2460**號判決**：民法第1173條第2項所謂扣除權之行使，係將扣除義務人在繼承開始前因結婚、分居或營業，已從被繼承人受有之贈與財產，算入被繼承人之遺產總額中，於分割遺產時，由該扣除義務人之應繼分中扣除，倘扣除之結果，扣除義務人所受贈與價額超過其應繼分額時，固不得再受遺產之分配，但亦無庸返還其超過部分之價額；且贈與價額依贈與時之價值計算而言。

柒、繼承拋棄

一、拋棄繼承

(一) 意義：

繼承之拋棄，係就被繼承人全部遺產，為拋棄繼承權之表示，不得專就被繼承人之某一特定債權為繼承之拋棄。亦即有繼承資格者，不欲為繼承主體。

(二) 性質：

拋棄繼承權為無相對人之單獨行為，民法第1174條第2項既明定其方式，則不依法定方式為之者，當難認為發生效力。其拋棄如不向法院或親屬會議而係向其他繼承人為之，則所謂其他繼承人，當然指為拋棄之繼承人以外之全體繼承人而言。

(三) 要件：

1. **繼承人應於知悉其得繼承之時起三個月內為之**

繼承人依民法第1174條規定主張拋棄繼承，即為第1148條所定「除本法另有規定」之情形。然因現行規定繼承人為拋棄繼承者之期間過短，致未能於上開期間內完成限定繼承呈報，概括承受被繼承人財產上之一切權利義務，對其失之過苛；另因原規定主張限定繼承及拋棄繼承之法定期間不同，為利人民適用，爰修正為一致，明定繼承人得自知悉其得繼承之時起三個月內拋棄繼承。又所謂「知悉其得繼承之時起」，係指知悉被繼承人死亡且自己已依第1138條規定成為繼承人之時，始開始起算主張限定繼承之期間，蓋繼承人如為第1138條第一順序次親等或第二順序以下之繼承人，未必確知自己已成為繼承人，故應自其知悉得繼承之時起算，以保障繼承人之權利；又如繼承人因久未連繫，不知被繼承人婚姻及家庭狀況（如有無子女），縱日後知悉被繼承人死亡，惟不知悉自己是否成為繼承人者，仍非屬本條所定知悉之情形，故當事人是否知悉，宜由法院於具體個案情形予以認定。

2. **須於繼承開始後為之**

民法第1174條所謂繼承權之拋棄，係指繼承開始後，否認繼承效力之意思表示而言，此觀同條第2項及同法第1175條之規定甚為明顯，若繼承開始前預為繼承權之拋棄，則不能認為有效。（22上2652）

3. **以書面向法院為之**

繼承人拋棄其繼承權時，應以書面向法院、親屬會議或其他繼承人為之。而我國民法規定之親屬會議，並不是常設機構，向親屬會議為拋棄繼承之表示，恐窒礙難行。惟有向法院為拋棄繼承之表示，最為確實易行，且因其有案可查，可杜絕倒填年月日、偽造拋棄繼承之證明文件等情事，故拋棄繼承，應以書面之要式行為向法院為之，以供法院處理上之參考。

4. **需具有繼承權之繼承人**

(四) **效力：**

1. 繼承之拋棄，溯及於繼承開始時發生效力。（民§1175）

繼承人之拋棄繼承權，依民法第1174條第2項之規定，應於知悉其得繼承之時起三個月內，以書面向法院、親屬會議或其他繼承人為之，是繼承權之拋棄為要式行為，如不依法定方式為之，依民法第73條之規定自屬無效。

2. 拋棄繼承後，應以書面通知因其拋棄而應為繼承之人。但不能通知者，不在此限。

於**實務運作上易使誤認通知義務為拋棄繼承之生效要件，即以書面向法院為之並以書面通知因其拋棄而應為繼承之人，始生拋棄繼承之效力，致生爭議。為明確計，並利繼承關係早日確定，此通知義務係為訓示規定。**

3. 拋棄繼承權者，就其所管理之遺產，於其他繼承人或遺產管理人開始管理前，應與處理自己事務為同一之注意，繼續管理之。（民§1176-1）拋棄繼承權者所管理之遺產，於其拋棄後如任其廢棄，將有害於其他繼承人之利益，故應與處理自己事務為同一之注意。

Q、對於他繼承人效力？

答 民法第1176條規定，繼承人拋棄繼承，其應繼分之歸屬問題：

1. 第1138條所定第一順序之繼承人中有拋棄繼承權者，其應繼分歸屬於其他同為繼承之人
   拋棄繼承者，視為自始非繼承人，故其子女並不得代位繼承。又拋棄者之子女與被繼承人之親等，較其伯、叔、姑輩為遠，依民法第1139條亦不能以其固有之繼承權繼承。爰予修正本條第1項規定：「第一順序之繼承人中有拋棄繼承權者，其應繼分歸屬於其他同為繼承之人」，例如配偶與第一順序之繼承人同為繼承，其第一順序之繼承人部分拋棄繼承者，原應繼分由其他同一順序同為繼承之人與配偶平均分受，如無配偶同為繼承時，則拋棄繼承權人之應繼分，即應歸屬於其他同為繼承之人。
2. 第二順序至第四順序之繼承人中，有拋棄繼承權者，其應繼分歸屬於其他同一順序之繼承人
   第二順序至第四順序之繼承人中，有拋棄繼承權者，仍維持現行法本條第1項前段之規定，其應繼分應歸屬於其他同一順序之繼承人。蓋縱令有配偶同為繼承，依民法第1144條第2款及第3款之規定，其應繼分亦已固定為二分之一或三分之二，自不受他人拋棄繼承權之影響。
3. 與配偶同為繼承之同一順序繼承人均拋棄繼承權，而無後順序之繼承人時，其應繼分歸屬於配偶。
4. 配偶拋棄繼承權者，其應繼分歸屬於與其同為繼承之人。
5. 第一順序之繼承人，其親等近者均拋棄繼承權時，由次親等之直系血親卑親屬繼承
   繼承之拋棄，溯及於繼承開始時發生效力，為第1175條所明定。第一順序之繼承人親等近者均拋棄繼承後，經溯及於繼承開始當時情形以定其繼承人，如有次親等之直系血親卑親屬時，依第1139條規定，自應歸由次親等之直系血親卑親屬取得繼承權。換言之，第一順序親等最近之繼承人，必須全部拋棄繼承權，其次親等繼承人始可繼承。例如甲死亡，遺有妻一，子女三，必須子女三人均拋棄繼承權時，該三人之子女始可與妻共同繼承。

6.先順序繼承人均拋棄其繼承權時，由次順序之繼承人繼承。其次順序繼承人有無不明或第四順序之繼承人均拋棄其繼承權者，準用關於無人承認繼承之規定。

7.因他人拋棄繼承而應為繼承之人，為拋棄繼承時，應於知悉其得繼承之日起三個月內為之。

因民法第1148條第1項但書所定繼承人對於繼承債務僅負限定責任之規定，適用於所有繼承人，且不待繼承人主張。

(五) 實務見解：

1. 關於繼承人於法定期間內，以書面向其他繼承人拋棄其繼承權，應否向其他繼承人全體分別為之，始生拋棄之效力？

有甲、乙二說：

(1) 甲說：

此項拋棄行為，與全體繼承人之權利義務有所影響，故一部分繼承人為此表示者，應向其他繼承人全體分別為之，否則，即難認為其已發生拋棄之效力。

(2) 乙說：

繼承之拋棄，係繼承人欲與繼承立於無關係之地位而拒絕繼承遺產之意思表示。無須對於特定相對人為之，故其性質屬於無相對人之單獨行為（見羅鼎著民法繼承編）。蓋如係有相對人之單獨行為，其相對人必僅為其他繼承人全體，不可能為以外之人。而民法第1174條第2項（舊法）規定，拋棄繼承，不限於向其他繼承人為之，向法院為之，向親屬會議為之，均無不可。足見法院、親屬會議或其他繼承人，並非係接受拋棄繼承之意思表示之相對人，不過為求拋棄繼承之確實，法律始作如此規定而已。此觀德國民法第1945條第1項僅規定「繼承之拒絕，應向遺產法院以意思表示為之；其表示應經認證」。日本民法第938條僅規定「欲為拋棄繼承者，應向家庭裁判所申述其意旨」。均未規定須向其他繼承人全體為之，即可明瞭。

決議：拋棄繼承權雖為無相對人之單獨行為，但民法第1174條第2項後段（舊法）既明定其方式，則不依法定方式為之者，當難認為發生效力。其拋棄如不向法院或親屬會議而係向其他繼承人為之，則所謂其他繼承人，當然指為拋棄之繼承人以外之全體繼承人而言。

2. 拋棄繼承拋棄範圍為全部拋棄

67年台上字第3448號：民法第1174條第1項固規定繼承人得拋棄其繼承權，惟此所謂拋棄繼承權，係指全部拋棄而言，如為一部拋棄，即不生拋棄之效力，上訴人雖主張繼承權一部之拋棄符合社會民間之需要，應為法之所許云云，其見解無可採取。

3. 繼承後是否得再主張拋棄繼承？

52年台上字第451號：上訴人等既已承受被繼承人之遺產取得權利在前，乃復表示拋棄繼承免除義務於後，自與我民法所定繼承原則，為包括的承受被繼承人財產上之一切權利義務本質不合，倘許繼承人於繼承開始時承認繼承，已為權利之行使，嗣後又准其拋棄繼承，為義務之免除，則不特有礙被繼承人之債權人之利益，且使權利狀態有不確定之虞，自非法所許可。

4. 代位繼承與拋棄繼承關係

32年上字第1992號

(1) 被上訴人在第一審起訴，縱已逾民法第1146條第2項所定之時效期間，但上訴人在原審並未以此為抗辯，原審未予置議，自不能謂為違法。

(2) 民法第1140條之規定，雖不適用於民法繼承編施行前開始之繼承，而其規定之趣旨則為同編施行前之法例所同認，父先於祖死亡者，祖之繼承開始雖在同編施行之前，不得謂孫無代位繼承權，同編施行法第二條所謂直系血親尊親屬，非專指父而言，祖父母以上亦在其內，祖之繼承開始如在同條所列日期之後，孫女亦有代位繼承權，代位繼承，係以自己固有之繼承權直接繼承其祖之遺產，並非繼承其父之權利，孫女對於其祖之遺產有無代位繼承之資格，自應以祖之繼承開始時為標準而決定之，祖之繼承開始苟在同條所列日期之後，雖父死亡在同條所列日期之前，孫女之有代位繼承權亦不因此而受影響。

(3) 被上訴人於某甲繼承開始後，縱未即為代位繼承之主張，亦不得因此謂其代位繼承權已合法拋棄。

(4) 民法第1140條之規定，雖不適用於民法繼承編施行前開始之繼駁而其規定之趣旨，則為同編施行前之法例所同認，父先於祖死亡者，且之繼承開始雖在同編施行之前，不得謂孫無代位繼承權，同編施行法第2條所謂直系血親尊親屬，非專指父母而言，祖父母以上亦在其內，祖之繼承開始如在同條所列日期之後，孫女亦有代位繼承權，代位繼承，係以自己固有之繼承權直接繼承其祖之遺產，並非繼承其父之權利，孫女對於其祖之遺產有無代位繼承之資格，自應以祖之繼承開始時為標準而決定之，祖之繼承開始，苟在同條所列日期之前，雖父死亡在同條所列日期之前，孫女之有代位繼承權亦不因此而受影響。

5. 贈與與拋棄繼承關係

48年台上字第371號

(1) 繼承人就被繼承人生前之贈與內容，另訂和解契約加以變更，本與遺產繼承之拋棄不同，不以履踐民法第1174條第2項所定之程式為其前提要件。

(2) 被繼承人生前所為之贈與行為，與民法第1187條所定之遺囑處分財產行為有別，即可不受關於特留分規定之限制。

二、無人承認之繼承

(一) **意義**：無人承認之繼承，即繼承人有無不明之繼承。（民§1177）

(二) **繼承人之搜索**：親屬會議依前條規定為報明後，法院應依公示催告程序，定六個月以上之期限，公告繼承人，命其於期限內承認繼承。（民§1178I）

(三) **遺產管理人**：

1. 選任：

(1) 繼承開始時，繼承人之有無不明者，由親屬會議於一個月內選定遺產管理人，並將繼承開始及選定遺產管理人之事由，向法院報明。

(2) 無親屬會議或親屬會議未於前條所定期限內選定遺產管理人者，利害關係人或檢察官，得聲請法院選任遺產管理人，並由法院依前項規定為公示催告。（民§1178II）

前述選任遺產繼承人旨在以維護公益及被繼承人債權人之利益，使遺產之歸屬早日確定。同理，非訟事件法第78條規定，法院選任或解任受託人或信託監察人時，於裁定前得訊問利害關係人。對於法院選任或解任受託人或信託監察人之裁定，不得聲明不服。目的均在迅速選定遺產管理人，使法律關係早日安定。

2. 資格：

(1) 身分資格：親屬會議選定之遺產管理人，以自然人為限。（家事事件法第134條）

遺產管理人有下列各款情形之一者，法院應解任之，命親屬會議於一個月內另為選定：

A. 未成年。

B. 受監護或輔助宣告。

C. 受破產宣告或依消費者債務清理條例受清算宣告尚未復權。

D. 褫奪公權尚未復權。

(2) 消極資格：

親屬會議選定之遺產管理人有下列情形之一者，法院得依利害關係人或檢察官之聲請，徵詢親屬會議會員、利害關係人或檢察官之意見後解任之，命親屬會議於一個月內另為選定：

A. 違背職務上之義務者。

B. 違背善良管理人之注意義務，致危害遺產或有危害之虞者。

C. 有其他重大事由者。（家事事件法第135條）

3. 職務：（民§1179）

(1) 遺產管理人之職務如左：

A. 編製遺產清冊。

B. 為保存遺產必要之處置。

C. 聲請法院依公示催告程序，限定一年以上之期間，公告被繼承人之債權人及受遺贈人，命其於該期間內報明債權及為願受遺贈與否之聲明，被繼承人之債權人及受遺贈人為管理人所已知者，應分別通知之。

D. 清償債權或交付遺贈物。

E. 有繼承人承認繼承或遺產歸屬國庫時，為遺產之移交。

前項第一款所定之遺產清冊，管理人應於就職後三個月內編製之；第四款所定債權之清償，應先於遺贈物之交付，為清償債權或交付遺贈物之必要，管理人經親屬會議之同意，得變賣遺產。（民法第1179條）

(2) 報告義務：（民§1180）

遺產管理人，因親屬會議，被繼承人之債權人或受遺贈人之請求，應報告或說明遺產之狀況。

(3) 清償債務或交付遺贈物之限制（民§1181）

遺產管理人非於第1179條第1項第3款所定期間屆滿後，不得對被繼承人之任何債權人或受遺贈人，償還債務或交付遺贈物。

目的在限制遺產管理人，不得對被繼承人之任何債權人或受遺贈人，於期限屆滿前清償任何債務或交付遺贈物，而不在限制債權人或受遺贈人行使請求權，蓋清償債務及交付遺贈物，原為繼承人之義務，遺產管理人不過因繼承人之有無不明代為履行義務耳，使與民法親屬編第1158條之規定，前後一致。

(4) 職權禁止限制

法院受理家事事件法第134條或第135條命親屬會議選定遺產管理人之事件時，於本案裁定確定前，得為下列之暫時處分：

A. 禁止遺產管理人為處分遺產或其他不利於遺產管理之行為。

B. 保存、管理遺產所必要之一切行為。

C. 禁止遺產管理人處分其特定財產；法院認為適當時，並得命聲請人提供擔保。（家事非訟事件暫時處分類型及方法辦法第14條）

4. 遺產管理人行為效果：（民§1184）

第1178條所定之期限內，有繼承人承認繼承時，遺產管理人在繼承人承認繼承前所為之職務上行為，視為繼承人之代理。

(四) 剩餘財產之處理：

第1178條所定之期限屆滿，無繼承人承認繼承時，其遺產於清償債權並交付遺贈物後，如有賸餘，歸屬國庫。（民§1185）

(五) 實務見解：

1. 繼承人應以民法繼承編施行之日生存者為必要

91年台上字第863號：民法繼承編施行法第8條規定：繼承開始在民法繼承編施行前，被繼承人無直系血親卑親屬，依當時之法律亦無其他繼承人者，自施行之日起，依民法繼承編之規定定其繼承人，既明定自施行之日起，依民法繼承編之規定定其繼承人，該所定之繼承人自應以民法繼承編施行之日生存者為必要。

2. 民法繼承編施行法第8條之「依當時之法律亦無其他繼承人」

釋字第668號：民法繼承編施行法第8條規定：「繼承開始在民法繼承編施行前，被繼承人無直系血親卑親屬，依當時之法律亦無其他繼承人者，自施行之日起，依民法繼承編之規定定其繼承人。」其所定「依當時之法律亦無其他繼承人者」，應包含依當時之法律不能產生選定繼承人之情形，故繼承開始於民法繼承編施行前，依當時之法規或習慣得選定繼承人者，不以在民法繼承編施行前選定為限。惟民法繼承編施行於臺灣已逾64年，為避免民法繼承編施行前開始之繼承關係久懸不決，有礙民法繼承法秩序之安定，凡繼承開始於民法繼承編施行前，而至本解釋公布之日止，尚未合法選定繼承人者，自本解釋公布之日起，應適用現行繼承法制，辦理繼承事宜。

3. 訴訟主體為遺產管理人

70年台上字第211號：已故被繼承人生前將系爭土地出賣與上訴人，價金並已付清，在辦理所有權移轉登記中，被繼承人死亡，因被繼承人無人繼承，被上訴人經法院指定為遺產管理人。查被繼承人就該土地對上訴人負有辦理移轉登記使其取得所有權之義務。其為他人設定抵押權，既係在與上訴人訂約出賣之後，該土地於其後被抵押權人聲請拍賣，致對上訴人移轉登記之請求，成為給付不能，即難謂不應歸責於被繼承人，上訴人當得為損害賠償之請求。因被上訴人為被繼承人之遺產管理人，上訴人以之為被告，訴求給付，自屬正當。

研讀重點

本部分為繼承最後一章節，大致上可分為遺囑、遺贈、特留分，遺囑部分大多為記憶型條文，只要熟記條文，應不難作答，惟學說上對遺囑章節有不同探討及見解，仍需注意。遺贈中「撤回」規定因為學者爭論之地，為本章節中出題常客。最後，特留分題型多以實例題方式出現，若引用條文錯誤，計算結果馬上即可判定本題無法獲得閱卷老師青睞，故計算特留分題型可說是最易拿分，也是最容易喪失分數的題目，不得不注意！

捌、遺囑

一、遺囑之意義

遺囑者，乃以死後發生效力為目的，表示遺囑人本人自己之意思所為之要式單獨行為。（民§1186）

二、遺囑之性質

1. 遺囑為要式行為：依民法第1189條規定，遺囑應依一定方式為之。
2. 遺囑為單獨行為：遺囑以遺囑人死亡後發生效力，無待相對人意思表示即生法律上效力，屬單方法律行為。
3. 遺囑有專屬性：遺囑為遺囑人之意思表示，應尊重其專屬性，故只要非無行為能力人，應皆具有成立遺囑之權利。
4. 遺囑於遺囑人死後始發生法律效力之法律行為。

三、遺囑要件

1. 有遺囑能力人：無行為能力人，不得為遺囑。限制行為能力人，無須經法定代理人之允許，得為遺囑。但未滿十六歲者，不得為遺囑。換言之，只要滿十六歲以上之自然人，且未經監護宣告者，即具遺囑能力。（民§1186）
2. 時期：遺囑能力之有無，以遺囑成立時為標準。故遺囑人作成遺囑後，經監護宣告，仍不影響遺囑之效力。
3. 遺囑自由原則：**我國遺囑採「遺產自由原則」，被繼承人得依自己的自由意志處分遺產，只要於不違反關於特留分規定之範圍內，皆得以遺囑自由處分遺產**（民§1187），例如：民法第1165、1168、1209條等皆為遺囑自由原則表現。惟基於保障特定繼承人之公益目的，而有特留分限制之規定。

Q、生前遺贈是否有特留分侵害問題？

答 被繼承人之遺贈，在不違反特留分規定之範圍內，繼承人不得拒絕履行，誠以被繼承人處分自己之財產，不許繼承人擅為干預，本件贈與雖為生前行為，但如被繼承人至死亡時，仍無撤銷或拒絕履行之表示，依同一理由，繼承人不得拒絕履行。（51年台上字第1416號）

4. 遺囑不得違反公序良俗

   民法第72條明文規定，法律行為，有背於公共秩序或善良風俗者，無效。乃指法律行為本身違反國家社會一般利益及道德觀念而言，故遺囑行為雖應尊重遺囑人意思，當違反公共利益時，仍不為法律所容許。

四、方式

1. 普通方式

(1) 自書遺囑：

遺囑應依法定方式為之，自書遺囑，應自書遺囑全文，記明年、月、日，並親自簽名；如有增減、塗改，應註明增減、塗改之處所及字數，另行簽名。（民§1190）其非依此方式為之者，不生效力。

(2) 公證遺囑：

應指定二人以上之見證人，在公證人前口述遺囑意旨，由公證人筆記、宣讀、講解，經遺囑人認可後，記明年、月、日，由公證人、見證人及遺囑人同行簽名：遺囑人不能簽名者，由公證人將其事由記明，使按指印代之。

公證人之職務，在無公證人之地，得由法院書記官行之，僑民在中華民國領事駐在地為遺囑時，得由領事行之。（民§1191）

(3) 密封遺囑：

應於遺囑上簽名後，將其密封，於封縫處簽名，指定二人以上之見證人，向公證人提出，陳述其為自己之遺囑，如非本人自寫，並陳述繕寫人之姓名、住所，由公證人於封面記明該遺囑提出之年、月、日及遺囑人所為之陳述，與遺囑人及見證人同行簽名。（民§1192）

密封遺囑，如不具備前述所定之方式，而具備第1190條所定自書遺囑之方式者，有自書遺囑之效力。（民§1193）

(4) 代筆遺囑：由遺囑人指定三人以上之見證人，由遺囑人口述遺囑意旨，使見證人中之一人筆記、宣讀、講解，經遺囑人認可後，記明年、月、日及代筆人之姓名，由見證人全體及遺囑人同行簽名，遺囑人不能簽名者，應按指印代之。（民§1194）

2. 特別方式即口授遺囑（民§1195）

(1) 意義：口授遺囑者，遺囑人因生命危急，或其他特殊情形，不能依其他方式為遺囑者，得以口授之詞依特別方式作成遺囑之謂。

(2) 方式：

A. 由遺囑人指定二人以上之見證人，並口授遺囑意旨，由見證人中之一人，將該遺囑意旨，據實作成筆記，並記明年、月、日，與其他見證人同行簽名。

B. 由遺囑人指定二人以上之見證人，並口述遺囑意旨、遺囑人姓名及年、月、日，由見證人全體口述遺囑之為真正及見證人姓名，全部予以錄音，將錄音帶當場密封，並記明年、月、日，由見證人全體在封縫處同行簽名。

(3) 有效期間：口授遺囑，自遺囑人能依其他方式為遺囑之時起，經過三個月而失其效力。（民§1196）

(4) 認定程序：應由見證人中之一人或利害關係人，於為遺囑人死亡後三個月內，提經親屬會議認定其真偽，對於親屬會議之認定如有異議，得聲請法院判定之。（民§1197）

五、遺囑見證人

1. 除自書遺囑外，其他遺囑，均須有見證人在場。
2. 遺囑見證人消極資格：

下列之人，不得為遺囑見證人：

(1) 未成年人。

(2) 受監護或輔助宣告之人。

(3) 繼承人及其配偶或其直系血親。

(4) 受遺贈人及其配偶或其直系血親。

(5) 為公證人或代行公證職務人之同居人助理人或受僱人。（民§1198）

六、生效時期

1. 單純遺囑：自遺囑人死亡時發生效力。（民§1199）該遺囑需出自本人之意思而合法成立者，始認為有效，而發生遺囑效力。如以遺囑分授遺產，於遺囑人死亡後，即有拘束受遺人之效力。
2. 附條件及期限：（民§1200）

(1) 附停止條件：條件成就時發生效力。

(2) 附解除條件：條件成就時失其效力。

(3) 附始期之遺囑：遺囑人死亡時，發生效力。

(4) 附終期之遺囑：遺囑人死亡時，發生效力，期限屆滿失其效力。

七、遺囑之執行

1. 意義：遺囑人死亡後，按遺囑內容所載事項所為之行為。
2. 遺囑執行人：
   (1) 資格：（民§1209、1211）
      A. 遺囑人得以遺囑指定遺囑執行人，或委託他人指定之。
      B. 遺囑未指定遺囑執行人，並未委託他人指定者，得由親屬會議選定之。
      C. 不能由親屬會議選定時，得由利害關係人聲請法院指定之。
   (2) 限制：未成年人、受監護或輔助宣告之人，不得為遺囑執行人。（民§1210）
   (3) 遺囑執行人怠於執行職務，或有其他重大事由時，利害關係人，得請求親屬會議改選他人；其由法院指定者，得聲請法院另行指定。（民§1218）
3. 程序：
   (1) 提示：
   遺囑保管人知有繼承開始之事實時，應即將遺囑提示於親屬會議；無保管人而由繼承人發見遺囑者亦同。（民§1212）
   遺囑保管人知有繼承開始之事實時，依法固應將遺囑提示於親屬會議，但遺囑保管人不於其時將遺囑提示於親屬會議，於遺囑之效力，並無影響。（22年上字第1855號）
   (2) 開視：（民§1213）
   有封緘之遺囑，非在親屬會議當場或法院公證處，不得開視。
   封緘遺囑開視時，應製作紀錄，記明遺囑之封緘有無毀損情形，或其他特別情事，並由在場之人同行簽名。
4. 遺囑執行人義務：
   (1) 編製清冊：（民§1214）
   遺囑執行人就職後，於遺囑有關之財產，如有編製清冊之必要時，應即編製遺產清冊，交付繼承人。
   (2) 管理遺產：（民§1215I）
   遺囑執行人有管理遺產，並為執行上必要行為之職務。
   (3) 具繼承人身分之遺產執行人：（民§1216）
   繼承人於遺囑執行人執行職務中，不得處分與遺囑有關之遺產，並不得妨礙其職務之執行。

(4) 遺囑執行人共同意見：（民§1217）

遺囑執行人有數人時，其執行職務，以過半數決之。但遺囑另有意思表示者，從其意思。

5. 遺囑繼承人行為效力：（民§1215II）

遺囑執行人因管理遺產職務所為之行為，視為繼承人之代理。

八、遺囑之撤回

1. 意義：乃謂遺囑人不欲使其合法成立之遺囑於將來發生效力之要式單獨行為。
2. 方法：

(1) 明示撤回：

遺囑人得隨時依遺囑之方式，撤回遺囑之全部或一部，而遺囑一經撤銷者，視為自始無效。（民§1219）

(2) 法定撤回：

A. 前後遺囑相牴觸者（民§1220）

前後遺囑有相牴觸者，其牴觸之部分，前遺囑視為撤回。遺囑既以遺囑人意思為執行依據，如遺囑前後相牴觸，自應以後遺囑為優先效力。

觀念解說

「牴觸」概念：

1. 陳棋炎教授三人合著：遺囑應以遺囑人主觀意思為執行依據，外觀如何，在所非問。前後遺囑外觀雖相牴觸，按遺囑人意思並非不能相容者，非謂牴觸。
2. 通說：遺囑乃遺囑人死亡後依循標準，遺囑人死亡後再行判斷遺囑人意思真偽，恐有執行上困難，亦不符合立法寓意，故只要外在內容有所抵觸時，則視為有牴觸之法定撤回效果。

B. 遺囑與行為相牴觸者（民法第1221條）

遺囑人於為遺囑後所為之行為與遺囑有相牴觸者，其牴觸部分，遺囑視為撤回。

民法第1221條適用上尚須具備以下條件，始有法定撤回之效果：

a. 行為須由遺囑人親自為之

b. 行為須符合法定要件

c. 客觀行為尚須同時參酌遺囑人主觀意思

d. 遺囑未生效前得撤回

C. 遺囑人破毀塗銷或廢棄遺囑（民法第1222條）

遺囑人故意破毀或塗銷遺囑，或在遺囑上記明廢棄之意思者，其遺囑視為撤回。同理，遺囑人既對遺囑為破毀塗銷或廢棄行為，客觀上已足以判斷遺囑人有撤回遺囑之意思表示，應生撤回法律效果。

3. 效力：

尚未發生效力之遺囑，預先阻止其生效，而遺囑不生效力。

觀念解說

「撤銷」與「撤回」的差異：

所謂「撤銷」，係使業已發生效力之法律行為，溯及的失其效力。而「撤回」係指未發生效力之法律行為，阻止其生效。

九、實務見解

1. 被繼承人生前所為之贈與行為，可不受關於特留分規定之限制

48年台上字第371號

(1) 繼承人就被繼承人生前之贈與內容，另訂和解契約加以變更，本與遺產繼承之拋棄不同，不以履踐民法第1174第2項所定之程式為其前提要件。

(2) 被繼承人生前所為之贈與行為，與民法第1187條所定之遺囑處分財產行為有別，即可不受關於特留分規定之限制。

2. 遺囑執行人行為效力

46年台上字第236號：遺囑執行人有管理遺產並為執行上必要行為之職務，其因此項職務所為之行為，視為繼承人之代理人，民法第1215條定有明文，故當事人死亡，而有以遺囑指定之遺囑執行人者，依民事訴訟法第168條之規定，其訴訟程序，即應由遺囑執行人承受之。

玖、遺贈

一、意義

遺贈者，乃遺囑人以對於他人無償給與財產之單獨行為。

二、遺贈生效要件

(一) 遺囑人之遺囑有效成立。

(二) 受遺贈人於遺囑發生效力前尚生存者，遺贈始生效力。

(三) 遺囑人應以遺產作為遺贈

遺囑人以一定之財產為遺贈，而其財產在繼承開始時，有一部分不屬於遺產者，其一部分遺贈為無效；全部不屬於遺產者，其全部遺贈為無效。但遺囑另有意思表示者，從其意思。（民法第1202條）

(四) 受遺贈人未喪失受遺贈權

民法第1188條準用第1145條喪失繼承權之規定。

下列各款情事之一者，喪失其受遺贈權：

1. 故意致被繼承人或應繼承人於死或雖未致死因而受刑之宣告者。
2. 以詐欺或脅迫使被繼承人為關於繼承之遺囑，或使其撤回或變更之者。
3. 以詐欺或脅迫妨害被繼承人為關於繼承之遺囑，或妨害其撤回或變更之者。
4. 偽造、變造、隱匿或湮滅被繼承人關於繼承之遺囑者。
5. 對於被繼承人有重大之虐待或侮辱情事，經被繼承人表示其不得繼承者。

(五) 受遺贈人需不違反特留分規定

應得特留分之人，如因被繼承人所為之遺贈，致其應得之數不足者，得按其不足之數由遺贈財產扣減之。受遺贈人有數人時，應按其所得遺贈價額比例扣減。（民法第1225條）

三、標的範圍

(一) 一定財產遺贈之範圍：

1. 原則：不屬於遺產之部分，無效。
2. 例外：民法之特別規定。

(二) **遺贈物之瑕疵**：遺贈義務人以交付該物為已足。

(三) **從物、從權利、孳息**：亦為遺贈之一部分。

(四) **遺贈物上代位性**：

1. 原因：
   遺囑人因遺贈物滅失、毀損、變造或喪失物之占有。
2. 發生要件：（依林秀雄教授見解）
   (1) 以償金請求為遺贈。
   (2) 遺贈物毀損滅失須於遺囑作成後發生。
   (3) 遺贈物與他物附合或混合。
   (4) 需遺囑人生前未行使該請求權。
   對此要件學說上有不同見解：
   A. **通說：我國多數學者認為遺贈務代位請求權，須以遺囑人未受清償為限，如已受清償者，自非屬遺贈財產之範圍，受遺贈人不得請求受領遺贈。**
   B. 黃宗樂教授：參考日本法規定，以遺囑人生前是否受清償區別遺贈有效性，似有未妥，應以遺囑人償金數額是為遺贈較為公允。

四、返還

以遺產之使用、收益為遺贈，而遺囑未定返還期限，並不能依遺贈之性質定其期限者，以受遺贈人之終身為其期限。

五、附條件遺贈

謂遺贈人之為遺贈，附有附款，使受遺贈人負擔一定給付義務者。

(一) **附停止條件**：遺囑所定遺贈，附有停止條件者，自條件成就時，發生效力。

(二) **附負擔條件**：遺贈附有義務者，受遺贈人以其所受利益為限，負履行之責。

六、遺贈之承認與拋棄

(一) **承認**：

1. 遺囑自遺囑人死亡時發生效力。
2. 催告：繼承人或其他利害關係人，得定相當期限，請求受遺贈人於期限內為承認遺贈與否之表示；期限屆滿，尚無表示者，視為承認遺贈。

(二) 拋棄：

1. 受遺贈人在遺囑人死亡後，得拋棄遺贈。
2. 效力：遺贈之拋棄，溯及遺囑人死亡時發生效力。

拾、特留分

一、意義

特留分者，即被繼承人以遺囑無償處分遺產時，應為其法定繼承人，特留一部分之財產為應繼財產，不能全部處分。

二、目的

(一) 維持家庭基本要求 **(二) 符合扶養近親規定** **(三) 公共利益之保護**

三、數額

繼承人之特留分，依左列各款之規定：（民法第1223條）

(一) 直系血親卑親屬之特留分，為其應繼分二分之一。
(二) 父母之特留分，為其應繼分二分之一。
(三) 配偶之特留分，為其應繼分二分之一。
(四) 兄弟姊妹之特留分，為其應繼分三分之一。
(五) 祖父母之特留分，為其應繼分三分之一。

整理民法第1138、1223條適用關係，便於理解：

繼承順位	當然繼承人	應繼分	配偶特留分	繼承人	應繼分	特留分
1	配偶	平均繼承	平均繼承之1/2	直系血親卑親屬	平均繼承	平均繼承之1/2
2		1/2	1/4	父母	1/2	1/4
3		1/2	1/4	兄弟姊妹	1/2	1/6
4		2/3	1/3	祖父母	1/3	1/9

* 請注意，上列表格適用於當配偶與第一順位繼承人同時存在時之應繼分比例，如配偶或第一順位繼承人有一方不存在時，特留分計算標準則直接適用民法第1223條之標準計算，可參後面例題解說即可知悉。

四、計算方式及分配順序

(一) 被繼承人現有所有財產之價額：

被繼承人遺產淨額應先被確立，因被繼承人生前如有債權、債務關係尚未完結，應以剩餘遺產清償或收取，故應先計入被繼承人遺產數額中。

(二) 加入特種贈與之價額：

依民法第1173條規定之特種贈與，遺產分割時，應由該繼承人應繼分中扣除，而歸扣價額應一併計入遺產價額中。

(三) 計算結果得分配財產，應優先分配給法定繼承人：

被繼承人遺產債權債務關係處分完後，如尚有賸餘，應優先保留給第一順位繼承人，繼承份額不得低於特留分，已符合家庭照護之公益原則。

(四) 剩餘遺產分配予受遺產酌給人：

如依特留分分配完第一順位繼承人後，尚有剩餘遺產，依民法第1149條規定之遺產酌給請求權人，即被繼承人生前繼續扶養之人，乃可依扶養義務之延長公共利益，請求酌給必要之生活上扶助。

(五) 剩餘遺產分配予受遺贈人：

因贈於本質為無償行為，為受遺贈人獲得利益之單方行為，如遺產尚有賸餘，則分配按贈與數額分配。惟如因被繼承人所為之遺贈，致其應得之數不足者，得按其不足之數由遺贈財產扣減之。受遺贈人有數人時，應按其所得遺贈價額比例扣減，民法第1225條規定。

五、扣減

(一) 意義：

特留分權利人，因被繼承人所為之遺贈，致其應得之數不足者，得按其應得不足之數扣減之，即所謂扣減權。（民法第1225條）

(二) **行使方式：**

1. 扣減權人：為特留分權利人及其繼承人。
2. 時期：於繼承開始後為之。
3. 限度：須於保全特留分之必要限度內為之。
4. 方法：向相對人表示。
5. 標的：限於遺贈。

Q、甲有一繼母乙，另有外祖父丙、外祖母丁。甲生前以其所有房屋抵押向A銀行貸款240萬元。甲又因侵權行為而對B應負60萬元損害賠償之債務。甲死亡時僅有該抵押之房屋，值340萬元。丙發現甲生前曾依法立下一遺囑，載明遺贈甲之舅母戊10萬元，遺贈甲之姪女己30萬元。丙唯恐甲之遺產不足清償其債務，故在法定期限內依法表示限定繼承。其後繼母乙以生前與甲共同生活且受其扶養為由，請求法院酌給甲之遺產，經法院裁定10萬元。

試問：甲留下之340萬元遺產，應如何處理？

答 (一) 被繼承人現有所有財產之價額計算：

債務：對A銀行貸款240萬元；

對B侵權行為60萬元損害賠償。

遺產現值：340萬元。

被繼承人現有所有財產之價額：340－240－60=40萬元。

(二) 加入特種贈與之價額：

本題中無民法第1173條規定之特種贈與原因，故無須歸扣。

(三) 計算結果得分配財產，應優先分配給法定繼承人：

1.依題意，乙為甲之一親等直系姻親，無繼承資格。

2.丙、丁為甲之祖父母為最近親等之法定繼承人。

據上所述，甲剩餘之40萬元遺產，丙、丁皆有繼承權，原則上每人各分得20萬元，惟本題中尚有遺產酌給請求權人、受贈人存在，依民法第1223條第5款規定，丙、丁僅得各獲得20萬元×1/3。

(四) 剩餘遺產分配予受遺產酌給人：

學說上有採不得超過繼承人應繼分、不得超過繼承人特留分說，建議採通說「不得超過繼承人實際繼承說」。故本題乙稱為甲生前受扶養者，基於公益考量，乙應得繼承與丙、丁相同份額，即20萬元×1/3。

(五) 剩餘遺產分配予受遺贈人：

經前述繼承人及受遺產酌給人分配後，剩餘40萬元－(20萬元×1/3＋20萬元×1/3＋20萬元×1/3)=20萬元，而遺囑載明遺贈甲之舅母戊10萬元，遺贈甲之姪女己30萬元，剩餘之20萬元不足分配戊、己，應按比例分配之，即戊獲得20萬元×1/4；己獲得20萬元×3/4。

六、實務見解

1. 被繼承人生前所為之贈與行為不受關於特留分限制

48年台上字第371號

(1) 繼承人就被繼承人生前之贈與內容，另訂和解契約加以變更，本與遺產繼承之拋棄不同，不以履踐民法第1174條第2項所定之程式為其前提要件。

(2) 被繼承人生前所為之贈與行為，與民法第1187條所定之遺囑處分財產行為有別，即可不受關於特留分規定之限制。

2. 逾特留分之遺贈效力

58年台上字第1279號：民法第1225條，僅規定應得特留分之人，如因被繼承人所為之遺贈，致其應得之數不足者，得按其不足之數由遺贈財產扣減之，並未認侵害特留分之遺贈為無效。

3. 特留分權利人無權扣減被繼承人生前所為之贈與

25年上字第660號：民法第1225條，僅規定應得特留分之人，如因被繼承人所為之遺贈，致其應得之數不足者，得按其不足之數由遺贈財產扣減之，並未認特留分權利人，有扣減被繼承人生前所為贈與之權，是被繼承人生前所為之贈與，不受關於特留分規定之限制，毫無疑義。

【重要試題精選】

壹、選擇題

( ) **1** 配偶與兄弟姊妹同為繼承人時，其法定應繼分為遺產之： (A)平均分配 (B)二分之一 (C)三分之二 (D)四分之三。

( ) **2** 夫甲妻乙有子丙女丁，丙與戊結婚並生有二子己、庚，設丙先於甲死亡，而甲死亡時留有遺產60萬元，問如何繼承？ (A)乙30萬，丁30萬 (B)乙20萬，丁20萬，己10萬，庚10萬 (C)乙15萬，丁15萬，己15萬，庚15萬 (D)乙10萬，丁10萬，己20萬，庚20萬。

( ) **3** 甲娶妻乙，生一子A，並收養B女，後甲納丙為妾，並生一女C，問甲死亡後誰為繼承人？ (A)乙、A (B)乙、A、B (C)乙、A、B、C (D)乙、A、B、C、丙。

( ) **4** 甲乙為夫妻，甲有同父異母之兄丙，姊丁與養兄戊，甲死亡時有240萬遺產如何繼承？ (A)乙、戊各120萬 (B)乙、丙、丁各80萬 (C)乙120萬、丙丁各60萬 (D)乙120萬，丙丁戊各40萬。

( ) **5** 繼承權喪失之原因原生於繼承開始前者，繼承權何時喪失？
(A)一旦發生即喪失權利，不待法院判決宣告
(B)須待法院判決宣告始喪失權利
(C)自繼承開始時喪失其權利
(D)以上皆非。

( ) **6** 胎兒關於遺產之分配，以誰為代理人？ (A)父 (B)母 (C)以上皆是 (D)以上皆非。

( ) **7** 甲死亡時遺有配偶乙及父母丙丁，遺產為60萬，丙曾向甲借貸20萬，問：甲之遺產如何繼承？
(A)乙40萬，丁20萬，丙無所得
(B)乙30萬，丁15萬，丙須還20萬而由乙丁再依應繼分繼承
(C)乙30萬，丙15萬，丁15萬
(D)乙30萬，丁15萬，丙須還5萬而由乙丙丁再依應繼分繼承。

( ) **8** 爸爸去世後，留下媽媽、哥哥以及收養的妹妹三人。媽媽認為妹妹不是她親生的，何況又是女兒，遲早要嫁人，因此決定把爸爸的遺產全部留給哥哥。根據現行民法規定，下列敘述何者正確？ (A)嫁出去的女兒如潑出去的水，女兒本就沒有繼承權，媽媽的決定合法 (B)爸爸和妹妹無血緣關係，妹妹本就不得主張繼承權，媽媽的決定合法 (C)媽媽的決定雖與民法規定不符，但因符合傳統習慣，其決定仍為合法 (D)依民法的規定，被收養的妹妹也一樣具有繼承權，媽媽的決定不合法。

( ) **9** 被繼承人甲遺有妻乙、子丙及丁，甲曾因乙的營業贈與3萬元，甲死亡時有9萬元現金及6萬元債權，問：如何繼承？ (A)乙丙丁各5萬元 (B)乙3萬元，丙6萬元，丁6萬元 (C)丙丁各7.5萬元，乙不得繼承 (D)以上皆非。

( ) **10** 第一順序之繼承人其親等近者均拋棄繼承權時，由誰繼承？ (A)次順序之繼承人 (B)次親等之直系血親卑親屬 (C)配偶 (D)準用無人承認繼承之規定。

( ) **11** 因他人拋棄繼承而應為繼承之人拋棄繼承時，應於知悉其得繼承之日多久內為之？ (A)一個月 (B)二個月 (C)三個月 (D)六個月。

( ) **12** 年滿幾歲之人得立遺囑？ (A)14歲 (B)15歲 (C)16歲 (D)17歲。

( ) **13** 自書遺囑之內容： (A)須遺囑人親自書寫 (B)得以印章指印或十字代替 (C)得以親自打字代替 (D)以上皆是。

( ) **14** 指定二人以上之見證人，在公證人前口述遺囑意旨，由公證人筆記、宣讀、講解，經遺囑人認可後，記明年、月、日，由公證人、見證人及遺囑人同行簽名之遺囑為： (A)公證遺囑 (B)密封遺囑 (C)代筆遺囑 (D)口授遺囑。

( ) **15** 遺囑人指定三人以上之見證人，由遺囑人口述遺囑意旨，使見證人中之一人筆記、宣讀、講解，經遺囑人認可後，記明年、月、日及代筆人之姓名，由見證人全體及遺囑人同行簽名之遺囑為： (A)公證遺囑 (B)密封遺囑 (C)代筆遺囑 (D)口授遺囑。

(　　) **16** 由遺囑人指定二人以上之見證人，並口授遺囑意旨，由見證人中之一人將該遺囑意旨據實作成筆記，並記明年、月、日與其他見證人同行簽名之遺囑為： (A)公證遺囑 (B)密封遺囑 (C)代筆遺囑 (D)口授遺囑。

(　　) **17** 對親屬會議之認定，如有異議時，得於親屬會議決議後多久內聲請法院予以判定？ (A)一個月 (B)二個月 (C)三個月 (D)四個月。

(　　) **18** 父母之特留分為其應繼分之： (A)四分之一 (B)三分之一 (C)二分之一 (D)全部。

(　　) **19** 成年之子就承受其父之遺產，有無自行處分權？ (A)無 (B)縱令母為家長，仍無須經母同意或承認 (C)依遺囑 (D)母為家長，須經母同意或承認。

(　　) **20** 下列何者非法定繼承人？ (A)直系血親卑親屬 (B)直系姻親 (C)父母 (D)兄弟姊妹。

(　　) **21** 繼承人有數人時，其關係為何？ (A)在分割遺產前為分別共有 (B)在分割遺產前，各繼承人對於遺產全部為公同共有 (C)各繼承人各自處分公同共有之遺產 (D)以上皆非。

(　　) **22** 繼承人中有在繼承開始前因下列那種原因，已從被繼承人受有財產之贈與者，應將該贈與價額加入繼承開始時，被繼承人所有之財產中，為應繼遺產？ (A)留學 (B)出國旅遊 (C)租賃 (D)結婚。

(　　) **23** 繼承人中有在繼承開始前，因某種特殊原因，已從被繼承人受有財產之贈與，因此，應將該贈與價額加入繼承開始時被繼承人所有之財產中。請問，下列何者並不包括在此規定之中？ (A)留學 (B)結婚 (C)分居 (D)營業。

(　　) **24** 口授遺囑，自遺囑人能依其他方式為遺囑之時起，經幾個月而失其效力？ (A)二個月 (B)三個月 (C)四個月 (D)六個月。

(　　) **25** 某甲不幸因車禍意外死亡時，遺有遺產120萬，身後有配偶及子女四人，請問配偶依其應繼分應分得多少？ (A)60萬元 (B)40萬元 (C)80萬元 (D)24萬元。

(　　) **26** 某甲懷孕待產，其夫乙不幸因車禍而去世，試問胎兒是否能夠繼承乙之財產？

(A)絕對能夠繼承

(B)不能夠繼承

(C)以將來非死產為繼承條件

(D)以胎兒是否有兄姊為繼承條件。

(　　) **27** 下列關於無人承認繼承之敘述，何者正確？

(A)繼承開始時，繼承人之有無不明者，由親屬會議於一個月內選定遺產管理人，並將繼承開始及選定遺產管理人之事由，向法院報明

(B)繼承人之有無不明者，由親屬會議知悉可得繼承時起三個月內選定遺產管理人，並將繼承開始及選定遺產管理人之事由，向法院報明

(C)親屬會議向法院報明後，法院應依公示催告程序，公告繼承人，命其於六個月內承認繼承

(D)無繼承人承認繼承時，其遺產於清償債權並交付遺贈物後，如有賸餘，由地方自治團體繼承。

(　　) **28** 繼承開始後，被代位人未在法定期間內為限定繼承，或拋棄繼承前死亡，由被代位人之繼承人繼承者，稱為：　(A)再轉繼承　(B)代位繼承　(C)固有繼承　(D)以上皆非。

(　　) **29** 胞弟與養姊共同繼承其兄弟之遺產時，如何分配？　(A)養姊為胞弟之一半　(B)平均繼承　(C)依指定繼承內容而定　(D)以上皆非。

(　　) **30** 何謂繼承權被侵害？　(A)有繼承權之人拋棄繼承　(B)須自命有繼承權之人獨自行使遺產上之權利，而置其他合法繼承人於不顧　(C)繼承權人限定繼承　(D)以上皆非。

(　　) **31** 遺產稅之納稅義務人有數人時各納稅義務人所負之繳納義務為何？　(A)由各納稅義務人負連帶繳納之義務　(B)不必繳納　(C)依應繼分之比例計算　(D)以上皆非。

(　　) **32** 以遺囑人死亡始生效力之獨立無相對人之單獨行為，稱為：(A)遺贈　(B)遺囑　(C)贈與　(D)以上皆非。

( ) **33** 遺囑人甲因服毒聲帶受損無法發聲，其所為之代筆遺囑效力如何？(A)非甲以言語口述遺囑，意指難謂為代筆遺囑 (B)為代筆遺囑 (C)為口授遺囑 (D)以上皆非。

( ) **34** 口授遺囑，應由見證人中之一人或利害關係人，於為遺囑人死亡後幾個月內，提經親屬會議認定其真偽？ (A)六個月 (B)五個月 (C)三個月 (D)以上皆非。

( ) **35** 特留分被侵害時，特留分人得行使何種權利？ (A)抗辯權 (B)扣減權 (C)物權 (D)以上皆非。

( ) **36** 繼承人在法定期間內，以書面向其他繼承人拋棄其繼承權，應否向其他繼承人全體分別為之，始生拋棄效力？ (A)應向法院為之始生拋棄效力 (B)有效 (C)效力未定 (D)以上皆非。

( ) **37** 我國民法規定繼承權之拋棄，須向法院以書面為之，並以書面通知，因其拋棄而應為繼承之人。此處「書面通知」係何種規定？(A)僅為訓示規定 (B)生效要件 (C)成立要件 (D)以上皆是。

( ) **38** 下列何者非遺贈之要件？ (A)遺贈人之遺囑須有效成立 (B)遺囑須依法定方式為之 (C)受遺贈人與遺贈人同時死亡或推定同時死亡，則遺贈仍有效 (D)遺贈人須有遺囑能力。

( ) **39** 設立中之法人可否為受遺贈人？ (A)設立中之法人應準用關於胎兒之規定 (B)採肯定說 (C)遺囑已生效但尚未訂立章程或完成捐助行為之法人，除捐助行為外，不得為受遺贈人 (D)以上皆是。

( ) **40** 法定撤回遺囑的情形，下列何者為非？
(A)前後遺囑不牴觸時
(B)遺囑與行為相牴觸
(C)遺囑人將土地一筆遺贈與甲，嗣後又將該筆土地贈與乙則全部牴觸，對於甲之遺贈部分全部失其效力
(D)滿十六歲以上之限制行為人未得法定代理人之同意仍得為牴觸遺囑之行為。

( ) **41** 先順序繼承人均拋棄其繼承權時，是否準用關於無人承認繼承之規定？ (A)否 (B)是 (C)不一定 (D)以上皆非。

(　　) **42** 甲死亡，其遺產由妻乙及兄弟姊妹丙、丁、戊、己共同繼承時，己拋棄繼承，則各繼承人之應繼分為何？
(A)乙之應繼分為二分之一、丙、丁、戊之應繼分各為六分之一
(B)乙之應繼分為二分之一、丙、丁、戊之應繼分各為八分之一
(C)乙之應繼分為三分之一、丙、丁、戊之應繼分各為三分之一
(D)以上皆非。

(　　) **43** 下列敘述何者不正確？
(A)單純承認係指繼承人無限的承繼被繼承人財產上一切權利義務之繼承
(B)我國民法以單純承認為原則
(C)單純承認之意思表示為不要式行為
(D)單純承認係有相對人的意思表示。

(　　) **44** 下列何人得為遺囑行為？　(A)已滿十六歲且非為無行為能力之人　(B)已滿十二歲且非為限制行為能力之人　(C)已滿十四歲且非為限制行為能力之人　(D)已滿二十歲不管是否為限制行為能力之人。

(　　) **45** 甲死亡，留下妻乙、兄丙及妹丁，問甲之財產應由何人繼承？
(A)由其兄、妹繼承，妻子除非不再嫁，否則不能繼承
(B)由妻子單獨繼承
(C)由兄、妹及妻共同繼承，但兄、妹的應繼分較妻子多
(D)由兄、妹及妻共同繼承，但妻子的應繼分為遺產的二分之一。

(　　) **46** 拋棄繼承應如何為之？　(A)以口頭告訴其他繼承人　(B)以口頭告訴法院　(C)以書面告訴其他繼承人　(D)以書面向法院為之，並以書面通知因其拋棄而應為繼承之人。

(　　) **47** 可立遺囑之法定年齡為滿：　(A)十四歲　(B)十六歲　(C)十八歲　(D)二十歲。

(　　) **48** 無人承認的遺產，於清償債權，並交付遺贈物後，如有賸餘，歸屬於：　(A)公益團體　(B)地方自治團體　(C)國庫　(D)法院。

(　　) **49** 母之特留分，為其應繼分之：　(A)二分之一　(B)三分之一　(C)四分之一　(D)五分之一。

( ) **50** 被繼承人甲死亡時，其配偶與甲之兄弟姊妹同時繼承者，配偶之應繼分為： (A)平均分配 (B)二分之一 (C)三分之一 (D)三分之二。

( ) **51** 甲死後其繼承人有A、B、C、D，其中B於期限內向法院聲請限定繼承，則下列何種情形不得主張限定繼承之利益？ (A)忘記將甲借其使用之手機歸還納入遺產 (B)呈報遺產清冊因過於勞累漏列書籍一批 (C)意圖詐害被繼承人之債權人之權利而處分遺產 (D)未催告被繼承人之債權人命其報明債權。

( ) **52** 法律規定被繼承人在以遺囑處理死後遺產的同時，需保留遺產一定比例予法定繼承人。此之制度為何？ (A)應繼分 (B)特留分 (C)應有部分 (D)專有部分。

( ) **53** 甲已喪偶，育有乙、丙、丁三子。乙育有戊、己二子，丙育有庚子，丁育有辛女。乙死亡之數年後，甲死亡，丁拋棄繼承。甲死亡時留有遺產1,200萬元。試問甲的遺產繼承人戊得繼承多少遺產？ (A)200萬元 (B)300萬元 (C)400萬元 (D)600萬元。

( ) **54** 甲生前作成自書遺囑，將其所有之A屋遺贈於乙，並指定丙為遺囑執行人。甲死亡時，其繼承人為丁。何人有管理遺產並實現遺囑內容之權限？ (A)乙 (B)丙 (C)丁 (D)丙、丁共同。

( ) **55** 甲夫、乙妻有丙、丁二子；丁有二幼子戊與己；甲死亡後，丁依法拋棄繼承。甲之遺產應如何被繼承？
(A)乙、丙、戊、己各繼承四分之一的遺產
(B)乙、丙各繼承三分之一的遺產，戊、己共同繼承丁拋棄的三分之一遺產
(C)乙繼承三分之一、丙繼承三分之二的遺產
(D)乙、丙各繼承二分之一的遺產。

( ) **56** 甲夫、乙妻生一子A；A未婚。於民國102年2月間甲、乙經法院裁定認可收養一子B時；B已婚，B妻為C；B、C已生有一女D，D年6歲。設甲於103年4月間與乙、B、C出遊，遭意外，B於意外發生時死亡，甲於B死後7日死亡，乙、C未死。甲之繼承人為何人？ (A)乙、A、B、D (B)乙、A、C、D (C)乙、A、D (D)乙、A、B、C、D。

( ) **57** 甲中年喪妻，有子女丙、丁二人。丙已成年，未婚無子。其後甲與乙結婚。婚後乙生一子戊。丙因病死亡，甲依法拋棄繼承。關於丙之遺產繼承，下列敘述，何者為正確？
(A)乙單獨繼承 (B)丁單獨繼承
(C)乙、丁共同繼承 (D)丁、戊共同繼承。

( ) **58** 甲、乙長年不孕，收養丙為養女後，旋即懷孕生下丁。甲欣喜之餘，乃訂立遺囑，將其全部財產留給丁。下列敘述，何者正確？
(A)丙與丁之繼承順序相同，該遺囑全部無效
(B)遺囑之執行，須以立遺囑人之意思為依據，因此丙無繼承權
(C)甲之遺囑有效，但須留給丙特留分
(D)養子女之繼承順序，後於親生子女，故該遺囑有效。

( ) **59** 甲中年喪妻，有子女乙、丙、丁三人，均已成年。其後甲與戊女結婚，乙因事故死亡留下大量遺產，但未婚無子女。乙死亡時，戊當時已懷胎，甲依法拋棄繼承，丙、丁就乙之遺產為分割，各得遺產之二分之一。其分割協議為：
(A)有效 (B)無效
(C)效力未定 (D)得撤銷。

( ) **60** 甲已離婚，育有一子乙，丙中年喪夫，育有一子丁。其後，甲、丙結婚，甲收養丁為養子。乙、丁某日發生口角，乙持刀殺丁未遂，被判徒刑。服刑中，甲因故死亡，甲之遺產繼承人為：
(A)乙、丙、丁 (B)乙、丙
(C)乙、丁 (D)丙、丁。

解答與解析

1 **(B)**。民法第1141條第2款。

2 **(B)**。民法第1140條，己庚為代位繼承。故繼承人為乙、己庚、丁，應繼分依第1141條均分，故乙、己庚、丁之應繼分各為三分之一，分別為：二十萬、十萬、十萬、二十萬。

3 **(C)**。依民法第1138條，繼承人為配偶與直系血親卑親屬，故乙、A、B（民法第1077條）、C（民法第1065條，C應係經甲撫育而視為認領，視為婚生子女）。至於丙僅能依民法第1149條請求酌給遺產，非適格繼承人。

4 **(D)**。民法第1138條之兄弟姊妹不分全血緣或半血緣之兄弟姊妹均屬之。又依民法第1077條，養子女之權利義務與婚生子女同，故推知其與兄弟姊妹之權利義務亦相同。民法第1144條第2項，配偶二分之一，兄弟姊妹丙丁戊均分二分之一。

5 **(A)**。民法第1145條。

6 **(B)**。民法第1166條第2項。

7 **(A)**。依民法第1172條，繼承人丙對甲之債務應先扣還以計算遺產總額，故遺產總額為八十萬，而配偶與父母就遺產之分配額則依照民法第1144條為之，故乙取得二分之一即四十萬，丁分得四分之一即二十萬，丙則分得四分之一即二十萬，惟因丙對甲負有二十萬之債權，故丙不得再受分配。

8 **(D)**。民法第1077條。

9 **(B)**。民法第1173條，營業贈與應歸扣，故甲之遺產總額為十八萬，由乙丙丁均分，應繼分各為六萬，乙因已取得三萬之營業贈與，僅得再取得三萬。

10 **(B)**。民法第1139條、第1176條。

11 **(C)**。民法第1174條。

12 **(C)**。民法第1186條第2項。

13 **(A)**。民法第1190條。

14 **(A)**。民法第1191條。

15 **(C)**。民法第1194條。

16 **(D)**。民法第1195條。

17 **(C)**。民法第1137條。

18 **(C)**。民法第1223條。

19 **(B)**。成年人即有完全行為能力，就其所得遺產自有自行處分權。

20 **(B)**。民法第1138條。

21 **(B)**。民法第1151條、第1152條。

22 **(D)**。民法第1173條。

23 **(A)**。民法第1173條，歸扣權。

24 **(B)**。民法第1196條。

25 **(D)**。民法第1138條、第1144條。

26 **(C)**。民法第7條，法定解除條件。

27 **(A)**。民法第1177條。

28 **(A)**。民法第1140條，代位繼承係繼承人於繼承開始前死亡，而由代位人代位繼承其應繼分，與本題情形不同。本題應屬祖父輩傳給父輩，父輩再傳給子輩之再轉繼承。

29 **(B)**。民法第1144條。

30 **(B)**。民法第1146條。凡無繼承權而於繼承開始時或繼承開始後僭稱為真正繼承人或真正繼承人否認其他共同繼承人之繼承權，並排除其占有、管理或處分者，均屬繼承權之侵害。（釋字第437號解釋）

31 **(A)**。民法第1148條、第1153條。

32 **(B)**。民法第1199條。

33 **(A)**。民法第1194條，代筆遺囑需由遺囑人口述遺囑意旨，今甲既無法發聲，自無從為代筆遺囑。

34 **(C)**。民法第1197條。

35 **(B)**。民法第1225條。

36 **(A)**。民法第1174條，拋棄繼承應向法院為之，通知其他繼承人非屬拋棄繼承之法定要件。

37 **(A)**。民法第1174條第2項後段，但不能通知者，不在此限，故書面通知非法定要件，僅為訓示規定。

38 **(C)**。民法第1201條，同時死亡非同時存在，故同時死亡者其遺贈不生效力。

39 **(D)**。

40 **(A)**。民法第1219至第1221有關遺囑撤回之規定。前後遺囑相抵觸者，其抵觸之部分，前遺囑視為撤回。

41 **(A)**。民法第1176條，先順序繼承人均拋棄其繼承權時，由次順序之繼承人繼承。其次順序繼承人有無不明或第四順序之繼承人均拋棄其繼承權者，準用關於無人承認繼承之規定。

42 **(A)**。民法第1176條第2項，兄弟姊妹中有人拋棄繼承，其應繼分歸屬於其他同一順序之繼承人。

43 **(D)**。我國以單純承認為原則，故未為限定繼承或拋棄繼承之表示者，即為單純承認，且單純承認無任何要式之要求，故單純承認非有相對人之意思表示。

44 **(A)**。民法第1186條第2項。

45 **(D)**。民法第1138條、第1144條，對配偶為繼承人者無再婚即不得繼承之限制，否則侵害婚姻自由權。

46 **(D)**。民法第1174條第2項。

47 **(B)**。民法第1186條：無行為能力人，不得為遺囑。限制行為能力人，無須經法定代理人之允許，得為遺囑。但未滿16歲者，不得為遺囑。

48 **(C)**。民法第1185條，遺產無繼承人承認繼承時，其遺產於清償債權並交付遺贈物後，如有賸餘，歸屬國庫。

49 **(A)**。民法第1223條：繼承人之特留分，依下列各款之規定：一、直系血親卑親屬之特留分，為其應繼分二分之一。二、父母之特留分，為其應繼分二分之一。三、配偶之特留分，為其應繼分二分之一。四、兄弟姊妹之特留分，為其應繼分三分之一。五、祖父母之特留分，為其應繼分三分之一。

50 **(B)**。民法第1144條規定。

51 **(C)**。民法第1154、1155、1163條規定。

52 **(B)**。民法第1123條規定。

53 **(B)**。甲之繼承人為戊己丙，乙先於甲死亡，依民法第1140條規定，由直系血親卑親屬戊己代位繼承，丁拋棄繼承，甲死亡時留有遺產1,200萬元，由戊己丙平均繼承，更應繼分三分之一為400萬。

54 **(B)**。民法第1215條第1項規定，遺囑執行人有管理遺產，並為執行上必要行為之職務。

55 **(D)**。民法第1176條第1項規定，第一千一百三十八條所定第一順序之繼承人中有拋棄繼承權者，其應繼分歸屬於其他同為繼承之人。繼承人為乙丙。

56 **(C)**。民法第1077條第4項規定，養子女於收養認可時已有直系血親卑親屬者，收養之效力僅及於其未成年且未結婚之直系血親卑親屬。但收養認可前，其已成年或已結婚之直系血親卑親屬表示同意者，不在此限。B先於甲死亡，甲死亡時依民法第1140條由D代位繼承。

57 **(D)**。乙丙為姻親關係，故乙無繼承權；戊為丙之同父異母兄弟姊妹，仍屬民法之兄弟姊妹，依民法第1138條規定，丁、戊有繼承權。

58 **(C)**。民法第1225條規定，應得特留分之人，如因被繼承人所為之遺贈，致其應得之數不足者，得按其不足之數由遺贈財產扣減之。受遺贈人有數人時，應按其所得遺贈價額比例扣減。

59 **(B)**。民法第1166條規定，胎兒為繼承人時，非保留其應繼分，他繼承人不得分割遺產。胎兒關於遺產之分割，以其母為代理人。

60 **(D)**。民法第1145條第1項第1款規定，有左列各款情事之一者，喪失其繼承權：一、故意致被繼承人或應繼承人於死或雖未致死因而受刑之宣告者。今繼承人乙持刀殺繼承人丁未遂，具殺人故意，被判徒刑，已喪失繼承權。本題甲之繼承人為配偶丙及養子丁。

貳、申論題

一、試述代位繼承之要件及其效力。（參見圖1）

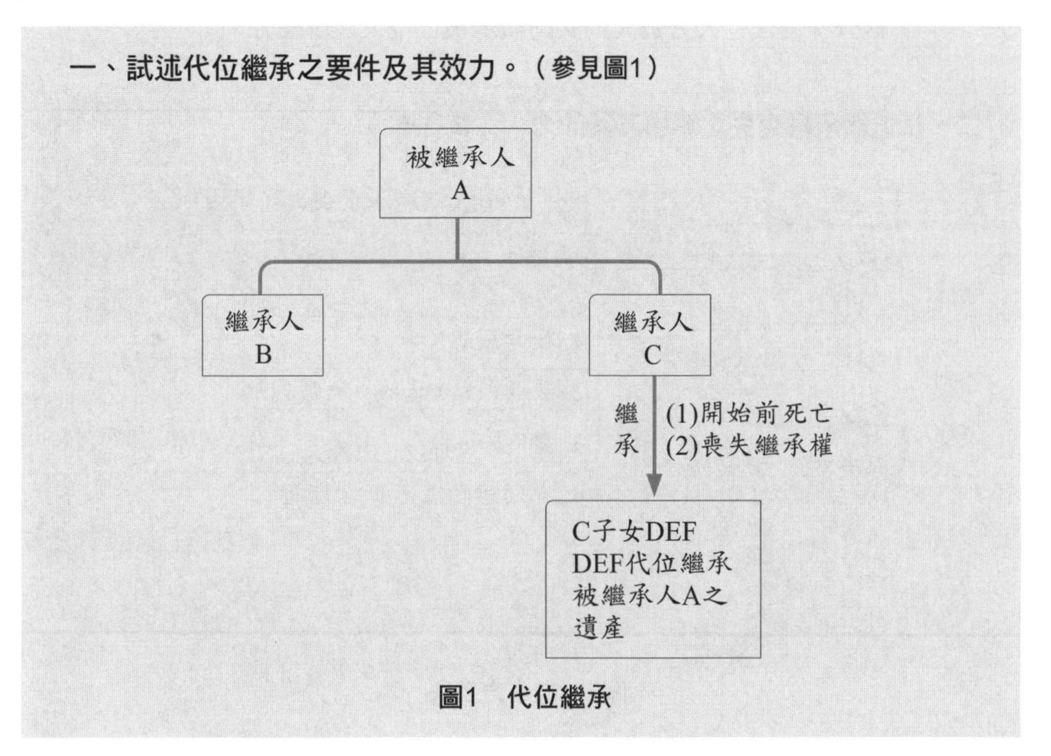

圖1　代位繼承

答 (一) 代位繼承之意義：民法第1140條規定，被繼承人之直系血親卑親屬，有於繼承開始前死亡，或喪失繼承權時，由該直系血親卑親屬之直系血親卑親屬代其位而取得原應歸屬於被代位人之應繼分也，又稱為「代襲繼承」或「承祖繼承」。

(二) 代位繼承之要件

1. 被繼承人親等較近之直系血親卑親屬中之一人或數人，於繼承開始前即死亡或喪失繼承權：
   (1) 如果被繼承人之親等較近之直系血親卑親屬之全部均於繼承開始前死亡或喪失繼承權者，即應由親等次近之直系血親卑親屬為繼承，與代位無關。
   (2) 民法第1140條雖稱「繼承開始前」，惟依論理解釋亦包括於繼承開始同時死亡或喪失繼承權之情形。
2. 被代位人應限於被繼承人之直系血親卑親屬：故第二順序以下之繼承人之直系血親卑親屬並不得適用代位繼承之規定。

3. 代位繼承人應限於被代位人之直系血親卑親屬。

(三) 代位繼承之效力：代位繼承人得以自己之名義直接繼承被繼承人之應繼分；倘代位人有數人則共同繼承被代位人之應繼分。

二、試述繼承權喪失之事由及其效力。（參見圖2）

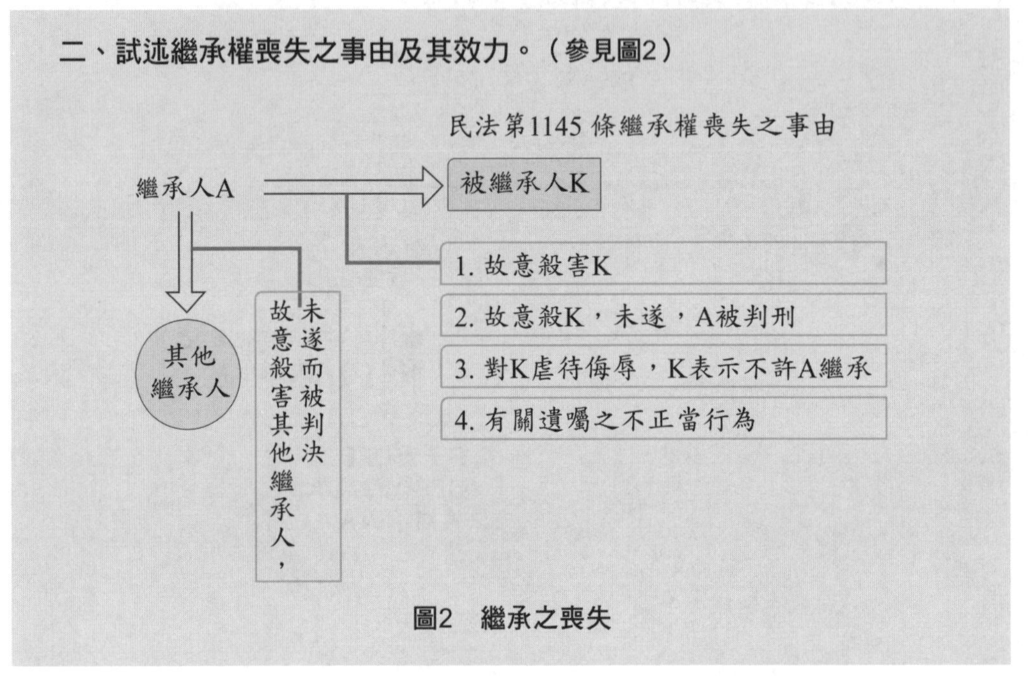

圖2　繼承之喪失

答 (一) 喪失之事由：就民法第1145條之規定，一般將其分為絕對喪失之事由及相對喪失之事由。所謂絕對相對，乃以「被繼承人之意思有無決定其喪失與否之資格」為判斷標準。茲述之如下：

1. 相對喪失事由：下列事由，如經被繼承人宥恕者，則其繼承權不喪失。
   (1) 以詐欺或脅迫，使被繼承人為關於繼承之遺囑，或使其撤回或變更者。
   (2) 以詐欺或脅迫，妨害被繼承人為關於繼承之遺囑，或妨害其撤回或變更者。
   (3) 偽造、變造、隱匿、湮滅被繼承人關於繼承之遺囑者。
2. 表示失權事由：對於被繼承人有重大之虐待或侮辱，經被繼承人表示其不得繼承者。
3. 絕對喪失事由縱然被繼承人宥恕，然因惡性太過重大，亦不得不使下列之人之繼承權喪失：

(1) 故意致被繼承人或應繼承人於死者。

(2) 意圖致被繼承人或應繼承人於死而未遂，因而受刑之宣告者。

(二) 喪失繼承權之效力：喪失繼承權之人，自始即脫離繼承人之地位，法律上視同該人不存在，其相對於繼承之財產乃處於第三人之地位。故，民法第1140條將繼承人之死亡與喪失繼承權並列，而為代位繼承之原因。

(三) 受遺贈人之喪失受遺贈權：受遺贈人如果亦有民法第1145條所列之事由之一者，亦喪失受遺贈權（民法第1188條）。

三、試述繼承回復請求權之要件與效力。民法第1146條規定：「繼承權被侵害者，被害人或其法定代理人得請求回復之」；「前項回復請求權，自知悉被侵害之時起，二年間不行使而消滅。自繼承開始時起逾十年者亦同」。此乃民法對於繼承回復請求權所作的唯一規範；茲將其要件與效力述之如下：（參見圖3）

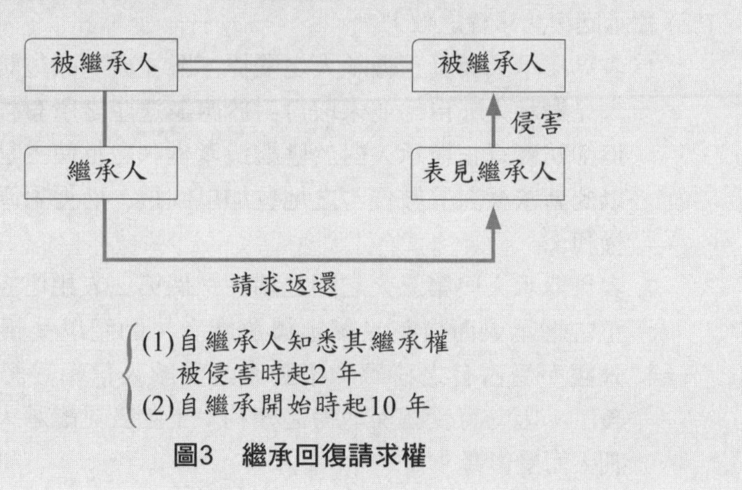

圖3　繼承回復請求權

破題分析

民法將繼承回復請求權，規定於民法第1146條，關於「繼承回復請求權」之法律性質，多數見解認為其旨在確認繼承人之資格與遺產標的物之返還，實務並認為真正繼承人可基於個別之物上請求權請求遺產標的物之返還，但表見繼承人得主張第1046條第2項時效消滅之抗辯，若未抗辯而為返還後，即不得再依不當得利之規定請求返還。

答 (一) 要件：「繼承權被侵害」

1. 侵害者：自命為有繼承權之人（表見繼承人），行使繼承人對於應繼遺產之權利。是以不論表見繼承人係於繼承開始前或開始後，占有應繼遺產之全部或一部，即屬繼承權之侵害。
2. 被害人：真正繼承人對於遺產權利之全部或一部被表見繼承人所占有或否認，致其對於應繼遺產之權利行使受到妨礙者。

(二) 行使方法

1. 由被害人或被害人之法定代理人向表見繼承人為回復之請求。
2. 以意思表示為之。
3. 如表見繼承人拒不返還其所侵害之對應繼遺產之權利，自得由被侵害者之一人或全體共同繼承人在繼承財產分割前起訴請求法院判命表見繼承人對真正繼承人之全體為遺產之返還；或在繼承財產分割後，起訴請求法院判命表見繼承人對於起訴之原告返還其依分割所得之比例部分。

(三) 繼承回復請求權之效力

1. 表見繼承人與真正繼承人之關係：雖在繼承回復請求權行使前，表見繼承人亦自始並未取得對於應繼遺產之所有權或其他權利；但卻妨礙真正繼承人對於應繼遺產權利之行使。是真正繼承人即以此請求權對其被侵害之地位加以回復，而得對應繼遺產行使其權利。
2. 表見繼承人與第三人之間之關係：倘第三人相信表見繼承人為真正之繼承人而自其受讓應繼遺產者（動產以受讓人因信賴占有外觀而受占有之移轉；不動產之受讓人信賴登記而取得登記名義），因善意受讓而取得之權利；不因表見繼承人自始即係無權利人而受影響。
3. 真正繼承人與第三人間之關係：第三人自表見繼承人處取得應繼遺產如無上述第2項之關係，則真正繼承人亦得請求其返還。

(四) 繼承回復請求權之消滅：自被害人知悉繼承權被侵害時起二年間不行使而消滅（此乃消滅時效之規定）；自繼承開始時起逾十年不行使，縱被害人知悉未滿二年或根本未知悉，亦已歸於消滅。

四、何謂繼承之拋棄？繼承拋棄之期間及方式如何？其效力如何？

破題分析

限定繼承與拋棄繼承同為身分財產行為，因此較偏重財產性質，故適用民法總則中關於行為能力之規定；此外，兩者雖均為單獨行為，惟限定繼承乃獲得利益之行為，依民法第77條但書，限制行為能力人為限定繼承時，不必得法定代理人之允許。

答 (一) 拋棄繼承之意義：法定繼承人於繼承開始後一定期間內依法定方式表示拋棄其繼承權，而溯及消滅其為繼承人之地位。

(二) 拋棄繼承之要件

1. 拋棄期間內：繼承人拋棄繼承之意思表示，應於知悉其得繼承之時起三個月內為之（民法第1174條第2項）。逾期始為拋棄，不生效力。

2. 法定方式：拋棄繼承乃要式行為，須遵守法定之方式：

(1) 以書面表示。

(2) 向法院為之。

(3) 應以書面通知因其拋棄而應為繼承之人（然民法第1174條第2項但書規定，不能通知者不在此限；故可知拋棄繼承效力之發生僅以向法院為書面通知即足夠）。

(三) 效力

1. 溯及效力：繼承之拋棄，溯及於繼承開始時發生效力，而消滅其法定繼承人之身分，其對於應繼財產之一切權利義務均歸屬於其他之繼承人。

2. 同一順序繼承人中有拋棄繼承權者其應繼分之歸屬民法第1176條第1至第5項規定：

(1) 民法第1138條所定第一順序之繼承人中有拋棄繼承權者，其應繼分歸屬於其他同為繼承之人。

(2) 第一順序之繼承人，其親等近者均拋棄繼承權時，由次親等之直系血親卑親屬繼承。

(3) 第二順序至第四順序之繼承人中，有拋棄繼承權者，其應繼分歸屬於其他同一順序之繼承人。

(4) 與配偶同為繼承之同一順序繼承人均拋棄繼承權，而無後順序之繼承人時其應繼分歸屬於配偶。

(5) 配偶拋棄繼承權者，其應繼分歸屬於其同為繼承之人。

3. 先順序繼承人均拋棄其繼承權時，由次順序之繼承人繼承。次順序之繼承人有無不明或第四順序之繼承人均拋棄其繼承權者，準用無人承認繼承之規定。

五、試說明下列概念：(一)遺囑之認定。(二)遺囑之提示。(三)遺囑之開視。

答 (一) 遺囑之認定：凡口授遺囑，均應由見證人中之一人或利害關係人於遺囑人死亡後三個月內，提經親屬會議認定其真偽。對於親屬會議之認定，如有異議，得聲請法院判定之。立法理由是，因為口授遺囑的方式較其他方式之遺囑為簡便，所以會有較高的偽造可能性，所以民法要求必經「認定」口授遺囑真偽的程序以防止他人偽造、變造口授遺囑。

(二) 遺囑之提示：遺囑之保管人，知有繼承開始之事實時，應即將遺囑提示於親屬會議。無保管人而由繼承人發現遺囑者亦同。本規定之作用在，遺囑係因遺囑人死亡而生效，然該遺囑要發生作用，則至少要讓利害關係人都知道其內容。故規定應將遺囑提示而示知於親屬會議；況且遺囑乃嚴格之要式行為，遺囑之內容不允許以「遺囑」以外的文件資料證據以為證明，故應不論為何種方式所為之遺囑，允宜提示以便於執行遺囑之內容。

(三) 遺囑之開視：有封緘之遺囑，非在親屬會議當場或法院公證處，不得開視。在開視時，尚應製作紀錄，記明遺囑之封緘有無毀損情形，或其他特別情事，並由在場之人同行簽名。因為有封緘之遺囑若其封緘遭破壞，則其遺囑之內容的真實性即值得懷疑，故而民法規定，只要是有封緘之遺囑，都應該行公開的開視手續，以防杜日後的爭執發生。但是，遺囑之開視與遺囑之提示相同，僅為遺囑之執行要件，而非有效要件。縱然不遵守開視程序，例如不在親屬會議當場或法院公證處開視，或未製作開視紀錄，遺囑之效力亦不受影響。

六、試分述公證遺囑、代筆遺囑之意義及其方式。

破題分析

遺囑乃是非常嚴格的要式行為，欠缺方式之要件，均會導致無效。針對遺囑方式各條文要件，須多加留意條文規範之特殊區別點，並須加以熟記。

答 (一) 公證遺囑（民法第1191條）

1. 意義：遺囑人於公證人之前所作成之遺囑。公證遺囑雖不能達到自書遺囑嚴守秘密之程度，但是不識字的文盲、白丁，亦可以此方式成立遺囑，且就其存在之明確、方式的遵守以及證據力之強大……皆遠勝自書遺囑也。
2. 方式：
   (1) 指定二人以上之見證人：見證人的資格必須符合民法第1198條之規定。
   (2) 由遺囑人在公證人面前口述遺囑意旨，不能使他人代為傳述。
   (3) 公證人據遺囑人之口述作成筆記，並宣讀講解。
   (4) 遺囑人認可之後，記明年月日，由公證人、見證人及遺囑人同行簽名。

(二) 代筆遺囑（民法第1194條）

1. 意義：由遺囑人指定三人以上之見證人，由遺囑人口述遺囑意旨，使見證人中之一人筆記、宣讀、講解，經遺囑人認可後，記明年月日，及代筆人之姓名，由見證人全體及遺囑人同行簽名之遺囑。
2. 方式：
   (1) 指定三人以上之見證人。
   (2) 遺囑人口述遺囑意旨。
   (3) 由見證人中之一人據遺囑人之口述作成筆記，並宣讀講解。
   (4) 遺囑人認可後，記明年月日及代筆人之姓名，由見證人全體及遺囑人同行簽名。

七、試述特留分之意義、數額比例及其算定方法。

答

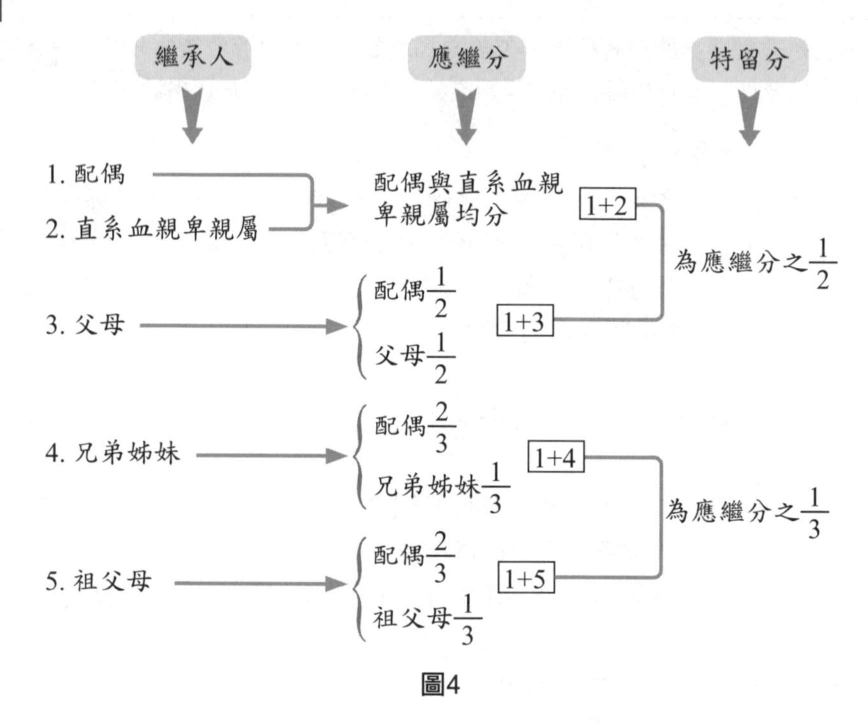

圖4

(一) 意義：對於遺產分割時，應保留予法定繼承人之特定比例，稱為特留分。詳言之：

1. 法定繼承人：唯有未曾喪失繼承權或拋棄繼承之法定繼承人，始得享有特留分。
2. 乃計算上之特定比例：依民法第1223條之規定，各法定繼承人對於遺產有特定比例的法定特留分；而非針對個別之繼承遺產而有之。
3. 應對法定繼承人「保留」之：如果因為遺贈數額過高而侵害了特留分，則特留分權利人得對之行使扣減權；但在扣減權行使之前，超過特留分部分之遺贈仍為有效。

(二) 特留分之數額：依民法第1223條規定，特留分之數額僅有兩種，一為（直系血親卑親屬、父母、配偶取得）應繼分之二分之一，一為（兄弟姊妹、祖父母取得）應繼分之三分之一。

(三) 特留分之計算

1. 算定繼承開始時被繼承人所有財產之價額：被繼承人死亡時所有之積極財產之價額（不包括消極財產，例如債務），但應包括被繼承人依遺贈所處分之財產在內。
2. 加入繼承人在繼承開始前所受之特種贈與之價額：為求公平，計算特留分時，應將民法第1173條所規定繼承人在繼承開始前因結婚、分居、營業，所受之特種贈與，按照贈與時之價額，加入繼承開始時被繼承人所有之財產中。
3. 減去被繼承人之債務額：由於特留分制度之規定，原為保障法定繼承人之生活而訂定，其屬於生活照顧之性質，本毋庸置疑。故而雖然在我國之當然繼承主義之下，被繼承人死亡時所有之積極並消極財產均概括地為繼承人所繼承，但所謂的特留分之範圍與之並不相同；係僅指積極財產而言。故若債務額等於或大於應繼承之積極財產之總額時，即無特留分可言了。
4. 計算應繼分，算定特留分：依前述三點即可算定特留分所本之應繼分數額，再依民法第1223條分別乘上各法定繼承人之特留分比例，即得特留分之數額。

八、A男與B女（現生存中）先結婚，後又於民國73年與C女重婚（重婚未經撤銷），A男死亡時遺有財產360萬元，A男與B女間有子D及養女E，C女並已懷胎。試問A之遺產應如何繼承？

破題分析

在本題審題順序為：

(1)B、C二女是不是都算A男的配偶？

(2)養女E與婚生子D的應繼分如何計算？

(3)C所懷的胎兒在A死時尚未出生，其地位又如何？

這三個「前提問題」是本題的重要核心問題，因此務必扣緊這三個重要問題作答。

答 (一) A男與B女、C女間之婚姻均為有效：在民法親屬編74年5月24日修正前，重婚之效力僅為得撤銷而非當然無效；故而在A與C間之婚姻未被撤銷前，其婚姻之效力即不受影響。

(二) B女及C女間應平分配偶之應繼分：依民法第1144條第1項、第1141條之法理可知，既然B女與C女均為A男之配偶，自均得為繼承人，而各得配偶之應繼分之半。

(三) D、E、「C女所懷之胎兒」之應繼分：C女未出生之胎兒因係於婚姻關係存續中所受胎，故亦應受婚生之推定，為A男之直系血親卑親屬，依民法第7條及第1166條第1項之規定亦應保留其應繼分。又在新法之下養子女之應繼分與婚生子女相同；故D、E、C女所懷之胎兒之應繼分均屬民法第1138條第1款之直系血親卑親屬之法定繼承人，而應依第1141條按人數平均繼承。

(四) A男死亡時所留下之360萬元應分為四分，每分為90萬元，首先為B、C各得二分之一為45萬元。另D、E、C所懷之胎兒，則各得90萬元。

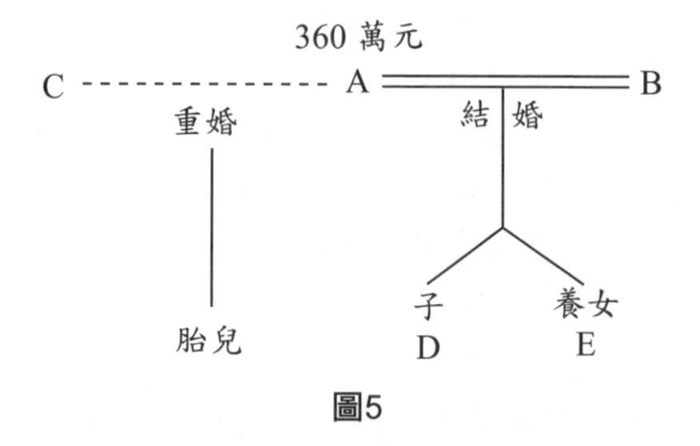

圖5

九、甲、乙為兄弟，僅弟乙生一子丙。甲恐絕戶，與乙、丙商妥，由丙兼祧兩房，因此甲、乙各為丙娶一妻。問：(一)為兼祧，而娶兩妻，且三人係同時結婚，是否可阻卻違法？(二)丙將來能否繼承甲之遺產？

答 (一) 丙娶兩妻之行為不能阻卻違法，乃無效之結婚。理由如下：

1. 民法第985條第2項規定「一人不得同時與二人以上結婚」；同法第988條第2款明定違反第985條之規定者其結婚無效。
2. 雖然丙是為了兼祧（俗稱承繼兩家香火）而同時與兩女子結婚，表面上看來似乎是一種符合倫理孝道上之行為，而以完成傳宗接代的固有習俗之要求為目的。但是，民法之所以規定不許一人同時與二人以上結婚之意旨，乃在貫徹一夫一妻制度的現代倫理要求；希冀達到傳宗接代之目的，較之一夫一妻的男女平等倫理，實在算不上是能夠居於類似「正當防衛」、「緊急避難」等阻卻違法事由，而與「社會一般正義觀念相當」之具備合法化資格的正當理由。所以不能阻卻違法。

(二) 丙將來不能繼承甲之遺產。理由如下：

1. 法定繼承人之範圍：依民法第1138條之規定，得立於當然繼承之地位的遺產繼承人，限於直系血親卑親屬、父母、兄弟姊妹與祖父母；另依第1144條尚包括配偶。

2. 丙非法定繼承人：雖然甲希望丙能夠為自己傳遞香火，故可能指定其為自己之繼承人，但是在民國74年民法修正時已將指定繼承人之制度（舊民法第1143條）刪除，所以丙對於甲並不立於繼承人之地位，不能繼承甲之遺產。至於甲可以依遺囑為對丙之遺贈自然不在話下。

十、試述「扣減權」之法律性質及其標的。民法第1225條規定：「應得特留分之人，如因被繼承人所為之遺贈，致其應得之數不足者，得按其不足之數由遺贈財產扣減之。受遺贈人有數人時，應按其所得遺贈價額比例扣減。」此即所謂「扣減權」。

答 (一) 法律性質：學說上就「扣減權」之法律性質有「物權的形成權說」、「債權的形成權說」以及「債權的請求權說」等三說，實務上採取「物權的形成權說」，因此，一經扣減權利人對扣減義務人行使扣減權，於侵害特留分部分即失其效力；惟論者有批評「物權的形成權說」似有違我國就物權行為採取「形式主義」而非「意思主義」之立法模式。

(二) 扣減權之行使為單獨行為，其標的包括有：

1. 遺贈（民法第1225條）。

2. 指定應繼分（類推適用民法第1225條）。

3. 遺產分割方法之指定（類推適用民法第1225條）。

4. 死因贈與。

參、經典範例破題

一、甲男乙女為夫妻，甲乙感情不睦。甲與丙女通姦致丙生一子A，甲定期給付A生活費；乙不甘示弱，與丁男通姦生一子B。其後，甲與乙在某代書事務所書立協議離婚書，由戊為證人簽名其上；隔日，甲另覓證人己在協議書上簽名，並辦妥離婚登記，惟己僅知悉甲有離婚之意思。隔年，甲死亡。試問：甲之遺產應由何人繼承？

破題分析

1.兩願離婚。2.強制認領。3.婚生推定。

答 (一) 乙是否可繼承

1. 依民法第1050條規定：「兩願離婚，應以書面為之，有二人以上證人之簽名並應向戶政機關為離婚之登記。」關於「二人以上證人之簽名」，參照最高法院68年度台上字第3792號判例意旨謂：「民法第1050條所謂二人以上證人之簽名，固不限於作成離婚證書時為之，亦不限於協議離婚時在場之人，始得為證人，然究難謂非親見或親聞雙方當事人確有離婚真意之人，亦得為證人。本件證人某甲、某乙係依憑上訴人片面之詞，而簽名於離婚證明書，未曾親聞被上訴人確有離婚之真意，既為原審所確定之事實，自難認兩造間之協議離婚，已具備法定要件。」
2. 本題中，證人己並未於甲、乙簽訂離婚協議書時同時在場，並且於離婚協議書上簽名時僅知甲有離婚之意思，依上述判例要旨，甲乙間之兩願離婚不符合民法第1050條規定，自屬無效。乙於甲死亡時，仍具有甲之配偶身分，依民法第1138條規定得為繼承人。

(二) A是否可繼承：A為甲與丙女通姦而生，甲丙間沒有合法婚姻關係，所以A為甲之非婚生子女，但是甲定期給付A生活費之行為，顯然是出於甲撫育A子的意思，故依民法第1065條第1項規定：「非婚生子女經生父認領者，視為婚生子女。其經生父撫育者，視為認領。」A視為認領後，即取得甲之婚生子女身分，依民法第1138條規定得為繼承人。

(三) B是否可繼承：雖然，B是乙與丁男通姦所生，但依民法第1063條規定：「妻之受胎，係在婚姻關係存續中者，推定其所生子女為婚生子女。」B係在甲乙婚姻存續期間所受胎，自然受婚生推定，並且到甲死亡前，該婚生推定之效力均未經否認，故B具備甲之婚生子女身分，依民法第1138條規定得為繼承人。

結論：甲之遺產由乙、A及B共同繼承。

實務見解

69年度第10次民事庭會議決議(二)（離婚協議）：按證人在兩願離婚之證書上簽名，固無須於該證書作成時同時為之（本院42年台上字第1001號判例）。惟既稱證人，自須對於離婚之協議在場聞見，或知悉當事人間有離婚之協議，始足當之。如配偶之一方持協議離婚書向證人請求簽名時，他方尚未表示同意離婚，證人自不知他方之意思，即不能證明雙方已有離婚之協議。是證人縱已簽名，仍不能謂已備法定要件而生離婚之效力。

參考書目：戴東雄、戴炎輝，親屬法，93年5月，第254-257頁。

二、甲中年喪妻，有一子A，A有一子C。乙中年喪夫，有一子B。其後，甲乙結婚，婚後甲收養B為養子，B被甲收養前，有一子D，年僅五歲。某日，A與B吵架，B持竹棍毆擊A，致A腦出血死亡。B經法院以傷害致死罪判處有期徒刑十年確定。試問：甲死亡後，其遺產應由何人繼承？

破題分析

1.同時存在原則。2.代位繼承。3.喪失繼承權之事由。

答 (一) 乙是否可繼承：乙是甲的合法配偶，且於甲死亡時，甲乙之婚姻關係仍為有效存續，依民法第1138條規定，有繼承權。

(二) A是否可繼承：在甲死亡之前，A即因為與B吵架，遭B持竹棍毆擊腦出血死亡，不符合「同時存在原則」而無繼承權。所謂「同時存在原則」，乃成為繼承人的要件之一，也就是說：在被繼承人死亡的同時，繼承人必須生存，否則將因不符合同時存在原則而無繼承權。

(三) C是否可繼承：A與C同為民法第1138條第一順位的繼承人，但A的親等較C為近，所以應優先於C來繼承甲的遺產（民法第1139條參照）。但是，A於繼承開始前死亡，依民法第1140條規定，應由A的直系血親卑親屬代位繼承其應繼分，也就是說，C可代位繼承A的應繼分，故C有繼承權。

(四) B是否可繼承

1. 夫妻之一方得單獨收養他方之子女（民法第1074條參照），並且養子女於收養認可時，已有直系血親卑親屬者，收養效力可及於其未成年且未結婚之直系血親卑親屬（民法第1077條第4項本文參照）。因此，甲收養B經認可後，該收養之效力及於B在收養前已有之五歲兒子D，也就是說，B與D皆成為甲之直系血親卑親屬（民法第1077條第1項參照），皆有繼承權。
2. B與A口角而失手殺死A，B因而被判處十年有期徒刑，這種情形符合民法第1145條第1款規定之「故意致被繼承人或應繼承人於死或雖未致死因而受刑之宣告者」，故B喪失其繼承權。

(五) D是否可繼承：D的情形與C極為類似；B與D同為民法第1138條第一順位的繼承人，因為B親等較C為近，所以應優先於C而繼承（民法第1139條參照）。但是，B於繼承開始前喪失繼承權，依民法第1140條規定，應由B的直系血親卑親屬代位繼承其應繼分，也就是說，D可代位繼承B的應繼分，故D有繼承權。

結論：甲之遺產由乙、C及D共同繼承。

實務見解

最高法院32年上字第1992號判例（代位繼承之性質）：民法第1140條之規定，雖不適用於民法繼承編施行前開始之繼承，而其規定之趣旨則為同編施行前之法例所同認，父先於祖死亡者，祖之繼承開始雖在同編施行之前，不得謂孫無代位繼承權，同編施行法第2條所謂直系血親尊親屬，非專指父而言，祖父母以上亦在其內，祖之繼承開始如在同條所列日期之後，孫女亦有代位繼承權，代位繼承，係以自己固有之繼承權直接繼承其祖之遺產，並非繼承其父之權利，孫女對於其祖之遺產有無代位繼承之資格，自應以祖之繼承開始時為標準而決定之，祖之繼承開始苟在同條所列日期之後，雖父死亡在同條所列日期之前，孫女之有代位繼承權亦不因此而受影響。

參考書目：王澤鑑，民法概要，93年12月，第695-697頁。

三、某甲與某乙兄弟2人之父親某丙於民國99年4月22日過世，遺有現金新臺幣（以下同）3000萬元。某甲與某乙之母親某丁於99年7月30日過世，遺有現金2000萬元（此部分不包括繼承父親某丙之遺產）。試依民法相關規定分析某甲與某乙，如何繼承該遺產。

破題分析

須說明關於遺產繼承人及其應繼分之分配；另就題意而言，雖可另列某丙先行使夫妻剩餘財產差額分配請求權之情形，然此恐牽涉過廣，且亦須引出釋字第620號解釋，故本解析略。

答 (一) 某丙之遺產繼承人與應繼分，如下（本解析不另列某丙先行使夫妻剩餘財產差額分配請求權之情形）

1. 配偶部分：某丁為丙之配偶，依民法第1138條之規定，其於繼承事實發生時，仍為生存，因此有權利能力，且既無其他喪失繼承權之事由存在，因此得為某丙之合法繼承人。
2. 直系血親卑親屬部分：某甲與某乙兄弟2人，屬於某丙之直系血親卑親屬，且其於繼承事實發生時，仍為生存，因此有權利能力，且既無其他喪失繼承權之事由存在，因此依民法第1138條之規定，亦得為某丙之合法繼承人。
3. 應繼分之分配：依民法第1144條第1款之規定，配偶之應繼分，與第1138條所定第一順序之繼承人同為繼承時，其應繼分與他繼承人平均。故此時某丙之遺產應分為三份，亦即其「配偶某丁」、直系血親卑親屬某甲與某乙，其應繼分各為三分之一。因此各得某丙之遺產新臺幣（以下同）3000萬之三分之一，即各1000萬元。

(二) 某丁之遺產繼承人與應繼分如下

1. 遺產繼承人：
   (1) 配偶部分：其配偶某丙於繼承事實發生時，已先於某丁死亡，因此並無權利能力，此時無法繼承，而非為某丙遺產之繼承人。
   (2) 直系血親卑親屬部分：某甲與某乙兄弟2人，屬於某丁之直系血親卑親屬，且其於繼承事實發生時，仍為生存，因此有權利能力，且既無其他喪失繼承權之事由存在，因此依民法第1138條之規定，得為某丁之合法繼承人。

2. 遺產總額：某丁之原遺產為現金2000萬元，因繼承其配偶某丙之遺產1000萬元，故其遺產總額為3000萬元。
3. 應繼分之分配：民法第1141條前段規定：「同一順序之繼承人有數人時，按人數平均繼承」，而此時某丙既已先於某丁死亡而無繼承權，故此時某丁之遺產應分為二份，亦即由其直系血親卑親屬某甲、某乙，各取得二分之一之應繼分，因此各取得某丁之原遺產現金3000萬之二分之一，即各1500萬元。

四、甲夫乙妻生育有子女丙、丁二人。因丙對甲、乙有重大之侮辱情事，甲明確表示丙不得繼承其遺產。(一)甲剝奪丙之繼承權前，已婚之丙已生育有戊。甲死亡後，戊得否代位繼承？(二)甲剝奪丙之繼承權後，丙與其配偶始生育庚。甲死亡後，庚得否代位繼承？

破題分析

掌握民法代位繼承之相關規定。

1.熟悉民法代位繼承之相關規定。

2.明瞭人之權利能力之始期與終期。

答 (一) 按繼承人對於被繼承中有重大之虐待或侮辱情事，經被繼承人表示其不得繼承者，喪失其繼承權；又民法第1138條所定第一順序之繼承人，於繼承開始前喪失其繼承權者，由其直系血親卑親屬代位繼承其應繼分，同法第1145條第1項第5款、第1140條分別定有明文。

(二) 代位繼承之要件

1. 被代位人須於繼承開始前死亡或喪失繼承權。
2. 被代位人須為被繼承人之直系血親卑親屬。
3. 代位繼承人須為被代位人之直系血親卑親屬。
4. 代位繼承人須為被繼承人之直系血親卑親屬。

(三) 甲剝奪丙之繼承權前，已婚之丙已生育有戊。甲死亡後，戊得代位繼承

1. 依民法第1147條之規定，遺產繼承人資格之有無，應以繼承開始時為決定之標準。
2. 遺產繼承人資格之有無，既以繼承開始時為決定之標準，由於繼承因被繼承人死亡而開始，甲剝奪丙之繼承權前，已婚之丙已生

育有戊，因戊於甲死亡時即已出生且生存，並符合上開代位繼承之要件，則戊得代位繼承。

(四) 甲剝奪丙之繼承權後，丙與其配偶始生育庚。甲死亡後，庚仍得代位繼承。

基於代位繼承權在我國實務採固有權說，代位繼承人乃本於自己固有之權利而得繼承，故被代位人死亡或喪失繼承權之時，代位繼承人是否符合同時存在原則，不影響代位繼承人之繼承權。因此繼承權出生後所出生之婚生子女，仍得代位繼承，以符立法意旨。故本題丙喪失繼承權後始生育庚，庚仍得代位繼承。

實務見解

- 最高法院22年上字第1250號判例：「民法第1145條第1項第5款所稱被繼承人之表示，不必以遺囑為之。」可供參考。
- 最高法院87年台上字第1556號判決：「代位繼承係以自已固有之繼承權直接繼承祖之遺產，並非繼承父或母之權利，孫對於祖之遺產，有無代位繼承之資格，自應以祖之繼承開始為標準而決定之，故對父或母之遺產拋棄繼承，不能即謂對祖之遺產拋棄代位繼承。」可供參考。
- 最高法院84年台上字第2091號判決：「民法第1138條所定第一順序之繼承人，有於繼承開始前死亡或喪失繼承權者，由其直系血親卑親屬代位繼承其應繼分，同法第1140條定有明文。是得依前開規定代位繼承者，以第一順序繼承人之直系血親卑親屬為限，第一順序繼承人之配偶並無代位繼承權可言。」可供參考。

參考書目：林秀雄，繼承法講義，第24-32頁。

五、甲男與乙女為夫妻，甲男之血親僅有外祖父丙男，生前甲男因乙女之營業，贈送現金新臺幣（下同）24萬元。甲男死亡時留下財產48萬元，負債18萬元，且以合法之公證遺囑遺贈甲之岳母丁女12萬元。試問：甲男死亡後，其繼承人應如何繼承？

破題分析

了解特留分係謂為保護法定繼承人，而特別為其保留之最低限度之應繼分。分析甲之遺產數額，並說明甲之繼承人為何人，以及討論當執行遺贈時，是否侵害繼承人特留分所保障分得數額。

答 配偶乙可獲得28萬、外祖父可獲得14萬，甲之岳母丁女獲得遺贈12萬元。

(一) 乙、丙為甲之繼承人，其應繼分各為$\frac{2}{3}$及$\frac{1}{3}$：

1. 民法第1138條規定：「遺產繼承人，除配偶外，依左列順序定之：一、直系血親卑親屬。二、父母。三、兄弟姊妹。四、祖父母。」故本題中，甲之繼承人為配偶乙及外祖父丙。

2. 民法第1144條第1款第3項規定：「配偶有相互繼承遺產之權，其應繼分，依左列各款定之：與第1138條所定第四順序之繼承人同為繼承時，其應繼分為遺產三分之二。」因此乙之應繼分為$\frac{2}{3}$，丙之應繼分為$\frac{1}{3}$。

(二) 民法第1173條規定：「繼承人中有在繼承開始前因結婚、分居或營業，已從被繼承人受有財產之贈與者，應將該贈與價額加入繼承開始時被繼承人所有之財產中，為應繼遺產。但被繼承人於贈與時有反對之意思表示者，不在此限。前項贈與價額，應於遺產分割時，由該繼承人之應繼分中扣除。贈與價額，依贈與時之價值計算。」甲男生前因乙女營業而贈送乙24萬元，依上開規定，應加入甲之遺產中。

(三) 乙、丙就甲之遺產之特留分各為$\frac{1}{3}$及$\frac{1}{9}$：

1. 民法第1199條規定：「遺囑自遺囑人死亡時發生效力。」

2. 民法第1187條規定：「遺囑人於不違反關於特留分規定之範圍內，得以遺囑自由處分遺產。」

3. 民法第1225條規定：「應得特留分之人，如因被繼承人所為之遺贈，致其應得之數不足者，得按其不足之數由遺贈財產扣減之。受遺贈人有數人時，應按其所得遺贈價額比例扣減。」

4. 民法第1223條第1項第3款及第5款規定：「繼承人之特留分，依左列各款之規定：配偶之特留分，為其應繼分二分之一。祖父母之特留分，為其應繼分三分之一。」綜上，乙之特留分為$\frac{1}{3}$，丙之特留分為$\frac{1}{9}$。

(四) 甲男與乙女為夫妻，甲男之血親僅有外祖父丙男，生前甲男因乙女之營業，贈送現金新臺幣24萬元，依上開規定，依列為應繼財產，故甲男死亡時留下財產48萬元，負債18萬元，再加上贈乙女24萬元部分，甲之遺產共有54萬元。

(五) 甲之繼承人依上開規定為配偶乙及外祖父丙男，故就甲遺產，乙之應繼分為三分之二，即36萬元，特留分18萬、丙男應繼分為三分之一，即18萬元，特留分6萬。

(六) 惟甲以合法之公證遺囑遺贈甲之岳母丁女12萬元，由於執行該遺贈後，甲之遺產為42萬元，配偶乙可獲得28萬、外祖父可獲得14萬，彼等特留分均未受侵害，故可依甲之遺囑分配其遺產。

實務見解

- 最高法院48年台上字第371號判例意旨：「被繼承人生前所為之贈與行為，與民法第1187條所定之遺囑處分財產行為有別，即可不受關於特留分規定之限制。」可為參考。
- 最高法院58年字第1279號判例意旨：「民法第1225條，僅規定應得特留分之人，如因被繼承人所為之遺贈，致其應得之數不足者，得按其不足之數由遺贈財產扣減之，並未認侵害特留分之遺贈為無效。」可為參考。
- 最高法院112年度台上字第2243號判決意旨：「按繼承人有數人時，在分割遺產前，各繼承人對於遺產全部為公同共有。遺囑人於不違反關於特留分規定之範圍內，得以遺囑自由處分遺產。應得特留分之人，如因被繼承人所為之遺贈，致其應得之數不足者，得按其不足之數由遺贈財產扣減之。民法第1151條、第1187條、第1225條前段分別定有明文。而以遺囑自由處分遺產之情形，非僅限於遺贈，指定遺產分割方法（民法第1165條第1項）、應繼分之指定，亦屬之。是被繼承人因指定遺產分割方法或應繼分之指定，違反關於特留分規定，超過其所得自由處分遺產之範圍，特留分被侵害之人亦得類推適用民法第1225條規定行使扣減權。惟遺囑違反特留分規定，與特留分被侵害，二者法律概念意義有別；「違反」特留分者，固為立遺囑人，「侵害」特留分者，則係受遺贈人或受益之繼承人，二者主體並不相同；倘遺囑內容未被履行，即無現實特留分被侵害而受有損害可言，自無從行使扣減權。又特留分係概括存在於被繼承人全部遺產上，特留分被侵害之人所行使之扣減權，性質上為物權之形成權，一經合法行使，於侵害特留分部分即失其效力，其因而回復之特留分自仍概括存在於全部遺產上。」補充見解。

參考書目：詹森林、馮震宇、林誠二、陳榮傳、林秀雄，民法概要，第671-680頁，2010年版。

六、甲死亡遺留房屋一間價值新臺幣（以下同）1000萬元，同時對乙負有債務1600萬元。甲妻早亡，僅有三子A、B、C。A因車禍成為植物人，B因長期吸毒受輔助宣告，C在國外留學後，入籍美國，放棄中華民國國籍，三人均未拋棄繼承。試依現行民法之規定附理由說明

(一)A、B、C三人可否為甲之繼承人？

(二)甲對乙之債務，應由何人負擔？

破題分析

掌握有關繼承係以被繼承人死亡而開始及繼承人對於被繼承人之債務，以因繼承所得遺產為限，負清償責任等相關民法規定。簡單說明民法關於繼承人、繼承人對於被繼承人之債務負清償責任之範圍之規定，進而分析題示情形。

答 (一) 民法第6條規定：「人之權利能力，始於出生，終於死亡。」A、B、C三人為甲之子，既然A、B、C三人於甲死亡時，均尚生存，依民法第1147條規定「繼承，因被繼承人死亡而開始。」第1138條規定「遺產繼承人，除配偶外，依左列順序定之：一、直系血親卑親屬。二、父母。三、兄弟姊妹。四、祖父母。」縱使A為植物人，依上開法律規定，A之權利能力並未喪失；至於B受輔助宣告，依民法第15-1條、第15-2條規定，受輔助宣告之人僅係因精神障礙或其他心智缺陷，致其為意思表示或受意思表示，或辨識其所為意思表示效果之能力，顯有不足，並不因輔助宣告而喪失權利能力，惟為保護其權益，於為重要之法律行為時，應經輔助人同意；C入籍美國，放棄中華民國國籍，然C之權利能力並未因喪失我國國籍而喪失。綜上所述，由於A、B、C三人均未拋棄繼承，故皆為甲之繼承人。

(二) 至於甲對乙之債務，應由何人負擔部分

1. 民法第1141條規定：「同一順序之繼承人有數人時，按人數平均繼承。但法律另有規定者，不在此限。」
2. 民法第1148條規定：「繼承人自繼承開始時，除本法另有規定外，承受被繼承人財產上之一切權利、義務。但權利、義務專屬於被繼承人本身者，不在此限。繼承人對於被繼承人之債務，以因繼承所得遺產為限，負清償責任。」

3. 民法第1153條規定：「繼承人對於被繼承人之債務，以因繼承所得遺產為限，負連帶責任。繼承人相互間對於被繼承人之債務，除法律另有規定或另有約定外，按其應繼分比例負擔之。」
4. A、B、C三人皆為甲之繼承人，依民法第1153條規定，A、B、C對於甲之債務，由A、B、C負連帶責任。A、B、C對相互間對於甲之債務，除法律另有規定或另有約定外，按其應繼分比例（按民法第1141條規定，為各$\frac{1}{3}$）負擔之清償責任。惟A、B、C對於甲之債務，以因繼承所得遺產（即以甲死亡遺留房屋一間價值1000萬元）為限，負清償責任，則甲對乙之1600萬元債務，應僅由甲死亡遺留房屋一間價值1000萬元抵償，至於乙對甲之債權不足600萬元部分，不可主張須由A、B、C三人連帶負責。

實務見解

- 最高法院32年上字第442號判例意旨：「依民法第1147條、第1148條之規定，繼承人於被繼承人死亡時，當然承受被繼承人財產上之一切權利義務，並無待於繼承人之主張。」可為參考。
- 最高法院29年上字第454號判例意旨：「遺產繼承人資格之有無，應以繼承開始時為決定之標準，依民法第1147條之規定，繼承因被繼承人死亡而開始，故被繼承人之子女於被繼承人死亡時尚生存者，雖於被繼承人死亡後即行夭亡，仍不失為民法第1138條所定第一順序之遺產繼承人，自不得謂之無遺產繼承權。」可為參考。

參考書目：詹森林、馮震宇、林誠二、陳榮傳、林秀雄，民法概要，第656-658頁，2010年版。

七、甲與乙共有土地一筆，甲死亡時，其繼承人有無不明，經法院選任丙為遺產管理人。試問，乙可否以丙為被告，訴請分割該共有之土地？

破題分析

明瞭提起分割共有物之訴，參與分割之當事人以全體共有人為適格之當事人。掌握有關民法就遺產管理人之法定職掌及任務之規定，本題即可輕鬆解答。

答 乙不得以丙為被告，訴請分割該共有之土地。

(一) 依民法第823條第1項規定，各共有人，除法令另有規定外，得隨時請求分割共有物。分割共有物之訴，係就有共有關係之共有物，以消滅共有關係為目的，予以分割，使共有人就共有物之一部分單獨取得所有權之形成訴訟。故提起分割共有物之訴，參與分割之當事人以全體共有人為限，而各共有人之應有部分應以土地登記簿上所記載者為準。

(二) 甲死亡時，其繼承人有無不明，經法院選任丙為遺產管理人。惟按民法第1179條規定：「遺產管理人之職務如左：

1. 編製遺產清冊。
2. 為保存遺產必要之處置。
3. 聲請法院依公示催告程序，限定一年以上之期間，公告被繼承人之債權人及受遺贈人，命其於該期間內報明債權及為願受遺贈與否之聲明，被繼承人之債權人及受遺贈人為管理人所已知者，應分別通知之。
4. 清償債權或交付遺贈物。
5. 有繼承人承認繼承或遺產歸屬國庫時，為遺產之移交。

前項第1款所定之遺產清冊，管理人應於就職後三個月內編製之；第4款所定債權之清償，應先於遺贈物之交付。為清償債權或交付遺贈物之必要，管理人經親屬會議之同意，得變賣遺產。」

可見遺產管理人之設，旨在管理保存及清算遺產，以免遺產散失，此遺產管理人係以第三人之地位，依法取得上開管理保存遺產等權限，而非使其取得遺產之權利，或逕為剝奪繼承人之法定繼承權。

(三) 綜上，丙僅為經法院選任為甲之遺產管理人，非與乙共有土地之共有人，是以乙不得以丙為被告，訴請分割該共有之土地。

實務見解

- 最高法院67年台上字第3131號判例意旨：「提起分割共有物之訴，參與分割之當事人，以共有人為限。請求分割之共有物，如為不動產，共有人之應有部分各為若干，以土地登記總簿登記者為準，雖共有人已將其應有部分讓與他人，在辦妥所有權移轉登記前，受讓人仍不得以共有人之身分，參與共有物之分割。」可供參考。
- 院字2213號意旨：「繼承開始時繼承人之有無不明者。依民法第1177條及第1178條第1項之規定。應由親屬會議選定遺產管理人。並將繼承開始及選定遺產管理人之事由呈報法院。並未認檢察官有此職權。即在親屬會議無人召集時。國庫雖因其依民法第1185條於將來遺產之歸屬有期待權得以民法第1129條所稱利害關係人之地位召集之。但遺產歸屬國庫時由何機關代表國庫接收。現行法令尚無明文規定。按其事務之性質。應解為由管轄被繼承人住所地之地方行政官署接收。則因繼承開始時繼承人之有無不明須由國庫召集親屬會議者。亦應由此項官署行之。未便認檢察官有此權限。再依民法第1185條之規定。遺產於清償債權並交付遺贈物後有賸餘者。於民法第1178條所定之期限屆滿無繼承人承認繼承時。當然歸屬國庫。不以除權判決為此項效果之發生要件。民法第1178條所謂法院應依公示催告程序公告繼承人於一定期限內承認繼承。僅其公告之方法。應依公示催告程序行之。非謂期限屆滿無繼承人承認繼承時。尚須經除權判決之程序。況依民事訴訟法第541條以下之規定。除權判決應本於公示催告聲請人之聲請為之。親屬會議不過將繼承開始及選定遺產管理人之事由呈報法院。並非聲請為公示催告。亦無從聲請為除權判決。則檢察官不得聲請為除權判決尤無疑。」可供參考。

參考書目：詹森林、馮震宇、林誠二、陳榮傳、林秀雄，民法概要，第495-497、668、669頁，2010年版。

八、甲男乙女為夫妻，未約定夫妻財產制。甲乙婚後育有一子A。甲死亡前，將婚前財產200萬元與婚後營業所得1200萬元交由丁保管，並立遺囑將其所有財產遺贈於丙，同時指定丁為遺囑執行人。甲死亡後，丁依遺囑將該1400萬元交付於丙。乙無婚後財產。試問：

(一)乙、A之特留分為多少金額？

(二)丙依法得受遺贈之金額為多少？

破題分析

掌握法定財產制關係消滅時剩餘財產之分配情形。熟悉被繼承人之遺贈如有侵害應得特留分之繼承人之特留分時，應得特留分之繼承人得向受遺贈者主張遺贈之扣減。

答 民法第1138條第1項第1款規定，遺產繼承人，除配偶外，依左列順序定之：一、直系血親卑親屬。

民法第1144條第1項第1款規定，配偶有相互繼承遺產之權，其應繼分，依左列各款定之：一、與第1138條所定第一順序之繼承人同為繼承時，其應繼分與他繼承人平均。

民法第1223條第1項第1款及第3款規定，繼承人之特留分，依左列各款之規定：一、直系血親卑親屬之特留分，為其應繼分二分之一。三、配偶之特留分，為其應繼分二分之一。

民法第1225條前段規定，應得特留分之人，如因被繼承人所為之遺贈，致其應得之數不足者，得按其不足之數由遺贈財產扣減之。

(一) 乙、A之特留分為各200萬元

1. 民法第1005條規定：「夫妻未以契約訂立法定財產制者，除本法另有規定外，以法定財產制，為其夫妻財產制。」本題中甲、乙未約定夫妻財產制，依上開規定，可知甲與乙之夫妻財產制為法定財產制。
2. 又民法第1030-1條第1段前段規定：「法定財產制關係消滅時，夫或妻現存之婚後財產，扣除婚姻關係存續所負債務後，如有剩餘，其雙方剩餘財產之差額，應平均分配。」由於甲、乙在於夫妻婚姻關係存續中，其財產之增加，係夫妻共同努力、貢獻之結果，故賦予夫妻因協力所得剩餘財產平均分配之權利。關於夫妻剩餘財產差額之分配，夫妻現存之婚後財產價值計算基準，以法定財產制關係消滅時為準。
3. 故乙應先取得兩人婚後財產差額即甲婚後營業所得1200萬元之半數，故甲婚後財產僅餘600萬元。另加計甲婚前財產200萬元，甲之遺產為800萬元。再依上開民法第1138條第1項第1款、民法第1144條第1項第1款、民法第1223條第1項第1款及第3款規定，乙、A之應繼分為甲之遺產之各二分之一，乙、A之特留分亦各為其應繼分之二分之一。故乙、A之特留分為各200萬元。

(二) 丙依法得受遺贈之金額為400萬元

1. 甲死亡前，將婚前財產200萬元與婚後營業所得1200萬元交由丁保管，並立遺囑將其所有財產遺贈於丙，同時指定丁為遺囑執行人。甲死亡後，丁依遺囑將該1400萬元交付於丙。因此乙得主張剩餘財產平均分配請求權，請求平均分配甲之婚後財產1200萬元之半數，致甲之所留遺產為婚前財產200萬元及婚後財產600萬元，合計為800萬元，先予敘明。
2. 乙另得據民法第1225條規定，與A共同向丙主張其特留分為各200萬元應為遺贈之扣減權。
3. 故丙依法得受遺贈之金額為800萬元扣減400萬元後所餘之400萬元。

實務見解

- 最高法院58年台上字第1279號判例意旨：「民法第1225條，僅規定應得特留分之人，如因被繼承人所為之遺贈，致其應得之數不足者，得按其不足之數由遺贈財產扣減之，並未認侵害特留分之遺贈為無效。」可供參考。
- 最高法院25年上字第660號判例意旨：「民法第1225條，僅規定應得特留分之人，如因被繼承人所為之遺贈，致其應得之數不足者，得按其不足之數由遺贈財產扣減之，並未認特留分權利人，有扣減被繼承人生前所為贈與之權，是被繼承人生前所為之贈與，不受關於特留分規定之限制，毫無疑義。」可供參考。

參考書目：詹森林、馮震宇、林誠二、陳榮傳、林秀雄，民法概要，第607-611、679-680頁，2010年版。

九、甲（配偶已歿）育有子女乙、丙、丁三人，甲於生前曾立自書遺囑一份，謂其死後所有遺產全部遺贈予A孤兒院。某日，甲因心肌梗塞死亡，留有遺產新臺幣1500萬元，惟嗣發現甲所立之遺囑未記載書立遺囑之年月日，乙、丙、丁三人因而主張該遺囑無效，則乙、丙、丁三人之主張有無理由？乙、丙、丁三人可分得若干遺產？

破題分析

本題難度不高，第一小題只需掌握自書遺囑之法定要件即可。第二小題則為繼承順位及應繼分之相關題型，只要熟悉所涉法條內容即可。

解題架構

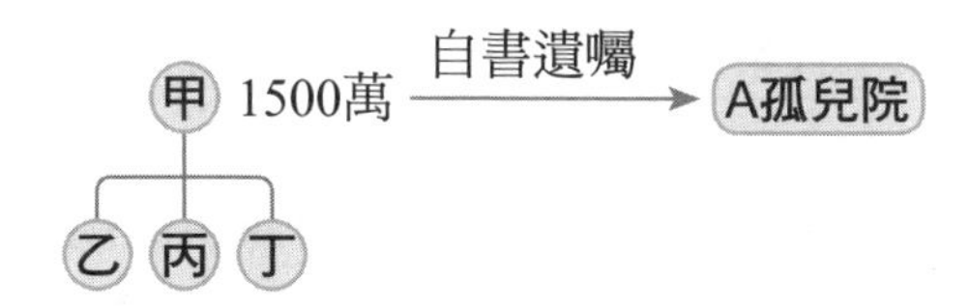

大綱

1. 遺囑之成立方式（民法第1189條）。
2. 自書遺囑之法定方式（民法第1190條）。
3. 遺囑之效力（民法第1199條）。
4. 遺產之繼承順位（民法第1138條、1141條）。

答 (一) 被繼承人甲之自書遺囑未記載日期，應屬無效，故乙、丙、丁三人之主張有理由，討論如下：

1. 遺囑之成立方式：
依民法第1189條規定，遺囑成立方式為自書遺囑、公證遺囑、密封遺囑、代筆遺囑及口授遺囑。

2. 自書遺囑之法定方式：
依民法第1190條規定，自書遺囑者，應自書遺囑全文，記明年月日，並親自簽名，如有增減、塗改，應註明增減塗改之處所及字數，另行簽名。

3. 被繼承人甲之自書遺囑未記載日期，應屬無效：
依民法第1189條及第1190條，被繼承人甲之自書遺囑為遺囑成立方式之一，但因未記載日期，不合乎自書遺囑之法定方式規定，應屬無效。

4. 乙丙丁三人主張該遺囑無效應有理由：
甲之自書遺囑因未記載日期而無效，故乙丙丁之主張應有理由，A孤兒院自無權請求給付遺贈。

(二) 乙、丙、丁三人各可分得遺產500萬元，討論如下：

1. 遺囑之效力及遺產繼承權：
依民法第1199條規定，遺囑自遺囑人死亡時發生效力。故被繼承人甲於生前成立之遺囑，於甲死亡時發生效力，惟因甲之自書遺囑無效，故A孤兒院無權請求給付遺贈，而甲之遺產繼承人自可繼承甲之遺產。

2. 遺產繼承人及繼承順位：
(1) 依民法第1138條規定，遺產繼承人，除配偶外，依左列順序定之：一、直系血親卑親屬。二、父母。三、兄弟姊妹。四、祖父母。
(2) 本案被繼承人甲之配偶已歿，有直系血親卑親屬乙丙丁三人，故依繼承順序，甲乙丙同為第一順位之遺產繼承人。

3. 同順位繼承人之應繼分：
(1) 依民法第1141條，同一順序之繼承人有數人時，按人數平均繼承。但法律另有規定者，不在此限。
(2) 本案乙丙丁皆為第一順位之遺產繼承人，應按人數平均繼承，因被繼承人甲之遺產為1500萬元，故乙、丙、丁三人各可分得遺產500萬元。

觀念延伸

1. 自書遺囑考題另有以電腦打字，未親自簽名，是否有效之考點，故遺囑成立方式及要件須熟讀。
2. 本題研申題型可加考遺贈、不同繼承順位，遺囑違反應繼分或特留分等問題，變化頗大，應熟讀法條及相關規定。

十、甲男與乙女結婚，生有一子丙，嗣又在外與丁女通姦，生有一女戊，甲均按月支付戊女生活費。乙女因難耐寂寞，而與己男發生婚外情，而生有一子庚。則：若甲死亡時，其遺產應由何人繼承？又若甲將其遺產全部遺贈於丁女時，其遺贈效力如何？

破題分析

婚生子女、逾特留分之遺贈效力、最高法院58年台上字第1279號判例。

解題架構

第一小題在婚生推定上，於未受婚生否認之前，該子女仍不失為婚生子女；第二小題涉及被繼承人之遺贈逾特留分時應如何處理。

答 (一) 本題之繼承人為乙、丙、戊、庚，分述如下：

1. 乙、丙的部分：依民法（下稱：本法）第1138條第1款之規定：「遺產繼承人，除配偶外，依左列順序定之：一、直系血親卑親屬；二、父母；三、兄弟姊妹；四、祖父母。」今乙為被繼承人甲之配偶，丙為甲乙婚姻關係存續中所生之子女，為甲之直系血親卑親屬，兩人均為合法繼承人。
2. 戊的部分：非婚生子女經生父撫育者，視為認領，經認領者，視為婚生子女，為民法第1065條第1項所明定。依題意，甲與丁女通姦，生有一女戊，甲均按月支付戊女生活費，是以甲有撫育戊女之事實，又撫育者為非婚生子女戊之生父，應視為認領，而發生父女關係，從而戊即為本法第1138條第1款所謂之直系血親卑親屬，為合法繼承人。
3. 庚的部分：依本法第1063條第1項規定，妻之受胎，係在婚姻關係存續中者，推定其所生子女為婚生子女。因此庚在法律上為甲之子女。同條第2項規定：前項推定夫妻之一方或子女能證明子女非為婚生子女者，得提起否認之訴，故甲、乙、及庚等三人，可對婚生子女之推定，提起否認之訴。惟在婚生推定上，於未受婚生否認之前，該子女仍不失為婚生子女。

4. 依題意，甲、乙、庚未於知悉庚非婚生子女之時起二年內提起否認之訴（本法第1063條第3項參照），從而仍推定為甲之婚生子女，故庚與乙、丙、戊同為本法第1138條規定之合法繼承人。

(二) 甲所為之遺贈效力如何，分析如下：

1. 民法基於所有權絕對原則允許被繼承人得以遺囑自由處分其遺產，唯被繼承人將其遺產權遺贈他人，或使繼承人失其生活資源須仰賴他人扶養，有所不妥，故於承認繼承人有一定財產額之特留分，惟於特留分規定之遺囑，效力如何有不同見解：

   (1) 一部無效說：特留分為保護特留分權利人而設，指須回復其權利，即與特留分之規定已不違反，故應解為僅違反之部分無效，該遺贈並非全部無效。民法第1225條之規定，既專以遺贈為對象，則被繼承人侵害特留分權利之遺贈，似不如逕解為當然無效，或適合強行之精神，特留分權利人，亦即遺贈義務人，僅可於交付遺贈物時，對於侵害特留分之範圍，主張遺贈之無效，拒絕交付之請求。

   (2) 有效說：就民法第1225號解釋，不過繼承人有請求之權，自非當然無效，此即民法第71條但書所謂，但其規定並不以之為無效之一例。

   (3) 小結：民法第1225條，僅規定應得特留分之人，如因被繼承人所為之遺贈，致其應得之數不足者，得按其不足之數由遺贈財產扣減之，並未認侵害特留分之遺贈為無效（最高法院58年台上字第1279號判例意旨參照），顯係採有效說，管見從之。

2. 依本法第1144條第1款，乙丙戊庚之應繼分各為遺產的四分之一，又依本法第1223條第1及第3款規定，乙丙戊庚之特留分為遺產之八分之一。今甲將遺產全部遺贈於丁女，將致被繼承人乙丙戊庚應得之數不足，應就應繼遺產扣除超過特留規定之部分，剩餘遺產始分配予受遺贈人。

實務見解

25年上字第660號判例：民法第一千二百二十五條，僅規定應得特留分之人，如因被繼承人所為之遺贈，致其應得之數不足者，得按其不足之數由遺贈財產扣減之，並未認特留分權利人，有扣減被繼承人生前所為贈與之權，是被繼承人生前所為之贈與，不受關於特留分規定之限制，毫無疑義。

參考書目：林秀雄，繼承法講義第五版，頁329-330。

十一、被繼承人甲有親生子乙、丙及養子丁，丙有親生子A、B及養女C。丙先於甲死亡，甲死亡時留下新臺幣90萬元之遺產，而A拋棄代位繼承權。問：甲之遺產由何人繼承？各繼承多少元？

破題分析

代位繼承人中有拋棄繼承權者，其應繼分如何歸屬。

解題架構

本題之重點在於民法第1176條關於代位繼承人拋棄繼承權時，其應繼分如何歸屬並無規定，須依法理加以解釋。對此，學說上並無太大爭議，僅須將法理寫明即可。

答 (一) 第1138條所定第一順序之繼承人中有拋棄繼承權者，其應繼分歸屬於其他同為繼承之人，為民法第1176條第1項定有明文。惟該條文關於代位繼承人拋棄繼承權時，其應繼分如何歸屬並未規定，學說上有不同見解，分述如下：

1. 甲說：民法第1138條所定第一順序之繼承人，為直系血親卑親屬，而代位繼承人亦屬被繼承人之直系血親卑親屬，則依民法（下稱：本法）第1176條第1項之文義解釋，代位繼承人拋棄繼承權者，其應繼分歸屬於其他同為繼承之人。
2. 乙說：代位繼承人中有拋棄繼承權者，其應給分應歸屬於其他代位繼承人，蓋民法第1140條代位繼承之理論在於子股之獨立而互不流通，被代位人之應繼分為代位繼承人之利益而被保留，在代位繼承上，配偶之應繼分亦視同一子之應繼分而獨立，互不流通。至於代位繼承人全部拋棄繼承時，應無其他代位繼承人，被代位之應繼分已無保留之必要，子股獨立之代位繼承不必適用，故其應繼分歸屬於其他同為繼承之人。

3. 小結：我國民法關於代位繼承人僅限於被代位人之直系血親卑親屬，即代位繼承之立法目的，係在維持子股之公平，若將民法第1176條第1項所定之繼承人包含代位繼承人，則代位繼承人中之一人拋棄繼承時，其應繼分不僅歸屬於其他代位繼承人，尚歸屬於他子輩繼承人，如次將導出各子股不公平之結果，而違反設置代位繼承之立法目的，故以乙說為妥。

(二) 依題意，被繼承人甲有親生子乙、丙及養子丁，丙有親生子A、B及養女C，從而乙、丁為本法第1138條第1款直系血親卑親屬，為合法繼承人。又丙為甲之子，屬第1138條所定第一順序之繼承人，於繼承開始前死亡，由其直系血親卑親屬ABC依本法第1140條規定，代位繼承其應繼分，故本題之繼承人為乙丁ABC。

(三) 又今A拋棄代位繼承權，依前所述，為保障子股間之公平，其應繼分歸屬於其他代位繼承人BC；又依本法第1144條第1款規定，第一順序之繼承人同為繼承時，其應繼分平均，故本題乙、丁之應繼分各為三分之一，即30萬元；B、C之應繼分各為六分之一，即15萬元。

實務見解

釋字第57號解釋：民法第一千一百四十條所謂代位繼承，係以繼承人於繼承開始前死亡或喪失繼承權者為限。來文所稱某甲之養女乙拋棄繼承，並不發生代位繼承問題。惟該養女乙及其出嫁之女如合法拋棄其繼承權時，其子既為民法第一千一百三十八條第一款之同一順序繼承人，依同法第一千一百七十六條第一項前段規定，自得繼承某甲之遺產。

參考書目：陳棋炎、黃宗樂、郭振恭，民法繼承新論，修訂2版，頁46。

十二、甲男與乙女結婚後雙方並未約定夫妻財產制契約，婚後1年生下兩個小孩，乙女決定辭職在家帶小孩，結婚15年後，甲男與乙女決定離婚，離婚時，甲男的財產在婚後增加了400萬元，負債100萬元，乙女則在婚後繼承父親留下的遺產600萬元。請問：甲乙離婚時，彼此之間有關夫妻財產的關係如何處理？

破題分析

剩餘財產分配請求權、法定財產制。

解題架構

首先論述未約定夫妻財產制契約者適用法定財產制，另就民法第1030-1條規定，論述甲乙離婚時，剩餘財產分配請求權如何行使。

答 夫妻間財產關係處理如下：

一、夫妻未以契約訂立夫妻財產制者，除本法另有規定外，以法定財產制，為其夫妻財產制；又法定財產制關係消滅時，夫或妻現存之婚後財產，扣除婚姻關係存續所負債務後，如有剩餘，其雙方得就剩餘財產之差額請求平均分配，為民法第1005條及第1030-1條定有明文。

二、依題意，甲男與乙女結婚後雙方並未約定夫妻財產制契約，依前述規定，適用法定財產制，又於法定財產制下，夫或妻之財產分為婚前財產與婚後財產，今乙婚前並無財產，婚後辭職在家帶小孩，亦無婚後財產。繼承自父親之遺產600萬元，係屬本法第1030-1條第1項第1款因繼承或其他無償取得之財產，非屬剩餘財產請求權計算之標的。

三、又甲男婚後積極財產為400萬，扣除婚姻關係存續所負債務100萬，剩餘財產為300萬。乙妻得請求剩餘財產之差額平均分配為150萬元。

參考書目：戴炎輝、戴東雄、戴瑀如，親屬法，頁189。

十三、甲夫、乙妻婚後有子女A、B。甲於民國（下同）100年2月10日贈與乙200萬元（經交付），又於同年10月20日為A之營業而贈與值250萬元之房屋一棟（經移轉登記），再於101年1月10日為B之結婚而贈與現款100萬元（經交付）。甲於102年10月15日死亡，遺有現款300萬元及值500萬元之不動產。試問：

(一)於繼承開始後，繼承人乙、A、B應否開具遺產清冊陳報法院？

(二)丙對甲有金錢債權600萬元，於繼承開始後得否主張乙、A、B分別受贈之上開200萬元、房屋、100萬元亦為繼承債務之責任財產？

破題分析

遺產清冊之提出、生前特種贈與之歸扣。

解題架構

第一小題，應注意民國98年修正，保留繼承人得主動提出遺產清冊之規定外，尚增訂得因債權人之聲請或法院依職權命繼承人提出遺產清冊；第二小題，則注意民法第1173條生前特種贈與之歸扣，及最高法院27年上字第3271號判例。

答 (一) 繼承人應主動開具遺產清冊陳報法院：

1. 繼承人對於被繼承人之債務，僅須以遺產為限負清償責任，但為釐清被繼承人之債權債務關係，宜使繼承人於享有限定責任權利之同時，負有清算之義務，一方面可避免被繼承人生前法律關係因其死亡而陷入不明及不安定之狀態，另一方面繼承人可透過一次清算程序之進行，釐清所繼承之法律關係，故民法第1156條第1項規定，繼承人於知悉其得繼承之時起三個月內，開具遺產清冊陳報法院。
2. 為使原不知債權存在之繼承人知悉，另一方面使債權人及繼承人尚有藉由陳報法院進行清算之機會，使繼承法律關係盡速確定，民國98年6月10日增訂第1156-1條第1項，規定債權人得向法院聲請命繼承人於三個月內提出遺產清冊。至於債權人何時向法院聲請，並無時間限制。
3. 又為求盡量藉由清算遺產程序一次解決紛爭，並利於當事人主張權利，使法院得於知悉債權人以訴訟程序或非訟程序向繼承人請求清償債務時，依職權命繼承人提出遺產清冊並為清算，以利續行裁判程序，乃增訂第1156-1條第2項，規定法院於知悉債權人以訴訟程序或非訟程序向繼承人請求清償繼承債務時，得依職權命繼承人於三個月內提出遺產清冊。
4. 繼承人未依第1156條、第1156-1條開具遺產清冊陳報法院者，對於被繼承人債權人之權部債權，仍應按其數額，比例計算，以遺產分別償還。但不得有害及有優先權人之利益（第1159條參照）。

(二) A、B所受之贈與應計入為繼承債務之責任財產，乙所受之贈與則否，分析如下：

1. A、B所受之贈與屬於生前特種贈與：依民法第1173條規定，繼承人中有在繼承開始前因結婚、分居或營業，已從被繼承人受有財產之贈與者，應將該贈與價額加入繼承開始時被繼承人所有之財產中，為應繼遺產。本題甲於100年同年10月20日為A之營業而贈與值250萬元，又於101年1月10日為B之結婚而贈與100萬元，屬於特種財產之範圍，應計入被繼承人之應繼財產。

2. 乙所受之贈與非歸扣範圍：被繼承人在繼承開始前，因繼承人之結婚、分居或營業，而為財產之贈與，通常無使受贈人特受利益之意思，不過因遇此等事由，就其日後終應繼承之財產預行撥給而已，故除被繼承人於贈與時有各對之意思表示外，應將該贈與價額加入繼承開始時，被繼承人所有之財產中，為應繼財產，若因其他事由，贈與財產於繼承人，則應認其有使受贈人特受利益之意思，不能與因結婚、分居或營業而為贈與者相提並論，民法第1173條第1項列舉贈與之事由，係限定其適用之範圍，並非例示之規定，於因其他事由所為之贈與，自屬不能適用。（最高法院27年上字第3271號判例參照）

實務見解

27年上字第3271號判例：被繼承人在繼承開始前，因繼承人之結婚、分居或營業，而為財產之贈與，通常無使受贈人特受利益意思，不過因遇此等事由，就其日後終應繼承之財產預行撥給而已，故除被繼承人於贈與時有反對之意思表示外，應將該贈與價額加入繼承開始時，被繼承人所有之財產中，為應繼財產，若因其他事由，與財產於繼承人，則應認其有使受贈人特受利益之意思，不能與因結婚、分居或營業而為贈與者相提並論，民法第一千一百七十三條第一項列舉贈與之事由，係限定其適用之範圍，並非例示之規定，於因他事由所為之贈與，自屬不能適用。

22年上字第16號判例：繼承人中有在繼承開始前，因結婚、分居或營業，已從被繼承人受有財產之贈與者，應將該贈與價額入繼承開始時，被繼承人所有之財產中，為應繼財產，此在民法繼承編施行前，亦屬應行採用之法理。

參考書目：林秀雄，繼承法講義第五版，頁155-158。

十四、甲男乙女未婚同居，不久乙女懷有A子，甲男不願負責乃遠走高飛，乙女為瞞人耳目乃與不知情之丙男結婚，婚後8個月A子出生。A子成年後甲男始出面要求認領A子，丙男被告知後震怒，隨即自書遺囑載明否認與A子之父子關係，並與乙女終止婚姻關係，

同時將所有財產遺贈丙男之父、母。乙女獲悉遺囑內容，與丙男發生爭執，推擠中不慎致使丙男墜樓身亡，丙男留有遺產1,200萬元。試問：丙男之遺產應如何繼承？

破題分析

婚生否認之訴、離婚之訴、特留分。

解題架構

本題應注意婚生否認應以訴為之、離婚之要件、遺贈逾特留分規定之效力、法定喪失繼承權之事由。

答 (一) 丙男之遺產繼承人為乙、A，分析如下：

1. A的部分

(1) 按稱婚生子女者，謂由婚姻關係受胎而生之子女。民法（以下稱本法）第1061條定有明文。關於受胎期間之計算，則規定於本法第1063條。本題A依上開規定，推定為丙男之婚生子女。

(2) 再按婚生子女之推定，夫妻之一方，能證明子女非為婚生子女者，得提起否認之訴；又否認之訴，夫妻之一方自知悉該子女非為婚生子女，或子女自知悉其非為婚生子女之時起二年內為之。但子女於未成年時知悉者，仍得於成年後二年內為之。此為本法第1063條第2項、第3項所明文。從而行使婚生否認權，有使子女身分關係消滅之結果。

(3) 依題意，丙男自書遺囑載明否認與A子之父子關係，非以提起婚生否認之訴為之，不符否認權行使之方式，不發生使子女身分關係消滅之效果。又婚生推定在夫或妻提起否認之訴將其推翻以前，其子A仍因婚生推定而為婚生子女，依本法第1138條第1款為丙之合法繼承人。

2. 乙的部分

(1) 甲自書遺囑終止婚姻關係不發生離婚之效力：

A. 本法關於夫妻離婚之方式，定有兩願離婚、裁判離婚、法院調解與和解離婚。唯兩願離婚須作成書面並有二人以上證人之簽名，並向戶籍機關為離婚之登記始生效力（參見本法第

1050條規定）；裁判離婚則須以訴為之；離婚或和解離婚則須基於當事人有離婚之合意而成立。

B. 本題自書遺囑載明與乙女終止婚姻關係，未與乙女就離婚達成合意，不符合上述離婚之法定要件，故不發生婚姻解消之效力，乙仍為甲之配偶。

(2) 乙不慎致丙男墜樓死亡不發生喪失繼承權之效力：

A. 依本法第1145條第1項規定，故意致被繼承人或應繼承人於死或雖未致死因而受刑之宣告者。繼承人具有此項絕對失權事由，不待被繼承人為任何表示，即當然喪失繼承權，亦不因被繼承人之寬恕而回復繼承權。

B. 又依該條項規定，以繼承人有致死之故意且受刑之宣告為要件，本題乙不慎致丙男墜樓死亡，顯係因過失致死，尚不該當本項法定事由，故不生喪失繼承權之效力。又乙既為甲之配偶又無喪失繼承權，自為本案合法繼承人。

(二) 丙男之遺產繼承方式分析如下：

1. 依本法第1144條第1款規定，配偶有相互繼承遺產之權，其與第1138條所定第一順序之繼承人同為繼承時，其應繼分與他繼承人平均。本題繼承人為乙、A，其應繼分各為遺產之二分之一。又依本1223條第1款及第3款規定，乙、A之特留分為遺產之四分之一。

2. 本題甲將遺產全部遺贈於其父母，將致被繼承人乙應得之數不足，應就應繼遺產扣除超過特留規定之部分，剩餘遺產始分配予受遺贈人。

實務見解

74年台上字第1870號：民法第一千一百四十五條第一項第五款所謂對於被繼承人有重大之虐待情事，係指以身體上或精神上痛苦加諸於被繼承人而言，凡對於被繼承人施加毆打，或對之負有扶養義務而惡意不予扶養者，固均屬之，即被繼承人（父母）終年臥病在床，繼承人無不能探視之正當理由，而至被繼承人死亡為止，始不予探視者，衡諸我國重視孝道固有倫理，足致被繼承人感受精神上莫大痛苦之情節，亦應認有重大虐待之行為。

參考書目：陳棋炎、黃宗樂、郭振恭，民法繼承新論，頁69。

十五、甲與乙於民國100年5月5日結婚，民國101年7月7日生下一子丙。甲結婚後依然風流成性，與丁於夜店相識後，進而租屋同居。在丁懷胎戊期間，甲身體健康檢查時，意外發現自己得到末期癌症，即將不久於人世，乃於民國102年3月3日立下遺囑認領戊，隨後甲即於民國102年9月9日過世。試問：如甲之遺囑因為違反法定要式而無效時，其認領效力如何？

破題分析

認領之要件。

解題架構

本題之考點在於以遺囑方式認領子女之效力如何，學說上有不同見解，應列舉數說分析。

答 甲之認領有效，戊為甲之婚生子女，分析如下：

(一) 民法（下稱：本法）第1065條規定，非婚生子女經生父認領者，視為婚生子女。其經生父撫育者，視為認領。從而認領限於非婚生子女，蓋非婚生子女與生父之關係，係出於非婚生子女為生母與生父於無婚姻關係存續中受胎所生之子女，故在生父未認領前，生父與非婚生子女無親子關係，是認領係生父對於非婚生子女承認其為父而領為己子女之行為。

(二) 我國民法就認領之方式，未設規定，惟得否以遺囑方式認領子女，有不同見解，分述如下：

1. 肯定說：早期之學者，以民法無積極禁止之明文，而舊戶籍法又有遺囑認領之規定，允許以遺囑為認領，既合於人情之要求，並可保護非婚生子女之利益。

2. 否定說：

A. 依民法第1199條規定，遺囑乃是以遺囑人死亡時發生效力之法律行為，而認領乃身分行為，若承認得以遺囑為之，豈不與認領不得附款之原則相矛盾。

B. 民國86年戶籍法修正時，以「民法並無以遺囑認領之規定」為理由，而將關於遺囑認領之規定予以刪除，戶籍法修正後，肯定說之見解已失去承認遺囑認領之形式根據。

3. 小結：通說認為認領係不要式行為，且為無相對人之單獨行為，無須向被認領人或其生母為之，僅須生父之單獨行為，可認為其中含有此項意思表示者，即足發生認領效力，然而遺囑為要式行為，形式要件不具備即不發生效力，兩者性質矛盾，不宜併用，故以否定說為妥。

(三) 依題意，甲結婚後與非其配偶之丁同居，致丁懷胎戊，戊非於婚姻關係存續中出生，係為非婚生子女，今甲以遺囑方式認領戊，惟依前述，認領不得以遺囑為之，惟故父將認領之意思表示，載於某文書之上，即生認領之效力，因此，縱然遺囑違背法定方式而無效，但已生效之認領，並無任何之影響，故認為甲含有對於非婚生子女戊承認其為父而領為其女之意思表示而發生認領之效力。

實務見解

42年台上字第1125號判例：非婚生子女經生父撫育者，視為認領，經認領者，視為婚生子女，既為民法第一千零六十五條第一項明定，則經生父撫育或認領之非婚生子女，因繼承而承受之權利及義務，亦與婚生子女同，不以該女係從父姓抑從母姓而生差異。

參考書目：戴炎輝、戴東雄、戴瑀如，親屬法，頁324。

十六、甲雖事業有成仍孑然一身，僅有一親人弟弟乙，甲因病自覺來日不多，為感念其事業之成功均拜恩師丙所賜，甲乃自書遺囑將遺產六千萬悉數贈與丙。乙獲悉此事竟找丙理論，丙因年歲已高突因心臟病發而死，丙僅留下一子丁，不久甲亦死亡，試問：甲之遺產應如何處理？

破題分析

受遺贈人須於遺囑發生效力時尚生存、繼承權喪失之事由、特留分。

解題架構

遺贈之要件為：遺贈人所為之遺囑須為有效、受遺贈人須於遺囑發生效力時尚生存、遺贈財產須於繼承開始時屬於遺產、受遺贈人須無喪失受遺贈權、遺贈須不違反關於特留分之規定。

答 甲之遺產由乙繼承，分析如下：

(一) 受遺贈人丙未於遺囑發生效力時尚生存：

1. 遺贈須以遺囑為之，而遺囑依民法（下稱：本法）第1189條規定，須依法定方法為之，不依遺囑之方式所為之遺贈無效；又原則上自遺贈人死亡時發生效力。又本法第1201條規定，受遺贈人於遺囑發生效力前死亡者，其遺贈不生效力，從而受遺贈人於遺囑有效成立後，遺贈發生效力前死亡，其遺贈不生效力。

2. 題示，甲乃自書遺囑將遺產六千萬悉數贈與丙，符合法定方式所為，遺贈人甲所為之遺贈有效，惟丙因年歲已高突因心臟病發而死，丙僅留下一子丁，不久甲亦死亡，可知遺贈人死亡時受遺贈人已死亡，不符合受遺贈人於遺囑發生效力時尚生存之要件，甲之遺贈不發生效力，又該遺贈之財產屬於遺產，應由甲之繼承人乙依法繼承。

(二) 乙為繼承人，無喪失繼承權之事由，應繼承甲之遺產：

1. 依本法第1145條規定，有下列各款情事之一者，喪失其繼承權：

   (1) 故意致被繼承人或應繼承人於死或雖未致死因而受刑之宣告者。

   (2) 以詐欺或脅迫使被繼承人為關於繼承之遺囑，或使其撤回或變更之者。

   (3) 以詐欺或脅迫妨害被繼承人為關於繼承之遺囑，或妨害其撤回或變更之者。

   (4) 偽造、變造、隱匿或湮滅被繼承人關於繼承之遺囑者。

   (5) 對於被繼承人有重大之虐待或侮辱情事，經被繼承人表示其不得繼承者。

2. 題示，甲乃自書遺囑將遺產六千萬悉數贈與丙。乙獲悉此事竟找丙理論，丙因年歲已高突因心臟病發而死，因丙為受遺贈人而非應繼承人或被繼承人，且甲未受刑之宣告，不符本法第1145條第1項第1款喪失繼承權之事由，又被繼承人甲無撤回或變更之遺囑或受妨礙之情事，亦不符同條項第2款、第3款喪失繼承權之事由；又繼承人乙無偽造、變造、隱匿或湮滅遺囑之情事，不符合同條項第4款喪失繼承權之事由；被繼承人甲亦無表示乙不得繼承之情事，亦不符合同條項第5款喪失繼承權之事由，故乙並未喪失繼承權。

3. 乙為本法第1138條第3款之合法繼承人，且於繼承開始時未喪失繼承權，依本法第1148條第1項繼承被繼承人甲財產上之一切權利義務。

實務見解

最高法院民事判例74年台上字第1870號：民法第一千一百四十五條第一項第五款所謂對於被繼承人有重大之虐待情事，係指以身體上或精神上之痛苦加諸於被繼承人而言，凡對於被繼承人施加毆打，或對之負有扶養義務而惡意不予扶養者，固均屬之，即被繼承人（父母）終年臥病在床，繼承人無不能探視之正當理由，而至被繼承人死亡為止，始終不予探視者，衡諸我國重視孝道固有倫理，足致被繼承人感受精神上莫大痛苦之情節，亦應認有重大虐待之行為。

參考書目：陳棋炎、黃宗樂、郭振恭，民法繼承新論，頁352。

十七、甲男與乙女於民國65年結婚，未約定夫妻財產制，乙女於民國67年生下丙男、民國70年生下丁女，甲於民國77年與戊女有婚外情，戊女因而生下己男，甲男於民國78年起按時提供生活費予戊女撫育己男。甲男於民國103年1月3日去世，現存財產中有銀行存款一千萬，是結婚後的積蓄，A屋價值一千萬，也是結婚後才購買，乙女則僅有銀行存款四百萬元，也是結婚後的積蓄。甲去世前立有公證遺囑，內容為贈與戊女四百萬元，問甲的遺產如何繼承？

破題分析

遺贈、剩餘財產分配、特留分。

解題架構

本題涉及遺贈違反特留分之規定，須先找出合法繼承人，計算其特留分，再由繼承人行使民法第1225條扣減權後，將遺贈之財產分配予受遺贈人。

答 (一) 本案之繼承人為乙、丙、丁、己，其特留分均為遺產之之八分之一：

1. 乙為甲之配偶，丙、丁為甲之婚生子女，屬甲之直系血親卑親屬，符合民法（下稱：本法）第1138條第1款第一順位之繼承人。

2. 己為甲與第三人戊所生之子女，依題意，甲男於民國78年起按時提供生活費予戊女撫育己男，己男既經生父甲撫育，依本法第1065條第1項視為認領，又經認領後，非婚生子女己與生父間發生父母子女之關係，己視為甲之婚生子女，既為甲之直系血親卑親屬，即為本法第1138條第1款第一順位之繼承人。
3. 又依本法第1144條第1款規定，配偶與第1138條所定第一順序之繼承人同為繼承時，其應繼分與繼承人平均，從而於本題中甲之四位繼承人之應繼分均為遺產之四分之一。又繼承人為配偶及直系血親卑親屬之特留分，為其應繼分二分一，故本題中各繼承人之特留分均為遺產之八分之一。

(二) 乙得行使剩餘財產分配請求權：

1. 依本法第1030-1條第1項規定，法定財產制關係消滅時，夫或妻現存之婚後財產，扣除婚姻關係存續所負債務後，如有剩餘，其雙方剩餘財產之差額，應平均分配。依題意，甲、乙婚後未約定夫妻財產制，依本法第1005條適用法定財產制，又甲男於民國103年1月3日去世，夫妻一方死亡為法定財產制消滅之原因，乙妻得行使剩餘財產分配請求權。
2. 本案甲現存財產中有銀行存款一千萬，是結婚後的積蓄，A屋價值一千萬，也是結婚後才購買，無債務或因繼承或其他無償取得之財產或慰撫金，甲之剩餘財產為二千萬。乙女則僅有銀行存款四百萬元，也是結婚後的積蓄，無債務或因繼承或其他無償取得之財產或慰撫金，乙女之剩餘財產為四百萬，雙方剩餘之差額為一千六百萬，乙妻得請求八百萬之剩餘分配。

(三) 甲之遺贈尚未侵害繼承人之特留分，繼承方式如下：

1. 甲之財產扣除剩餘財產分配，其應繼遺產為八百萬，又乙、丙、丁、己之特留分為應繼遺產之八分之一，各為一百萬。又甲之遺贈內容為贈與戊女四百萬元，尚未侵害繼承人之特留分，繼承人無行使本法第1225條扣減權之必要。
2. 甲之遺產為八百萬，應先交付遺贈四百萬予戊女後，再依特留分之規定，給予乙、丙、丁、己各一百萬元。

實務見解

最高法院民事判例58年台上字第1279號：民法第一千二百二十五條，僅規定應得特留分之人，如因被繼承人所為之遺贈，致其應得之數不足者，得按其不足之數由遺贈財產扣減之，並未認侵害特留分之遺贈為無效。

參考書目：戴炎輝、戴東雄，親屬法別冊，頁191。

十八、甲為乙之父，乙為丙之父，由於乙知悉甲自書遺囑，欲將遺產悉數捐贈丁公益團體，乙乃教唆丙隱匿甲之遺囑，此事於甲死亡後被發現，甲除乙、丙外，並無其他繼承人。試問：甲之遺產應如何繼承？

破題分析

喪失繼承權之事由、遺贈。

解題架構

本題涉及繼承人教唆他人隱匿遺囑，應認為繼承權喪失之事由。又甲將全數遺產贈與他人，涉及遺贈侵害受遺贈人之特留分，其效力如何尚有爭議。

答 (一) 乙未喪失繼承權：

依民法（下稱：本法）第1145條第1項第4款規定，偽造、變造、隱匿或湮滅被繼承人關於繼承之遺囑者，喪失繼承權，惟繼承人教唆他人隱擬遺囑，是否為本款喪失繼承權之事由：

1. 肯定說：本款之立法目的係在保障遺囑人之最終意思，避免遺囑之真實性受到影響，因此繼承人雖未親自隱匿遺囑，然教唆他人隱擬遺囑，亦有使遺囑人之真實性受遮蔽，故亦屬本款喪失繼承權之事由。
2. 否定說：依本款之文義解釋，繼承人須有隱匿之行為，且為隱匿關於繼承之遺囑，若繼承人教唆他人隱匿遺囑，終究與自己所為有別，不屬於本款喪失繼承權之事由。
3. 小結：依最高法院97年台上字第2217號判例意旨，繼承人雖對其他繼承人隱瞞有遺囑存在之事實，但如並不因此而妨礙遺囑之執行，則因被繼承人之真正意思仍得以實現，並非對被繼承人遺囑之不正行為，自非屬隱匿遺囑之行為而無上開規定之適用。本題甲除乙、丙外，並無其他繼承人，且隱匿情事於甲死亡後被發現，並無使遺囑不能執行之可能，故以否定說為妥。

(二) 甲所為遺贈之效力，分析如下：民法基於所有權絕對原則允許被繼承人得以遺囑自由處分其遺產，惟被繼承人將其遺產全部遺贈他人，或使繼承人失其生活資源須仰賴他人扶養，有所不妥，故於承認繼承人有一定財產額之特留分，惟於特留分規定之遺囑，效力如何有不同見解：

1. 一部無效說：特留分為保護特留分權利人而設，指須回復其權利，即與特留分之規定已不違反，故應解為僅違反之部分無效，該遺贈並非全部無效。民法第1225條之規定，既專以遺贈為對象，則被繼承人侵害特留分權利之遺贈，似不如逕解為當然無效，或適合強行之精神，特留分權利人，亦即遺贈義務人，僅可於交付遺贈物時，對於侵害特留分之範圍，主張遺贈之無效，拒絕交付之請求。
2. 有效說：就民法第1225號解釋，不過繼承人有請求之權，自非當然無效，此即民法第71條但書所謂，但其規定並不以之為無效之一例。
3. 小結：民法第1225條，僅規定應得特留分之人，如因被繼承人所為之遺贈，致其應得之數不足者，得按其不足之數由遺贈財產扣減之，並未認侵害特留分之遺贈為無效（最高法院58年台上字第1279號判例），顯係採有效說，管見從之。

依本法第1144條第1款，乙之應繼分各為遺產的全部，又依本法第1223條第1及第3款規定，乙之特留分為遺產之二分之一。今甲將遺產全部遺贈於丁公益團體，將致被繼承人乙應得之數不足，應就應繼遺產扣除超過特留規定之部分，剩餘遺產始分配予受遺贈人。

實務見解

最高法院民事判例25年上字第660號：民法第一千二百二十五條，僅規定應得特留分之人，如因被繼承人所為之遺贈，致其應得之數不足者，得按其不足之數由遺贈財產扣減之，並未認特留分權利人，有扣減被繼承人生前所為贈與之權，是被繼承人生前所為之贈與，不受關於特留分規定之限制，毫無疑義。

參考書目：林秀雄，親屬法講義，頁329-330。

【相關法規】

壹、民法繼承編及施行法重要條文必讀精選

民法繼承編重要條文

第1138條 遺產繼承人，除配偶外，依下列順序定之：

一、**直系血親卑親屬**。

二、**父母**。

三、**兄弟姊妹**。

四、**祖父母**。

第1140條 第1138條所定第一順序之繼承人，有於繼承開始前**死亡**或**喪失繼承**權者，由其直系血親卑親屬代位繼承其應繼分。

第1144條 **配偶**有相互繼承遺產之權，其應繼分，依下列各款定之：

一、與第1138條所定第一順序之繼承人同為繼承時，其應繼分與他繼承人**平均**。

二、與第1138條所定第二順序或第三順序之繼承人同為繼承時，其應繼分為遺產**二分之一**。

三、與第1138條所定第四順序之繼承人同為繼承時，其應繼分為遺產**三分之二**。

四、無第1138條所定第一順序至第四順序之繼承人時，其應繼分為遺產**全部**。

第1145條 有下列各款情事之一者，喪失其繼承權：

一、**故意致**被繼承人或應繼承人於**死**或雖**未致死**因而**受刑之宣**告者。

二、以詐欺或**脅迫**使被繼承人為關於繼承之遺囑，或使其撤回或變更之者。

三、以**詐欺**或**脅迫**妨害被繼承人為關於繼承之遺囑，或**妨害**其撤回或變更之者。

四、**偽造**、**變造**、**隱匿**或**湮滅**被繼承人關於繼承之遺囑者。

五、對於被繼承人有**重大之虐待**或**侮辱**情事，經被繼承人**表示**其不得繼承者。

前項第2款至第4款之規定，如經被繼承人**宥恕**者，其繼承權不喪失。

第1146條 繼承權被侵害者，被害人或其法定代理人得請求回復之。

前項回復請求權，自知悉被侵害之時起，**二年間**不行使而消滅；自繼承開始時起逾**十年**者亦同。

第1148條 繼承人自繼承開始時，除本法另有規定外，承受被繼承人財產上之一切權利、義務。但權

利、義務專屬於被繼承人本身者，不在此限。

繼承人對於被繼承人之債務，以因**繼承所得遺產**為限，負清償責任。

第1148-1條 繼承人在繼承**開始前二年內**，從被繼承人受有財產之贈與者，該財產視為其所得遺產。

前項財產如已移轉或滅失，其價額，依贈與時之價值計算。

第1149條 被繼承人生前繼續扶養之人，應由親屬會議依其所受扶養之程度及其他關係，酌給遺產。

第1153條 繼承人對於被繼承人之債務，以因**繼承所得遺產**為限，負**連帶責任**。

繼承人相互間對於被繼承人之債務，除法律另有規定或另有約定外，按其**應繼分比例**負擔之。

第1154條 繼承人對於被繼承人之權利、義務，不因繼承而消滅。

第1156條 繼承人於知悉其得繼承之時起三個月內開具遺產清冊陳報法院。

前項**三個月**期間，法院因繼承人之聲請，認為必要時，得延展之。

繼承人有數人時，其中一人已依第1項開具遺產清冊陳報法院者，其他繼承人視為已陳報。

第1156-1條 債權人得向法院聲請命繼承人於**三個月**內提出遺產清冊。

法院於知悉債權人以訴訟程序或非訟程序向繼承人請求清償繼承債務時，得依職權命繼承人於**三個月**內提出遺產清冊。

前條第2項及第3項規定，於第1項及第2項情形，準用之。

第1157條 繼承人依前二條規定陳報法院時，法院應依**公示催告程序**公告，命被繼承人之債權人於一定期限內報明其債權。

前項一定期限，不得在**三個月**以下。

第1159條 在第1157條所定之一定期限屆滿後，繼承人對於在該一定期限內報明之債權及繼承人所已知之債權，均應按其**數額，比例計算，以遺產分別償還**。但不得害及有優先權人之利益。

繼承人對於繼承開始時未屆清償期之債權，亦應依第1項規定予以清償。

前項未屆清償期之債權，於繼承開始時，視為已到期。其無利息者，其債權額應扣除自第1157條所定之一定期限屆滿時起至到期時止之法定利息。

第1161條 繼承人違反第1158條至第1160條之規定，致被繼承人之債權人受有損害者，應負賠償之責。

前項受有損害之人，對於不當受領之債權人或受遺贈人，得請求返還其不當受領之數額。

繼承人對於不當受領之債權人或受遺贈人，不得請求返還其不當受領之數額。

第1162-1條 繼承人未依第1156條、第1156-1條開具遺產清冊陳報法院者，對於被繼承人債權人之全部債權，仍應**按其數額，比例計算，以遺產分別償還**。但不得害及有優先權人之利益。

前項繼承人，非依前項規定償還債務後，不得對受遺贈人交付遺贈。

繼承人對於繼承開始時未屆清償期之債權，亦應依第1項規定予以清償。

前項未屆清償期之債權，於繼承開始時，視為已到期。其無利息者，其債權額應扣除自清償時起至到期時止之法定利息。

第1162-2條 繼承人違反第1162-1條規定者，被繼承人之債權人得就應受清償而未受償之部分，對該繼承人行使權利。

繼承人對於前項債權人應受清償而未受償部分之清償責任，不以所得遺產為限。但繼承人為**無行為能力人或限制行為能力人**，不在此限。

繼承人違反第1162-1條規定，致被繼承人之債權人受有損害者，亦應負賠償之責。

前項受有損害之人，對於不當受領之債權人或受遺贈人，得請求返還其不當受領之數額。

繼承人對於不當受領之債權人或受遺贈人，不得請求返還其不當受領之數額。

第1163條 繼承人中有下列各款情事之一者，不得主張第1148條第2項所定之利益：

一、**隱匿遺產情節重大**。

二、在遺產清冊為**虛偽之記載情節重大**。

三、**意圖詐害**被繼承人之債權人之權利而為遺產之**處分**。

第1173條 繼承人中有在繼承開始前因**結婚**、**分居或營業**，已從被繼承人受有財產之贈與者，應將該贈與價額加入繼承開始時被繼承人所有之財產中，為應繼遺產。但被繼承人於贈與時有反對之意思表示者，不在此限。

前項贈與價額，應於遺產分割時，由該繼承人之應繼分中扣除。

贈與價額，依贈與時之價值計算。

第1174條 繼承人得拋棄其繼承權。

前項拋棄，應於知悉其得繼承之時起**三個月內**以書面向法院為之。

拋棄繼承後，應以書面通知因其拋棄而應為繼承之人。但不能通知者，不在此限。

第1176條 第1138條所定**第一順序**之繼承人中有**拋棄繼承權**者，其應繼分歸屬於其他**同為繼承**之人。

第二順序至第四順序之繼承人中，

有拋棄繼承權者，其應繼分歸屬於其他**同一順序之繼承人**。

與配偶同為繼承之同一順序繼承人均拋棄繼承權，而無後順序之繼承人時，其應繼分歸屬於**配偶**。

配偶拋棄繼承權者，其應繼分歸屬於與其**同為繼承**之人。

第一順序之繼承人，其親等近者均拋棄繼承權時，由**次親等**之直系血親卑親屬繼承。

先順序繼承人均拋棄其繼承權時，由次**順序之繼承**人繼承。其次順序繼承人有無不明或第四順序之繼承人均拋棄其繼承權者，準用關於無人承認繼承之規定。

因他人拋棄繼承而應為繼承之人，為拋棄繼承時，應於知悉其得繼承之日起三個月內為之。

第1190條 自書遺囑者，應**自書遺囑全文**，**記明年**、**月**、**日**，並親自簽名；如有增減、塗改，應註明增減、塗改之處所及字數，另行簽名。

第1191條 公證遺囑，應指定**二人**以上之見證人，在公證人前口述遺囑意旨，由公證人筆記、宣讀、講解，經遺囑人認可後，記明年、月、日，由公證人、見證人及遺囑人同行簽名；遺囑人不能簽名者，由公證人將其事由記明，使按指印代之。

前項所定公證人之職務，在無公證人之地，得由法院書記官行之，僑民在中華民國領事駐在地為遺囑時，得由領事行之。

第1192條 密封遺囑，應於遺囑上簽名後，將其密封，於**封縫處**簽名，指定二人以上之見證人，向公證人提出，陳述其為自己之遺囑，如非本人自寫，並陳述繕寫人之姓名、住所，由公證人於封面記明該遺囑提出之年、月、日及遺囑人所為之陳述，與遺囑人及見證人同行簽名。

前條第2項之規定，於前項情形準用之。

第1194條 代筆遺囑，由遺囑人指定**三人以上**之見證人，由遺囑人口述遺囑意旨，使見證人中之一人筆記、宣讀、講解，經遺囑人認可後，記明年、月、日及代筆人之姓名，由見證人全體及遺囑人同行簽名，遺囑人不能簽名者，應按指印代之。

第1223條 繼承人之**特留分**，依下列各款之規定：

一、直系血親卑親屬之特留分，為其應繼分**二分之一**。

二、父母之特留分，為其應繼分**二分之一**。

三、配偶之特留分，為其應繼分**二分之一**。

四、兄弟姊妹之特留分，為其應繼分**三分之一**。

五、祖父母之特留分，為其應繼分**三分之一**。

第1224條 特留分，由依第1173條算定之應繼財產中，除去債務額算定之。

第1225條 應得特留分之人，如因被繼承人所為之遺贈，致其應得之數不足者，得按其不足之數由遺贈財產扣減之。受遺贈人有數人時，應按其所得遺贈價額比例扣減。

民法繼承篇施行法

第1條 （不溯既往之原則）

繼承在民法繼承編施行前開始者，除本施行法有特別規定外，不適用民法繼承編之規定；其在修正前開始者，除本施行法有特別規定外，亦不適用修正後之規定。

第1-1條 （法律適用範圍）

繼承在民法繼承編中華民國96年12月14日修正施行前開始且未逾修正施行前為拋棄繼承之法定期間者，自修正施行之日起，適用修正後拋棄繼承之規定。

繼承在民法繼承編中華民國96年12月14日修正施行前開始，繼承人於繼承開始時為無行為能力人或限制行為能力人，未能於修正施行前之法定期間為限定或拋棄繼承，以**所得遺產為限**，負清償責任。但債權人證明顯失公平者，不在此限。

前項繼承人依修正施行前之規定已清償之債務，不得請求返還。

第1-2條 （法律適用範圍）

繼承在民法繼承編中華民國97年1月4日前開始，繼承人對於繼承開始後，始發生代負履行責任之**保證契約**債務，以**所得遺產**為限，負清償責任。但債權人證明顯失公平者，不在此限。

前項繼承人依中華民國97年4月22日修正施行前之規定已清償之保證契約債務，不得請求返還。

第1-3條 （法律適用範圍）

繼承在民法繼承編中華民國98**年**5**月**22**日修正施行**前開始，繼承人未逾修正施行前為限定繼承之**法定期間**且**未為概括繼承之表示或拋棄繼承**者，自修正施行之日起，適用修正後民法第1148條、第1153條至第1163條之規定。

繼承在民法繼承編中華民國98年5月22日修正施行前開始，繼承人對於繼承開始以前已發生**代負履行責任之保證契約債務**，以**所得遺產**為限，負清償責任。但債權人證明顯失公平者，不在此限。

繼承在民法繼承編中華民國98**年**5**月**22**日修正施行**前開始，繼承人已依民法第1140條之規定**代位繼承**，以**所得遺產**為限，負清償責任。但債權人證明顯失公平者，不在此限。

繼承在民法繼承編中華民國98年5月22日修正施行前開始，繼承人因**不可歸責於**己之事由或**未同居**共財者，於繼承開始時無法知悉繼承債務之存在，致未能於修正施行前之法定期間為限定或拋棄繼承，以**所得遺產**為限，負清償責任。但債權人證明顯失公平者，不在此限。

前三項繼承人依修正施行前之規定已清償之債務，不得請求返還。

第2條　（消滅時效之特別規定）

民法繼承編施行前，依民法繼承編之規定，消滅時效業已完成，或其時效期間尚有殘餘不足一年者，得於施行之日起，一年內行使請求權。但自其時效完成後，至民法繼承編施行時，已逾民法繼承編所定時效期間二分之一者，不在此限。

第3條　（無時效性質之法定期間之準用）

前條之規定於民法繼承編所定無時效性質之法定期間準用之。但其法定期間不滿一年者，如在施行時尚未屆滿，其期間自施行之日起算。

第11條　（施行日）

本施行法自民法繼承編施行之日施行。

民法繼承編修正條文及本施行法修正條文，除中華民國98年12月15日修正之民法第1198條及第1210條自98年11月23日施行者外，自公布日施行。

貳、家事事件法重要條文

修正日期112.06.21

一、繼承訴訟事件（家事事件法第3編第4章）

第70條　因繼承回復、遺產分割、特留分、遺贈、確認遺囑真偽或繼承人間因繼承關係所生請求事件，得由下列法院管轄：

一、繼承開始時**被繼承人住所地之法院**；被繼承人於國內無住所者，其在國內居所地之法院。

二、主要**遺產所在地之法院**。

▶ **立法理由**　按因繼承回復、遺產分割、特留分、遺贈、確認遺囑真偽或其他於繼承人彼此間因繼承關係所生繼承訴訟事件，由與被繼承人關係最密切之法院即**被繼承人之住所地**（國內無住所者，其在國內居所地）或**主要遺產所在地之法院**管轄，較便於證據調查及有助於訴訟程序之進行，爰規定繼承訴訟事件之管轄法院，以資適用。

第71條　請求遺產分割之訴狀，除應記載第38條規定之事項外，並宜附具繼承系統表及遺產清冊。

▶ **立法理由**　遺產分割事件中，繼承人為何人及待分割之遺產為何，攸關當事人之起訴是否合法及訴訟審判之範圍，而繼承系統表及遺產清冊之附具則有助於上開問題之釐清，故為促使當事人善盡其一般的協力迅速進行訴訟之義務，上開資料自宜於訴狀附具之，以使法院及當事人得以掌握案情全貌，進而整理爭點，於期日前為充分之準備，爰設本條規定。

第72條　於遺產分割訴訟中，關於繼承權有爭執者，**法院應曉諭**當事人得於同一訴訟中為請求之追加或提起反請求。

▶ **立法理由**　關於遺產分割之訴訟事件，如當事人就其前提法律關係之繼承權是否存在有爭執，法院應曉諭當事人得就該法律關係為請求之追加或提起反請求，請求合併判決，以便統合解決紛爭，貫徹本法第1條及第41條之立法意旨，爰設本條規定。

第73條　當事人全體就遺產分割方法達成協議者，除有適用第45條之情形外，法院應斟酌其協議為裁判。

法院為前項裁判前，應曉諭當事人為辯論或為請求。

▶ **立法理由**

一、請求遺產分割之訴，除適格之當事人全體就全部遺產之分割依本法第45條規定成立訴訟上和解之情形外，如適格之當事人全體業已就遺產全部或一部之分割方法達成協議（無論是訴訟前或訴訟中），而未成立訴訟上和解時，為尊重當事人處分權，簡化爭點，以節省調查分割方法之勞費，並為擴大訴訟制度解決紛爭之功能，利用同一訴訟程序徹底解決紛爭，法院應斟酌其協議內容為裁判，將斟酌結果記明於理由。

二、又為保護當事人之程序參與權，法院為第1項裁判前，應曉諭當事人為辯論或為請求；如當事人表明為履行協議之請求時，法院應就其請求為裁判。

二、繼承事件（家事事件法第4編第7章）

第127條　下列繼承事件，**專屬**繼承開始時**被繼承人住所地法院**管轄：

一、關於遺產清冊陳報事件。

二、關於債權人聲請命繼承人提出遺產清冊事件。

三、關於拋棄繼承事件。

四、關於無人承認之繼承事件。

五、關於保存遺產事件。

六、關於指定或另行指定遺囑執行人事件。

七、關於其他繼承事件。

保存遺產事件，亦得由遺產所在地法院管轄。

第52條第4項之規定，於第1項事件準用之。

第1項及第2項事件有理由時，程序費用由遺產負擔。

立法理由

一、關於繼承事件，為便於調查證據，宜由繼承開始時被繼承人住所地法院管轄。又為明確繼承事件之範圍，除於第1款至第6款列舉法律已經明定涉及繼承事項之事件外，為免掛一漏萬，並考量其他繼承事件（例如：大陸地區人民繼承臺灣地區人民之遺產事件，及將來可能新增之其他繼承事件）亦應由少年及家事法院處理，爰設第7款之規定，以求周延。

二、保存遺產事件，除得依前項規定由繼承開始時被繼承人住所地法院管轄外，為便於遺產之保存，亦得由遺產所在地法院管轄，爰設第2項規定。

三、被繼承人無住所而不能依第1項規定定法院管轄者，宜由繼承開始時被繼承人居所地法院管轄。被繼承人之住、居所不明者，由中央政府所在地之法院管轄，爰於第3項明定準用第52條第4項之規定。

四、關於第1項所定繼承事件及第2項所定保存遺產事件，於第4項明定其程序費用之負擔。

第128條 繼承人為遺產陳報時，應於**陳報書**記載下列各款事項，並附具**遺產清冊**：

一、陳報人。

二、被繼承人之姓名及最後住所。

三、被繼承人死亡之年月日時及地點。

四、知悉繼承之時間。

五、有其他繼承人者，其姓名、性別、出生年月日及住、居所。

前項遺產清冊應記載被繼承人之財產狀況及繼承人已知之債權人、債務人。

立法理由

一、為資識別程序對象，並利於程序之進行，爰於第1項明定繼承人依民法第1156條第1項之規定向法院陳報遺產時，其陳報書應記載事項。

二、為使被繼承人之債權人能公平受償，遺產清冊宜儘量記載明確，故第2項明定遺產清冊應記載被繼承人之財產狀況（包括積極財產及消極財產），及為繼承人已知之債權人、債務人，俾利清理遺產償還債務。

第129條 債權人聲請命繼承人提出遺產清冊時，其聲請書應記載下列各款事項：

一、聲請人。

二、被繼承人之姓名及最後住所。

三、繼承人之姓名及住、居所。

四、聲請命繼承人提出遺產清冊之意旨。

繼承人依法院命令提出遺產清冊者，準用前條之規定。

立法理由

一、為資識別程序對象，並利於程序之進行，爰於第1項明定債權人依民法第1156-1條第1項之規定向法院聲請命繼承人提出遺產清冊時，其聲請書應記載事項。

二、法院依前項債權人之聲請或依民法第1156-1條第2項規定以職權命繼承人提出遺產清冊，而繼承人依其命令提出者，應依前條之規定記載陳報書及遺產清冊，爰設第2項規定。

第130條　法院公示催告被繼承人之債權人報明債權時，應記載下列各款事項：

一、為陳報之繼承人。

二、報明權利之期間及在期間內應為報明之催告。

三、因不報明權利而生之失權效果。

四、法院。

前項情形應通知其他繼承人。

第1項公示催告應公告之。

前項公告應揭示於法院公告處、資訊網路及其他適當處所；法院認為必要時，並得命登載於公報或新聞紙，或用其他方法公告之。

第1項報明期間，自前項揭示之日起，應有六個月以上。

立法理由

一、繼承人開具遺產清冊陳報法院時，法院依民法第1157條之規定，應依公示催告程序公告，命被繼承人之債權人報明債權，爰於第1項明定公示催告應記載事項，以利適用。

二、為保障其他繼承人之權益，法院公示催告被繼承人之債權人報明債權時，應通知其他繼承人，使其知悉公示催告之情形，爰設第2項規定。

三、為使債權人能知悉法院公示催告之內容，以利其報明債權，法院就前項公示催告應予公告，爰設第3項規定。

四、為求慎重，並發揮公示催告之效能，宜由法院依實際需要，於適當處所、以適當方式公告公示催告，爰於第4項明定公示催告之公告方法。又法院認為必要時，並得命聲請人將公示催告登載於公報或新聞紙，惟如聲請人未予登載者，法院仍得依其他適當方式公告之。

五、法院為公示催告之目的，乃在使債權人報明債權，如於報明期間無人報明者，有礙其債權受償之可能，為求慎重，並保護債權人之權益，公示催告所定報明期間不宜過短，爰明定自前項揭示之日起，應有六個月以上。

第131條 前條報明債權期間屆滿後**六個月內**，繼承人應向法院陳報償還遺產債務之狀況並提出有關文件。

前項六個月期間，法院因繼承人之聲請，認為必要時，得延展之。

▶ 立法理由

一、為防繼承人於陳報限定繼承後，怠於清償債務，有害債權人之權益，爰明定第1項，規定繼承人應於報明債權期限屆滿後六個月內，清理遺產償還債務，並向法院陳報償還遺產債務狀況及提出相關表冊。

二、為恐繼承人不及於六個月內清理遺產償還債務，故明定第2項法院得依繼承人之聲請延展聲報期限之規定。

第132條 繼承人拋棄繼承時，應以**書面**表明下列各款事項：

一、拋棄繼承人。

二、被繼承人之姓名及最後住所。

三、被繼承人死亡之年月日時及地點。

四、知悉繼承之時間。

五、有其他繼承人者，其姓名、性別、出生年月日及住、居所。

拋棄繼承為合法者，法院應予備查，通知拋棄繼承人及已知之其他繼承人，並公告之。

拋棄繼承為不合法者，法院應以裁定駁回之。

▶ 立法理由

一、依民法第1174條第2項之規定，拋棄繼承應於知悉得繼承之時起三個月內，以書面向法院為之。爰設第1項規定，明定繼承人拋棄繼承之書面應記載事項，以利適用。

二、繼承人依法向法院為拋棄繼承之意思表示後，溯及繼承開始時即生繼承權喪失之法律效果，原無須法院為准許其拋棄之裁定。惟繼承人欲辦理後續相關事宜時，主管機關往往要求提出已拋棄繼承之證明，始克完成相關手續。為便利繼承人辦理相關手續，並使因拋棄繼承而具有利害關係之其他繼承之人知悉拋棄繼承之情形，爰設第2項，明定拋棄繼承為合法者，法院應予備查，通知拋棄繼承人及已知之其他繼承人，並公告之。至於拋棄繼承不合法者，法院自無庸為該項通知及公告。

三、繼承人向法院為拋棄繼承之意思表示，如法院認其拋棄繼承為不合法，而不准備查，將對該繼承人之權益影響重大。為保護該繼承人之權益，爰設第3項，明定於此情形，法院應以裁定駁回之。繼承人如對該裁定不服，即得循抗告程序救濟。

第133條　親屬會議報明繼承開始及選定遺產管理人時，應由其**會員一人以上**於**陳報書**記載下列各款事項，並附具證明文件：

一、陳報人。

二、被繼承人之姓名、最後住所、死亡之年月日時及地點。

三、選定遺產管理人之事由。

四、所選定遺產管理人之姓名、性別、出生年月日及住、居所。

▶**立法理由**　親屬會議既非法人，又不是非法人團體，無程序能力，關於其如何依民法第1177條之規定，於繼承人之有無不明時，將繼承開始及選定遺產管理人之事由向法院報明，有必要予以明定，以利遵循，爰設本條規定。

第134條　親屬會議選定之**遺產管理人**，以**自然人**為限。

前項遺產管理人有下列各款情形之一者，法院應解任之，命親屬會議於一個月內另為選定：

一、未成年。

二、受監護或輔助宣告。

三、受破產宣告或依消費者債務清理條例受清算宣告尚未復權。

四、褫奪公權尚未復權。

▶**立法理由**

一、私法人或非法人團體本身之行為，須假自然人之董事為之，故不適於擔任遺產管理人，爰於第1項訂定親屬會議選定之遺產管理人以自然人為限。又本條僅限於親屬會議選任之情形，與第136條第3項之情形不同，附此敘明。

二、選任之遺產管理人應有消極資格之限制，以免損害繼承人以及債權人之權益。又因遺產管理人僅係由親屬會議選任，並陳報法院，並非聲請法院裁定，法院無從審核所選任人是否有消極資格之情事並為准駁。惟若法院調查後發現已就任之遺產管理人有本條所定情形者，自應解任之，爰為第2項規定。

三、又親屬會議選定之遺產管理人因有第2項所定各款之情事，經法院解任後，親屬會議固應依法院之命令另行選定新管理人；惟親屬會議若遲誤或怠於選任，將有害於遺產之管理，爰於第2項訂定應於一個月內另為選定之規定。至於親屬會議若未於一個月內另行選定者，利害關係人或檢察官即得依民法第1178條第2項、本法第136條之規定，聲請法院選任遺產管理人，併此敘明。

第135條　親屬會議選定之遺產管理人有下列情形之一者，法院得依利害關係人或檢察官之聲請，徵詢親屬會議會員、利害關係人或檢察官之意見後解任之，命親屬會議於**一個月**內另為選定：

一、違背職務上之義務者。

二、違背善良管理人之注意義務，致危害遺產或有危害之虞者。

三、有其他重大事由者。

▶ **立法理由**　遺產管理人有違背職務上義務等不適任之情形時，應允許利害關係人聲請法院解任，並參酌民法第1178條第2項規定檢察官亦得聲請解任遺產管理人之例，授權檢察官亦得聲請解任。解任遺產管理人應徵詢親屬會議成員、利害關係人或檢察官之意見，以利後續解任後另選任遺產管理人之程序進行。又遺產管理人解任後，仍須另選管理人繼續管理遺產，方達遺產管理之目的，自應規定法院解任時，應命親屬會議於一個月內另為選定之規定。若親屬會議未於一個月內另為選定，利害關係人或檢察官即得依民法第1178條第2項、本法第136條之規定，聲請法院選任遺產管理人，併此敘明。

第136條　利害關係人或檢察官聲請選任**遺產管理人**時，其**聲請書**應記載下列事項，並附具證明文件：

一、聲請人。

二、被繼承人之姓名、最後住所、死亡之年月日時及地點。

三、聲請之事由。

四、聲請人為利害關係人時，其法律上利害關係之事由。

親屬會議未依第134條第2項或前條另為選定遺產管理人時，利害關係人或檢察官得聲請法院選任遺產管理人，並適用前項之規定。

法院選任之遺產管理人，除自然人外，亦得選任公務機關。

▶ **立法理由**

一、依民法第1178條第2項之規定，無親屬會議或親屬會議未於同法第1177條所定期間內選定遺產管理人者，利害關係人或檢察官得聲請法院選任遺產管理人，爰設第1項，明定其聲請書應記載事項，以利程序之進行。

二、親屬會議未依第135條第2項或前條之規定另為選定遺產管理人時，應許利害關係人或檢察官得聲請法院選任遺產管理人。又為本項聲請時，關於其聲請書應記載事項，應適用前項之規定，爰設第2項規定。

三、無人承認繼承之遺產清理完畢後，如有賸餘，應歸屬國庫，而國有財產向由公務機關擔任管理人，爰設第3項，明定法院選任之遺產管理人，除自然人外，亦得選任公務機關。

第137條　法院公示催告繼承人承認繼承時，應記載下列事項：

一、陳報人。

二、被繼承人之姓名、最後住所、死亡之年月日時及地點。

三、承認繼承之期間及期間內應為承認之催告。

四、因不於期間內承認繼承而生之效果。

五、法院。

前項公示催告，準用第130條第3項至第5項之規定。

立法理由

一、依民法第1178條之規定，法院應公示催告繼承人承認繼承，爰設第1項，明定法院為此項公示催告時應記載事項，以利適用。

二、關於前項公示催告之公告方法、承認繼承期間之起算時點，有準用第130條第3項至第5項規定之必要，爰設第2項規定。惟關於承認繼承之期間，依民法第1178條第1項規定，應有六個月以上。

第138條　法院依遺產管理人聲請為公示催告時，除記載前條第1項第2款及第5款所定事項外，並應記載下列事項：

一、遺產管理人之姓名及處理遺產事務之處所。

二、報明債權及願否受遺贈聲明之期間，並於期間內應為報明或聲明之催告。

三、因不報明或聲明而生之失權效果。

※立法院二讀會之立法說明

現行公示催告裁定記載關於遺產管理人之個人資料，旨在特定遺產管理人並利債權人及受遺贈人報明債權及聲明願否受遺贈。考量裁定書記載遺產管理人之姓名及處理遺產事務之處所已足達成上開目的，為適度保護遺產管理人之個人資料，爰修正第1款，刪除住所之規定。

第139條　第130條第3項至第5項之規定，除申報權利期間外，於前二條之公示催告準用之。

立法理由　關於公示催告之公告方法、報明期間之起算時點，於第137條及第138條之公示催告，除關於報明之期間，應另依民法之規定外，有準用第130條第3項至第5項規定之必要，爰設本條規定。

第140條　法院選任之遺產管理人於職務執行完畢後，應向法院**陳報處理遺產之狀況**並提出有關**文件**。

立法理由　法院對於其所選任之遺產管理人有監督之權，其監督之方法，依第141條規定，應準用失蹤人財產管理人之相關規定；惟失蹤人之財產僅生管理而無清理之問題，與遺產應全部處理完畢之情形未盡相同，爰於本條規定處理完畢後應向法院陳報，以落實法院之監督。

第141條　第八章之規定，除法律別有規定外，於遺產管理人、遺囑執行人及其他法院選任財產管理人準用之。

立法理由　由法院選任之財產管理人，除失蹤人財產管理人以外，尚有如：遺產管理人、遺囑執行人及於暫時處分選任之臨時財產管理人等，此等財產管理人之地位相類似，除法律別有特別規定者外，宜準用本章之規定，爰設本條。

三、親屬會議事件（家事事件法第4編第12章）

第181條 關於為未成年人及受監護或輔助宣告之人聲請指定親屬會議會員事件，**專屬未成年人、受監護或輔助宣告之人住所地或居所**地法院管轄。

關於為遺產聲請指定親屬會議會員事件，**專屬繼承開始時被繼承人住所地法院**管轄。

關於為養子女或未成年子女指定代為訴訟行為人事件，**專屬養子女或未成年子女住所地法院管轄**。

關於聲請酌定扶養方法及變更扶養方法或程度事件，**專屬受扶養權利人住所地或居所地法**院管轄。

聲請法院處理下列各款所定應經親屬會議處理之事件，**專屬被繼承人住所地法院**管轄：

一、關於酌給遺產事件。

二、關於監督遺產管理人事件。

三、關於酌定遺產管理人報酬事件。

四、關於認定口授遺囑真偽事件。

五、關於提示遺囑事件。

六、關於開視密封遺囑事件。

七、關於其他應經親屬會議處理事件。

第52條第4項之規定，於前五項事件準用之。

第104條第2項及第105條之規定，於第4項事件準用之。

第1項事件有理由時，程序費用由未成年人、受監護或輔助宣告之人負擔。

第2項事件有理由時，程序費用由遺產負擔。

第3項事件有理由時，程序費用由養子女或未成年子女負擔。

第5項事件有理由時，程序費用由遺產負擔。

▶ 立法理由

一、關於依民法第1132條第1項規定為未成年人及受監護或輔助宣告之人聲請指定親屬會議會員事件，為便利該未成年人及受監護或輔助宣告之人使用法院及調查證據之便捷，宜由未成年人、受監護或輔助宣告之人住所地或居所地法院管轄，爰設第1項。

二、為便於調查證據，關於為遺產聲請法院指定親屬會議會員事件，宜由繼承開始時被繼承人住所地法院管轄，爰設第2項。

三、關於依民法第1132條第2項規定，聲請法院為養子女或未成年子女指定代為訴訟行為人事件，為便利該養子女或未成年子女使用法院及調查證據之便捷，宜由養子女或未成年子女住所地法院管轄，爰設第3項。

四、關於依民法第1132條第2項規定，聲請法院就民法第1120條及第1121條酌定扶養方法及變更扶養方法或程度事件，為便利該受扶養權利人使用法院及調查證據之便捷，宜由受扶養權利人住所地或居所地法院管轄，爰設第4項。

五、除前2項規定所定事件外，其他關於依民法第1132條第2項規定，聲請法院處理應經親屬會議處理之事件，為便於調查證據，宜由被繼承人住所地法院管轄，爰設第5項。

六、因無住所或居所致不能依前五項規定定管轄法院者，有準用第52條第4項規定之必要，爰設第6項。

七、就第4項所定事件，關於受扶養權利人有數人時如何定其管轄法院、與相牽連之訴訟事件如何合併裁判及移送裁定之效力等事項，有準用第104條第2項及第105條規定之必要，爰於第7項明定之。

八、關於第1項至第3項及第5項所定事件有理由時，分別於第8項至第11項明定其程序費用之負擔。

第182條　法院就前條第5項所定事件所為裁定時，得調查遺產管理人所為遺產管理事務之繁簡及被繼承人之財產收益狀況。

▶ **立法理由**　法院酌定遺產管理人之報酬時，有審酌管理人所為遺產管理事務之繁簡及被繼承人之財產收益狀況之必要，爰於本條規定得為調查。

第183條　第122條之規定，於第181條第1項及第2項事件準用之。

第99條至第103條及第107條之規定，於第181條第4項事件準用之。

第106條之規定，於本章之事件準用之。

本章之規定，於其他聲請法院處理親屬會議處理之事件準用之。

▶ **立法理由**

一、第122條關於法院所選定監護人之辭任事由及程序，於第181條第1項及第2項關於法院指定親屬會議會員事件，亦有準用之必要，爰於第1項明定之。

二、第99條關於請求扶養事件之書狀記載事項、第100條關於扶養費之給付方法、第101條關於和解之方式及效力、第102條關於情事變更、第103條關於前提法律關係合併審理及第107條關於法院酌定、改定、或變更父母對於未成年子女權利義務之行使或負擔之裁定內容等規定，於第181條第4項所定聲請酌定扶養方法及變更扶養方法或程度事件，亦有準用之必要，爰於第2項明定之。

三、第106條關於徵詢主管機關或社會福利機構之規定，於本章之事件亦有準用之必要，爰於第3項明定之。

四、為免疏漏，爰於第4項明定關於本章之規定，準用於其他聲請法院處理親屬會議之事件。

參、重要判解實務整理

案號	要旨	相關法條
91年臺上字第863號判例	民法繼承編施行法第8條規定：繼承開始在民法繼承編施行前，被繼承人無直系血親卑親屬，依當時之法律亦無其他繼承人者，既明定自施行之日起，依民法繼承編之規定定其繼承人，該所定之繼承人自應以民法繼承編施行之日生存者為必要。	民法繼承編施行法第8條
最高法院91度第三次民事庭會議	民法繼承編施行法第8條所稱之繼承人，是否以於民法繼承編施行之日尚生存者為限？繼承開始在民法繼承編施行前，被繼承人無直系血親卑親屬，依當時法律亦無其他繼承人者，依民法繼承編之規定有繼承權之人，如在民法繼承編施行之日已死亡者，因其已無權利能力，無繼承之資格，自非民法繼承編施行法第8條所稱之繼承人。	民法繼承編施行法第8條
95年民議字第8號提案	**討論事項**：收養如有無效之原因，收養之一方（養父母）已死亡者，有法律上利害關係之第三人得否僅以生存之一方（養子女）為被告，提起確認收養無效或收養關係不存在之訴？ **甲說（否定說）**： 按收養無效之訴，由第三人起訴者，應以養父母及養子女為共同被告，若養父母已死亡者，僅以養子女為被告，其當事人適格即有欠缺，此觀民事訴訟法第588條準用第569條第2項規定及本院五十年台上字第1341號判例意旨自明。又收養之當事人既未於生前主張其收養無效，為維持法秩序之安定及避免舉證之困難，於其一方死亡後，自不容任由第三人提起該訴訟。	民法 第971條 第1080條 第1114條

案號	要旨	相關法條
95年民議字第8號提案	**乙說（肯定說）：** 一、按親子身分關係之是否存在，於第三人之權利義務有所影響時，自應准許第三人提起確認親子關係是否存在之訴，以除去其私法上地位不安之狀態，不因該子女之父母是否死亡而受影響。 二、收養關係是否有效？往往涉及相關人之財產權益，倘不許有法律上利害關係之第三人以生存之一方為被告，提起收養無效之訴，而僅得訴請確認該遺產繼承權不存在，無異一面承認收養關係存在，他面又否認收養關係所生之遺產權益事項，名實不符。 三、認領無效之訴，其由第三人提起者，本院86年台上字第1980號判例，既已肯認當事人之一方死亡時，僅以其他一方為被告即為已足，則同為親子關係有無之收養無效之訴，自應等價齊觀而無根本否定其提起之理由。 四、從立法例之比較而言，日本法並無如我民事訴訟法第569條之規定，該國於平成15年公布及翌年修正人事訴訟法以前，就人事訴訟程序之當事人適格，於舊人事訴訟手續法第2條第2項規定：「由第三人提起婚姻無效或撤銷之訴，以夫妻為被告，夫妻之一方死亡者，以生存者為被告」，同法第26條規定：「收養事件準用第2條規定」。嗣人事訴訟法公布修正後，即將原人事訴訟手續法廢止，並於該法第12條規定：「人事訴訟由與該訴訟有身分關係之當事人一方提起者，除有特別規定外，以該當事人之他方為被告。人事訴訟由與該訴訟有身分關係以外之人提起者，除有特別規定外，以該身分關係之當事人雙方為被告，若該當事人一方死亡，則以該當事人之他方為被告，依前兩項規定應為該訴訟被告之人死亡者，或無應為被告之人時，以檢察官為被告」，該國新舊立法例同採此說，均無二致。又德國婚姻法第24第632條第1項規定，檢察官就婚姻無效之訴，	民法 第971條 第1080條 第1114條

案號	要旨	相關法條
95年民議字第8號提案	應以雙方配偶為被告，若一方配偶死亡者，以生存之配偶為被告，頗值參考。我國民事訴訟法第536條（現行法第569條），於民國19年公布時亦規定：「由夫或妻起訴者，以其配偶為被告。由第三人起訴者，以夫妻同為被告，夫或妻死亡者，以生存者為被告」，同採此說。嗣於24年2月1日固修正為第565條規定為「由夫或妻起訴者，以其配偶為被告。由第三人起訴者，以夫妻為共同被告。但撤銷婚姻之訴，其夫或妻死亡者，得以生存者為被告」迄今，但尋繹其修正理由，亦祇以本院22年上第2083號判例所揭：「按夫妻之一方死亡時，其生存之一方與第三人間之關係，如姻親關係、扶養關係等依然存在，觀民法第971條、第1114條第2款之規定自明，故夫妻之一方死亡後，有婚姻撤銷權之第三人，仍得提起撤銷婚姻之訴」之意旨為其依據，並無從自其修正說明，看出該訴訟原規定「夫或妻死亡者，以生存者為被告」有何不當之真正理由。 五、按收養無效之訴，在性質上究與婚姻無效之訴未盡相同，民事訴訟法第588條僅規定，第583條之訴，除別有規定外，準用婚姻事件程序之規定，故提起該訴訟之當事人適格要件，自不能全然準用與其性質有間之婚姻無效之訴關於第569條第2項之規定，且該條既未規定係準用第569條第2項或第4項為徹底解決當事人間之法律關係存否不明確之紛爭，並避免收養之一方死亡時，有即受確認判決法律上利益之第三人救濟無門之情形，亦以準用該條第4項之規定為當，僅以生存之養子女為被告即為已足。 六、日本、法國、德國、瑞士等國均承認「死後認領」制度，日本明治民法，並無「死後認領」之明文，大正10年經大審院判決認得以禁治產人之監護人為被告，請求禁治產人為認領後，再配合當時戰時之特殊情況，乃於	民法 第971條 第1080條 第1114條

案號	要旨	相關法條
95年民議字第8號提案	昭和17年增設「死後認領」之規定。另我民法第1080條第5款亦仿日本民法第801條規定設有「死後終止收養」之規定，均可參考。 七、按養父母死亡後，養子女與養父母親屬間之法定血親關係仍然存續，此與夫妻之一方死亡時，存在於他方配偶之關係，如姻親關係、扶養關係等依然存在（民法第971條、第1114條第2款）者相同，民事訴訟法第569條第2項但書修正時，由第三人起訴者，既以此為修正理由，何以獨列「撤銷婚姻之訴」一項，其夫或妻死亡者，得以生存者為被告為之，在立法上是否有所疏漏？ **決議：採甲說。**	民法 第971條 第1080條 第1114條
最高法院108年度第5次民事庭會議	被繼承人甲生前指定乙、丙、丁三人為見證人立代筆遺囑，遺囑製作過程中，由甲口述遺囑意旨，見證人乙筆記，見證人丙宣讀、講解遺囑內容，甲認可後，經記明日期與代筆人姓名，由見證人全體及遺囑人簽名，此代筆遺囑之製作程式，是否符合民法第1194條之規定？ 決議：甲說：肯定說（不限制說）民法第1194條所定使見證人中之一人筆記、宣讀、講解，乃在使見證人之一人依遺囑人口述之遺囑內容加以筆記，並由見證人宣讀，以確定筆記之內容是否與遺囑人口述之意旨相符，講解之目的則在說明、解釋筆記遺囑之內容，以使見證人及遺囑人瞭解並確認筆記之內容是否與遺囑人口述之遺囑相合，最後並須經遺囑人認可及簽名或按指印後，始完成代筆遺囑之方式。法律規定須由見證人加以筆記、宣讀、講解，僅在確保代筆遺囑確係遺囑人之真意。準此，見證人筆記、宣讀、講解之行為，乃係各自分立之行為，各有其作用及目的，並非三者合成一個行為，見證人三人並得互證所為遺囑筆記、宣讀、講解之真實，初無限於同一見證人為筆記、宣讀、講解之必要，俾能符合其立法之目的，並免增加法律所無之限制。	民法 第1191條 第1194條

案號	要旨	相關法條
臺灣高等法院暨所屬法院101年法律座談會民執類提案第22號	**法律問題：**甲於民法繼承編修正後死亡，死亡時留有A土地一筆，其普通債權人乙持對甲之執行名義對唯一繼承人丙聲請就A土地強制執行查封、拍賣，經代辦繼承登記為丙所有後繼續拍賣程序，拍定前地方稅務局就丙所欠之使用牌照稅聲請參與分配，拍定後乙之債權是否優先於地方稅務局之牌照稅受分配？ **討論意見：** **甲說（肯定說）：** 一、按「繼承人違反（民法）第1158條至第1160條之規定，致被繼承人之債權人受有損害者，應負賠償之責。」、「繼承人違反（同法）第1162-1條規定者，被繼承人之債權人得就應受清償而未受償之部分，對該繼承人行使權利。繼承人對於前項債權人應受清償而未受償部分之清償責任，不以所得遺產為限。但繼承人為無行為能力人或限制行為能力人，不在此限。繼承人違反第1162-1條規定，致被繼承人之債權人受有損害者，亦應負賠償之責。」民法第1161條第1項、第1162-2條第1至3項定有明文。依此規定可知，繼承人負有清算遺產並將遺產清償被繼承人債務之義務，若有違反致被繼承人之債權人受損害時，須負賠償之責。本例如認繼承人丙個人之稅捐債務，得先於被繼承人之普通債權人就遺產取償，則在剩餘遺產數額不足清償被繼承人之債務時，繼承人丙可能負有以其固有財產，對乙負損害賠償之責，顯與新修正民法繼承編之限定責任之意旨有違，而破壞有限責任之規定。 二、執行法院對於債務人責任財產之範圍應為審酌，依民法第1160條規定「繼承人非依前條規定償還債務後，不得對受遺贈人交付遺贈。」是繼承人就繼承遺產於清償債務，交付遺贈後所餘財產，始為其責任財產。本題例乙是依法將執行標的物A地代辦繼承登記為丙所有始得繼續執行程序，其性質仍屬甲之遺產，非丙之	稅捐稽徵法第6條 民法 第1160條 第1161條 第1162-2條

案號	要旨	相關法條
臺灣高等法院暨所屬法院101年法律座談會民執類提案第22號	固有財產，應認被繼承人之債權人乙得先於地方稅務局之牌照稅，就A地之拍定價金取償。 **乙說（否定說）：** 一、按稅捐之徵收，優先於普通債權，稅捐稽徵法第6條定有明文。此規定未對稅捐債權優先受償之標的物予以限制，是執行法院無須分別被繼承人之財產是否因繼承而取得，亦無須審酌繼承人是否已依新修正之繼承編規定對被繼承人之債權人為公平清償，及其清償後之責任財產範圍為何。 二、本件A土地於代辦繼承登記後已屬繼承人丙之個人財產，應為丙之全體債權人之債權之總擔保。乙之債權及稅捐債權均係丙之債權，稅捐債權自應優先於乙之普通債權受償。 **決議：採甲說。**	稅捐稽徵法第6條 民法 第1160條 第1161條 第1162-2條
臺灣高等法院暨所屬法院101年法律座談會民執類提案第21號	**法律問題：**債權人甲以債務人乙對第三人即乙之子丙有扶養費債權為由，聲請執行乙對丙之扶養費債權。問： (一) 執行法院就上開扶養費債權之執行聲請應否准許？ (二) 若乙、丙間就乙之扶養義務，曾經乙起訴請求丙給付，並於法院成立調解，依調解筆錄記載丙應每月給付乙新臺幣3萬元時，執行法院應否許債權人聲請執行調解筆錄記載之扶養費債權？ **討論意見：問題(一)** **甲說（肯定說）：** 一、關於其他財產權之執行，除強制執行法第122條明文禁止執行之債權外，其餘並無其他不得執行之除外規定。亦即，除債務人依法領取之社會福利津貼、社會救助及補助，以及債務人對第三人之債權或依法領取之社會保險給付，係為維持其本人及共同生活之親屬生活所必須者外，其餘均應得為聲請強制執行之標的。 二、次按扶養之程度，應按受扶養權利者之需要，與負扶養義務者之經濟能力及身分定之。民法第1119條定有明文。是扶養義務者之經濟能力	強制執行法 第115條 第122條 民法 第1119條

案號	要旨	相關法條
臺灣高等法院暨所屬法院101年法律座談會民執類提案第21號	及身分如優於一般人者，受扶養之債務人所得請求第三人給付之扶養費，即有可能逾強制執行法第122條所規定之維持生活所必須之程度，自有准許債權人聲請執行之實益。 三、從而，題示情形，執行法院應依債權人聲請對第三人及扶養義務人丙發扣押命令。至債務人乙如認有強制執行法第122條第2項規定情形，自得另行聲明異議，執行法院再就執行個案之具體情形是否符合強制執行法第122條第2項規定而為處理即可，殊無於強制執行之始即認扶養費債權係屬不得執行而駁回債權人強制執行聲請之必要。 **乙說（否定說）：** 一、按以一定之身分存在為前提之權利，因係專屬性之權利，性質上不得讓與，不得為執行之標的。扶養之請求，乃請求權人身分上專屬之權利，該權利因請求權人死亡而消滅（最高法院49年台上字第625號判例參照），故扶養費之請求，乃與身分結合之財產權利，行使上專屬於債務人，應不得為執行之標的（法院辦理民事執行實務參考手冊第323頁參照）。 二、題示情形，債權人甲聲請執行債務人乙對第三人丙之扶養費債權，該扶養費債權性質上係屬因一定身分存在為前提之專屬性權利，非得為強制執行標的，自應駁回債權人甲強制執行之聲請。 **問題(二)** **甲說（肯定說）：** 除同問題(一)甲説所述理由外，另補充如下： 一、縱認問題(一)採否定説，認扶養請求權為身分上專屬之權利，不得為強制執行之標的，惟債務人即受扶養權利人既已與第三人即扶養義務人成立調解，債務人對第三人之債權性質，於實體法上即應認為係因和解契約所成立之金錢債權，殊無不得聲請強制執行之理。	強制執行法 第115條 第122條 民法 第1119條

案號	要旨	相關法條
臺灣高等法院暨所屬法院101年法律座談會民執類提案第21號	二、又屬一身專屬權而非得移轉或繼承之債權，如已依契約承諾或已起訴者，則不在禁止規定之列，此觀民法第195條第2項、第977條第3項、第979條第2項、第988-1 條第6項、第999條第3項、第1056條第3項等規定自明。扶養費請求權雖係因一定身分存在為前提之專屬權，惟如已經起訴並於訴訟中成立和解，或因移付調解成立，依前揭説明，自無不得移轉之情，自非不得為強制執行之標的。 三、從而，題示情形乙、丙間就乙之扶養義務曾於法院成立調解，即債務人乙已決定行使該原專屬於其本人之權利，即與一般財產權無異，執行法院即應准許債權人之聲請。 **乙說（否定說）：** 除同問題(一)乙説所述理由外，另補充如下：題示乙、丙間就乙之扶養義務雖曾於法院成立調解，惟乙、丙間係就乙主張之扶養費請求權訴訟標的成立調解，性質上為認定性質之和解契約，且扶養請求權人之身分實未因成立調解而有改變，該債權仍專屬於受扶養人，仍不得為執行之對象，否則與民法親屬編扶養制度之設顯屬有違，執行法院不應准許債權人之聲請。 **審查意見：問題(一)：採乙說。** **問題(二)：採甲說。** **並補充如下：** 按債務人對於第三人之債權，如係維持債務人及其家屬生活所必需者，不得為強制執行，固為強制執行法第122條所明定，但債務人服勞務所獲之薪津，非必全部為維持債務人及其家屬生活之必要費用，如除去此項必要費用尚有餘額，仍非不得為強制執行（最高法院52年台上字第1683號判例參照）。是以，債務人及其家屬在維持其生活之必要費用後，如尚有剩餘時，非不得為強制執行之標的。從而，題示乙、丙就乙之扶養費用既已經法院成立調解在案，若該扶養費用扣除債務人及其家屬所需之生活必要費用後，尚有餘額時，為維持債權人之權利，應認就餘額部分得為強制執行。 **研討結果：**照審查意見通過。	強制執行法 第115條 第122條 民法 第1119條

案號	要旨	相關法條
臺灣高等法院暨所屬法院109年法律座談會民事類提案第14號	**法律問題：** 心智缺陷但未受監護宣告之成年人甲於108年1月1日具狀提起民事訴訟，嗣甲於起訴後之108年3月1日死亡（訴訟標的之法律關係得繼承），其繼承人均拋棄繼承，法院應如何處理？ **審查意見：採修正後乙說。** 應待遺產管理人承受訴訟後續行訴訟。按能力、法定代理權或為訴訟所必要之允許有欠缺而可以補正者，審判長應定期間命其補正。當事人死亡者，訴訟程序在有繼承人、遺產管理人或其他依法令應續行訴訟之人承受其訴訟以前當然停止，民事訴訟法第49條前段、第168條定有明文。甲於起訴後死亡，訴訟程序即當然停止，已無訴訟能力欠缺應命補正之問題，雖其繼承人均拋棄繼承，非不得依民法第1177條、第1178條規定選任遺產管理人，自仍應待親屬會議選任遺產管理人，或利害關係人或檢察官聲請法院選任遺產管理人後，由遺產管理人承受訴訟。	民事訴訟法 第45條 第48條 第49條 第51條 第168條 民法 第1177條 第1178條
臺灣高等法院暨所屬法院112年法律座談會民事類提案第8號	**法律問題：** 甲與配偶乙生有丙、丁、戊、己4名子女，甲生前至公證人處辦理遺囑公證，公證遺囑內容為：「因乙、丙、丁及戊對甲有重大之虐待或侮辱情事，其等均不得繼承甲之遺產。」（下稱系爭遺囑），甲死亡後，乙、丙、丁、戊均表明接受系爭遺囑內容，不會起訴或主張繼承權利，丙之子女丙1、丁之子女丁1、戊之子女戊1（丙1、丁1、戊1下合稱丙1等）則對己起訴請求分割被繼承人甲之遺產，審理中己、丙1等對於系爭遺囑剝奪乙、丙、丁、戊的繼承權及丙1等依民法第1140條規定代位繼承，不受乙、丙、丁、戊喪失繼承權的影響等事項均不爭執，惟就應繼分的比例計算有爭執，丙1等主張因乙喪失繼承權，故本件繼承人只有己、丙1、丁1、戊1，應繼分比例各為四分之一等語，己則抗辯應以原先的法定繼承人即乙、丙、丁、戊、己的人數來計算應繼分比例，所以丙1等的應繼分比例應各為五分之一（合計五分之三），己為五分	民法 第1138條 第1139條 第1140條 第1141條 第1144條 第1145條 第1147條 第1176條

案號	要旨	相關法條
臺灣高等法院暨所屬法院112年法律座談會民事類提案第8號	之二等語，請問：受訴法院應如何認定丙1等的應繼分比例？ **審查意見**：採乙說，修正理由如下： (一)按民法第1138條所定第一順位之繼承人，有於繼承開始前死亡或喪失繼承權者，由其直系血親卑親屬代位繼承其應繼分，為同法第1140條所明定。民法上遺產繼承人，可分為血親繼承人與配偶繼承人兩種。血親繼承人，有順序先後之區別；配偶繼承人，原則上與各順序之血親繼承人共同繼承，須上述各順序繼承人俱無時，始為第五順序之繼承人單獨繼承（民法第1144條、第1176條第3項規定參照）。配偶並非同法第1138條所定第一順位繼承人，自無代位繼承之適用，其既已喪失繼承權，無再由其直系血親卑親屬代位繼承之可言。 (二)代位繼承人之繼承權，係其固有權利，其繼承順序，承襲被代位人之順序。換言之，其繼承順序提前而已。本件甲死亡時，乙、丙、丁、戊均已喪失繼承權，丙1、丁1、戊1各自代位繼承，故甲之繼承人為己、丙1、丁1、戊1共4人，其等應繼分依民法第1141條規定，各為四分之一。	民法 第1138條 第1139條 第1140條 第1141條 第1144條 第1145條 第1147條 第1176條

肆、大法官解釋必讀精選

釋字號碼	大法官解釋爭點	重要解釋文及重要理由書精選
57	拋棄繼承是否發生代位繼承問題？	民法第1140條所謂代位繼承，係以繼承人於繼承開始前死亡或喪失繼承權者為限。來文所稱某甲之養女乙拋棄繼承，並不發生代位繼承問題。惟該養女乙及其出嫁之女如合法拋棄其繼承權時，其子既為民法第1138條第1款之同一順序繼承人，依同法第1176條第1項前段規定，自得繼承某甲之遺產。

釋字號碼	大法官解釋爭點	重要解釋文及重要理由書精選
70	養子女之婚生子女、養子女之養子女，以及婚生子女之養子女是否有代位繼承權？	養子女與養父母之關係為擬制血親，本院釋字第28號解釋已予說明。關於繼承人在繼承開始前死亡時之繼承問題，與釋字第57號解釋繼承人拋棄繼承之情形有別。來文所稱養子女之婚生子女、養子女之養子女，以及婚生子女之養子女，均得代位繼承。至民法第1077條所謂法律另有規定者，係指法律對於擬制血親定有例外之情形而言，例如同法第1142條第2項之規定是。
330	遺產及贈與稅法施行細則有關被繼承人受死亡宣告者，其遺產申報之六個月期間自判決宣告之日起算之規定，是否合憲？	遺產及贈與稅法第23條第1項前段規定，被繼承人死亡遺有財產者，納稅義務人應於被繼承人死亡之日起六個月內，向戶籍所在地主管稽徵機關辦理遺產稅申報。其受死亡之宣告者，在判決宣告死亡前，納稅義務人無從申報，故同法施行細則第21條就被繼承人為受死亡之宣告者，規定其遺產稅申報期間應自判決宣告之日起算，符合立法目的及宣告死亡者遺產稅申報事件之本質，與憲法第23條，並無牴觸。
375	農業發展條例施行細則關於農地繼承人僅一人時，不予免稅之規定，是否合憲？	農業發展條例第31條前段規定：「家庭農場之農業用地，其由能自耕之繼承人一人繼承或承受，而繼續經營農業生產者，免徵遺產稅或贈與稅」，其目的在於有二人以上之繼承人共同繼承農業用地時，鼓勵其協議由繼承人一人繼承或承受，庶免農地分割過細，妨害農業發展。如繼承人僅有一人時，既無因繼承而分割或移轉為共有之虞，自無以免稅鼓勵之必要。同條例施行細則第21條前段規定：「本條例第31條所稱由繼承人一人繼承或承受，指民法第1138條規定之共同繼承人有二人以上時，協議由繼承人一人繼承或承受」，與上開意旨相符，並未逾越法律授權範圍，且為增進公共利益所必要，與憲法尚無牴觸。

釋字號碼	大法官解釋爭點	重要解釋文及重要理由書精選
437	繼承權被侵害，須於繼承開始時即有侵害繼承事實存在之判例，是否合憲？	繼承因被繼承人死亡而開始。繼承人自繼承開始時，除民法另有規定及專屬於被繼承人本身之權利義務外，承受被繼承人財產上之一切權利義務，無待繼承人為繼承之意思表示。繼承權是否被侵害，應以繼承人繼承原因發生後，有無被他人否認其繼承資格並排除其對繼承財產之占有、管理或處分為斷。凡無繼承權而於繼承開始時或繼承開始後僭稱為真正繼承人或真正繼承人否認其他共同繼承人之繼承權，並排除其占有、管理或處分者，均屬繼承權之侵害，被害人或其法定代理人得依民法第1146條規定請求回復之，初不限於繼承開始時自命為繼承人而行使遺產上權利者，始為繼承權之侵害。最高法院53年台上字第592號判例之本旨，係認自命為繼承人而行使遺產上權利之人，必須於被繼承人死亡時即已有侵害繼承地位事實之存在，方得謂為繼承權被侵害態樣之一；若於被繼承人死亡時，其繼承人間對於彼此為繼承人之身分並無爭議，迨事後始發生侵害遺產之事實，則其侵害者，為繼承人已取得之權利，而非侵害繼承權，自無民法第1146條繼承回復請求權之適用。在此範圍內，該判例並未增加法律所無之限制，與憲法尚無牴觸。
668	繼承開始於繼承編施行前，而得選定繼承人者，僅限施行前選定？	民法繼承編施行法第8條規定：「繼承開始在民法繼承編施行前，被繼承人無直系血親卑親屬，依當時之法律亦無其他繼承人者，自施行之日起，依民法繼承編之規定定其繼承人。」其所定「依當時之法律亦無其他繼承人者」，應包含依當時之法律不能產生選定繼承人之情形，故繼承開始於民法繼承編施行前，依當時之法規或習慣得選定繼承人者，不以在民法繼承編施行前選定為限。惟民法繼承編施行於臺灣已逾64年，為避免民法繼承編施行前開始之繼承關係久懸不決，有礙民法繼承法秩序之安定，凡繼承開始於民法繼承編施行前，而至本

釋字號碼	大法官解釋爭點	重要解釋文及重要理由書精選
668	繼承開始於繼承編施行前，而得選定繼承人者，僅限施行前選定？	解釋公布之日止，尚未合法選定繼承人者，自本解釋公布之日起，應適用現行繼承法制，辦理繼承事宜。 中華民國20年1月24日制定公布、同年5月5日施行之民法繼承編施行法（下稱施行法）第1條規定：「繼承在民法繼承編施行前開始者，除本施行法有特別規定外，不適用民法繼承編之規定。」又同法第8條規定：「繼承開始在民法繼承編施行前，被繼承人無直系血親卑親屬，依當時之法律亦無其他繼承人者，自施行之日起，依民法繼承編之規定定其繼承人。」旨在使繼承開始於民法繼承編施行前之繼承事件，繼續適用民法繼承編施行前之繼承法規或習慣。故發生於34年10月24日之前，應適用臺灣繼承舊慣之繼承事件，不因之後民法繼承編規定施行於臺灣而受影響。最高法院47年度台上字第289號民事判決（業經選為判例）認為，繼承開始於民法繼承編施行於臺灣之前，應適用當時臺灣繼承習慣辦理，於戶主即被繼承人死亡時，如無法定或指定繼承人，得由被繼承人之親屬會議合法選定戶主以為繼承，所選定之繼承人不分男女皆得繼承，選定期間亦無限制。而高雄高等行政法院96年度訴字第959號判決（經上訴後，業經最高行政法院97年度裁字第3726號裁定上訴駁回），則認為自民法繼承編施行於臺灣後，已不得再由親屬會議選定戶主繼承人，從而未於民法繼承編施行前選定繼承人者，於民法繼承編施行後即不得再行選定，而應循現行民法繼承編規定處理繼承事宜。就施行法第8條規定之適用，不同審判系統法院之見解有異。查選定繼承人必在繼承事件發生之後，如被繼承人死亡時間距民法繼承編施行時不遠，或於民法繼承編施行後，方由法院判決宣告死亡於繼承編施行前者，即難以期待或無從於民法繼承編施行前為繼承人之選定。故施行法第8條所定「依當時之法律亦無其他繼承人者」，應包含依當時之法律不能產

釋字號碼	大法官解釋爭點	重要解釋文及重要理由書精選
668	繼承開始於繼承編施行前，而得選定繼承人者，僅限施行前選定？	生選定繼承人之情形，故繼承開始於民法繼承編施行前，依當時之法規或習慣得選定繼承人者，不以在民法繼承編施行前選定為限。惟民法繼承編施行於臺灣迄今已逾64年，民法繼承編施行前開始之繼承關係，猶有至今尚未能確定者，顯非民法繼承編立法者所能預見，為避免民法繼承編施行前開始之繼承關係久懸不決，有礙現行民法繼承法秩序之安定，凡繼承開始於民法繼承編施行前，至本解釋公布之日止，尚未合法選定繼承人者，自本解釋公布之日起，應適用現行繼承法制，辦理繼承事宜。
771	1. 最高法院40年台上字第730號民事判例及司法院37年院解字第3997號解釋認繼承回復請求權於時效完成後，真正繼承人喪失其原有繼承權，並由表見繼承人取得其繼承權，是否違憲？ 2. 司法院院字及院解字解釋，如涉及審判上之法律見解，法官於審判案件時，是否受其拘束？	繼承回復請求權與個別物上請求權係屬真正繼承人分別獨立而併存之權利。繼承回復請求權於時效完成後，真正繼承人不因此喪失其已合法取得之繼承權；其繼承財產如受侵害，真正繼承人仍得依民法相關規定排除侵害並請求返還。然為兼顧法安定性，真正繼承人依民法第767條規定行使物上請求權時，仍應有民法第125條等有關時效規定之適用。於此範圍內，本院釋字第107號及第164號解釋，應予補充。 最高法院40年台上字第730號民事判例：「繼承回復請求權，……如因時效完成而消滅，其原有繼承權即已全部喪失，自應由表見繼承人取得其繼承權。」有關真正繼承人之「原有繼承權即已全部喪失，自應由表見繼承人取得其繼承權」部分，及本院37年院解字第3997號解釋：「自命為繼承人之人於民法第1146條第2項之消滅時效完成後行使其抗辯權者，其與繼承權被侵害人之關係即與正當繼承人無異，被繼承人財產上之權利，應認為繼承開始時已為該自命為繼承人之人所承受。……」關於被繼承人財產上之權利由自命為繼承人之人承受部分，均與憲法第15條保障人民財產權之意旨有違，於此範圍內，應自本解釋公布之日起，不再援用。

釋字號碼	大法官解釋爭點	重要解釋文及重要理由書精選
771	1. 最高法院40年台上字第730號民事判例及司法院37年院解字第3997號解釋認繼承回復請求權於時效完成後，真正繼承人喪失其原有繼承權，並由表見繼承人取得其繼承權，是否違憲？ 2. 司法院院字及院解字解釋，如涉及審判上之法律見解，法官於審判案件時，是否受其拘束？	本院院字及院解字解釋，係本院依當時法令，以最高司法機關地位，就相關法令之統一解釋，所發布之命令，並非由大法官依憲法所作成。於現行憲政體制下，法官於審判案件時，固可予以引用，但仍得依據法律，表示適當之不同見解，並不受其拘束。本院釋字第108號及第174號解釋，於此範圍內，應予變更。

Part 03 近年試題及解析

110年 高考三級(戶政)

一、16歲的甲男與國中同學同齡之乙男透過手機上之通訊軟體用互傳訊息，甲傳給乙的內容為：「因考上明星高中，獲得祖父贈與一台A牌電腦，市價新臺幣(下同)30000元，但我其實更想要手機」。乙遂回發訊息，內容為：「我願意以25000元向你購買該A牌電腦」，但卻誤打成35000元。乙隨後發現有誤，而將該訊息收回，但甲已經已讀。試問：

(一)甲為買手機想要現金，雖訊息被乙收回，仍回覆乙先前訊息，表示願意以35000元之價金將該電腦賣給乙，則甲、乙之意思表示是否達成合致？

(二)乙可否因錯誤而撤銷該意思表示？

(三)該契約之效力如何？

答 (一)甲、乙就該A牌電腦已依35000元之意思表示達成合致。說明如下：

1. 民法(下同)第95條第1項規定：「非對話而為意思表示者，其意思表示，以通知達到相對人時，發生效力。但撤回之通知，同時或先時到達者，不在此限。」
2. 本題中甲以通訊軟體與乙互為意思表示，乙誤報價35000元之訊息先到達於甲，甲已讀後乙方將35000元之訊息收回，依上述第95條第1項本文之規定，其訊息業已發生效力，故甲、乙就該A牌電腦已依35000元之意思表示達成合致。

(二)乙不得依第88條第1項因錯誤而撤銷該意思表示。說明如下：

1. 第88條第1項規定：「意思表示之內容有錯誤，或表意人若知其事情即不為意思表示者，表意人得將其意思表示撤銷之。但以其錯誤或不知事情，非由表意人自己之過失者為限。」
2. 本題中，乙為錯誤之訊息，乃係自身誤打所致，並無第88條第1項所謂「以其錯誤或不知事情，非由表意人自己之過失」之狀況，故乙不得依第88條第1項因錯誤而撤銷該意思表示。

(三) 甲、乙之契約效力未定，理由如下：

1. 現行第12條規定：「滿十八歲為成年。」第13條第1項、第2項規定：「未滿七歲之未成年人，無行為能力。滿七歲以上之未成年人，有限制行為能力。」本題中，甲、乙均為限制行為能力人。
2. 第79條規定：「限制行為能力人未得法定代理人之允許，所訂立之契約，須經法定代理人之承認，始生效力。」
3. 本題中甲、乙雖然第(一)項所述，已達意思合致，然因兩人均為限制行為能力人，未得法定代理人之允許所訂之契約，依第79條規定，效力未定。

二、甲男志在擔任公務員，因努力於公務員之國家考試，年過半百仍未婚。在偶然機會下，認識單身之乙女。二人同居一段時間之後，乙懷有甲男之子丙。於丙尚未出生前，甲立即以意思表示認領丙，並向戶政機關為登記。試問：

(一)戶政機關可否受理甲之認領登記？

(二)乙於丙出生後先辦理出生登記，其後卻與甲為丙之姓氏，應從父姓或母姓意見不合，在戶政人員面前爭論不休，則丙應如何從姓？

(三)甲、乙於辦理丙之出生登記前，兩人已書面約定變更丙從甲姓，於丙成年前，甲、乙可否合意再以書面變更丙從乙姓？

答 (一) 1. 民法（下同）第1065條第1項規定：「非婚生子女經生父認領者，視為婚生子女。其經生父撫育者，視為認領。」
臺灣高等法院102年度家上字第269號判決要旨謂：「……認領之有無以生父有無承認非婚生子女為自己之親生子女之事實為斷，不以該子女改從父姓或辦理認領之戶籍登記為要件。」顯見我國實務認為「認領」之性質為意思表示，行政登記之有無不影響認領之有無。

2. 又第1069條規定：「非婚生子女認領之效力，溯及於出生時。但第三人已得之權利，不因此而受影響。」因此由於丙尚未出生，甲之認領須待丙出生後，方屬有效。在戶籍登記上，亦因丙尚未出生，無法為相關之登記，仍須待丙出生為出生登記後，方得為認領登記。

(二) 1. 第1059條第1項規定：「父母於子女出生登記前，應以書面約定子女從父姓或母姓。未約定或約定不成者，於戶政事務所抽籤決定之。」

2. 因此甲、乙就丙之姓氏無法達成約定，應於戶政事務所抽籤決定之。

(三) 1. 第1059條第2項、第4項規定：「子女經出生登記後，於未成年前，得由父母以書面約定變更為父姓或母姓。」、「前二項之變更，各以一次為限。」

2. 綜上，於丙成年前，甲、乙不得合意再以書面變更丙從乙姓。

三、甲男與乙女為夫妻，生下丙男與丁女。丙長大後與戊女結婚，生下A與B二女，丁長大後嫁給己男，也生下C男。甲尚有其母庚。丙曾於大學畢業考取駕照時，為買車與甲發生衝突，故意對甲下重手，被宣判殺人未遂之二年徒刑。丁為C出國留學之事，與庚發生爭執，並對庚重大辱罵，而被甲認為不孝，聲明將來不得繼承其財產。一年後甲、乙不幸於一場空難同時死亡。試問：甲留下1200萬元之財產應如何繼承？

答 (一) 民法（下同）第1138條第1、2款規定：「遺產繼承人，除配偶外，依左列順序定之：一、直系血親卑親屬。二、父母。」

第1139條規定：「前條所定第一順序之繼承人，以親等近者為先。」

第1145條第1項第1款第5款規定：「有左列各款情事之一者，喪失其繼承權：一、故意致被繼承人或應繼承人於死或雖未致死因而受刑之宣告者。……五、對於被繼承人有重大之虐待或侮辱情事，經被繼承人表示其不得繼承者。」

第1140條規定：「第一千一百三十八條所定第一順序之繼承人，有於繼承開始前死亡或喪失繼承權者，由其直系血親卑親屬代位繼承其應繼分。」

(二) 本題中乙與甲同時罹難，丙、丁同列為第1138條第1順序之繼承人。然丙曾故意對甲下重手，被宣判殺人未遂之二年徒刑。依第1145條第1項第1款規定，喪失繼承權。則依第1140條之規定，其子女A、B得代位繼承其應繼分。而丁雖曾對庚重大辱罵，而被甲認為不孝，聲明將來不得繼承其財產，然本題之被繼承人係甲非庚，故無第1145條第

1項第5款之適用，不因此喪失繼承權。又因尚有第一順位繼承人，庚為甲之母，係列為第二順位，無法繼承。綜上，本題甲之繼承人為丁和代位繼承人A、B。

(三) 依第1144條第1款之規定：「配偶有相互繼承遺產之權，其應繼分，依左列各款定之：一、與第1138條所定第一順序之繼承人同為繼承時，其應繼分與他繼承人平均。」

本題中乙已死亡，則本應由丙、丁繼承甲之遺產，則丙、丁之應繼分原應各為1/2，然因丙喪失繼承權，由A、B代位繼承其應繼分，故A、B和丁之應繼分應各為1/4、1/4和1/2，可各得300萬、300萬和600萬元甲之遺產。

110 年 高考三級（地政）

甲男與乙女結婚，生下丙、丁、戊三人。丙女與己男結婚生下庚女，戊男與辛女結婚生下壬女。甲於民國（下同）108年7月1日死亡，經夫妻剩餘財產差額分配後，留下財產現金新臺幣（下同）130萬元，惟甲生前向癸銀行借款360萬元尚未償還。經查甲於106年9月間分別贈與分居之丙價值10萬元的鑽戒一只、特別鍾愛的長孫女庚40萬元，並因其妻所經營之健身中心開幕營業而贈與乙200萬元。丙嗣於108年4月5日意外身亡，丁於知悉甲死亡後，旋以書面向法院表示拋棄其繼承權。戊則於甲臨終前，偽造甲之遺囑，旋即被人發現。試附條文與理由，說明何人為甲之繼承人？癸向甲之繼承人請求連帶清償甲尚未償還之債務，是否有理？

答 (一) 甲之繼承人為乙及代位繼承人庚、壬。說明如下：

1. 民法（下同）第1138條規定：「遺產繼承人，除配偶外，依左列順序定之：一、直系血親卑親屬。」
   第1139條規定：「前條所定第一順序之繼承人，以親等近者為先。」
   第1145條第1項第4款規定：「有左列各款情事之一者，喪失其繼承權：……四、偽造、變造、隱匿或湮滅被繼承人關於繼承之遺囑者。」
   第1140條規定：「第一千一百三十八條所定第一順序之繼承人，有於繼承開始前死亡或喪失繼承權者，由其直系血親卑親屬代位繼承其應繼分。」
   第1174條規定：「繼承人得拋棄其繼承權。
   前項拋棄，應於知悉其得繼承之時起三個月內，以書面向法院為之。
   拋棄繼承後，應以書面通知因其拋棄而應為繼承之人。但不能通知者，不在此限。」
2. 本題中，乙為甲之配偶，丙、丁、戊為其子女，依第1138條第1款規定，甲之繼承人本應為配偶乙和子女丙、丁、戊。然戊偽造甲之遺囑，依第1145條第1項第4款，喪失其繼承權，且丙先於甲死亡，則依第1140條之規定，丙、戊之部分，分別由庚、壬代位繼承。
3. 再者，丁業依第1174條規定拋棄繼承。綜上，甲之繼承人為乙及代位繼承人庚、壬。

(二) 1. 第1144條第1款規定：「配偶有相互繼承遺產之權，其應繼分，依左列各款定之：一、與第一千一百三十八條所定第一順序之繼承人同為繼承時，其應繼分與他繼承人平均。」甲之繼承人為乙及代位繼承人庚、壬，則三人之應繼分各1/3（庚、壬係承繼丙、戊之應繼分）。

2. 第1148條規定：「繼承人自繼承開始時，除本法另有規定外，承受被繼承人財產上之一切權利、義務。但權利、義務專屬於被繼承人本身者，不在此限。

繼承人對於被繼承人之債務，以因繼承所得遺產為限，負清償責任。」

第1173條規定：「繼承人中有在繼承開始前因結婚、分居或營業，已從被繼承人受有財產之贈與者，應將該贈與價額加入繼承開始時被繼承人所有之財產中，為應繼遺產。但被繼承人於贈與時有反對之意思表示者，不在此限。

前項贈與價額，應於遺產分割時，由該繼承人之應繼分中扣除。

贈與價額，依贈與時之價值計算。」

3. 本題中，甲之遺產經夫妻剩餘財產差額分配後，留下財產現金新臺幣（下同）130萬元，惟甲生前向癸銀行借款360萬元尚未償還。然甲於106年9月間分別贈與分居之丙價值10萬元的鑽戒一只、特別鍾愛的長孫女庚40萬元，並因其妻所經營之健身中心開幕營業而贈與乙200萬元。依第1173條之規定，甲因分居贈與丙之10萬元、庚40萬、因營業贈與乙之200萬元，皆應歸扣至甲之遺產，則甲除現金130萬元，遺產尚應加上10萬+40萬元+200萬元，合計為380萬元。

4. 綜上，癸自得依第1148條之規定，請求甲之繼承人連帶清償甲尚未償還之債務。

110年 普考（戶政）

一、A育有18歲兒子B及17歲女兒C，因世居於臺南，故三人均以臺南市為戶籍地。B之後擅自離家，並在桃園和甲女同居、工作。而C在得到A同意下，和乙男結婚，兩人居住於高雄。試問B、C兩人的住所地為何？

答 (一) 民法（下同）第12條規定：「滿二十歲為成年。」第13條規定：「未滿七歲之未成年人，無行為能力。滿七歲以上之未成年人，有限制行為能力。未成年人已結婚者，有行為能力。」
第981條規定：「未成年人結婚，應得法定代理人之同意。」

(二) 本題中，B年僅18歲，依現行民法為未成年人，則依第1060條規定：「未成年之子女，以其父母之住所為住所。」其住所仍應以其父母A之住所地即臺南市為住所地。

(三) 又C雖未達20歲，但其經A同意與乙結婚，故依第981條，其婚姻有效。又依第13條第3項規定，其有行為能力。則第1002條第1項規定：「夫妻之住所，由雙方共同協議之；未為協議或協議不成時，得聲請法院定之。」則C與乙結婚後居住於高雄，則依第1002條第1項，兩人應有協議，故應依高雄為其住所地。

（※請注意：110年1月13日修正公布、於112年1月1日施行之民法第12條規定：「滿十八歲為成年。」又同法第980條規定：「男女未滿十八歲者，不得結婚。」並刪除第13條第3項、第981條等之規定，故本題中B依修正後民法即為成年，而C未達結婚年齡，自無本題所謂之相關問題。）

二、A男是18歲限制行為能力人，與B女偷嚐禁果，而導致17歲B女懷孕，生下一女甲。A得知此事，卻極力撇清，不承認該小孩，但A的父親C，卻堅持希望小孩將來可以從父姓。此外，B女也希望小孩可以登記為父姓，但B女的母親D卻不贊成。試問甲女有無從父姓的可能？

答 (一) 民法（下同）第1059-1條規定：「非婚生子女從母姓。經生父認領者，適用前條第二項至第四項之規定。非婚生子女經生父認領，而有下列各款情形之一，法院得依父母之一方或子女之請求，為子女之利益，宣告變更子女之姓氏為父姓或母姓：
一、父母之一方或雙方死亡者。
二、父母之一方或雙方生死不明滿三年者。
三、子女之姓氏與任權利義務行使或負擔之父或母不一致者。
四、父母之一方顯有未盡保護或教養義務之情事者。」
第1059條第2項至第4項規定：「子女經出生登記後，於未成年前，得由父母以書面約定變更為父姓或母姓。
子女已成年者，得變更為父姓或母姓。
前二項之變更，各以一次為限。」

(二) 本題中，A、B未結婚，故所生之甲女為非婚生子女，又A極力撇清，不承認該小孩，則依第1067條第1項規定「有事實足認其為非婚生子女之生父者，非婚生子女或其生母或其他法定代理人，得向生父提起認領之訴。」B女得提起強制認領之訴，待判決確定A應認領甲女後，再得依第1059-1條之規定，雙方協議約定變更甲女之姓氏，或如有依第1059-1條第2項各款情事，再向法院提起子女姓氏變更之訴。

三、A男、B女兩人結婚，生有一子C。因A男吸毒，B女向法院請求判決離婚獲准，法院並判決由B單獨行使親權。爾後B女發現自己罹患重病，因此以遺囑指定好友D為C的監護人。試問B死亡後，誰是C的法定代理人？

答 (一) 民法（下同）第1089條規定：「對於未成年子女之權利義務，除法律另有規定外，由父母共同行使或負擔之。父母之一方不能行使權利時，由他方行使之。父母不能共同負擔義務時，由有能力者負擔之。
父母對於未成年子女重大事項權利之行使意思不一致時，得請求法院依子女之最佳利益酌定之。
法院為前項裁判前，應聽取未成年子女、主管機關或社會福利機構之意見。」

(二) 第1092條規定：「父母對其未成年之子女，得因特定事項，於一定期限內，以書面委託他人行使監護之職務。」第1093條第1項規定：「最後行使、負擔對於未成年子女之權利、義務之父或母，得以遺囑指定監護人。」

(三) 本題中，雖法院判決由B單獨行使親權，然依第1089條規定，迨B死亡後，A應得行使其權利，故B無法依第1093條第1項規定，以最後行使、負擔對於未成年子女之權利、義務之父或母之身分以遺囑指定監護人。

(四) 綜上，本題C之法定代理人為A。

四、80歲的A男，因年紀已大，意識有時模糊，且因擁有龐大地產，故女兒B向法院為「輔助宣告」獲准，並以B為輔助人。A男居住在長照之家，和長照之家負責人50歲的C長期相處，兩人遂決定要結婚，A男有意將戶籍遷入C住處。B反對A的再婚，並有意代理A要將A的戶籍遷入自己的住處。試問誰有道理？

答 (一) 民法（下同）第15-2條第1項規定：「受輔助宣告之人為下列行為時，應經輔助人同意。但純獲法律上利益，或依其年齡及身分、日常生活所必需者，不在此限：一、為獨資、合夥營業或為法人之負責人。二、為消費借貸、消費寄託、保證、贈與或信託。三、為訴訟行為。四、為和解、調解、調處或簽訂仲裁契約。五、為不動產、船舶、航空器、汽車或其他重要財產之處分、設定負擔、買賣、租賃或借貸。六、為遺產分割、遺贈、拋棄繼承權或其他相關權利。七、法院依前條聲請權人或輔助人之聲請，所指定之其他行為。」

其於97年之修正理由謂：「二、受輔助宣告之人僅係因精神障礙或其他心智缺陷，致其為意思表示或受意思表示，或辨識其所為意思表示效果之能力，顯有不足，並不因輔助宣告而喪失行為能力，惟為保護其權益，於為重要之法律行為時，應經輔助人同意，爰於第一項列舉應經輔助人同意之行為。但純獲法律上利益，或依其年齡及身分、日常生活所必需者，則予排除適用，以符實際。……」等語。

(二) 由上述可知，本題中B為輔助人，就A之事務，僅係就第15-2條第1項各款情事有同意權，A仍有行為能力。又A之再婚與遷居非第15-2條第1項規定之各款情事，因此B之反對為無理由。

111年 高考三級（戶政）

一、甲興建未辦保存登記之A屋，其名下有B地，並收藏C古董。甲病歿，遺有乙子與丙女。詎甲之好友丁竟自命為唯一繼承人，不但否認乙、丙之繼承人資格，而且排除乙、丙對於A屋、B地、C古董之占有、管理、使用、收益權能，而逕自占用達17年之久。今乙、丙依繼承回復請求權以及所有物返還請求權之規定，訴請丁返還其各該財產。對此，丁抗辯前揭請求權均已罹於消滅時效，而拒絕返還。試附條文與理由，說明乙、丙之請求是否有理？

答 (一) 乙、丙之繼承回復請求權已罹於時效，丁之抗辯有理由，說明如下：

1. 民法（下同）第1138條規定：「遺產繼承人，除配偶外，依左列順序定之：一、直系血親卑親屬。二、父母。三、兄弟姊妹。四、祖父母。」

   又第1146條規定：「繼承權被侵害者，被害人或其法定代理人得請求回復之。

   前項回復請求權，自知悉被侵害之時起，二年間不行使而消滅；自繼承開始時起逾十年者亦同。」

2. 本題中，甲死亡後遺有子女乙和丙，依第1138條第1款規定，為甲之第一順位繼承人；而丁非為第1138條各款所規定之繼承人，故其自命為唯一繼承人，自無道理。故乙、丙本得依第1146條第1項主張繼承回復請求權。

3. 然依第1146條第2項規定，繼承回復請求權自繼承開始時起逾十年者，即因不行使而消滅。本題中，丁否認真正繼承人乙、丙之資格，且排除乙、丙對甲遺留之物之占有達17年之久，乙、丙始主張繼承回復請求權，自已罹於時效，故丁抗辯乙、丙之繼承回復請求權罹於時效而消滅，自屬有理由。

(二) 乙、丙之所有物返還請求權已罹於時效，丁之抗辯有理由，說明如下：

1. 第767條規定：「所有人對於無權占有或侵奪其所有物者，得請求返還之。對於妨害其所有權者，得請求除去之。有妨害其所有權之虞者，得請求防止之。前項規定，於所有權以外之物權，準用之。」

第125條規定：「請求權，因十五年間不行使而消滅。但法律所定期間較短者，依其規定。」

2. 又司法院釋字第771號解釋主文謂：「繼承回復請求權與個別物上請求權係屬真正繼承人分別獨立而併存之權利。繼承回復請求權於時效完成後，真正繼承人不因此喪失其已合法取得之繼承權；其繼承財產如受侵害，真正繼承人仍得依民法相關規定排除侵害並請求返還。然為兼顧法安定性，真正繼承人依民法第767條規定行使物上請求權時，仍應有民法第125條等有關時效規定之適用。於此範圍內，本院釋字第107號及第164號解釋，應予補充。

最高法院40年台上字第730號民事判例：『繼承回復請求權，……如因時效完成而消滅，其原有繼承權即已全部喪失，自應由表見繼承人取得其繼承權。』有關真正繼承人之『原有繼承權即已全部喪失，自應由表見繼承人取得其繼承權』部分，及本院37年院解字第3997號解釋：『自命為繼承人之人於民法第1146條第2項之消滅時效完成後行使其抗辯權者，其與繼承權被侵害人之關係即與正當繼承人無異，被繼承人財產上之權利，應認為繼承開始時已為該自命為繼承人之人所承受。……』關於被繼承人財產上之權利由自命為繼承人之人承受部分，均與憲法第15條保障人民財產權之意旨有違，於此範圍內，應自本解釋公布之日起，不再援用。……」等語。

3. 依上開釋字第771號解釋意旨，本題中之乙、丙其繼承回復請求權雖已罹於時效而消滅，然仍為真正繼承人，得依第767條主張物上返還請求權。

4. 然物上返還請求權之時效，依第125條之規定為15年，本題中，丁就甲遺留之相關物品及不動產，均已占用達17年之久，即便B地為已辦理登記之不動產，其物上請求權仍應適用第125條之規定。因此丁主張乙、丙之所有物返請求權已罹於時效之主張為有理由。

二、甲男與乙女為夫妻，約定採分別財產制，育有丙男、丁女、戊男及己女。丙認領A、B二子，丁婚後生下C女，戊婚後亦有D女。丙、丁、己三人曾對甲有重大之侮辱情事，經甲公開表示丙丁己三人不得繼承其財產。一週後，丙意外死亡，甲不知其事，而甲於自書遺囑全文時，

寫道：「我死後之財產的三分之二給乙，其餘的由丙、戊、己三人平分」，甲記明年月日，並親自簽名。三日後，甲、乙不幸於一場車禍同時死亡，甲留下新臺幣900萬元。戊於獲悉甲死亡後，隱匿甲之遺產情節重大，旋即被人發現。試附條文與理由，說明應如何分配甲之遺產？

答 (一) 甲之繼承人為戊、己，與代位繼承人A、B、C三人，說明如下：

1. 民法（下同）第1138條規定：「遺產繼承人，除配偶外，依左列順序定之：一、直系血親卑親屬。二、父母。三、兄弟姊妹。四、祖父母。」

   第11條規定：「二人以上同時遇難，不能證明其死亡之先後時，推定其為同時死亡。」

   第1145條規定：「有左列各款情事之一者，喪失其繼承權：

   一、故意致被繼承人或應繼承人於死或雖未致死因而受刑之宣告者。

   二、以詐欺或脅迫使被繼承人為關於繼承之遺囑，或使其撤回或變更之者。

   三、以詐欺或脅迫妨害被繼承人為關於繼承之遺囑，或妨害其撤回或變更之者。

   四、偽造、變造、隱匿或湮滅被繼承人關於繼承之遺囑者。

   五、對於被繼承人有重大之虐待或侮辱情事，經被繼承人表示其不得繼承者。

   前項第二款至第四款之規定，如經被繼承人宥恕者，其繼承權不喪失。」

   第1140條規定：「第1138條所定第一順序之繼承人，有於繼承開始前死亡或喪失繼承權者，由其直系血親卑親屬代位繼承其應繼分。」

   第1065條第1項規定：「非婚生子女經生父認領者，視為婚生子女。其經生父撫育者，視為認領。」

2. 本題中，依第1138條之規定，甲之繼承人本應為其配偶乙，與子女丙、丁、戊、己。然而：

   (1) 乙因與甲在車禍中同時死亡，故不可能為甲之繼承人。

   (2) 丙、丁、己曾對甲有重大侮辱情事，並經公開表示三人不得繼承其財產，依第1145條第1項第5款之規定，本應喪失繼承權；

然一週後，甲於自書遺囑中表示丙、戊、己可分得部分遺產，依第1145條第2項之規定，甲顯對丙、己表示宥失，故丙、己之繼承權不喪失。

(3)然依題意，丙已先於甲死亡，其生前認領A、B二子，依第1065條第1項之規定，A、B視為丙之婚生子女；則依第1140條之規定，丙死亡後，由其直系血親卑親屬即A、B代位繼承其應繼份。

(4)又丁並未得甲之宥恕，則依第1140條之規定，應由其女C代位繼承其應繼份。

(5)至戊雖於甲死後隱匿甲之遺產情節重大，但非隱匿甲之遺囑，故無第1145條第1項各款之適用而失去繼承權，僅符合第1163第1項第1款條規定：「繼承人中有下列各款情事之一者，不得主張第1148條第2項所定之利益：一、隱匿遺產情節重大。」而不得主張第1148條第2項所定對於被繼承人之債務，以因繼承所得遺產為限，負清償責任之利益，故戊仍為甲之繼承人。

(6)綜上所述，本題中，甲之繼承人為戊、己，與代位繼承人A、B、C三人。

(二) 有關上開繼承人與代位繼承人就甲之遺產應如何分配，說明如下：

1. 第1144條規定：「配偶有相互繼承遺產之權，其應繼分，依左列各款定之：一、與第1138條所定第一順序之繼承人同為繼承時，其應繼分與他繼承人平均。」

第1141條規定：「同一順序之繼承人有數人時，按人數平均繼承。但法律另有規定者，不在此限。」

第1187條規定：「遺囑人於不違反關於特留分規定之範圍內，得以遺囑自由處分遺產。」

第1223條規定：「繼承人之特留分，依左列各款之規定：一、直系血親卑親屬之特留分，為其應繼分二分之一。」

2. 本題中，因乙已死亡，且其與甲採分別財產制，所以無剩餘財產分配之問題，故本應由丙、丁、戊、己依第1144條第1款及第1141條之規定，每人各分得1/4之遺產。然：

(1)甲在遺囑中未表示宥恕丁，故丁之部分由其女C代位繼承，其代位繼承之特留分則為1/4*1/2＝1/8。

(2)而丙、戊、己可分得之遺產為（1－1/8）÷3＝7/24，因此戊、己可各得7/24，而丙因先於甲死亡，由A、B代位繼承其繼承之分額，故A、B可各得之分額為7/24÷2＝7/48。

3. 綜上，甲遺留之遺產為900萬，故分配如下：

(1)A、B代位繼承之份額各為7/48，故可各得900萬*7/48。

(2)C代位繼承之份額為1/8，故可得900萬*1/8。

(3)戊、己之繼承份額各為7/24，故可各得900萬*7/24。

三、甲年事已高，無財產及所得可維持生活，惟甲有兄（乙）、姐（丙）、弟（丁）以及妹（戊、己、庚）三人，甲並有成年子女辛、壬二人。乙、丙願無償提供雲林縣之A屋讓甲吃住，辛、壬願以迎養方法提供臺北市之B屋與甲同住生活，但甲均表示不同意，甲、乙、丙、辛、壬就扶養之方法無法達成協議。試附條文與理由，回答下列問題：

(一)何人應履行對甲之扶養義務？

(二)甲得否逕向法院聲請命扶養義務人按月給付扶養費若干？

答 (一) 甲之成年子女辛、壬有優先扶養甲之義務，說明如下：

1. 民法（下同）第1114條規定：「左列親屬，互負扶養之義務：

一、直系血親相互間。

二、夫妻之一方與他方之父母同居者，其相互間。

三、兄弟姊妹相互間。

四、家長家屬相互間。」

第1115條規定：「負扶養義務者有數人時，應依左列順序定其履行義務之人：

一、直系血親卑親屬。

二、直系血親尊親屬。

三、家長。

四、兄弟姊妹。

五、家屬。

六、子婦、女婿。

七、夫妻之父母。

同係直系尊親屬或直系卑親屬者，以親等近者為先。

負扶養義務者有數人而其親等同一時，應各依其經濟能力，分擔義務。」

第1117條規定：「受扶養權利者，以不能維持生活而無謀生能力者為限。

前項無謀生能力之限制，於直系血親尊親屬，不適用之。」

2. 本題中，甲年事已高，無財產所得可維持生活，則依上開第1114條及第1115條第1項各款之規定，應由其成年子女辛、壬二人有優先扶養之義務，如辛、壬有資力不足之處，方由甲之兄弟姊妹乙、丙、丁、戊、己、庚為補充。

(二) 甲不得逕向法院聲請命扶養義務人按月給付扶養費，說明如下：

1. 第1120條規定：「扶養之方法，由當事人協議定之；不能協議時，由親屬會議定之。但扶養費之給付，當事人不能協議時，由法院定之。」

2. 最高法院99年度台上字第2196號民事判決要旨謂：「舊民法第1120條規定，扶養之方法，由當事人協議定之；不能協議時，由親屬會議定之。又親屬會議不能召開或召開有困難，或親屬會議經召開而不為或不能決議時，則應依同法第1132條第2項規定，由有召集權人聲請法院處理之。對於親屬會議之決議有不服時，始得依民法第1137條規定，向法院聲訴，不得因當事人未能協議逕向法院請求判決。倘親屬間就扶養之方法尚有爭議而不能協議時，仍應由親屬會議定之，或由有權召集親屬會議之人聲請法院處理。受扶養權利人如未經親屬會議定之，即逕向法院請求判決給付扶養費，於法即有未合。」

3. 本題中，乙、丙、辛、壬均表示欲以不同方式扶養甲，僅甲對扶養方式有意見，並非無人願意扶養甲。故依上開判決要旨觀之，甲不得逕向法院聲請命扶養義務人按月給付扶養費，應先經親屬會議決之。

111年 高考三級(地政)

一、被繼承人甲遺有A、B兩筆土地,由乙、丙共同繼承並登記為乙、丙公同共有。乙未經丙同意,請求分割其中A地,不必就甲之全部之遺產全部合一請求分割。試問:乙之主張有無理由?

答 乙之主張有理由,說明如下:

(一) 民法(下同)第1151條規定:「繼承人有數人時,在分割遺產前,各繼承人對於遺產全部為公同共有。」
第1164條規定:「繼承人得隨時請求分割遺產。但法律另有規定或契約另有訂定者,不在此限。」
又第830條第2項規定:「公同共有物之分割,除法律另有規定外,準用關於共有物分割之規定。」

(二) 最高法院105年度台上字第1881號民事判決要旨謂:「民法第1164條所定之遺產分割,係以整個遺產為一體為分割,並非以遺產中個別之財產分割為對象,亦即遺產分割之目的在廢止遺產全部之公同共有關係,而非旨在消滅個別財產之公同共有關係,其分割方法應對全部遺產整體為之。」

(三) 本題中,乙、丙係共同繼承甲之遺產A、B兩筆土地,並已登記為公共同有,則其就A、B二筆土地,已非屬遺產尚未分割前之公同共有關係,而屬遺產分割後之公同共有關係,故依民法第830條第2項之規定,乙自得準用共有物分割規定,請求分割其中A地。

二、甲、乙為配偶,育有丙、丁二子,甲、乙自身之資力均已不能維持生活,丙、丁二子均為成年,且皆有正職,故有一定資產收入。乙死亡後,甲與丙同住,甲、丙、丁之間並未達成協議以給付金錢作為扶養甲之方法。其後,甲死亡後,丙主張甲於生前均由丙扶養照顧,援引不當得利之法律關係,請求丁應返還丙所代墊之費用,丁以未經親屬會議為辯,請求法院駁回丙之聲請,是否有理由?

答 丁之抗辯為無理由，說明如下：

(一) 民法（下同）第1114條第1款規定：「左列親屬，互負扶養之義務：一、直系血親相互間。」

第1115條第1項第1款規定：「負扶養義務者有數人時，應依左列順序定其履行義務之人：一、直系血親卑親屬。」

第1117條規定：「受扶養權利者，以不能維持生活而無謀生能力者為限。

前項無謀生能力之限制，於直系血親尊親屬，不適用之。」

第1120條規定：「扶養之方法，由當事人協議定之；不能協議時，由親屬會議定之。但扶養費之給付，當事人不能協議時，由法院定之。」

(二)「按扶養之方法，由當事人協議定之；不能協議時，由親屬會議定之；但扶養費之給付，當事人不能協議時，由法院定之，民法第1120條固有明文。惟觀諸前揭規範，明定應經親屬會議者，係以當事人不能協議『扶養之方法』為要件，如兩造間所存之爭執，並非其等不能協議『扶養之方法』，自不符上開要件，而無前揭規定之適用（臺灣高等法院102年度家上易字第17號裁定意旨同此見解）。況且，考以立法院於96年間就上開條文進行修法審查、三讀程序時，係經綜合審酌現今社會主要的家庭主流型態為『核心家庭』，親屬會議召開不易，在現代社會之功能日漸式微，惟扶養乃扶養人與受扶養人間基於親屬或家長家屬之情感及關係所生之權利義務，基本上係建基於家庭和諧之基礎，如直接由法院公權力介入，實難再恢復往昔之圓融，極易影響當事人間及家庭之和諧，亦容易因訴訟過程間之不愉快，而影響扶養義務人確實依裁判結果履行的意願，甚至須經由強制執行始能獲得履行，對受扶養人而言未必有利；且扶養方法包含受扶養人之食衣住行，範圍極廣，項目有時甚為細微，如一有爭議即由法院介入解決，客觀上並不一定能迅速有效且經濟的解決當事人爭議，是以，基於當事人之最佳利益考量，不宜逕由法院直接立即取代親屬會議之角色，仍宜提供當事人一個更迅速便捷且能保護其等之私密、和諧的機制，以解決其等關於扶養方法之途徑等節（立法院法律系統公布之立法歷程紀錄參照）。然而，本件乃扶養義務人乙援引民法第179條規定為據，主張其他扶養義務人丙、丁應負不當得利之返還責任，並非援引親屬間之扶養法律關係，請求其他扶養義務人丙、丁應以給付金錢之方法扶養甲，所爭執者為請求返還已墊付之扶養費之問題，並非其等不能協議甲之扶養方法，抑或乙是否片面地自行決定以給付金錢方式作為扶養方法。是以，本件自無按民法第1120條規定應先協議扶養方法，不能協議再經親屬會議定之等程序要求。……」等語（臺灣高等法院暨所屬法院108年法律座談會民事類提案第8號參照）。

(三) 本題中，丙、丁為甲之成年子女，依上開第1114條第1款、第1115條第1項第1款及第1117條之規定，二人對甲均有扶養義務，則依上開法律座談會之要旨觀之，丙自得毋待親屬會議而對甲為扶養，就其支出甲之扶養費，亦得本於返還不當得利之請求，要求丁返還丙所代墊之費用。故丁之主張為無理由。

111 年 普考（戶政）

一、甲男與乙女結婚，白手起家，育有丙、丁二子，未約定夫妻財產制。丙長大與戊女結婚，戊之妹庚女與丁男在婚宴中相識，一見鍾情，論及婚嫁。甲、乙嗣經法院判決離婚確定，經查甲以婚後所得購買一筆市值新臺幣（下同）500萬元之A地，甲並因其母車禍身亡，受有慰撫金之賠償100萬元，乙女婚後則因繼承而取得之一棟市值1,600萬元的B屋。試附條文與理由，說明：

(一)庚、丁兩人可否結婚？

(二)若乙向甲請求分配剩餘財產差額之半數，訴請法院命甲將其A地所有權之應有部分二分之一移轉登記予自己，是否有理？

答 (一) 庚、丁應可結婚，說明如下：

1. 民法（下同）第969條規定：「稱姻親者，謂血親之配偶、配偶之血親及配偶之血親之配偶。」

   第970條規定：「姻親之親系及親等之計算如左：

   一、血親之配偶，從其配偶之親系及親等。

   二、配偶之血親，從其與配偶之親系及親等。

   三、配偶之血親之配偶，從其與配偶之親系及親等。」

   第968條規定：「血親親等之計算，直系血親，從己身上下數，以一世為一親等；旁系血親，從己身數至同源之直系血親，再由同源之直系血親，數至與之計算親等之血親，以其總世數為親等之數。」。

2. 又第983條第1項規定：「與左列親屬，不得結婚：

   一、直系血親及直系姻親。

   二、旁系血親在六親等以內者。但因收養而成立之四親等及六親等旁系血親，輩分相同者，不在此限。

   三、旁系姻親在五親等以內，輩分不相同者。」

3. 依上開規定觀之，丁、庚之間在未結婚前其非屬姻親，並無第983條之各款限制，故自得結婚。

(二) 乙不得請求法院命甲將A地所有權應有部分1/2登記予自己，說明如下：

1. 第1005條規定：「夫妻未以契約訂立夫妻財產制者，除本法另有規定外，以法定財產制，為其夫妻財產制。」
   第1017條規定：「夫或妻之財產分為婚前財產與婚後財產，由夫妻各自所有。不能證明為婚前或婚後財產者，推定為婚後財產；不能證明為夫或妻所有之財產，推定為夫妻共有。
   夫或妻婚前財產，於婚姻關係存續中所生之孳息，視為婚後財產。
   夫妻以契約訂立夫妻財產制後，於婚姻關係存續中改用法定財產制者，其改用前之財產視為婚前財產。」
   第1030-1條第1項規定：「法定財產制關係消滅時，夫或妻現存之婚後財產，扣除婚姻關係存續所負債務後，如有剩餘，其雙方剩餘財產之差額，應平均分配。但下列財產不在此限：
   一、因繼承或其他無償取得之財產。
   二、慰撫金。」
2. 本題中，甲、乙結婚後白手起家，未約定夫妻財產制，則甲、乙依第1005條之規定，以法定財產制為其夫妻財產制。則甲、乙離婚時之剩餘財產如下：
   (1) 甲婚後購得一筆市價500萬元之A地，因其母車禍身亡而受有100萬之慰撫金，依第1030-1條第1項第2款規定，慰撫金不得算入剩餘財產，則甲之剩餘財產應為A地之市價500萬元。
   (2) 乙婚後因繼承取得市價1600萬之B屋，依第1030-1條第1項第1款規定，因繼承無償取得之財產不算入剩餘財產，故乙無剩餘財產。
3. 綜上，則甲、乙間剩餘財產之差額為500萬元，乙得依第1030-1條第1項之規定，請求甲給付剩餘財產差額之一半250萬元，但該請求為金錢上之請求，所以乙雖得請求250萬元之差額，但不得請求法院命甲將A地所有權之應有部分1/2登記予自己。

二、甲男與乙女結婚，育有丙女、丁男、戊女。甲於民國（下同）105年8月因丙出嫁而贈與一輛市值新臺幣（下同）100萬元之轎車，甲嗣於106年12月因丁出國攻讀博士而贈與300萬元，甲復於107年11月因乙開店營業而贈與70萬元。甲於108年10月病故，留下財產390萬元。試附條文與理由，回答下列問題：

(一)若甲病故時，其對己銀行積欠借款600萬元尚未償還，今己訴請甲之繼承人連帶償還上開借款，有無理由？

(二)若甲病故時，其並未積欠己銀行600萬元，而是戊積欠甲80萬元尚未償還，此時則應如何分配甲之財產？

答 (一) 己銀行訴請甲之繼承人連帶償還上開借款為有理由，說明如下：

1. 民法（下同）第1138條第1款規定：「遺產繼承人，除配偶外，依左列順序定之：一、直系血親卑親屬。」

   第1148條規定：「繼承人自繼承開始時，除本法另有規定外，承受被繼承人財產上之一切權利、義務。但權利、義務專屬於被繼承人本身者，不在此限。

   繼承人對於被繼承人之債務，以因繼承所得遺產為限，負清償責任。」

   第1148-1條規定：「繼承人在繼承開始前二年內，從被繼承人受有財產之贈與者，該財產視為其所得遺產。

   前項財產如已移轉或滅失，其價額，依贈與時之價值計算。」

   第1173條規定：「繼承人中有在繼承開始前因結婚、分居或營業，已從被繼承人受有財產之贈與者，應將該贈與價額加入繼承開始時被繼承人所有之財產中，為應繼遺產。但被繼承人於贈與時有反對之意思表示者，不在此限。

   前項贈與價額，應於遺產分割時，由該繼承人之應繼分中扣除。

   贈與價額，依贈與時之價值計算。」。

2. 本題中，依第1138條第1款之規定，甲之繼承人應為其配偶乙及子女丙、丁、戊共四人。

   (1)丙於結婚時受甲贈與100萬元之轎車，乙因營業而受甲贈與70萬元，依第1173條之規定，均應歸扣至遺產中。

   (2)又丁於106年12月出國攻讀博士，而受有甲之贈與300萬元，則依第1148-1條，視為丁所得之遺產。

   (3)則甲得分配之遺產為遺留財產390萬加上贈與丙之100萬、贈與乙之70萬，及丁所得遺產300萬，共計為860萬元。

3. 則依第1148條第2項之規定，繼承人對甲之債務，以因繼承所得遺產為限，負清償責任。故己銀行訴請甲之繼承人連帶償還上開借款為有理由。

(二) 甲之遺產分配如下：

1. 第1144條第1款規定：「配偶有相互繼承遺產之權，其應繼分，依左列各款定之：一、與第1138條所定第一順序之繼承人同為繼承時，其應繼分與他繼承人平均。」
   第1172條規定：「繼承人中如對於被繼承人負有債務者，於遺產分割時，應按其債務數額，由該繼承人之應繼分內扣還。」
2. 甲之應繼遺產如下：
   (1) 所留財產為390萬元。
   (2) 丙於結婚時受甲贈與100萬元之轎車，乙因營業而受甲贈與70萬元，依第1173條之規定，均應歸扣至遺產中。並應依第1173條2項規定自應繼分扣除。
   (3) 又丁於106年12月出國攻讀博士，而受有甲之贈與300萬元，非屬第1173條應歸扣之遺產。
   (4) 戊積欠甲80萬元尚未償還，則依1172條之規定，由其應繼分內扣還。
   (5) 綜上，甲之應繼遺產為390萬＋100萬＋70萬＋80萬，共為640萬元。
3. 甲之應繼遺產總計為640萬元，又依第1144條第1款之規定，乙、丙、丁、戊之應繼分各為1/4，即每人可各得160萬元，則：
   (1) 乙可得160萬－70萬＝90萬元。
   (2) 丙可得160萬－100萬＝60萬元。
   (3) 丁可得160萬元。
   (4) 戊可得160萬元－80萬元＝80萬元。

111年 地特三等（戶政）

一、甲男與已婚之乙女任職於外交單位，長年外派於英國而相戀同居，乙因而懷有丙子，丙自出生時即由甲照顧，甲乙於三年外派結束後回國，甲乃向戶政事務所提出撫育事實之證明與親子鑑定報告書欲辦理認領丙之登記，戶政事務所是否應予登記？理由何在？乙則向其夫丁提起裁判離婚之訴訟，法院應如何裁判？理由何在？

答 (一) 戶政事務所不得為認領登記，理由如下：

1. 民法（下同）第1063條規定：「妻之受胎，係在婚姻關係存續中者，推定其所生子女為婚生子女。

   前項推定，夫妻之一方或子女能證明子女非為婚生子女者，得提起否認之訴。

   前項否認之訴，夫妻之一方自知悉該子女非為婚生子女，或子女自知悉其非為婚生子女之時起二年內為之。但子女於未成年時知悉者，仍得於成年後二年內為之。」

2. 本題中，甲男、乙女間並未有婚姻關係，而乙女另與他人有婚姻關係，依上開第1項規定，丙應推定為乙女和其丈夫之婚生子女，在乙女、其夫或丙依第1063條第2項、第3項規定提起否認婚生子女之訴前，甲不得主張丙為其非婚生子女而行認領，故戶政事務所自不得依甲之申請為認領登記。

(二) 就乙提起裁判離婚，法院得否准許，說明如下：

1. 第1052條規定：「夫妻之一方，有下列情形之一者，他方得向法院請求離婚：

   一、重婚。

   二、與配偶以外之人合意性交。

   三、夫妻之一方對他方為不堪同居之虐待。

   四、夫妻之一方對他方之直系親屬為虐待，或夫妻一方之直系親屬對他方為虐待，致不堪為共同生活。

   五、夫妻之一方以惡意遺棄他方在繼續狀態中。

   六、夫妻之一方意圖殺害他方。

   七、有不治之惡疾。

八、有重大不治之精神病。

九、生死不明已逾三年。

十、因故意犯罪，經判處有期徒刑逾六個月確定。

有前項以外之重大事由，難以維持婚姻者，夫妻之一方得請求離婚。但其事由應由夫妻之一方負責者，僅他方得請求離婚。」

2. 又憲法法庭112年度憲判字第4號判決主文謂：「民法第1052條第2項規定，有同條第1項規定以外之重大事由，難以維持婚姻者，夫妻之一方得請求離婚；但其事由應由夫妻之一方負責者，僅他方得請求離婚。其中但書規定限制有責配偶請求裁判離婚，原則上與憲法第22條保障婚姻自由之意旨尚屬無違。惟其規定不分難以維持婚姻之重大事由發生後，是否已逾相當期間，或該事由是否已持續相當期間，一律不許唯一有責之配偶一方請求裁判離婚，完全剝奪其離婚之機會，而可能導致個案顯然過苛之情事，於此範圍內，與憲法保障婚姻自由之意旨不符。相關機關應自本判決宣示之日起2年內，依本判決意旨妥適修正之。逾期未完成修法，法院就此等個案，應依本判決意旨裁判之。」等語。

3. 本題中並未說明乙女係以何理由向其夫提起裁判離婚之訴訟，然如係因甲、乙間之婚外情，則原先依第1052條第2項規定，法院應不予准許，因乙為婚姻破綻之有責方。

4. 然依112年度憲判字第4號判決，則在民法未完成修法前，法院應依該判決意旨為裁判，故法院得視難以維持婚姻之重大事由發生後，是否已逾相當期間，或該事由是否已持續相當期間，而得准許乙離婚。

二、甲男生有一子乙、一女丙皆已成年，甲於其妻去世後與丁女再婚。婚後三年，甲丁不睦，兩人於是請鄰居夫妻為證人簽名於書面之離婚協議，並親自至戶政事務所辦理離婚登記，惟其中一簽名乃夫替妻代為用印，其妻並不知擔任甲丁離婚證人一事。離婚時，甲因丁之開設咖啡館贈與丁200萬元，又對乙之結婚贈與300萬元，丙之留學贈與300萬元。未料，甲因病去世，未立遺囑而留下財產300萬元，乙於繼承開始後，依法為拋棄繼承。試問：丁得否向法院提起兩願離婚無效之訴？理由為何？又甲之遺產應如何分配？

答 (一) 丁得向法院提起兩願離婚無效之訴，理由如下：

1. 民法（下同）第1050條規定：「兩願離婚，應以書面為之，有二人以上證人之簽名並應向戶政機關為離婚之登記。」
又最高法院104年度台上字第147號民事判決意旨謂：「按離婚為法定要式行為，並於民法第1050條定有要件，其中該條文所稱二人以上證人之簽名，固不限於作成離婚證書時為之，亦不限於協議離婚時在場之人，始得為證人，惟究須親見或親聞雙方當事人確有離婚真意之人，始得為證人。倘證人似未親見親聞當事人有無離婚真意，則尚不得遽以證人簽名時，欲離婚之當事人間已於協議書簽名及系爭協議書記載內容，推認證人已親見親聞雙方有離婚之合意。」等語。

2. 本題中，甲、丁雖欲離婚，並親自至戶政事務所辦理離婚登記，然證人之一並未親自確認甲、丁是否有離婚之真意，且未親自簽名，甚至連作為證人一事均不知曉，則依上開規定及判決意旨，甲、丁兩願離婚之要件自有欠缺，丁自得據此提起兩願離婚無效之訴。

(二) 甲之遺產分配方式說明如下：

1. 第1138條第1款規定：「遺產繼承人，除配偶外，依左列順序定之：一、直系血親卑親屬。」
第1144條第1款規定：「配偶有相互繼承遺產之權，其應繼分，依左列各款定之：一、與第1138條所定第一順序之繼承人同為繼承時，其應繼分與他繼承人平均。」。
又第1175條規定：「繼承之拋棄，溯及於繼承開始時發生效力。」。

2. 如依前述第(一)項，丁向法院提起兩願離婚無效之訴並獲勝訴判決，則丁仍為甲之配偶，故甲之繼承人，本應為配偶丁及甲之子女乙與丙三人。然因乙於繼承開始後拋棄繼承，則繼承人只餘丁與丙二人。

3. 而第1173條規定：「繼承人中有在繼承開始前因結婚、分居或營業，已從被繼承人受有財產之贈與者，應將該贈與價額加入繼承開始時被繼承人所有之財產中，為應繼遺產。但被繼承人於贈與時有反對之意思表示者，不在此限。

前項贈與價額，應於遺產分割時，由該繼承人之應繼分中扣除。
贈與價額，依贈與時之價值計算。」

4. 依上開第1173條規定，丁因開設咖啡館受有甲之贈與200萬，應歸扣之；而丙因留學所受之贈與，則不在歸扣之列；又乙因已拋棄繼承，則非繼承人，依實務見解，自無歸扣之義務。
5. 綜上，甲之遺產為所餘財產300萬加上丁應歸扣之金額200萬，共計500萬，而丙、丁二人依第1144條第1款應平均得之，每人得250萬。故丙可得遺產250萬，丁扣除應歸扣之金額可得50萬元。

111年 地特三等（地政）

一、甲、乙於民國（下同）98年間繼承丙所有之A不動產，但遲未辦理繼承登記。嗣甲未經乙同意，於99年間將A登記於自己名下。乙於110年以其繼承權及對A之所有權遭甲侵害，訴請塗銷乙之登記、並將A登記為甲、乙公同共有。就乙之請求，甲則抗辯乙之繼承回復請求權已罹於時效。何者有理？

答 (一) 乙之繼承回復請求權已罹於時效，說明如下：

1. 民法（下同）第1146條規定：「繼承權被侵害者，被害人或其法定代理人得請求回復之。

   前項回復請求權，自知悉被侵害之時起，二年間不行使而消滅；自繼承開始時起逾十年者亦同。」

   第1151條規定：「繼承人有數人時，在分割遺產前，各繼承人對於遺產全部為公同共有。」

2. 本題中，甲、乙於98年間繼承丙所有之A不動產，顯見甲、乙為丙之繼承人，然二人遲未辦理繼承登記，故依上開第1151條規定，甲、乙就A不動產為公同共有。嗣甲於99年間未經乙同意將A登記於自己名下，乙遲至110年以其繼承權及對A之所有權遭甲侵害，訴請塗銷乙之登記、並將A登記為甲、乙公同共有。因此依前述第1146條之規定，乙之繼承回復請求權，自繼承開始時起已罹於十年之時效，故乙無法依繼承回復請求權對甲為請求。

(二) 乙得依民法第767條物上請求權為請求，說明如下：

1. 第767條規定：「所有人對於無權占有或侵奪其所有物者，得請求返還之。對於妨害其所有權者，得請求除去之。有妨害其所有權之虞者，得請求防止之。

   前項規定，於所有權以外之物權，準用之。」

   第125條規定：「請求權，因十五年間不行使而消滅。但法律所定期間較短者，依其規定。」

2. 又司法院釋字第771號解釋主文謂：「繼承回復請求權與個別物上請求權係屬真正繼承人分別獨立而併存之權利。繼承回復請求權於時效完成後，真正繼承人不因此喪失其已合法取得之繼承權；

其繼承財產如受侵害，真正繼承人仍得依民法相關規定排除侵害並請求返還。然為兼顧法安定性，真正繼承人依民法第767條規定行使物上請求權時，仍應有民法第125條等有關時效規定之適用。於此範圍內，本院釋字第107號及第164號解釋，應予補充。最高法院40年台上字第730號民事判例：『繼承回復請求權，……如因時效完成而消滅，其原有繼承權即已全部喪失，自應由表見繼承人取得其繼承權。』有關真正繼承人之『原有繼承權即已全部喪失，自應由表見繼承人取得其繼承權』部分，及本院37年院解字第3997號解釋：『自命為繼承人之人於民法第1146條第2項之消滅時效完成後行使其抗辯權者，其與繼承權被侵害人之關係即與正當繼承人無異，被繼承人財產上之權利，應認為繼承開始時已為該自命為繼承人之人所承受。……』關於被繼承人財產上之權利由自命為繼承人之人承受部分，均與憲法第15條保障人民財產權之意旨有違，於此範圍內，應自本解釋公布之日起，不再援用。……」等語。

3. 依上開釋字第771號解釋主文，雖乙之繼承回復請求權已罹於時效，然乙仍為真正繼承人，得依第767條物上請求權請求排除侵害，其時效適用第125條之規定。故本題中，乙對A地之物上請求權尚未罹於第125條15年之時效，得依民法第767條請求塗銷甲之登記，並將A登記為甲、乙公同共有。

(三) 綜上，雖甲抗辯乙之繼承回復請求權已罹於時效為有理由，然乙仍為真正繼承人，得依民法第767條物上請求權請求登記為A地之公同共有人。

二、就甲、乙、丙分別共有A不動產之情形，甲死亡後，其就A之應有部分由丁繼承。如丁未完成繼承登記前，乙、丙、丁三人達成分割A之協議，丁得否依據該協議逕請求辦理分割登記？又，如甲、乙、丙三人因協議分割A不成而訴請裁判分割過程中，甲死亡，其就A之應有部分由丁繼承。於丁聲明承受訴訟、但未辦妥繼承登記之情形下，法院是否得為分割判決？

答 (一) 丁不得依據乙、丙、丁三人協議逕請求辦理分割登記，說明如下：

1. 民法（下同）第759條規定：「因繼承、強制執行、徵收、法院之判決或其他非因法律行為，於登記前已取得不動產物權者，應經登記，始得處分其物權。」

   又第758條規定：「不動產物權，依法律行為而取得、設定、喪失及變更者，非經登記，不生效力。

   前項行為，應以書面為之。」

   第1148條第1項規定：「繼承人自繼承開始時，除本法另有規定外，承受被繼承人財產上之一切權利、義務。但權利、義務專屬於被繼承人本身者，不在此限。」。

2. 本題中A不動產原為甲、乙、丙分別有，甲死亡後A之應有部分由丁繼承，雖丁未完成繼承登記，然依上開第1148條第1項規定，其仍為該應有部分之所有權人。然本題中所述乙、丙、丁之分割協議係屬債權契約，而分割登記則為物權行為，依前述第759條及第758條之規定，因丁未完成繼承登記，故不得為處分行為，仍應待完成繼承登記後，方得依分割協議請求辦理分割登記。

(二) 法院得為分割判決，說明如下：

1. 第824條第2項規定：「分割之方法不能協議決定，或於協議決定後因消滅時效完成經共有人拒絕履行者，法院得因任何共有人之請求，命為下列之分配：一、以原物分配於各共有人。但各共有人均受原物之分配顯有困難者，得將原物分配於部分共有人。二、原物分配顯有困難時，得變賣共有物，以價金分配於各共有人；或以原物之一部分分配於各共有人，他部分變賣，以價金分配於各共有人。」

2. 本題中，甲、乙、丙三人因協議分割A不成而訴請裁判分割，此項判決係依上開第824條第2項為之，屬形成之訴，非屬處分行為。因此於訴訟過程中甲死亡而由丁繼承A之應有部分並聲明承受訴訟，縱丁尚未辦妥繼承登記，法院仍得為分割判決。

111年 地特四等（戶政）

一、甲男與乙女結婚7年後，因婚後感情不睦，乙女在外結識丙男，遂與丙男發生性行為，經甲男捉姦在床，並請求法院判決離婚勝訴確定在案，其後向法院另行起訴請求乙女返還訂婚聘金新臺幣（下同）100萬元、禮餅款20萬元及聘禮之金飾10件，試問：甲男向乙女請求因判決離婚所生之損害賠償，是否有理由？

答 (一) 甲得請求判決離婚所生之損害賠償，說明如下：

1. 民法第1056條規定：「夫妻之一方，因判決離婚而受有損害者，得向有過失之他方，請求賠償。
   前項情形，雖非財產上之損害，受害人亦得請求賠償相當之金額。但以受害人無過失者為限。
   前項請求權，不得讓與或繼承。但已依契約承諾或已起訴者，不在此限。」
2. 本題中，甲因乙女之婚外情而請求法院判決離婚勝訴在案，顯見乙女係有過失之一方，故依上開第1056條之規定，自得向乙女請求判決離婚所生之賠償。

(二) 然甲雖得請求判決離婚之損害賠償，但不得請求返還聘金等費用及物品，說明如下：

1. 最高法院51年度台上字第664號民事判決要旨謂：「聘金或作為聘禮之金飾，乃預想他日婚約之履行，而以婚約解除或違反為解除條件之贈與，嗣後婚約經解除或違反時，當然失其效力，受贈人依民法第一百七十九條規定，固應將其所受利益返還贈與人，但上訴人既對女方訴請判決離婚勝訴在案，是則女方業已履行婚約，上訴人自不得更行請求返還聘金或作為聘禮之金飾。至禮餅款及什貨款，係結婚時所支之費用，而非因離婚所生之損害，尤無賠償請求權可得行使。」
2. 依上開最高法院判決意旨，甲結婚時所給予乙之聘金、金飾等費用及物品，係屬以婚約解除或違反為解除條件之贈與，然甲、乙間既經判決離婚，顯然乙已履行婚約，甲自得不請求返還系爭聘金等費用及物品，以作為因為離婚所生之損害。

二、甲與乙通謀虛偽買賣汽車一部，經甲將其所有之汽車一部交付於乙，其後乙死亡，甲請求乙之繼承人丙交還該汽車，乙之繼承人丙以其為善意之第三人拒絕返還。試申論丙之主張是否有理由？

答 丙之主張為無理由，說明如下：

(一) 民法（下同）第87條規定：「表意人與相對人通謀而為虛偽意思表示者，其意思表示無效。但不得以其無效對抗善意第三人。

第1148條第1項規定：「繼承人自繼承開始時，除本法另有規定外，承受被繼承人財產上之一切權利、義務。但權利、義務專屬於被繼承人本身者，不在此限。」

虛偽意思表示，隱藏他項法律行為者，適用關於該項法律行為之規定。」

(二) 最高法院103年度台上字第1727號民事判決要旨謂：「按民法第87條所稱『第三人』，係指通謀虛偽表示的當事人及其概括繼承人以外的第三人，就該表示之標的新取得財產上權利義務，因通謀虛偽表示無效而必受變動者而言。……」等語。

(三) 本題中，丙為甲之繼承人，故依上開第1148條第1項規定及前述判決要旨，自不得屬於第87條所稱之「善意第三人」，因此丙主張其為善意之第三人而拒絕返還汽車予甲，自屬無理由。

三、意定監護契約得否約定受任人之順位？

答 意定監護契約應可約定受任人之順位，說明如下：

(一) 民法第1113-2條規定：「稱意定監護者，謂本人與受任人約定，於本人受監護宣告時，受任人允為擔任監護人之契約。

前項受任人得為一人或數人；其為數人者，除約定為分別執行職務外，應共同執行職務。」

(二) 由上開規定可知，意定監護既以「契約」為意定監護之相關約定，顯然具有一般契約的特性，能以雙方之合意為自由之約定，與法定監護並不相同。因此，在民法第1113-2條以下有關意定監護之規定中，並無規定不得以意定監護契約約定受任人之順位，則本於契約自由之意旨，自得於意定監護契約中約定受任人之順位。

112年 高考三級（戶政）

一、甲、乙為夫妻，育有未成年子女丙，丁為甲之父，今甲、乙離婚後，丙向甲請求履行扶養義務，甲抗辯丙尚有丁為其扶養，且甲已不能維持自己之生活，致無資力扶養丙，甲之抗辯有無理由？

答 甲之抗辯為無理由，茲說明如下：

(一) 民法（下同）第1084條第2項規定：「父母對於未成年之子女，有保護及教養之權利義務。」

第1114條第1款規定：「左列親屬，互負扶養之義務：一、直系血親相互間。」

第1115條第1項第1、2款規定：「負扶養義務者有數人時，應依左列順序定其履行義務之人：一、直系血親卑親屬。二、直系血親尊親屬。」

第1116-2條規定：「父母對於未成年子女之扶養義務，不因結婚經撤銷或離婚而受影響。」

(二) 又最高法院106年度台簡抗字第249號民事裁定要旨謂：「按父母對於未成年之子女，有保護及教養之權利與義務，民法第1084條第2項定有明文。所謂保護及教養之權利義務，包括扶養在內，自父母對未成年子女行使或負擔保護及教養之權利義務本質而言，此之扶養義務屬生活保持義務，而與同法第1114條第1款所定直系血親相互間之扶養義務屬生活扶助義務不同。」

最高法院108年度台簡抗字第106號民事裁定要旨亦謂：「民法第1084條第2項規定父母對於未成年之子女，有保護及教養之權利與義務，無須斟酌扶養義務者之扶養能力，身為扶養義務之父母雖無餘力，亦應犧牲自己原有生活程度而扶養子女。與同法第1114條第1款所定直系血親相互間扶養義務不同，後者扶養之程度，應視受扶養權利者之需要，與負扶養義務者的經濟能力及身分而有不同。」

(三) 由上開最高法院裁定要旨觀之，顯見實務認為第1084條第2項所謂「父母對於未成年之子女，有保護及教養之權利義務。」應包括扶養義務，且該義務與第1114條第1款所定直系血親相戶間之扶養義務不同，父母即使無餘力，亦應有犧牲自己原有生活程度而扶養子女。

(四) 本題中甲就其未成年子女丙，依上開裁定要旨觀之，顯有上述之義務，故其抗辯丙尚有其祖父丁得為扶養，且甲已不能維持自己之生活，故無法扶養丙，顯無理由。

二、被繼承人留有之遺產不足以支付喪葬費用，繼承人拋棄繼承，是否就無須負擔被繼承人的喪葬費用？

答 (一) 就拋棄繼承之效力是否及於喪葬費用，有三說如下：

1. 肯定說係認為不用負擔喪葬費用。其理由為：
拋棄繼承為具有財產性質之身分行為，即使認為因公序良俗而不得拋棄遺體的所有權，但既然拋棄繼承是出於不願處理被繼承人身後財產事務之用意，若再令其承擔喪葬費用的支出，即無從達到拋棄繼承之目的，故不應由其負擔喪葬費用。

2. 否定說則認應負擔喪葬費用。其理由為：
被繼承人之遺體殘存著死者人格而屬於「具有人格性之物」，基於對人性尊嚴之尊重及慎終追遠之傳統禮俗，應認繼承人拋棄繼承之效力僅及於被繼承人之財產，不及於遺體。繼承人仍負有支出喪葬費用之義務，若僅因會有祭祀、埋葬、管理等費用支出，就認為拋棄繼承的範圍包括遺體，不僅有違倫常，且可能發生無人處理遺體之窘境。

3. 第三說為拋棄繼承人為被繼承人生前之扶養義務人者，應負擔喪葬費用；非為被繼承人生前之扶養義務人者，無庸負擔喪葬費用。其理由為：

(1)遺骨、骨灰已不具有人格性，固然該當民法第67條所指之物（即動產），但本案是繼承開始後之殯葬問題，殯葬之對象應是被繼承人之遺體（即大體），而遺體（即大體）為死者完整個體，具有人格性，性質無從解為「物」、「特殊之物」或「動產」。

(2)民法第1148條第1項明定繼承標的為被繼承人「財產」上之權利義務，遺體（即大體）具人格性，非「物」、「特殊之物」或「動產」，自無從因繼承而取得被繼承人之遺體所有權。

(3)參考大理院4年上字第116號判例，其要旨表示依我國民法扶養制度所設之社會及倫理精神價值而觀，扶養內容之範圍包括死亡者之殯葬費用（資料1），及老人福利法第24條規定，老人死亡時，如無扶養義務之人，或其扶養義務之人無扶養能力者，當地主管機關或其入住機構應為其辦理喪葬；所需費用，由其遺產負擔之，無遺產者，由當地主管機關負擔之立法旨趣。應從扶養義務之內涵解釋，由民法第1115條、第1116條之1所定之扶養義務人負擔殯葬被繼承人之義務。從而，就本問題得出兩種結論：(a)拋棄繼承者如為負有殯葬義務之人，不因拋棄繼承而免除其義務，仍應負擔不足之殯葬費用。(b)繼承人非應負殯葬義務之人者，該繼承人僅負有以遺產支付殯葬費用之義務，則該繼承人拋棄繼承後，既本不負殯葬義務，自不生負擔題示殯葬費用的問題。

(二) 111年11月16日臺灣高等法院暨所屬法院111年民事法律座談會結論係採否定說，除上開否定說理由外，尚有如下之理由：

1. 按被繼承人之屍體為物，為繼承人所公同共有，僅其所有權內涵與其他財產不同，限以屍體之埋葬、管理、祭祀等為目的，不得自由使用、收益或處分。屍體因殘存著死者人格而屬於「具有人格性之物」，基於對人性尊嚴之尊重，其處分不得違背公序良俗，故繼承人取得其所有權後，因慎終追遠之傳統禮俗而不得拋棄。是繼承人拋棄繼承之效力，不及於被繼承人之屍體（遺骨）（最高法院109年度台上字第2627號判決意旨參照）。
2. 民法第1148條第1項規定：「繼承人自繼承開始時，除本法另有規定外，承受被繼承人財產上之一切權利、義務，但權利、義務專屬於被繼承人本身者，不在此限。」同法第1175條規定：「繼承之拋棄，溯及於繼承開始時發生效力。」繼承人依上開規定為繼承及拋棄繼承者，為被繼承人「財產上」之一切權利義務。至被繼承人之屍體，因殘存死者人格，係具有人格性之物，非屬被繼承人「財產上」之權利義務，惟依法律當然解釋及我國風俗習慣，於被繼承人死亡後當然由其繼承人繼承。屍體之繼承既非屬民法第1148條第1項規定之繼承標的，自亦非屬拋棄繼承之標的。

三、甲男與乙女為合法夫妻，惟因甲在外與丙女同居，置乙女生活不顧，且偶爾回家乙女即遭其毆打，乙女顧慮離婚對自己不利，乃訴請法院判決別居，是否應予准許，以及法院是否得為別居之和解？

答 法院不得為別居之判決，但得為別居之和解。說明如下：

(一) 民法第1001條規定：「夫妻互負同居之義務。但有不能同居之正當理由者，不在此限。」

(二) 司法院釋字第147號解釋主文謂：「夫納妾，違反夫妻互負之貞操義務，在是項行為終止以前，妻主張不履行同居義務，即有民法第一千零一條但書之正當理由；至所謂正當理由，不以與同法第一千零五十二條所定之離婚原因一致為必要。本院院字第七七〇號解釋(二)所謂妻請求別居，即係指此項情事而言，非謂提起別居之訴，應予補充解釋。」

(三) 則法院得否為別居之判決或和解，有不同看法：

1. 兩者均不得為之，理由如下：
   夫妻間應負同居義務，乃人倫秩序上之狀態義務，若許夫妻別居，無異破壞人倫秩序亦違背法律上強制規定。別居之訴與離婚之訴性質相同，均是形成之訴，必須有法律依據始得提起，惟查家事事件法中所列舉婚姻事件中，並無別居之訴，從而本件乙不得訴請別居，亦不得為訴訟上別居之和解。

2. 夫妻同居義務雖為人倫秩序上之本質義務，惟親屬篇施行前大理院與最高法院業已根據條理承認別居契約有效，且民法第1001條但書復有「有不能同居之正當理由者，不在此限」關於暫時免除同居義務的規定，況現代社會生活越趨複雜，夫妻日常家庭生活上的感情，亦可能越趨微妙，因此若有正當理由，在不違背婚姻共同生活上之本質下允許短暫別居，並不能謂其有違善良風俗，別居之訴與離婚之訴雖均係形成之訴，而民事訴訟法所列舉之婚姻之事件，並無別居之訴，然既允許提起同具形成之離婚訴訟，依法理豈有不得提起別居之訴之理，且實務上既認法院得為離婚之和解，同理亦得為一定期間內別居之和解。（參照司法行政部廿九年八月十七日訓字二七三一號訓令）

(四) 依臺灣高等法院（70）廳民一字第0649號結論如下，管見從之：

1. 依司法院大法官會議釋字第147號解釋，乙女不得請求別居之訴。
2. 甲乙夫妻在訴訟上雙方同意為一定期間內分別居住之和解，如其內容不違反強制或禁止之規定，又不背於公序良俗者，法院亦得為別居之和解。

112年 高考三級（地政）

一、A因年老失智，被法院監護宣告，並以B為監護人。在一次健康檢查時，A被發現初期癌症，有必要進行光子刀治療。但光子刀治療費用甚高，因此監護人B有意出售A的土地，以籌措醫療費用。但該土地位於山區，尋找買主不易。正巧監護人B有意退休後，隱居山間，就想自己購買該筆土地。B有無可能由A處取得該筆土地的所有權？

答 B欲代A出售系爭不動產並取得該不動產之所有權，應依第1101條第2項規定，聲請法院許可，否則不得為之。說明如下：

(一) 民法（下同）第14條第1項規定：「對於因精神障礙或其他心智缺陷，致不能為意思表示或受意思表示，或不能辨識其意思表示之效果者，法院得因本人、配偶、四親等內之親屬、最近一年有同居事實之其他親屬、檢察官、主管機關、社會福利機構、輔助人、意定監護受任人或其他利害關係人之聲請，為監護之宣告。」

第15條規定：「受監護宣告之人，無行為能力。」

第1098條第1項規定：「監護人於監護權限內，為受監護人之法定代理人。」

第106條規定：「代理人非經本人之許諾，不得為本人與自己之法律行為，亦不得既為第三人之代理人，而為本人與第三人之法律行為。但其法律行為，係專履行債務者，不在此限。」

(二) 本題中，B為A之監護人，依上開規定，則B為A之代理人，其有意出售A之土地籌措醫療費用，並有意自己購買該筆土地，則涉及自己代理之問題。

(三) 第1101條第2項規定：「監護人為下列行為，非經法院許可，不生效力：

一、代理受監護人購置或處分不動產。

二、代理受監護人，就供其居住之建築物或其基地出租、供他人使用或終止租賃。」

其於97年5月2日之修正理由說明二謂：「二、本次修正以法院取代親屬會議，將監護改由法院監督，其修正理由已見修正條文第1099條說明一（即認現代社會親屬會議已漸式微），爰將原條文『監護人應將受監護人之財產狀況，向親屬會議每年至少詳細報告一次。』之規定，予以刪除。」

(四) 因此本題中，B欲處分並由A處取得系爭土地之所有權，應依上開規定聲請法院許可，否則不生效力。

二、A夫B妻兩人結婚多年，因感情生變，雖然B妻懷孕中，但B仍向法院提起離婚訴訟。在法院的嘗試和解下，A、B兩人同意離婚，並在和解筆錄上完成簽名。法院隔天行文戶政機關，通知做離婚登記，就在公文尚未送達戶政機關前，A夫因車禍意外死亡。A留有一筆土地。試問誰是土地繼承人？

答 (一) A、B和解離婚是否已生效力，說明如下：

1. 民法（下同）第1052-1條規定：「離婚經法院調解或法院和解成立者，婚姻關係消滅。法院應依職權通知該管戶政機關。」

2. 又離婚事件經調解（或和解）成立者，是否仍應應履行戶政機關辦理離婚登記，始生效力？臺灣臺中地方法院76年4月10日（76）廳民一字第2023號民事座談會中提出二說：

(1) 甲說：調解（或和解）成立時，其婚姻關係即消滅，非必定向戶政機關為登記，始生效力。因依前述說明，調解離婚成立，與確定判決有同一效力，至有否為登記，與離婚之效力不生影響。否則，法院之調解（或和解）成立，將成效力未定，顯欠公信力，而不合理。

(2) 乙說：調解（或和解）成立後，仍須履行登記，於離婚登記時，始生離婚之效力。因前引兩願離婚法條明文須履行登記始生效力，如未登記，仍不生效力。

(3) 該座談會會中採乙說，即縱離婚調解或和解成立，然未經登記仍不生效力。

3. 然家事事件法第45條第1項、第2項規定：「當事人就離婚、終止收養關係、分割遺產或其他得處分之事項得為訴訟上和解。但離婚或終止收養關係之和解，須經當事人本人表明合意，始得成立。

前項和解成立者，於作成和解筆錄時，發生與確定判決同一之效力。」

4. 從上開家事事件條文觀之，即然離婚和解成立，於作成和解筆錄時發生與確定判決同一之效力，則應毋庸待戶政事務所登記，即生離婚之效力。故本題中，A、B既於法院成立離婚和解，則兩人之婚姻關係已消滅。

(二) B懷孕中之胎兒為A之唯一繼承人，說明如下：

1. 第7條規定：「胎兒以將來非死產者為限，關於其個人利益之保護，視為既已出生。」

   第1063條第1項規定：「妻之受胎，係在婚姻關係存續中者，推定其所生子女為婚生子女。」

   第1138條第1款規定：「遺產繼承人，除配偶外，依左列順序定之：一、直系血親卑親屬。」

   第1166條規定：「胎兒為繼承人時，非保留其應繼分，他繼承人不得分割遺產。

   胎兒關於遺產之分割，以其母為代理人。」

2. 本題中，B妻懷孕係在A、B婚姻關係存續中，依第1063條第1項規定，推定B腹中胎身為A、B之婚生子女。又既然A、B婚姻關係已消滅，如前所述，則依第7條、第1138條第1款及第1166條之規定，該腹中胎兒為A之唯一繼承人，以其母為代理人繼承A之遺產。

112年 普考（戶政）

一、試申論民法不當得利規定，附加利息之時效期間，解釋上為五年或十五年？

答 其應適用15年之時效，理由如下：

(一) 民法（下同）第182條規定：「不當得利之受領人，不知無法律上之原因，而其所受之利益已不存在者，免負返還或償還價額之責任。
受領人於受領時，知無法律上之原因或其後知之者，應將受領時所得之利益，或知無法律上之原因時所現存之利益，附加利息，一併償還；如有損害，並應賠償。」
因此，所謂民法上不當得利規定之附加利息，即指第182條第2項所謂之附加利息。

(二) 又第125條規定：「請求權，因十五年間不行使而消滅。但法律所定期間較短者，依其規定。」
第126條規定：「利息、紅利、租金、贍養費、退職金及其他一年或不及一年之定期給付債權，其各期給付請求權，因五年間不行使而消滅。」

(三) 就返還不當得利之請求時效，通說認為適用第125條，然第182條第2項規定之「附加利息」，名為「利息」，則其請求權時效應適用第125條之15年時效、或第126條之5年時效，則有疑義。

(四) 最高法院106年度台上字第1438號民事判決要旨謂：「按不當得利之受領人，依照民法第182條第2項規定，受領時不知無法律上之原因，其後知之者，受領人應將知悉時所現存之利益，與返還利益前之附加利息，一併償還。又前開規定係就不當得利受領人返還不當得利範圍為規定，該附加利息與現存利益同為不當得利性質，並非法定遲延利息，在受領人返還其所受之利益前，仍應附加利息，此與債務人享有同時履行抗辯權者，在行使抗辯權以後，因不發生遲延責任，而不生遲延利息之情形，尚屬有間。」
又最高法院93年度台上字第1853號民事判決要旨亦謂：「利息、紅利、租金、贍養費、退職金及其他一年或不及一年之定期給付債權，其各期給付之請求權，因五年間不行使而消滅，固為民法第一百二十六條所明定，惟查民法第一百八十二條所定之附加利息，係受領人受領利益時，就該利益使用所產生之利益，該附加利息性質上仍屬不當得利，僅其數額可以利息之計算方式來確定，是該附加利息如得以非利息計算之方式上確定其金額，亦無不可計為返還之範圍。準此，該附加利息之請求權消滅時效，仍應適用民法第一百二十五條所定十五年之時效。上訴人辯稱上開附加利息應適用民法第一百二十六條所定五年短期消滅時效云云，並不可採。」

(五) 由上開民事判決要旨觀之，在實務上認為，第182條第2項所謂「附加利息」，其性質非屬遲延利息，而仍屬為不當得利，故其請求權時效應依不當得利，適用第125條之15年時效。管見從之。

二、買受人甲向出賣人乙買受土地一筆新臺幣（以下同）5千萬元，但乙收受5千萬元後，在尚未將該土地所有權移轉登記於甲時，乙旋即死亡，乙有丙、丁二子。試申論甲如何向繼承人丙、丁主張行使權利，以取得該土地所有權？

答 甲得向丙、丁二人請求移轉該筆土地之所有權登記，說明如下：

(一) 民法（下同）第345條規定：「稱買賣者，謂當事人約定一方移轉財產權於他方，他方支付價金之契約。」

第348條第1項規定：「物之出賣人，負交付其物於買受人，並使其取得該物所有權之義務。」

本題甲向乙買受土地一筆，則乙對甲有交付該筆土地並使其取得該筆土地所有權之義務，合先敘明。

(二) 第1138條第1款規定：「遺產繼承人，除配偶外，依左列順序定之：一、直系血親卑親屬。」

第1148條第1項規定：「繼承人自繼承開始時，除本法另有規定外，承受被繼承人財產上之一切權利、義務。但權利、義務專屬於被繼承人本身者，不在此限。」

第1153條第1項規定：「繼承人對於被繼承人之債務，以因繼承所得遺產為限，負連帶責任。」

第273條第1項規定：「連帶債務之債權人，得對於債務人中之一人或數人或其全體，同時或先後請求全部或一部之給付。」

(三) 本題中，乙之繼承人依第1138條第1款規定，為其二子丙、丁，則依第1148條第1項規定，丙、丁自繼承開始時，承受乙財產上之一切權利、義務，且就乙之債務部分，負連帶責任。因此乙既然生前尚未將土地所有權移轉登記予甲，依第348條第1項規定，對甲自負有交付該筆土地並使其取得該筆土地所有權之義務。綜上，丙、丁自應繼承該義務，並對該義務負連帶清償責任。故甲得向丙、丁二人任一人請求移轉該筆土地之所有權。

三、甲男與乙女妻膝下無子女，甲男任公務員25年退休後領得退休金新臺幣（以下同）6百萬元，乙一時財迷心竅，誤信投資股市，因而將甲男退休金6百萬元全部賠光，經甲得知後，憤而持掃把毆擊乙頭部等處致死，經法院以刑法第277條傷害致死罪判處有期徒刑8年確定在案，試申論甲男是否喪失對乙女遺產之繼承權？

答 甲並未喪失繼承權，說明如下：

(一) 民法（下同）第1138條規定：「遺產繼承人，除配偶外，依左列順序定之：一、直系血親卑親屬。二、父母。三、兄弟姊妹。四、祖父母。」第1145條第1項第1款規定：「有左列各款情事之一者，喪失其繼承權：一、故意致被繼承人或應繼承人於死或雖未致死因而受刑之宣告者。」

(二) 本題中，法院係以刑法第277條傷害致死罪判處甲有期徒刑8年在案，則甲是否該當民法第1145條第1項第1款之當然喪失繼承權之事由，有下列二說見解：

1. 第一說認為按民法第1145條第1項第1款「故意致被繼承人或應繼承人於死或雖未致死因而受刑之宣告者，喪失其繼承權」，係指故意之殺害行為而言，不包括過失殺害或傷害致死，若僅有傷害行為，而無致人於死之殺人犯意者，縱因傷害而致死，或誤殺，並不當然喪失繼承權。

2. 第二說認為刑法傷害致人於死之罪，乃指傷害行為與死亡之發生有因果關係之聯絡者而言，以其因犯罪致發生一定結果而為加重其刑之規定，即以不法侵害人身體之故意，行為人所施之傷害行為致生被害人死亡之結果，使其就死亡結果負其刑責，與因過失致人於死罪，其死亡結果係出於行為人之過失者迥異。甲既因傷害致同為應繼承人乙於死而受刑之宣告，自與民法第1145條第1項第1款之規定相當，應喪失其繼承權。

台灣高等法院暨所屬法院83年12月14日（83）廳民一字第22562號研討會結論採第二說，認為甲應喪失繼承權。

(三) 然司法院民事廳研究意見則認為：按民法第1145條第1項第1款所定繼承權絕對喪失之事由，以繼承人有致被繼承人或應繼承人於死之故意始足當之，此觀該款規定甚明。題示事例，甲持棍擊傷乙頭部出血死亡，係刑法上之一種加重結果犯，亦即甲之行為僅在主觀上有「傷害」之故意，並對可能致乙於死之加重結果有客觀之預見而已（刑法第17條及最高法院47年台上字第920號判例參照），尚無致乙於死之故意，故甲對乙傷害致死之犯行，與首揭喪失繼承權之事由即有未合，研討結論改採乙說，尚非妥適。

(四) 綜上所述，依司法院見解，甲並未因此當然喪失繼承權。

113年 高考三級(戶政)

一、A夫、B妻兩人結婚多年。A因公務到美國出差，不久音訊全無。七年後，B向法院聲請死亡宣告獲准。B持法院死亡宣告裁定，向戶政機關完成死亡登記。A留有一筆土地，B也在地政機關完成繼承登記。又一年後，B女結識C男，兩人正在戶政機關辦理結婚登記時，此時A卻出現，並欲阻止B、C結婚。B、C則質疑死亡宣告尚未被撤銷。問：戶政機關應否接受B、C兩人的結婚登記申請？A當初所遺留的土地，在尚未塗銷繼承登記前，現在所有權屬誰？

答 (一) 戶政機關宜先確認A是否已受有撤銷死亡宣告之裁定，再行受理B、C之結婚登記；若無法確認A是否受有撤銷宣告死亡之裁定，宜否准B、C結婚登記申請：

1. 按民法第9條死亡宣告係為解消自然人失蹤後其住所地之法律關係所設之擬制死亡，其效果係採推定主義，若有證據證明失蹤人仍生存，雖尚未向法院撤銷死亡宣告裁定，失蹤人之權利能力、行為能力等地位，不受死亡宣告裁定影響。
2. 次按家事事件法第163條第1項但書規定，撤銷或變更宣告死亡裁定之裁定，不問對於何人均有效力。但裁定確定前之善意行為，不受影響。
3. 綜上，B、C正在辦理結婚登記時，A出現並阻止B、C結婚，戶政機關宜先確認A是否已受有撤銷死亡宣告之裁定，再行受理B、C之結婚登記；再者，若戶政機關無法確認A是否已受有撤銷死亡宣告之裁定，於B、C明知A並未死亡仍執意辦理結婚登記之行為，已非屬善意之再婚行為情況下，戶政機關宜否准其申請結婚登記。

(二) A遺留之土地所有權仍歸屬A：

1. B因A受死亡宣告而依法繼承該土地，惟因撤銷死亡宣告之裁定有絕對溯及效力，A受有撤銷死亡宣告之裁定時，即恢復未曾受死亡宣告之效力，土地所有權歸屬於A所有。
2. 故A可依民法第179條後段或家事事件法第163條第2項規定，向B請求返還該土地，B應就現受利益之限度內，負歸還財產之責。

二、A夫、B妻兩人結婚多年，喜獲一女C。就C的從姓，民法如何規定？在兩人取得女兒從姓的共識後，因為B必須上班，所以委由A到戶政機關為出生登記。隔日A開車到市府所設的停車場，辦完出生登記後，卻忘記繳交停車費，隨即開車回家。三日後，市府向家中主要經濟來源的B，催繳停車費用，有無理由？

答 (一) 關於C的從姓：

1. 依民法第1059條規定：「父母於子女出生登記前，應以書面約定子女從父姓或母姓。未約定或約定不成者，於戶政事務所抽籤決定之。

   子女經出生登記後，於未成年前，得由父母以書面約定變更為父姓或母姓。

   子女已成年者，得變更為父姓或母姓。

   前二項之變更，各以一次為限。

   有下列各款情形之一，法院得依父母之一方或子女之請求，為子女之利益，宣告變更子女之姓氏為父姓或母姓：一、父母離婚者。二、父母之一方或雙方死亡者。三、父母之一方或雙方生死不明滿三年者。四、父母之一方顯有未盡保護或教養義務之情事者。」

2. 故本案A、B對於其女C的從姓，於出生登記前應以書面約定，未約定或約定不成者，於戶政事務所抽籤決定。

(二) 市府向家中主要經濟來源B催繳A所積欠停車費用應有理由：

1. 依民法第1003-1條規定，家庭生活費用，除法律或契約另有約定外，由夫妻各依其經濟能力、家事勞動或其他情事分擔之。因前項費用所生之債務，由夫妻負連帶責任。

2. 次依民法第273條規定，連帶債務之債權人，得對於債務人中之一人或數人或其全體，同時或先後請求全部或一部之給付。連帶債務未全部履行前，全體債務人仍負連帶責任。

3. 綜上，A辦理其女C出生登記所積欠停車費用，屬家庭生活費用，由A、B對外負連帶責任，市府依規定向連帶債務人中之B請求催繳A所積欠停車費用應有理由。

三、A夫、B妻兩人結婚多年，因感情不睦而離婚。一個月後，B和C男結婚，八個月後生下一女D。B到戶政機關為出生登記，在生父部分，應如何填具？又C此時發生車禍，經法院為輔助宣告，而以律師E為輔助人。C始終認為，自己和D無血緣關係，欲提起親子關係相關訴訟。輔助人E為避免C思慮不周，E因此向法院聲請裁定：「被輔助人提起相關親子訴訟，都須得到輔助人同意」，有無理由？

答 (一) 戶政機關為免爭議，宜待C之生父之訴確認後再就生父部分辦理登記：

1. 依民法第1061條規定，稱婚生子女者，謂由婚姻關係受胎而生之子女，另依同法第1062條規定，從子女出生日回溯第一百八十一日起至第三百零二日止，為受胎期間。能證明受胎回溯在前項第一百八十一日以內或第三百零二日以前者，以其期間為受胎期間。
2. 本案由D出生日回溯第181日起至302日止之受胎期間內，B與A、C皆有部分時間婚姻關係存續，故D將受重複之婚生推定，有同時成為A、C婚生子女之可能。
3. 重複婚生推定於民法無特別規定，本案B妻可於生父欄位填具A或C，但如有爭議，得依家事事件法第65條第1項規定，提起確定母再婚後所生子女生父之訴。故戶政機關為免爭議，宜於C之生父之訴確認後再就生父部分辦理登記。

(二) E向法院聲請裁定C提起相關親子訴訟都須得到輔助人同意，應無理由：

1. 按民法第15-2條第1項列舉第1至6款之行為，應經輔助人同意，此外，第7款規定法院依前條聲請權人或輔助人之聲請，所指定之其他行為，亦須經輔助人同意，以保護受輔助宣告人之權益。
2. 次按家事事件法第14條規定，能獨立以法律行為負義務者，有程序能力。滿七歲以上之未成年人，除法律別有規定外，就有關其身分及人身自由之事件，有程序能力。不能獨立以法律行為負義務，而能證明其有意思能力者，除法律別有規定外，就有關其身分及人身自由之事件，亦有程序能力。故受監護宣告之人或能證明有意思能力，就身分事件亦得有效自為或自受訴訟或非訟程序行為。

3. 本案C受輔助宣告，欲提起親子關係相關訴訟，屬民法第15-2條第1項第3款訴訟行為，本應經輔助人E之同意；另親子關係相關訴訟亦屬家事事件法之身分事件，若C具有意思能力，依家事事件法第14條規定有程序能力，並無須經輔助人E同意。故E聲請法院裁定C提起相關親子訴訟都須得到輔助人同意，應無理由。

113年 普考（戶政）

一、A、B兩人結婚多年。A疏於照顧家務，沉迷逛街購物。B則因長期和同事相處，發生外遇。B請求離婚，但因B是家中主要經濟來源，因此A並不願意，B只得向法院聲請裁判離婚。法院認為，雖然A、B兩人婚姻關係破裂，而再無復合可能性，但外遇才是根本重要的原因。問：B聲請裁判離婚，有無可能？

答 B聲請裁判離婚應有可能：

(一) 依民法第1052條第1項第2款規定，夫妻之一方，有下列情形之一者，他方得向法院請求離婚：二、與配偶以外之人合意性交；同條第2項規定，有前項以外之重大事由，難以維持婚姻者，夫妻之一方得請求離婚。但其事由應由夫妻之一方負責者，僅他方得請求離婚。

(二) 另依最高法院112年度台上字第1612號民事判決，對於「夫妻就難以維持婚姻之重大事由皆須負責時」之解消婚姻，未有法律規定限制有責程度較重者之婚姻自由，雙方自均得依民法第1052條第2項本文規定請求離婚，而毋須比較衡量雙方之有責程度。

(三) 本案A疏於照顧家務，沉迷逛街購物，B發生外遇，均屬有責情形，依上開實務見解，任一方得請求裁判離婚，故法院應審酌A與B婚姻關係是否構成重大婚姻破綻情形，予以准否裁判離婚之判決，故B聲請裁判離婚應有可能。

二、A夫、B妻兩人結婚多年，育有一女C。之後，B因外遇D男，故聲請裁判離婚獲准，法院並判決C的親權（監護權）歸B一人行使。後B與D結婚，D欲單獨收養C，卻為A所反對。試問：D和A的主張，誰為有理由？

答 A之主張有理由：

(一) 依民法第1076-1條第1項規定，子女被收養時，應得其父母之同意。但有下列各款情形之一者，不在此限：一、父母之一方或雙方對子女未盡保護教養義務或有其他顯然不利子女之情事而拒絕同意。二、父母之一方或雙方事實上不能為意思表示。

(二) 另依最高法院102年度台上字第1972號民事判決，未成年子女之父母離婚，關於子女之監護約定由一方任之，不過使他方之監護權一時停止而已，父母任何一方對於未成年子女保護及教養之權利義務，並不因離婚而喪失或免除。未成年子女之出養，既在斷絕其與本生父母間之權利義務，任監護之父或母，除有特別情事外，並無單獨代理或同意之權限。

(三) 綜上，本案C雖由B單獨行使監護權，但A之監護權僅只一時停止，故D欲收養C，仍應依民法第1076-1條規定得其父母A、B之同意，除有特別情事外，B無單獨代理或同意之權限，故A之主張應有理由。

三、A男早年喪偶，和B女再婚，採分別財產制。A因車禍意外死亡，留有前婚姻所生的一子C及一女D。此時A的遺產如何繼承？C有二子E及F，D則有二女G、H。如果C及D兩人拋棄繼承，則A的遺產又如何繼承？

答 (一) A之遺產應由配偶B及子女C、D共同繼承，每人應繼分各為1/3：

1. 依民法第1147條規定，繼承，因被繼承人死亡而開始，依同法第1138條規定，遺產繼承人，除配偶外，依左列順序定之：一、直系血親卑親屬。二、父母。三、兄弟姊妹。四、祖父母。
2. 次依民法第1144條第1款規定，配偶有相互繼承遺產之權，其應繼分，依左列各款定之：一、與第1138條所定第一順序之繼承人同為繼承時，其應繼分與他繼承人平均。
3. 綜上，本案A之法定繼承人依民法第1138條規定，應為配偶B及子女C、D三人共同繼承；其應繼分依同法第1144條第1款規定，B與子女C、D平均，故每人應繼分各為1/3。

(二) 若C、D拋棄繼承，則A之財產應由配偶B及次親等直系血親卑親屬E、F、G、H共同繼承：

1. 依民法第1174條第1項規定，繼承人得拋棄其繼承權；同法第1176條第1項規定，第1138條所定第一順序之繼承人中有拋棄繼承權者，其應繼分歸屬於其他同為繼承之人，及同條第5項規定，第一順序之繼承人，其親等近者均拋棄繼承權時，由次親等之直系血親卑親屬繼承。

2. 本案C、D具法定繼承人資格，且因拋棄繼承，而非於繼承開始前死亡或喪失繼承權，故其子女E、F、G、H非代位繼承，應依民法第1176條第1、5項規定，於C、D拋棄繼承時，A之財產應由配偶B及次親等直系血親卑親屬E、F、G、H共同繼承。

高普｜地方｜各類特考

名師精編課本・題題精采・上榜高分必備寶典

法律・財經政風

書號	書名	作者	定價
1F181141	尹析老師的行政法觀念課----圖解、時事、思惟導引 榮登金石堂暢銷榜	尹析	690元
1F141141	國考大師教你看圖學會行政學 榮登金石堂暢銷榜	楊銘	690元
1N021121	心理學概要(包括諮商與輔導)嚴選題庫	李振濤、陳培林	550元
1N251101	社會學	陳月娥	600元
1F381131	刑事訴訟法焦點速成+近年試題解析 榮登金石堂暢銷榜	溫陽、智摩	590元

勞工行政

書號	書名	作者	定價
1E251101	行政法(含概要)獨家高分秘方版 榮登金石堂暢銷榜	林志忠	590元
2B031131	經濟學	王志成	620元
1F091141	勞工行政與勞工立法(含概要)	陳月娥	790元
1F101141	勞資關係(含概要)	陳月娥	700元

書號	書名	作者	定價
1F111141	就業安全制度(含概要) 榮登博客來、金石堂暢銷榜	陳月娥	750元
1N251101	社會學	陳月娥	600元

戶政

書號	書名	作者	定價
1F651141	民法親屬與繼承編(含概要)	成宜霖等	630元
1F341141	統整式國籍與戶政法規	紀相	750元
1E251101	行政法(含概要)獨家高分秘方版 榮登金石堂暢銷榜	林志忠	590元
1F281141	國考大師教您輕鬆讀懂民法總則 榮登金石堂暢銷榜	任穎	520元
1N441092	人口政策與人口統計	陳月娥	610元

以上定價，以正式出版書籍封底之標價為準